Jan Kwaśniewski
Marek Chyliński

DIETA OPTYMALNA

Projekt okładki, skład i łamanie:
Studio Poligraficzne, tel./fax 862 71 88

Zdjęcie na okładce:
Michał Mizera

Druk i oprawa:
Energopol-Trade-Poligrafia Sp. z o.o.
10-406 Olsztyn, ul. Lubelska 46

Wydawnictwo „WGP"
01-934 Warszawa, ul. Księżycowa 3
tel./fax (+48 22) 864 52 37 (8)
e-mail: gp@wgp.com.pl http://www.wgp.com.pl

ISBN 83-87534-15-3

PRZEDMOWY AUTORÓW

Doktora Kwaśniewskiego poznałem pod koniec lat osiemdziesiątych w Cedzynie pod Kielcami. W jednej z reporterskich wędrówek trafiłem do ukrytego w sosnowym lesie motelu, gdzie lekarz z Ciechocinka chciał stworzyć ludziom drugi raj, czyli Arkadię. Kierując się pewną nieufnością przepytywałem pacjentów, czasem beznadziejnie chorych ludzi, czy nie obawiają się powierzyć swojego zdrowia, czasem życia w ręce człowieka, który chce ich leczyć jajkami i golonką. W Polsce szalał kryzys, cudotwórców, uzdrowicieli, bioenergoterapeutów nie brakowało, więc początkowo w tych kategoriach rozmyślałem o autorze „Tłustego życia". Po powrocie napisałem pierwszy reportaż o Kwaśniewskim, który wywołał duże zainteresowanie czytelników. Spotykaliśmy się co kilka lat. Zastanawiała mnie ogromna chęć działania i przekonanie autora diety optymalnej, że ludzie w końcu muszą zrozumieć, że jego propozycje są rozsądną alternatywą dla chorób i cierpienia.

W pewnym momencie pojawił się pomysł napisania tej książki. Pojechałem do Ciechocinka. Długie rozmowy prowadziliśmy jednak gdzie indziej. W zabitej deskami wiosce, gdzie doktor Kwaśniewski ma swoją letnią „rezydencję", glinianą chałupę o niesamowitym, sprzyjającym refleksji klimacie. Ogromna, logiczna, konsekwentna wiedza tego człowieka nigdy nie mogłaby zostać przelana na papier, gdyby nie zbieg pewnych szczęśliwych okoliczności – zrozumiałem, że doktorowi po prostu należy się ta książka. Jemu należy się zrozumienie i chociażby próba objęcia dzieła Jego życia, czyli zasad diety optymalnej. I taką próbę podjęliśmy.

Dzieje ludzkiej myśli i wszelkiego postępu pełne są przykładów bezduszności, szyderstw, złej woli, zawiści, przykładów podłości wobec „niepokornych", przeciwstawiających się utartym prawdom. W tej książce niestety natraficie na takie przykłady.

Wielkie odkrycia naukowe zwykle musiały czekać na powszechne przyjęcie i zrozumienie 50 lat. Czy na potwierdzenie faktu, że dieta Kwaśniewskiego nie szkodzi, wręcz przeciwnie, może pomóc, odmienić życie, też przyjdzie nam czekać tak długo?

MAREK CHYLIŃSKI

Moje artykuły i odpowiedzi na pytania chorych i „zdrowych" drukowane przez szereg lat w „Dzienniku Zachodnim" wywołały ogromne zainteresowanie. Otrzymywałem i otrzymuję tysiące listów i telefonów z prośbami o pomoc w odzyskaniu zdrowia, o podanie sposobu na długie, zdrowe, szczęśliwe życie bez miażdżycy, raka, innych chorób, bez niedołężnej starości. Czytelnicy, nieprzypadkowo właśnie na Śląsku, potrafili zrozumieć dużo. Chcą wiedzieć więcej. Dlatego z red. Markiem Chylińskim w bardzo krótkim czasie przygotowaliśmy tę książkę do druku. Znajduje się w niej sporo wiedzy, którą udało mi się zgromadzić.

Z pomocą wielu wybitnych ludzi udało mi się udowodnić, że żywienie optymalne nikomu nie szkodzi, a pomaga prawie każdemu. Jest ono leczeniem przyczynowym w „chorobach ludzkich". W jednym z dialogów Platona znalazłem następujące zdanie: „Chorzy powiadają, że nie ma nic przyjemniejszego nad zdrowie, ale oni o tym nie wiedzieli przed chorobą, że zdrowie to rzecz najprzyjemniejsza". Bardzo wielu obecnie chorych może odzyskać zdrowie, poprawy mogą spodziewać się prawie wszyscy. Dla tych, którzy pozbędą się chorób, życie stanie się najprzyjemniejsze, dla pozostałych dużo przyjemniejsze. Ale to nie wszystko. Równie ważne, a może nawet ważniejsze są korzystne zmiany, które występują w czynności mózgu. Wiedzący Staszic napisał: „Natura jest pełna radości, szczęścia i wesela dla ludzi dzikich, dla dzieci jeszcze nie myślących i dla człowieka, którego już rozum oświeca". Żywienie optymalne nie zamienia współczesnego człowieka w dzikiego, nie powoduje jego zdziecinnienia. Zamienia go w takiego, którego już rozum oświeca. Nie o wszystkim co wiem, piszę w tej książce. Ludzie na razie nie nadają się do zrozumienia i przyjęcia prawd, o których nawet nie wiedzą, że one istnieją. Na to jest jeszcze za wcześnie. Po dłuższym okresie stosowania żywienia optymalnego sami zrozumieją, że było za wcześnie o tych sprawach pisać. Żywienie optymalne nie jest dla wybranych czy bogatych, nie musi być drogie. Przy rozumnym kupowaniu żywności może być tańsze niż przeciętnie.

Proponuję Państwu książkę, dzięki której najczęściej wypowiadane życzenia: zdrowia, szczęścia, pomyślności, długiego życia, pogodnej starości, a nawet pieniędzy – staną się realne. Bowiem książka ta oparta jest na wiedzy.

JAN KWAŚNIEWSKI

OD WYDAWCY

Drogi Czytelniku

Oddajemy do Twoich rąk nowe, uzupełnione, zaktualizowane i poszerzone wydanie książki, która stała się niekwestionowanym przebojem polskiego rynku księgarskiego ostatnich lat, zajmując pierwsze miejsce we wszystkich niemal rankingach wydawniczych. „Dieta optymalna" nie jest jednak jeszcze jednym bestsellerem, książką jednego sezonu, książką, która bryluje tak długo, dopóki nie zastąpi jej jakaś kolejna. „Dieta" w zamyśle autorów miała być książką wyjątkową, książką, która w zalewie pustosłowia i tanich rewelacji przekazuje prawdziwą wiedzę, rezultat 30-letniej pracy badawczej, naukowej i praktyki lekarza medycyny Jana Kwaśniewskiego.

Porady i wskazówki tu zawarte nie są zatem jakimś cudownym, magicznym sposobem na piękną sylwetkę, długie życie, zdrowie i urodę, nie są również jeszcze jedną dietą, jakich setki pojawia się co roku na całym świecie. Treścią tej pracy jest raczej zbiór prostych i starych jak świat praw i prawd z dziedziny biologii, fizyki, chemii, a więc nauk, bez rozwoju których współczesna medycyna tkwiłaby po dziś dzień w mrokach średniowiecza.

Autorzy starali się więc postawić kilka zaskakujących pytań i znaleźć na nie odpowiedzi, starali się też o logiczny, zwięzły, napisany przystępnym językiem wykład na temat dla wszyst-

kich zasadniczy: „jak żyć?". Bo „dieta optymalna" to jest sposób na życie właśnie, sposób pokazujący nam, jak mamy się odżywiać, żeby zdrowo i długo żyć.

CZĘŚĆ 1

Wywiad-rzeka z dr. Janem Kwaśniewskim

MARSZ NA AZYMUT

- Twierdzi pan, że wiedza jest źródłem życia doskonałego, jednak staje się ona udziałem tylko tych, którzy mają zdrową czynność mózgu. Nikt, kto nie żywi się w sposób optymalny, nie posiądzie wiedzy, zatem jego życie jest chaotyczne, przypadkowe i bezsensowne. Nikt nie potrafi zatrzymać błędnego koła, które toczy się od paru tysięcy lat?

- Rodzajowi ludzkiemu potrzebna jest wiedza, prawda i mądrość. Większość ludzi, nawet tych najbardziej światłych, nie domyśla się, iż istnieje wzorzec żywienia, przy którym czynność mózgu jest prawidłowa, to znaczy człowiek przestaje mieć wiarę i poglądy, tylko kieruje się wiedzą. Nie używa słów „myślę", „sądzę", „uważam", „wydaje mi się", tylko mówi po prostu: „wiem". Tak zwany grzech pierworodny zabrał rozum wszystkim ludziom, wyjątków prawie nie było. Ludzkie życie uległo skróceniu, nastąpiły patologiczne zmiany w budowie ciała, pojawiły się zaburzenia czynności mózgu, a ludzie nie potrafią odróżniać dobra od zła. Żeby to odróżnić trzeba wiedzieć, że istnieje wzorzec żywienia, który daje zdrową czynność mózgu i trzeba ten wzorzec zastosować.

- Zatem patologiczne zmiany, o których pan mówi są odwracalne, ludzi można jeszcze zamienić w gatunek rozumny?

- Tak, ponieważ grzech pierworodny nie spowodował zbyt dużych zmian w ludzkich genach. Nadal plany budowy człowieka zakodowane w genach niewiele się różnią od planów genetycznych naszych pierwszych rodziców. Grzech pierworodny polegał na zaprzestaniu przestrzegania zasad odżywiania (podanych człowiekowi przez bogów), na czele z tym nieszczęsnym jabłkiem - symbolem najbardziej szkodliwej dla człowieka żywności, dobranym precyzyjnie, na podstawie wiedzy ścisłej, dla ludzi współczesnych niedostępnej. A przecież odżywianie możemy zmienić w ciągu jednego dnia. Rozwój nauk podstawowych obecnie umożliwia odtworzenie modelu żywienia ustalonego przez bogów dla ludzi, umożliwia natychmiastowe wyłączenie ze spożycia produktów zabronionych przez bogów.

Opracowane przeze mnie żywienie optymalne jest sposobem odżywiania przeznaczonym przez bogów dla ludzi. Wyklucza ze spożycia produkty powodujące niekorzystne zmiany w biologii organizmu. Tymczasem, gdyby spytać tysiąc osób czego im brakuje, żadna nie odpowie, że brakuje jej rozumu. Nie może tak odpowiedzieć, bo nie zdaje sobie sprawy z tego, że ból, choroby, strach, agresja mają swoją przyczynę w wadliwej czynności mózgu, którą zmienić może tylko prawidłowe żywienie. Kiedyś, wiele tysięcy lat temu, żyli ludzie o niesłychanie sprawnych umysłach. Na przykład autorzy Biblii.

– Biblii jednak nie da się właściwie zrozumieć, jeśli mózg nie działa jak należy?

– I dlatego właśnie trzeba żywić się tak jak ci, którzy napisali tę najmądrzejszą z ksiąg. Trzeba zastosować dietę kapłanów izraelskich, czyli żywienie optymalne. „Gdy pierwsi ludzie przestali przestrzegać zaleceń bogów utracili doskonałość. W rezultacie ich potomkowie stali się podobni do swych rodziców – byli niedoskonali. W efekcie wszyscy rodzą się niedoskonali, muszą chorować i starzeć się. Nieprzestrzeganie zaleceń bogów otworzyło wrota ludzkiemu szaleństwu. Dlatego dzieje ludzkości są nacechowane cierpieniem, smutkiem, strachem, chorobami i śmiercią" – głosi psalm. Wszystkie „grzechy", jakie ludzkość popełniała w swojej niepisanej i pisanej historii oraz popełnia nadal, są skutkiem zmian w biologii organizmu człowieka, a w szczególności zmian w budowie, zasilaniu w energię i w czynnościach mózgu.

– Znawców Biblii nie brakuje. Miliony ludzi czytało tę księgę i nikt nie wyczytał tego co pan?

– Siedem razy Biblia wspomina i powtarza bez specjalnych szyfrów „przepis na życie": „cały tłuszcz, wątroba, nerki i trochę mięsa z łopatki". Nie z szynki! Dobry rzezak potrafił wypreparować cały układ chłonny, w którym gromadziły się hormony, hormony płciowe, sterydowe. Przecież kapłani nie mogli sobie pozwolić na spożywanie hormonów. Prorok Izajasz podał warunki niezbędne do tego, aby pojawił się człowiek, który rozwiąże wszystkie problemy ludzkości i zmaże skutki grzechu pierworodnego. Izajasz mówi jednak: „pasterską strawę jeść będzie". Pasterska strawa daje prawidłową czynność umysłu, ale to za mało: trzeba się jeszcze uczyć. Czego? Właśnie! Odróżnić dobro od zła, co w języku hebrajskim jest synonimem pojęcia „wiedzieć wszystko". Te dwa warunki zupełnie się wykluczają, bo „syn pasterza", który rozpocznie naukę zawsze zmieni dietę idąc do szkół, co przekreśla znalezienie klucza do wszelkiego poznania.

– Pan, jeżeli nawet nie posiadł jeszcze klucza, to na pewno ma już formę, z której można będzie go odlać. Zbliżył się pan do tajemnicy poznania? Przerwał przeklęty krąg, jaki od wieków gubi ludzkość?

– To był zbieg pewnych szczęśliwych okoliczności w moim życiu, może pewne cechy umysłu, dążenie do syntetyzowania rzeczy, dociekliwość. Jeden z moich pacjentów, wyleczony z choroby dotychczas nieuleczalnej (stwardnienie rozsiane), po 4 latach żywienia optymalnego napisał m.in.: „Wróciła mi wiara w cud. Tak, proszę Pana, bez jakiejkolwiek przesady, samo dojście do tej diety przez Pana jest cudem, a drugim jest to, że o Panu usłyszałem". Rzeczywiście, samo opracowanie diety optymalnej jest cudem, który nie miał prawa się zdarzyć. Bowiem, abym mógł do tej diety dojść, musiałem uprzednio przez odpowiednio długi okres czasu żywić się w sposób optymalny, abym następnie mógł rozwiązać tysiące problemów i uporządkować zgromadzoną wiedzę. Następnie trzeba było tę wiedzę sprawdzić na sobie samym, na swojej rodzinie, sprawdzić na ludziach chorych, znaleźć liczącego się człowieka, który potrafiłby zrozumieć wagę problemu, a z tym było najtrudniej, uzyskać środki na przeprowadzenie badań, wykonać badania na zwierzętach, wykonać badania na ludziach chorych, udowodnić, że żywienie optymalne zaszkodzić nie może, wykazać, że pomaga w każdym przypadku w stopniu o wiele większym niż uzyskuje się przy pomocy dotychczas stosowanych metod, sprawdzić uzyskane wyniki na dużych grupach ludzi chorych, obserwować ich przez lata, określić także wpływ żywienia optymalnego na czynność umysłu ludzkiego. Wszystko to trzeba było zrobić prawie samemu, z niewielką pomocą nielicznych ludzi życzliwych, stale przeznaczać na ten cel znaczną część własnych dochodów, pracować pomimo mnożących się przeszkód, w atmosferze wyzwisk, szkalowania, nienawiści ze strony tych, bardzo licznych, którym powierzono odpowiedzialność za zdrowie narodu i którzy ten naród doprowadzili do katastrofy biologicznej, a dopiero ta powodowała ruinę gospodarczą.

Pamiętam z okresu studiów ćwiczenia z fizyki i chemii. Zawsze wszelkie problemy rozwiązywałem od końca, ale wynik był zwykle prawidłowy! Kiedyś wywieźli nas do lasu, każąc maszerować na azymut. Każda grupa dostała kartę i miała maszerować. Nie podobały mi się łamańce sugerujące kierunek: raz na południowy wschód, raz na południe, to znów na zachód... Po kilku minutach wyrysowałem własny azymut: drogę na skróty! Pozwalała oszczędzić mnóstwo czasu i energii, a co ważniejsze, szybciej trafić do celu. Trzysta kroków w prawo, osiemset w lewo, trzysta w przód, trzysta w tył, kręcenie się w kółko - to nie dla mnie.

– Kiedyś zatelefonował do mnie pański kolega z okresu studiów w Wojskowej Akademii Medycznej. Potwierdził to, o czym pan teraz mówi. Sugerował jednak, że pana dociekliwość, bezkompromisowość poglądów, traktowanie tego, co białe jako białe, a czarne jako czarne, mogły być już wówczas przyczyną pewnego osamotnienia, środowiskowego wyobcowania. Ów lekarz powiedział mi wprost: „doskonale wiem, że to co proponuje Kwaśniewski jest słuszne, ale ja osobiście nie odważyłbym się tego nigdy powiedzieć. Presja środowiska, obawa o narażenie się autorytetom, byłyby dla mnie zbyt silne".

- Tuż po studiach trafiłem do jednostki wojskowej w Braniewie. Zastałem tam dość dziwną sytuację: przepisy, których jako lekarz powinienem się trzymać i tak zwane „układy", którymi powiązana była cała kadra dowódcza. Wkrótce przekonałem się, że niepisane prawa decydują o wszystkim: nawet golono żołnierską głowę na zero w razie jakiegoś przewinienia. To były lata sześćdziesiąte, dziś pewnie do takich sytuacji już nie mogłoby dojść. Zatem powstaje pewien konflikt z szefami. Zdecydowano o moim przeniesieniu do Ciechocinka. Trafiłem do sanatorium wojskowego. Zauważyłem, że niektórzy koledzy traktują leczenie uzdrowiskowe niemal tak samo jak leczenie zamknięte, np. w szpitalu. Neurolog aplikuje pigułki i zastrzyki, internista czy kardiolog wypisują setki recept, apteka pracuje na pełnych obrotach, a stan chorych wcale się nie poprawia. Przeciwnie, przyjeżdżają do Ciechocinka coraz bardziej chorzy. Jak pomóc tym ludziom? Na studiach było wszystko bardzo proste. Jest choroba, jest diagnoza, jest terapia i lekarstwo, no i większość z nas tak właśnie leczyła. Przyjeżdża pacjent z chorobą Buergera. Aplikuję mu okłady, zestaw leków, co jakiś czas sprawdzam siłę mięśni, dystans chromania. Nic się nie poprawia. Robimy dobrą minę do złej gry. Gościec postępujący - to samo. Jakieś próby zaleczenia choroby, a pacjent cierpi i cierpi. Więc się zastanawiam: co jest? Albo zabiegi nie takie jak trzeba, albo leki nie te, zastanawiam się nad różnymi przyczynami chorób i braku postępów w ich leczeniu.

Sporo się uczę. I i II stopień specjalizacji z medycyny fizykalnej i balneoklimatologii, ponieważ chciałem leczyć całego człowieka. Myślałem już wtedy o wykorzystaniu pola elektrycznego w leczeniu niektórych schorzeń, zastanawiałem się nad przydatnością wytworów naturalnych, jak borowiny, solanki, wodolecznictwo. Wiedziałem, że nie można traktować chorego jak samochodu w naprawie: kto inny zajmie się silnikiem, kto inny układem elektrycznym, kto inny karoserią. Organizm jest całością, więc trzeba go również w leczeniu traktować jako całość. A odwaga... Wiedziałem, że nie może mi jej zabraknąć.

– Jak doszło do tego, że poszukując przyczyn chorób, zajrzał pan do... kuchni?

Skoro pracowałem w wojskowym sanatorium, to przecież przebywając cały dzień z pacjentami siłą rzeczy musiałem zaglądać im na talerze. W tym czasie zalecono mi, abym zajął się dietą, a właściwie wieloma jej rodzajami stosowanymi w sanatoriach. W wojsku to jest tak, że mówi się podwładnemu „będziecie dietetykiem" i już. No więc zostałem dietetykiem, nie mając większego pojęcia o tym, bo nigdy mnie kuchnia specjalnie nie interesowała. Ale skoro kazali, to postanowiłem potraktować to poważnie. Długie godziny spędziłem na liczeniu białek, tłuszczów, węglowodanów, kalorii. Początkowo wszystko to mieszało mi się w głowie. W jadłospisie było kilkadziesiąt pozycji każdego dnia. Marchewka, pietruszka, ziemniaczki, mąka, kisiel, ciasteczko - skład każdego produktu musiałem znać na pamięć. Komputerów, nawet kalkulatorów wtedy nie było, więc wszystko to musiałem robić „na piechotę". Mordęga! Żeby ułatwić sobie zadanie, postanowiłem nauczyć się dokładnego składu chemicznego wszystkich produktów. Proszę zapytać nawet dziś dietetyków o precyzyjny skład poszczególnych produktów żywnościowych. Nie wiedzą. Nie traciłem czasu. Teraz najważniejszy był klucz do uporządkowania tych produktów według przydatności dla człowieka. Odrzuciłem ich podział ze względu na wartość kaloryczną, nie odpowiadał mi ich podział ze względu na zawartość trzech głównych składników. Któregoś dnia doszedłem do wniosku, że jedynym racjonalnym rozwiązaniem jest odkrycie proporcji. Wzorowałem się na technice, w której liczy się: energia, dodatki i części zamienne. Udało mi się uporządkować produkty właśnie według tego klucza. Zauważyłem, że są produkty pochodzenia zwierzęcego i bardzo nieliczne roślinnego, które zawierają białko i tłuszcz. Wydzieliłem tę grupę produktów. Zacząłem sporządzać drugą listę - produktów zawierających białko roślinne i węglowodany.

Trzeciej listy nie było, bo w przyrodzie nie występują produkty zawierające jednocześnie białko, tłuszcz i węglowodany. Wniosek nasuwał się sam: gdyby Natura przewidziała, że jakieś zwierzę może żywić się białkiem, tłuszczem i węglowodanami jednocześnie, to stworzyłaby takie produkty! Nie uczyniła tego, zatem wykluczyła możliwość spożywania pokarmów naturalnych zawierających te trzy składniki. Białko i tłuszcz zawierają głównie produkty pochodzenia zwierzęcego: mleko, sery, mięso i bardzo nieliczne pochodzenia roślinnego: migdały, orzechy włoskie, laskowe, wiórki kokosowe, słonecznik. Zacząłem analizować dokładnie skład tych produktów. Okazało się, że niemal nie różni się on od składu produktów zwierzęcych. Obojętnie czy człowiek będzie jadł boczek czy orzechy - efekt jest ten sam - dostarcza organizmowi najwartościowszego paliwa!

- Tymczasem lekarze przestrzegają przed zjadaniem tłustego boczku, a namawiają do jedzenia orzechów!

- Takich sprzeczności jest mnóstwo. Na przykład przestrzeganie przed spożywaniem kurzych jaj. Biochemicznie boczek i orzechy to dokładnie to samo. Chyba, że ktoś chce mówić o smaku, zapachu. Ale tego się nie da zmierzyć ani policzyć.

- Wiem, że swoje obserwacje dotyczące sposobu żywienia wypróbowywał pan najpierw na domownikach. To przypomina szalonych medyków, którzy nie mając do dyspozycji zwierząt doświadczalnych, eksperymentowali na sobie.

- Właściwie nie było żadnego ryzyka. Już wtedy wiedziałem, że nie ma nic gorszego niż dotychczasowy model żywienia, więc musiałem czym prędzej coś zmienić. Zacząłem od najbliższych, wszak niebezpieczeństwo w pierwszej kolejności odsuwa się zawsze od tych, których kocha się najbardziej. A oni rzeczywiście byli bardzo zagrożeni. Żona była ciężko chora. Cierpiała na mnóstwo przypadłości, z gośćcem i migreną włącznie. Była osobą młodą, a mimo to miała zniekształcone stawy palców, odczuwała trudności przy wchodzeniu po schodach. Dzieciak był zupełnie zmarnowany. Mleczne zęby miał zniszczone, zapalenia jamy ustnej były na porządku dziennym. Dziś ma 35 lat i ani jednego zęba z próchnicą. I tak będzie zawsze, do późnej starości. Żona zeszczuplała, wygładziła jej się cera, ustąpiły bóle głowy, zaczęła biegać, zapominając o bólach stawów... Ja przebiegałem wiele kilometrów, grałem w piłkę z chłopcami z podwórka. Zauważyłem u nas zupełnie inne reakcje psychofizyczne.

– Kiedy pan odkrył, że źródłem nieprawidłowej czynności ludzkiego organizmu jest niewłaściwe odżywianie?

– Wszelkie zjawiska w przyrodzie i w życiu człowieka występują zawsze w powiązaniu przyczyny ze skutkiem i nie może być na przykład żadnej choroby „samoistnej", muszą istnieć przyczyny biologiczne, które zmieniają człowieka dobrego w podłego, a złego w nawróconego grzesznika. Na pewno są to czynniki środowiskowe, które możemy zmieniać. Musimy tylko wiedzieć, jak to należy robić. Poznanie tych czynników i skutków ich działania, pozwoliłoby na rozumne, przyczynowe sterowanie tymi zjawiskami, mam nadzieję, że dla dobra rodzaju ludzkiego.

Człowiek został „stworzony" do długiego, zdrowego i mądrego życia, pod warunkiem że będzie przestrzegał „instrukcji obsługi" swojego organizmu otrzymanej od bogów. Prawidłowy wzrost, budowa i funkcjonowanie organizmu są możliwe tylko przy zapewnieniu systematycznych dostaw składników budulcowych najwyższej jakości, najbardziej wydajnych, najłatwiej spalanych, ale zawsze jednolitych paliw oraz milionów składników potrzebnych do zdrowego i długiego życia. Wszystkie te składniki powinny mieć najwyższą wartość biologiczną i występować we wzajemnych proporcjach dostosowanych do potrzeb organizmu. Poziom nauk biologicznych jest bardzo niski. Polega on na opisywaniu zjawisk, a nie na wykrywaniu praw ich rozwoju. Pawłow uczył, że „nie trzeba opisywać zjawisk, ale wykrywać prawa ich rozwoju. Z samych opisów nie powstaje nauka". Uzyskiwane wyniki są interpretowane przez umysły ludzi uczonych, spaczone skutkami grzechu pierworodnego. Sami ludzie, zajmujący się nauką, nie potrafią zdać sobie sprawy ze swojej ignorancji. Dopiero ktoś z zewnątrz, z bardziej sprawnym umysłem może prawidłowo określić stan nauk podstawowych w biologii.

– W pewnym momencie skrytykował pan dietę niskotłuszczową stosowaną między innymi w lecznictwie sanatoryjnym. Napisał pan wprost: „żywienie niskokaloryczne wyniszcza ludzki organizm".

– Dietę, o której pan mówi, opracował profesor Aleksandrow. Kiedy zauważyłem, że stan pacjentów karmionych jarzynkami, dżemikami, jabłuszkami i kaszkami, mimo licznych zabiegów terapeutycznych nie poprawia się, a chorzy wciąż skarżą się, że jest im zimno (w pokojach musieliśmy utrzymywać temperaturę nawet 35 stopni!), wiedziałem już w czym tkwi sekret ich stanu zdrowia. Ci żywieni bardziej kalorycznie szybciej wracali do zdrowia, zabiegi fizykalne usprawniały ich kończyny. Zaobserwowałem, że ten sam zabieg zastosowany w tej samej chorobie u różnych ludzi daje różne efekty. Diadynamik, masaż, borowina mogły pomóc w ukrwieniu tkanek, ale mogły też mieć działanie zupełnie odwrotne - mogły rabować tkanki nie uprzywilejowane. Takie organy jak mózg, serce i wątroba wyżywią się w każdych warunkach, oczywiście kosztem innych części ciała.

- W ciechocińskim sanatorium nie dochodziło do sytuacji skrajnych. Ludzie, owszem byli chorzy, ale nie umierali z powodu złej diety.

- Rzeczywiście, prawdziwe dramaty rozgrywały się w szpitalach. Tam triumfowała bezduszność. Pamiętam sytuację sprzed lat, kiedy pojechałem na 3-miesięczny staż do Warszawy. Trafiłem do pewnej kliniki, gdzie przeprowadzano między innymi operacje naczyniowe. Pewnego dnia zainteresowałem się bliżej pacjentem cierpiącym na chorobę Buergera, który przeszedł dotąd 27 operacji. Miał amputowane obie nogi, lewą rękę, u prawej zostały mu dwa palce, ot, żeby mógł trzymać papierosa. Straszny widok. „Panie doktorze, jeśli pan potrafi niech go pan ratuje" - zwrócił się do mnie pewien docent. „Co pan proponuje?" - zapytał profesor, szef oddziału, na którym od ponad 5 lat „leczył" się chory. „Tłuszcz i białko" - odparłem. „Na białko zgoda, na tłuszcz nie" - usłyszałem. Na własną rękę zacząłem człowieka dokarmiać. Przynosiłem mu śmietanę, sery, masło, wędliny. Chłopak to jadł i jadł. Po trzech tygodniach, w czasie obchodu, przy łóżku chorego profesor pyta: „Boli pana?", a chłopak odpowiada: „Nie". „24 ampułki dolarganu" zaordynował profesor. „Chory nie powinien cierpieć" - dorzucił. Dolargan to bardzo silny środek o działaniu narkotycznym, co to oznacza dla ciężko chorego człowieka, który od 5 lat jest na środkach uśmierzających ból, może domyślić się każdy. Dotąd chłopak brał 12 ampułek, teraz miał brać dwa razy tyle. Po kilku tygodniach z 24 ampułek zrobiło się 48. „Szef nakazał nie ograniczać choremu dolarganu" - usłyszałem na oddziale. Po dwóch tygodniach chory zmarł. Zapytałem dlaczego, skoro przez 5 lat nie zwiększano pacjentowi ilości tego środka, nagle postanowiono zaaplikować mu zabójczą dawkę. Usłyszałem: „Gdyby ten chory przeżył, to byłaby klęska dla naszej kliniki. Czym byśmy się zajmowali?" Skądinąd muszę panu powiedzieć, że ci lekarze to byli bardzo porządni ludzie, ale „porządność" kończy się na pewnej granicy. Ów profesor był bardzo oddany chorym, potrafił 10 godzin stać przy operacji, ale ten chory nie miał prawa przeżyć. To bardzo smutne. Wiem, że może się panu wydać to niewiarygodne.

- Tymczasem u siebie w Ciechocinku osiąga pan coraz bardziej zdumiewające wyniki. Chorzy szybko zdrowieją, okazuje się, że ży-

wienie optymalne staje się panaceum na większość współczesnych chorób. Odwieczne marzenie ludzkości zdaje się być, bez rozgłosu, realizowane z dala od wielkich ośrodków medycznych.

- Ciągle zastanawiałem się jak przekazać swoją wiedzę tym, którzy decydują o zdrowiu narodu. Pomagać chorym, przynosić ulgę cierpiącym - uważałem, że to jest mój obowiązek. Zatem Rada Naukowa przy Ministrze Zdrowia, któż będzie bardziej kompetentny? Przyjeżdżam na spotkanie, tłumaczę, przekonuję, wyjaśniam, wreszcie mówię jednym zdaniem: istnieje możliwość poważnego poprawienia zdrowia narodu. Ale pan sekretarz Rady, obecnie utytułowany profesor, w ogóle nie słucha, co do niego mówię. Gadam, jak dziad do obrazu, a on nic. Sugeruję, że może powołać ośrodek, w którym będzie można sprawdzić skuteczność proponowanych przeze mnie metod przyczynowego leczenia większości chorób. Zgadzają się. Mam napisać stosowny wniosek. Po jakimś czasie dowiaduję się, że wcale nie zależy mi na zdrowiu ludzkim tylko na tym, żeby zostać szefem jakiegoś tam ośrodka.

- Prawdę mówiąc nie dziwię się odpowiedzi tego szacownego gremium. Poważna instytucja, nadęta biurokracja, a tu nagle jakiś tuzinkowy lekarz proponuje im otwarcie ośrodka niby-szpitala, w którym będzie większość chorób leczył tłustą śmietaną i golonką...

- Obowiązkiem tych ludzi było zrozumieć! Przecież miałem już wtedy przekonywające wyniki, w każdej chwili byłem gotów dostarczyć im poważnych argumentów merytorycznych z zakresu biochemii. Jeśli poddawali w wątpliwość moją wiedzę, powinni to byli udowodnić.

- To nie koniec pańskich zmagań z „ludźmi myślącymi inaczej". Później zajął pan się dietą lotników wojskowych, których organizmy były w tym czasie bezwzględnie wyniszczane.

- W latach siedemdziesiątych specjalistyczna prasa pełna była doniesień o fatalnej kondycji psychofizycznej polskich pilotów. 90 procent z nich miało nadwagę, 90 proc. na stres reagowało żarłocznością, zapadali na miażdżycę głównie mózgu i serca. Przypadłości te bynajmniej nie wynikały ze spędzania iluś godzin w powietrzu, bo lotnicy brytyjscy czy kanadyjscy zupełnie nie cierpieli na takie przypadłości.

- Zatem odkrył pan, że jest to najbardziej wyniszczona grupa społeczna nie tylko w armii, ale w całym narodzie. Co z tego wynikło?

- Paru osobom zadałem pytanie: czy człowiek może mieć wyższy poziom cholesterolu od latania? Gdyby Sztab Generalny, minister zdrowia, szef służby zdrowia armii, potrafili odpowiedzieć na to najprostsze z prostych pytanie, nie byłoby nonsensów w rodzaju kuracji odchudzających dla lotników, które kończyły się niemal zawsze przyrostem wagi. Pewnego dnia przyjechał do Ciechocinka pewien generał, zastępca dowódcy wojsk lotniczych. Wdałem się z nim w rozmowę i pytam go: „Dlaczego tak wyniszczacie tych ludzi, stosując najgorszy z możliwych model żywienia?". Generał pomyślał i mówi, że od dawna pracują nad tym uczeni i lekarze, i jak dotąd nie mogą znaleźć przyczyny. „Niebawem będzie konferencja naukowa, zapraszam pana na nią" - rzekł wojskowy. Przyjeżdżam do Warszawy, przysłuchuję się całemu gronu autorytetów i obserwuję rzecz przerażającą: oni niczego nie rozumieją! Zabieram głos i pytam: czy wiedzą, dlaczego tragarze w paryskich halach dźwigający na swoich barkach mięso nie chorują ani na choroby kręgosłupa, ani na gościec, ani na reumatyzm, a wszyscy inni tragarze chorują. „Szanowni panowie, bo z tragarzami jest tak, że wszystko zależy od tego, co noszą na swoich plecach" - kończę wywód ku ogólnemu zdumieniu sali. Myśli pan, że ktokolwiek z tych szacownych uczonych pojął o co mi chodziło? Zero reakcji, kompletnie żadnego zrozumienia. Nie wytrzymałem tej ignorancji. Postanowiłem napisać do Wojciecha Jaruzelskiego, który był wówczas ministrem obrony narodowej. Informuję, że w armii jest bardzo źle, że to, co proponują ci, którzy mają dbać o jej zdrowie i kondycję, doprowadzi do katastrofy, że jeśli zdania są podzielone, powinno się przeprowadzić badania. Wkrótce otrzymuję odpowiedź wówczas płk. Janiszewskiego, że najwyższe autorytety naukowe w państwie nie podzielają moich poglądów. A czego innego mogłem się spodziewać? Wiedziałem, co mówił Goethe, Kant, Sedlak, Vanini. „Autorytety" są główną przyczyną tego, że ludzkość stoi w miejscu. Co to znaczy autorytet? Czy człowiekowi, którego wybierze się na urząd, przybywa od tego rozumu? W bajce Kryłowa znalazłem taki wierszyk: „... gdy kto na urzędzie wyżej siędzie, to rozumu mu od tego nie przybędzie". Jeśli ludzkość jest chora, zdegenerowana, jeśli opinia jest patologiczna, to wówczas wypycha na urzędy osobniki bez żadnych predyspozycji do sprawowania władzy. I ci ludzie mieliby mieć zdrowy osąd rzeczy?

- Zatem każdy, kto nie podzielał pańskich poglądów był durniem? Czy nie za surowo ocenia pan swoich przeciwników?

- Pojawiali się bardzo rzadko i przypadkowo ludzie o bardzo sprawnych umysłach, ludzie wykształceni, myślący podobnie jak autorzy Biblii. Potrafili odkryć i zapisać wiele ważnych prawd, które nie mogłyby być pojęte przez ludzi im współczesnych. Oto profesor Julian Aleksandrowicz należący do tych wyjątków pisze: „Wszelkie trudności społeczne i ekonomiczne, a także zdrowotne, mają swoją przyczynę w zaburzeniach sprawnego myślenia i działania spowodowanych zmianami w strukturze i funkcjach ludzkich mózgów, a zmiany te są spowodowane czynnikami ekologicznymi". Na początku 1974 roku dane mi było spotkać się w Krakowie z prof. Aleksandrowiczem. Miesiąc wcześniej przedłożyłem premierowi Piotrowi Jaroszewiczowi mój „Program poprawy wyżywienia narodu". W Krakowie miałem o nim mówić w Polskiej Akademii Nauk. Wreszcie pojawiła się szansa zrobienia czegoś konkretnego. Powiadomiłem swoich wojskowych przełożonych, że otrzymałem zaproszenie od wiceprzewodniczącego Światowej Organizacji Nauki do wygłoszenia wykładu na temat żywienia optymalnego. Odmowa. Okazuje się, że sam szef Służby Zdrowia Wojska Polskiego dzwonił, żeby „za wszelką cenę nie dopuścić do wyjazdu Kwaśniewskiego do Krakowa". Ci ludzie po prostu poczuli się zagrożeni. Uznali, że cała ich wiedza nie jest warta funta kłaków, a że mieli władzę, więc łatwo mogli wytrącić mi z rąk oręż.

- Nie poddał się pan, choć uraz do autorytetów, wszelkiej władzy, urzędów, pozostał na całe życie.

- Tak jest. Wiedziałem, że aby coś zdziałać muszę uderzyć jak najwyżej, więc stąd pomysł z Jaroszewiczem. Docieram do niego i ze zdumieniem stwierdzam, że ten człowiek wie, co się do niego mówi. Wkrótce zarządza też rozpoczęcie programu badawczego na zwierzętach, którym kieruje profesor Stanisław Berger.

- Pan już wcześniej wykonał doświadczenia na zwierzętach, więc był pan spokojny o wynik.

- Hodowałem trzy grupy szczurów. Każda z nich otrzymywała inny rodzaj pożywienia. Obserwowałem te zwierzęta i wyniki badań starannie zapisywałem. Berger wykazał jednak naukowo, że zwierzęta odżywiane dietą optymalną mają mózgi większe w jednym pokoleniu o 8 procent (w porównaniu z grupą kontrolną), a zdolność uczenia o 40 procent większą niż te, które karmione były w inny sposób. Nie było to dla mnie zaskoczeniem, sam zaobserwowałem, że szczury na diecie optymalnej są nieprawdopodobnie silne, wytrzymałe, odporne na trucizny. Przeprowadzaliśmy eksperymenty przywiązując szczurom ciężarki do ogonów. Wrzucaliśmy je do wody i ze stoperami w ręku mierzyliśmy czas utrzymywania się ich na powierzchni.

Karmione optymalnie były bardziej wytrzymałe. Pływały zdecydowanie dłużej. Później, kiedy doświadczenia trzeba było przerwać, usypialiśmy zwierzęta przy użyciu eteru wstrzykiwanego do słoików. Tylko jako ciekawostkę podam, że ilość trucizny przeznaczonej dla szczurów żywionych według wzorca optymalnego trzeba było wielokrotnie zwiększać.

Berger wykazał ponadto, że ilość związków fosforowych aktywnych (które są zasadniczym źródłem energii dla mózgów ludzi myślących) jest u „moich" szczurów najwyższa.

– Więc szczury były mądrzejsze i silniejsze. A ludzie? Po jakim czasie poprawia się czynność ich mózgu?

– U dorosłych, zdrowych ludzi czynność umysłów wolna od skutków grzechu pierworodnego pojawia się po 3-6 miesiącach od momentu przejścia na żywienie optymalne. U chorych na zaawansowaną miażdżycę tętnic mózgowych, zdrowa czynność umysłu z konieczności pojawi się później – po 6-12 miesiącach.

– Inna część tego samego programu badawczego wykazała wybitnie przeciwmiażdżycowe właściwości żywienia optymalnego.

– Grupa badawcza składała się z kilkudziesięciu osób. Samych profesorów było 11. Chodziło o wykazanie, czy dieta Kwaśniewskiego może być pomocna w leczeniu miażdżycowego zwężenia tętnic wieńcowych, choroby, o której ostatnio wiele się mówi za sprawą rosyjskiego przywódcy Borysa Jelcyna. Ja doskonale wiedziałem, że zamiast szalenie kosztownych i bardzo ryzykownych bypassów i innych zabiegów kardiochirurgicznych, wystarczy odpowiednio zmienić chorym dietę i zamienić ich w ludzi zdrowych, ale chodziło o to, by przekonać o tym innych. Zespół pod kierunkiem profesora Henryka Rafalskiego z Łodzi wykazał, że spośród 60 mężczyzn żywionych według moich zaleceń, poprawa subiektywna nastąpiła u wszystkich, a obiektywna u 90-procentowej większości. Okazało się więc, że dieta niskowęglowodanowa nikomu nie szkodzi, wręcz przeciwnie wielu pomaga i mimo bardzo negatywnego nastawienia wielu uczonych do samego przedmiotu badań, w raporcie końcowym takie wnioski musiały się znaleźć. To był rok 1980. Wiem, że spośród tej eksperymentalnej grupy większość pacjentów pozostała przy tym modelu żywienia. Profesor Rafalski, który telefonował do mnie niedawno, powiedział, że wszyscy oni żyją, a minęło przecież 16 lat. W najlepszym wypadku tym ludziom groziły ciężkie operacje.

ZMIAN NIEKORZYSTNYCH NIE BYŁO

Łódź, 26.10.1987

Współpraca naszego Zakładu Żywienia Człowieka z lek. med. Janem Kwaśniewskim datuje się od ponad 10 lat. Za jej początek należy uznać powołanie z inicjatywy ówczesnego ministra zdrowia i opieki społecznej specjalnej komisji do oceny wyników badań prowadzonych przez J. Kwaśniewskiego. Zostałem członkiem tej komisji, której przewodniczył prof. dr J. Aleksandrowicz.

Od tej chwili J. Kwaśniewski pozostawał z nami w dość ścisłym kontakcie, biorąc m.in. czynny udział (wygłaszanie referatów) w seminariach odbywających się w naszej Katedrze oraz we współpracującej z nami I Klinice Chorób Wewnętrznych naszej uczelni. Uczestniczył też aktywnie w opracowaniu założeń merytorycznych, organizacyjnych i metodycznych tematu badawczego pt. „Wpływ diety niskowęglowodanowej na stan zdrowia, stan odżywienia oraz przemianę lipidów i azotu w organizmie", wykonywanego w ramach programu resortowego MZiOS „Optymalizacja żywienia ludności", a koordynowanego przez Instytut Żywności i Żywienia w Warszawie. Należy dodać, że pojęcie „dieta niskowęglowodanowa" odpowiada pojęciu „dieta optymalna", stosowanemu przez J. Kwaśniewskiego. Badania wstępne przeprowadzone na zwierzętach doświadczalnych wykazały, że dieta niskowęglowodanowa obniża w sposób istotny poziom cholesterolu oraz innych lipidów we krwi.

Następne badania przeprowadzono już na dorosłych mężczyznach, cierpiących na choroby układu krążenia, w ścisłej współpracy z I Kliniką Chorób Wewnętrznych oraz z Zakładem Diagnostyki Laboratoryjnej Instytutu Patologii naszej uczelni. Wykazały one, że dieta niskowęglowodanowa, stosowana przez okres 6 miesięcy, spowodowała istotny spadek masy ciała u osób z nadwagą, a ponadto:

a) nie spowodowała uchwytnych niekorzystnych zmian w stanie zdrowia (ocenianym na podstawie szerokiego zestawu badań laboratoryjnych i klinicznych);

b) spowodowała uchwytne korzystne zmiany w stanie zdrowia badanych mężczyzn.

Zaliczyć do nich należy m.in. (poza obniżeniem masy ciała):

– poprawę sprawności fizycznej,

– poprawę wydolności układu krążenia,

– złagodzenie objawów choroby wieńcowej,
– poprawę sprawności narządu oddechowego.

W okresie 6 miesięcy przestrzegania diety nie ujawniły się u badanych objawy ketozy, hipercholesterolemii oraz hiperurikemii, które stanowią główne zastrzeżenia przeciwko stosowaniu diety niskowęglowodanowej.

Należy dodać, że przed nami badania nad wpływem diety „optymalnej" przeprowadził na szczurach zespół pod kierunkiem prof. dr. S. Bergera (SGGW), który wykazał m.in. korzystny wpływ tej diety na funkcjonowanie ośrodkowego układu nerwowego (mózgu) u szczurów.

Podane wyżej fakty stanowią dobry przykład wiedzy lek. J. Kwaśniewskiego w zakresie nauki o żywieniu oraz umiejętności korzystania z niej w celach praktycznych.

Prof. dr Henryk Rafalski
Katedra Higieny Akademii Medycznej Łódź

DLACZEGO WŁAŚCIWIE TŁUSZCZE?

– Jak doszło do opracowania wzorca prawidłowego żywienia człowieka, czyli pańskiej słynnej zasady proporcji?

– Założenie, że wszystkie prawa obowiązujące w fizyce i chemii obowiązują również w organizmach żywych, było najważniejsze. Zacząłem zastanawiać się nad wszystkimi składnikami ludzkiego pokarmu. Białko? Białko jest życiem. Ale są różne białka. Najlepsze? Najlepsze jest w żółtkach jaj. Czyli jajka! Symbol życia i rozwoju. Energia? Jaka energia? Najlepsza energia, najlepsze paliwo jest w... tłuszczach! To było oczywiste. Ściślej mówiąc, ta energia jest zgromadzona w kwasach tłuszczowych o długich łańcuchach. Jest to paliwo bardzo podobne do benzyny. Jeżeli w jakimś paliwie na atom węgla przypada możliwie duża liczba atomów wodoru, to paliwo to ma świetne wartości kaloryczne. Oczywiście nie mogą to być węglowodory takie jak w benzynie czy gazach technicznych, gdyż aby człowiek mógł spalać te łańcuchy, musi tam być grupa COOH. Im grupa COOH przypada na dłuższy łańcuch tłuszczowy, tym paliwo jest lepsze. Jeżeli tłuszcz nie jest nasycony wodorem, to dobrego paliwa jest mniej. Zwiększając ciężar cząsteczkowy tłuszczu nienasyconego poprzez uwodorowanie zaledwie o 1 procent możemy spodziewać się, że wartość energetyczna wzrośnie aż o 18 procent! Miałem pewność, że mój kierunek rozumowania jest słuszny, jednak obawiałem się reakcji niektórych ludzi, bo te, właściwie elementarne prawdy, były dotąd całkowicie nieprzyswajalne w środowisku medycznym. Zacząłem szukać w literaturze informacji o cholesterolu we krwi i przyczynach miażdżycy. Oto czytam, że „wolne kwasy tłuszczowe nasycone powodują większy wzrost poziomu cholesterolu niż trójglicerydy".

Co to są trójglicerydy? To te same wolne kwasy tłuszczowe, tyle że związane z glicerolem, który jest paliwem gorszym. Inne badania: „Trójglicerydy bardziej zwiększają poziom cholesterolu niż dwuglicerydy, a dwuglicerydy bardziej niż jednoglicerydy". Zatem im glicerolu jest więcej (jednoglicerydy), tym paliwo jest gorsze.

– Dla wielu osób to czysta alchemia i przeciętnego zjadacza chleba (proszę nie mieć do mnie żalu o ten chleb) kompletnie nie interesują zmiany zachodzące w komórkach. Liczy się efekt.

– Ci, których to nie interesuje, mogą pominąć te parę linijek, chciałbym jednak do końca wyjaśnić procesy, jakie doprowadzają do korzystnych lub szkodliwych zmian w naszych organizmach. Tłuszcze nienasycone - powiada się: „niezbędne nienasycone" - są składnikiem mleka kobiecego. Jest ich tam 0,4 procent. Nikt nie zaprzeczy, że kobiecy pokarm jest idealnym pożywieniem, jeżeli chodzi o skład biochemiczny. To właśnie w nim na 1 gram białka przypada ponad 3 do 11 gramów tłuszczu. Wniosek nasuwa się oczywisty - skoro natura przewidziała tak niewielką ilość tego składnika w tak cudownym pokarmie, to powinniśmy to respektować. Tymczasem ludziom się wmawia, że tłuszcze roślinne zawierające kwasy tłuszczowe o wielu wiązaniach nienasyconych, których w mleku kobiecym nie ma, są zdrowe. Nic bardziej mylnego - w organizmach wchodzą w reakcje wiążąc tlen. Wytwarzają się nadtlenki, ponadtlenki, przeróżne związki trucizn przyspieszających miażdżycę, starzenie się tkanek, powodujące uszkodzenia mechaniczne, zachorowania na raka. Swego czasu przeprowadzono eksperyment polegający na zastąpieniu tłuszczów nasyconych nienasyconymi. Co się okazało? Chorzy, którym podawano tłuszcze nienasycone w tej samej ilości chorowali 3 - 4, nawet 5 razy częściej na raka. Wiadomo z czego. Nadtlenki, o których wspominałem, wywołują przecież zapalenia w organizmach, zmiany chorobowe, słowem degenerują tkanki i całe organy. To dotyczy tylko wielonienasyconych kwasów tłuszczowych, których w maśle nie ma, są za to w tłuszczach roślinnych. To nie koniec. W organizmach karmionych wielonienasyconymi kwasami powstaje związek nazywany aldehydem malonowym, straszne paskudztwo. Powstają także gazy techniczne jak etan i pentan, wydalane przez broniący się przed zatruciem organizm. Ale oto razem z nimi wydalamy wodór - najlepsze, podobnie jak w technice, paliwo dla komórki. Nie możemy tak nierozumnie szafować energią.

– Reasumując – jakie tłuszcze są dla człowieka najlepsze?

– Takie, które chemicznie są najlepsze. Najlepsze zatem są tłuszcze, które mają najwyższy procent składników spalanych, czyli takie, w których grupa COOH, przypada na najdłuższy łańcuch kwasu tłuszczowego. W krótkich kwasach tłuszczowych składników spalanych może być 30 - 40%, w najdłuższych ponad 90%. Długi kwas tłuszczowy nasycony w pełni wodorem, po spaleniu daje około 10 kcal/g, czyli tyle co benzyna.

Tłuszcz jest tym lepszy jako „paliwo" dla naszego organizmu, im więcej wodoru przypada na każdy gram węgla i im ma więcej składników spalanych. Najlepsze chemicznie są kwasy tłuszczowe o długich łańcuchach w pełni nasycone wodorem, czyli tłuszcze twarde, głównie pochodzenia zwierzęcego. Tylko tłuszcze o długości łańcucha powyżej 10 atomów węgla nadają się, bez przetworzenia, do wykorzystania przez nasze komórki i tkanki. Są one kierowane bezpośrednio do krwi drogą naczyń chłonnych i nie muszą być przetwarzane i uzdatniane przez wątrobę, jak się to dzieje z tłuszczami gorszymi (o krótszych łańcuchach) czy ze wszystkimi innymi składnikami zawartymi w spożytych i strawionych pokarmach. Tłuszcze nasycone o długich łańcuchach są najlepszym lekarstwem dla chorujących na wątrobę. Chemicznie i faktycznie kwasy tłuszczowe o długich łańcuchach są najlepszym „paliwem" dla naszych organizmów.

– *Proszę zatem wymienić jeszcze raz tłuszcze najgorsze.*

– Od dawna mówię i piszę o wybitnej szkodliwości tłuszczów wielonienasyconych dla naszych organizmów. Im bardziej nienasycone (wodorem) są kwasy tłuszczowe, tym gorszym są „paliwem". Należy o tym pamiętać przy kupowaniu tłuszczów. Margaryny wytwarza się z tłuszczów nienasyconych, przez wtłoczenie w nie wodoru. Katalizatorem są jony metali, które w takiej margarynie pozostają. Nie są one obojętne dla naszego zdrowia. Ponadto wodór wprowadzony do tłuszczu nienasyconego przy produkcji margaryny nie przyłącza się do węgla w takiej pozycji, w jakiej występuje w naturalnych tłuszczach. Połowa wodoru przyłącza się w tak zwanej pozycji *cis*, a połowa w *trans*. W naturalnych tłuszczach cały wodór znajduje się w pozycji *cis*. Do spalania takich tłuszczów nasz organizm jest przystosowany. Konieczność „utylizowania" wodorów przyłączonych w pozycji *trans* (jak w margarynie) jest dużym obciążeniem dla naszego organizmu i nie jest obojętna dla naszego zdrowia. Najlepsze są tłuszcze pochodzenia zwierzęcego i to tłuszcze twarde, spożywane w naturalnych tkankach zwierzęcych. Słonina zawsze będzie lepsza od smalcu, a podgardle od węgorza czy łososia. Oczywiście przy żywieniu optymalnym. Przy żywieniu nieprawidłowym smalec może powodować mniejsze szkody od słoniny. Nie będą to szkody bezpośrednie, a pośrednie. Nie będą powodowane samym tłuszczem, a głównie węglowodanami równolegle z tłuszczem spożywanymi.

Wartość biologiczna (i faktyczna) tłuszczu, to nie tylko długie łańcuchy kwasów tłuszczowych w pełni uwodornione. To także obecność milionów ważnych biologicznie składników, występujących w najlepszych „tłustych" produktach naturalnych pochodzenia zwierzęcego. Po co człowiek sam ma wytwarzać te związki, skoro może je otrzymać w pożywieniu. Najlepsze dla człowieka tłuszcze, to tłuszcze zawarte w żółtku jaj kurzych. W jajach przepiórczych są podobnie wartościowe, ale te są dużo droższe. Faktyczna wartość tłuszczów z żółtek, dla naszego organizmu, według ścisłych badań naukowych, jest 4 razy większa od wartości biologicznej tłuszczu z masła czy śmietany i znacznie większa od wartości biologicznej (czyli faktycznej) wszystkich tłuszczów pozostałych. Ze wszystkich tłuszczów dla człowieka najbardziej szkodliwy jest olej kukurydziany, ponieważ 5 lat po zawale przeżywa najmniej ludzi stosujących jako źródło tłuszczu olej kukurydziany. Oleju z wiesiołka jeszcze nie badano. Nie był wtedy jeszcze modny, ale może on być jeszcze gorszy.

– Po jakim czasie organizm przestawia się na inny rodzaj energii?

– Dość szybko. Organizm rozbudowuje po prostu enzymy do spalania tłuszczów i likwiduje te przystosowane do spalania węglowodanów. W żadnym wypadku nie powinniśmy więc mieszać paliw, czyli dwóch źródeł energii: tłuszczów i węglowodanów, a ściślej powinniśmy przestrzegać właściwych proporcji pomiędzy nimi.

– Wiemy już, że tłuszcze powinny być jedynym liczącym się źródłem energii dla człowieka, ale przecież oprócz energii dostarczają one organizmowi tak ważnych składników, jak enzymy, witaminy i minerały.

– Nie wszystkie tłuszcze. Tylko w tłuszczach zwierzęcych występują wszystkie potrzebne do ich spalania składniki czyli enzymy, witaminy, minerały w optymalnych ilościach i proporcjach. Tłuszcze powstają w organizmie zwierzęcym za pomocą prawie tych samych enzymów, witamin i minerałów, za pomocą których są spalane. Zjadając tłuszcze pochodzenia zwierzęcego otrzymujemy nie tylko skoncentrowaną energię, ale wszystkie potrzebne do otrzymania tej energii składniki towarzyszące tłuszczom, w potrzebnych ilościach i proporcjach. Spalanie tłuszczu w organizmie człowieka jest bardzo łatwe i mało kosztowne energetycznie.

– Przy wyborze tłuszczów powinniśmy się kierować wartością biologiczną, kaloryczną, czy brać pod uwagę jeszcze inne czynniki?

– Już mówiliśmy o tym, że przy ich ocenie nie wystarczy kierować się tylko ich wartością kaloryczną, choć jest to bardzo ważny wskaźnik, ale także ich wartością biologiczną. Wartość biologiczną tłuszczów określa obecność w nich enzymów, witamin, substancji mineralnych i wielu innych ważnych biologicznie składników.

Wartość kaloryczna tłuszczów jest jednak sprawą ważną. Lepsze są te tłuszcze, które po spaleniu dają więcej energii z tej samej jednostki wagowej. Organizm otrzymuje energię użyteczną głównie ze spalania wodoru. Węgiel jest mało liczącym się źródłem energii. Przy spalaniu tłuszczów w organizmie powstaje energia i ciepło. Energia zużywana jest na procesy chemiczne (życiowe) organizmu. Ciepło pozwala utrzymać należną temperaturę ciała.

Większe spalanie przez organizm wodoru, to mniejsze zapotrzebowanie na tlen. Gdy spalamy więcej węgla, zapotrzebowanie na tlen wzrasta. U współczesnego człowieka zdolność organizmu do maksymalnego wysiłku ograniczona jest głównie niedostatkiem tlenu.

– *Co z tłuszczami roślinnymi, czy w ogóle eliminować je z diety?*

– Tłuszcze roślinne mogą stanowić pewien procent ogólnej ilości spożywanych tłuszczów. Najlepsze są tłuszcze roślinne występujące w produktach dla człowieka na surowo jadalnych: orzechy włoskie, laskowe, migdały, oliwki, słonecznik, kokos (wiórki kokosowe). Tłuszcze występujące w produktach na surowo niejadalnych (rzepak, kukurydza, wiesiołek, siemie lniane) zawierające wiele wiązań podwójnych (bardziej nienasycone) nie powinny być spożywane. Zawsze lepsza jest margaryna (tłuszcz twardy, a więc ma więcej wodoru) niż olej, z którego została wyprodukowana. Oczywiście tylko teoretycznie. Zawiera więcej wodoru od oleju, z którego ją wyprodukowano i spalona w piecu da więcej kalorii niż olej, z którego powstała. W organizmie jest inaczej. W naturalnych kwasach tłuszczowych grupy węglowodorowe (-CH_2, lub -CH w tłuszczach nienasyconych), z których głównie składa się kwas tłuszczowy, są ułożone w pozycji L – lewoskrętnej i do spalania tak ułożonych grup organizm człowieka jest przystosowany. W margarynie te grupy są ułożone raz po lewej, a raz po prawej stronie. Organizm ma trudności ze spalaniem grup węglowodorowych ułożonych w pozycji prawoskrętnej.

Ponadto wodory wpychane w grupy -CH, które są w ten sposób zamieniane na grupy -CH_2 nie wchodzą tam same. Nie wystarczy zmieszanie nienasyconego tłuszczu z wodorem, działanie wyższą temperaturą i wyższym ciśnieniem, aby te wodory weszły tam, gdzie są wiązania podwójne. Potrzebne są katalizatory. Używane są różne katalizatory, które pozostają w margarynie.

Współczesna pediatria zakazuje stosowania margaryny w żywieniu dzieci w wieku poniżej 3 lat. Jeżeli margaryna szkodzi dzieciom do lat 3, to trzeba być mocno naiwnym, aby uwierzyć, że nie szkodzi ona dzieciom starszym czy ludziom dorosłym. Zwykły smalec jest zawsze lepszy od najlepszej margaryny. Jest tłuszczem naturalnym, składa się z kwasów tłuszczowych, głównie nasyconych. Jeszcze lepszy jest zwykły łój. A smalec i łój są tańsze od margaryny. Tłuszcze długo zalegają w przewodzie pokarmowym, co jest zjawiskiem bardzo korzystnym. Przewód pokarmowy jest po to, by powoli dostarczał budulca i składników energetycznych. Przy dobieraniu tłuszczów do spożycia, zwłaszcza w początkowym okresie stosowania żywienia optymalnego, powinniśmy posługiwać się tabelami załączonymi na końcu książki. Przy układaniu jadłospisu i przygotowaniu potraw należy uwzględniać tłuszcze zawarte w produktach, z których potrawy przygotowujemy.

ARKADIA

– Było kilka takich momentów, kiedy wydawało się, że Jan Kwaśniewski jest o krok od sławy. Najpierw, kiedy pana projektem zainteresował się premier, potem, kiedy wreszcie potwierdzono, że żywienie optymalne może pomóc w przyczynowym leczeniu wielu chorób. Wreszcie był moment, że stał się pan telewizyjną gwiazdą programu „Gra o milion", w którym mógł pan przekazać tajemnice swoich odkryć milionom ludzi. Za każdym razem do pełnego sukcesu brakowało tak niewiele.

– Widocznie tak miało właśnie być. Nie mam o to do nikogo żalu. Jest wiele przesłanek świadczących o tym, że być może jeszcze w tym stuleciu „ku zdumieniu wszystkich narodów świata z Polski wyjdzie nadzieja udręczonej ludzkości".

– Po tych programach telewizyjnych wreszcie stał się pan jednak osobą znaną. Wprawdzie u niektórych określenie „dieta Kwaśniewskiego" wywoływało ironiczne uśmiechy, jednak to właśnie wtedy po raz pierwszy pojawiła się szansa otwarcia ośrodka, w którym mógłby pan sprawdzić na dużej grupie ludzi skuteczność diety optymalnej.

– Właściwie to miałem taką okazję już wcześniej. Kiedy w Ciechocinku prowadziłem ośrodek, w którym leczyłem chorych dietą i prądami selektywnymi, to zjeżdżało się tutaj po 800–1000 ludzi dziennie! Taksówkarze do dziś wspominają te czasy jako złoty okres. Ludzie ciągnęli do mnie z całej Polski, zaczęli pojawiać się także chorzy z zagranicy. Połowa kwater prywatnych w Ciechocinku wynajęta była przez moich pacjentów. Każdy z nich wyjeżdżając zabierał ze sobą wskazówki na dalsze życie, które przekazywał innym. Cukrzyca, miażdżyca, choroba Buergera, nerwice leczyłem niemalże taśmowo. Ludzie nie mogli uwierzyć, że to takie proste. Oczywiście wkrótce zaczęło to niektórym osobom przeszkadzać. Wszystko funkcjonowało bez biurokracji, bez papierków, za to z ogromną skutecznością. Nic dziwnego, że wielu ludzi zawodowo zainteresowanych poczuło się zagrożonych. Musiałem zrezygnować.

- I wtedy postanowił pan spróbować w swoich rodzinnych stronach, w Kieleckiem. Miało to być spłacenie pewnego rodzaju długu wdzięczności wobec tych zapomnianych przez Boga i ludzi stron.

- Kielecką biedę, o której mówi się do dziś w całej Polsce, miałem okazję poznać jako dziecko na własnej skórze. Licha, jałowa ziemia, niedostatki żywieniowe trwające od pokoleń, no przecież znamy to wszystko z opisów Żeromskiego. Postanowiłem jakoś pomóc tym ludziom. Jako lekarz znałem tylko jeden sposób, więc kiedy zgłosiła się do mnie bardzo prężna w owym czasie „Agrotechnika" (niektórzy mówią, że była to pierwsza kapitalistyczna firma w socjalizmie), postawiłem tylko jeden warunek - „Arkadia" ma mieścić się gdzieś w okolicach Kielc, żeby moi krajanie mieli blisko. Wiosną 1987 roku znaleźliśmy taki motel w Cedzynie pod Kielcami i tam postanowiliśmy zacząć raz jeszcze.

- Ależ to była klinika... Pan jako szef, pana syn jako zastępca do spraw administracyjnych, dwie pielęgniarki, pół księgowej, kawałek piętra, które w sezonie turystycznym zamieniało się w zwykły motel.

- I wystarczyło. Ludzie miesiącami czekali, żeby do mnie przyjechać. Przyjeżdżali pacjenci z Wielkiej Brytanii, Skandynawii, Rosji, Niemiec. Dwutygodniowe turnusy, „cuda" zdarzające się prawie codziennie. Ludzie nie mogli uwierzyć, że można żyć inaczej, ale do tego potrzeba zmiany swoich długoletnich nawyków. Niektórym przychodziło to łatwiej, innym ciężej, ale przykład tych, którzy jednego dnia odrzucili cukier, skrobię, owoce, działał. Oni zdrowieli w oczach, choć przecież w tamtych czasach ktoś, kto wykładał spore pieniądze na pobyt w takim niby-szpitalu był bardzo wymagający i nieufny. Ale reklamacji nie było. W każdym przypadku następowała poprawa. To był koniec lat osiemdziesiątych. Na horyzoncie już pojawia się jednak pan Balcerowicz i jego reforma. W styczniu 1990 r. ceny w hotelu skaczą dziesięciokrotnie, ludzie są tak „obrani" z pieniędzy, że nikt nie ma czasu pomyśleć o swoim zdrowiu. Mimo to jakoś kompletuję kolejne turnusy i tak ciągniemy do wiosny. Chciałem za wszelką cenę dokończyć obserwacji efektów, jakie wywierają prądy selektywne i żywienie optymalne w leczeniu wybranych chorób. Zbieram doświadczenia, gromadzę statystykę, już nie mam najmniejszych wątpliwości, że moje metody są skuteczne. Wyleczyłem 1670 osób! Zanotowałem historię choroby każdego pacjenta, postępów leczenia, listę odstawianych kolejno leków, przeprowadzonych zabiegów. Ludzie wyjeżdżali zdrowsi i szczęśliwsi.

- Księga Pamiątkowa „Arkadii" z wpisami pacjentów mogłaby zostać nazwana „Księgą cudów".

- Żadnych cudów nie było, to tylko komuś z zewnątrz tak mogło się wydawać. Wiedziałem, jakie czynniki powodują choroby, więc po prostu je usunąłem. Na koniec każdego turnusu prosiłem pacjentów o sygnały, gdyby stan zdrowia kogokolwiek pogorszył się, gdyby na przykład ktoś zachorował na nowotwór. Do dziś nie otrzymałem żadnej takiej wiadomości, ci ludzie są po prostu zdrowi. Pamiętam z tego okresu przypadek pana M., przedsiębiorcy z Ustki, który trafił do mnie „rzutem na taśmę", na ostatni turnus w „Arkadii". Przywieziono go na wózku inwalidzkim. Miał miażdżycę mózgu, więc albo się śmiał albo płakał, cierpiał na niewydolność krążenia, był po bardzo ciężkim wylewie, jego serce było strasznie zniszczone. Teraz ten człowiek ma 72 lata, podróżuje po całym świecie, niedawno otrzymałem od niego kartkę. Pisze, że pływa po 10 godzin dziennie w Morzu Czerwonym...

– Przypadków podobnych do historii pana M. są dziesiątki. W kręgu bliskich znajomych mógłbym wymienić kilkanaście. Zadziwiająca (a może to określenie całkiem nie na miejscu?) jest zwłaszcza historia młodego, trzydziestoparoletniego lekarza, kardiochirurga z Katowic, który zachorował na stwardnienie rozsiane. To był wielki dramat dla niego i jego rodziny. Straszliwe postępy tej choroby, powtarzające się rzuty, całkowita niemoc medycyny.

- Jestem w stałym kontakcie z tym człowiekiem. Jest w pełni sił, pracuje, pewnie już zapomniał, że kiedykolwiek był chory. Udało nam się na szczęście uchwycić jedno z początkowych stadiów SM, kiedy choroba nie poczyniła jeszcze takich spustoszeń, choć ujawniły się już wszystkie jej znamiona, a rezonans magnetyczny wykazał zmiany w mózgu ponad wszelką wątpliwość. Poza tym człowiek ten był w pełni świadomy tego, co spowoduje odstępstwo od zasad żywienia, które dla niego przygotowałem.

– Z lekarzem tym rozmawiałem kilkakrotnie. Do wypróbowania pańskiej diety namówiła go przyjaciółka jego matki, która sama wyleczyła się w ten sposób ze swoich licznych chorób. Powiedziała: „co ci szkodzi, spróbuj...". Chory lekarz postanowił więc panu zaufać, zresz-

tą nie miał wyboru, bo profesor, bardzo sławny neurolog, po obejrzeniu wyników badań, powiedział mu tylko: „synu, nie płacz". Ale potem doktor P. zaczął studiować grube tomy biochemii i odkrył, że to co mówi Kwaśniewski jest zgodne z najnowszą wiedzą. Pamiętam jego entuzjazm dla pana i pana teorii.

- Mimo że ostrzegałem go, aby nazbyt nie ujawniał się w swoim środowisku ze swoimi przekonaniami, co do mojej diety, lekarz ten stwierdził, że nie może pozostać obojętny wobec bólu i cierpienia, które go otaczają. Namówił kilku swoich kolegów, którzy między innymi walczyli z nadwagą, przekonał do stosowania diety optymalnej swoją żonę, również lekarkę, wreszcie założył za moją zgodą praktykę w Katowicach, którą nazwał „Arkadią II". O stwardnieniu rozsianym wiem sporo i wiem również, że zmian organicznych w tym wypadku w centralnym układzie nerwowym nie da się cofnąć, ale przecież liczy się to, że można zatrzymać spustoszenie, które powoduje ta choroba, próbować zapobiec temu, że skazuje ona ludzi na ciężkie inwalidztwo, cierpienie.

- Być może pan o tym nie wie, ale lekarz ten udał się także do innego wybitnego autorytetu o tej samej specjalizacji, który kiedyś również położył na nim krzyżyk. Powiedział mu: „proszę spojrzeć, profesorze, żyję, funkcjonuję, nie ma nowych rzutów, ruszam ręką, widzę normalnie". „Dziwię się, że pan nie jest na wózeczku, doktorze" - rzekł ów autorytet...

- Ksiądz profesor Włodzimierz Sedlak rzekł kiedyś, że upadek wszelkich autorytetów musi znaleźć swoje odbicie również w nauce i dodał: „nauka stała się uczonym trupem myśli, nad którym zasiedli wytrawni gracze. Gdyby wydać encyklopedię ignorancji uznanych autorytetów w dziejach nauki, składałoby się na nią wiele brzuchatych tomów. Nic już nie zainteresuje uczonych. Są jak woły, które spokojnie żują pokarm na zagrodzonej łączce."

- Nie oszczędza pan autorytetów.

- A czy oni mnie oszczędzali?

NIE SPOTKAŁEM RÓWNIE SKUTECZNEJ DIETY

Łódź, 26.05.1994

Jestem doktorem biochemii, byłem pracownikiem Zakładu Żywienia Człowieka Katedry Higieny Akademii Medycznej w Łodzi. Współpraca Zakładu Żywienia Człowieka z lek. med. Janem Kwaśniewskim datuje się od blisko 20 lat. Za jej początki należy uznać powołanie, na polecenie ówczesnego premiera Piotra Jaroszewicza, przez ministra zdrowia i opieki społecznej oraz ministra nauki i szkolnictwa wyższego, specjalnej komisji do oceny wyników badań prowadzonych przez Jana Kwaśniewskiego.

Badania wstępne, przeprowadzone na zwierzętach doświadczalnych wykazały, że dieta niskowęglowodanowa obniża w sposób istotny poziom cholesterolu oraz innych lipidów we krwi. Zwierzętom podawano białko głównie zwierzęce (jaja kurze i biały ser – pieczone) w ilości 20 proc. w przeliczeniu na wartość kaloryczną, tłuszcze tylko zwierzęce (masło i smalec po 50 proc. – pieczone) w ilości ok. 70 proc. w przeliczeniu na wartość kaloryczną, węglowodany w postaci skrobi (mąka pszenna) – pieczone, w ilości 10 proc. w przeliczeniu na wartość kaloryczną diety. Doświadczenie wykazało, że tłuszcze pochodzenia zwierzęcego smażone, głównie nasycone, wykazują u zwierząt działanie przeciwmiażdżycowe w diecie o niskiej zawartości węglowodanów. (...)

Należy dodać, że przed nami badania nad wpływem diety „optymalnej" na szczurach prowadził zespół pod kier. prof. Stanisława Bergera (SGGW), który wykazał m.in. korzystny wpływ tej diety na wagę mózgu i funkcjonowanie ośrodkowego układu nerwowego (mózgu) u szczurów.

Podane wyżej fakty stanowią dobry przykład wiedzy lek. med. Jana Kwaśniewskiego w zakresie nauki o żywieniu oraz umiejętności korzystania z niej w celach praktycznych.

W swojej praktyce naukowej oraz w dostępnym piśmiennictwie krajowym i zagranicznym nie spotkałem się z opisem diety czy innej metody leczniczej o podobnej skuteczności w leczeniu różnych chorób.

dr biochemii WŁODZIMIERZ PONOMARENKO
Łódź

DZIEJE GRZECHU (PIERWORODNEGO)

– Czy możliwe jest, aby człowiek kierując się tylko zmysłami wybierał takie pożywienie, które jest najlepsze dla jego organizmu? Aby nie szkodził sobie sam?

– Dlaczego krowa nie zjada barana czy zająca? Odpowiedź jest prosta. Baran czy zając krowie nie smakuje. Dlaczego wilk nie zjada ziemniaków, zboża, trawy czy jabłek? Odpowiedź jest taka sama. Te produkty wilkowi nie smakują. Są dla niego niejadalne. Zarówno zjadani, jak i zjadacze przy pobieraniu pożywienia, kierują się głównie smakiem oraz możliwościami zdobycia pożywienia. Na ogół dla tych zwierząt produkty najlepsze dla ich organizmów są najbardziej smaczne i spożywane w pierwszej kolejności.

Powyższe mechanizmy, wspólne dla wszystkich istot żywych, zupełnie zawodzą u człowieka. Między wszystkimi gatunkami a człowiekiem w pobieraniu pożywienia występuje jedna, ale bardzo istotna różnica. Wszystkie zwierzęta pobierają pokarm surowy. Człowiek zmienia smak potraw przez ich przetwarzanie. Tylko z tej różnicy wynikają wszystkie, występujące tylko u ludzi, negatywne skutki. Bez przetwarzania pożywienia przez pierwszych ludzi, bez zmiany jego smaku i właściwości, nie tylko nie byłoby tak zwanego grzechu pierworodnego, ale nie byłoby też człowieka, nazywającego samego siebie człowiekiem rozumnym. Odpowiadając jednak wprost na pana pytanie uważam, że człowiek nie potrafi i jeszcze długo nie będzie potrafił odróżniać samodzielnie pokarmów dobrych od złych.

– A może to „kasta rozumnych" przypisała bogom nakazy i zakazy. To fascynujące, skąd Stwórca mógł wiedzieć o trychinozie, wściekliźnie...

– Bogowie, którzy stworzyli człowieka, nie wierzyli w ogóle, ale wiedzieli. Jeśli wiedzieli, to potrafili wykonać rozumnie zaprogramowane doświadczenie. Bóg Noego o trychinozie nie wiedział. Bóg Mojżesza znał wszystkie zwierzęta przenoszące trychinozę i wszystkie, bez jednego błędu, wyłączył ze spożycia dla ludzi. Wiedział również o wściekliźnie i starał się ludzi przed nią chronić: zabronił spożywania padłych zwierząt w ogóle, a poszarpanych czy zabitych przez drapieżniki - w szczególności. Bóg Mojżesza nie wiedział, czy chlorella, którą znalazł na Ziemi i przebadał, może wytwarzać potrzebną człowiekowi żywność - z wody, składników mineralnych i światła. Światła niekoniecznie słonecznego.

- *I bogowie wykonali doświadczenie...*
- Zabrali się do tego w taki sposób, w jaki obecnie są prowadzone badania nazywane naukowymi. Wybrali grupę ludzi jednolitych genetycznie (takie same były tu kryteria doboru, jakie nauka stosuje do badań na zwierzętach). Żydzi, którzy pochodzili od Jakuba i jego synów i nie mieszali się z Egipcjanami, którzy przez ponad 500 lat pobytu w Egipcie zamienili się sami w „bydło ludzkie" - niewolników, najbardziej się do tego doświadczenia nadawali. Trzeba było ich odizolować. Najlepiej nadawała się do tego pustynia, gdzie zdobycie żywności było bardzo utrudnione.

Żydzi dostali maszynę do produkcji manny. Maszyna była niebezpieczna. Zawierała mały reaktor jądrowy do wytwarzania światła, stałej temperatury dla hodowli chlorelli i chłodzenia dużej czaszy (misy), co pozwalało na pobieranie wody z powietrza - jak napisano w księdze Zohar. Mojżesz, Aaron i jego synowie zostali dokładnie przeszkoleni w obsłudze maszyny i zapoznani z przepisami, jakbyśmy dziś powiedzieli, BHP. Zostali wyposażeni w ubrania chroniące przed promieniowaniem. W Biblii opisano liczne przypadki choroby popromiennej u tych, którzy nie przestrzegali przepisów BHP lub oglądali i dotykali maszynę, jak przytrafiło się Filistynom.

Doświadczenie trzeba było przeprowadzić przez co najmniej dwa pokolenia. Dlatego Mojżesz wodził Żydów po pustyni przez 40 lat. Na pustyni Żydzi żywili się wyłącznie manną, która była ściśle racjonowana - omer (około 4 litry) na rodzinę na dobę. W przeddzień czyszczenia i napełniania maszyny wytwarzano podwójną porcję innej manny, którą można było przechowywać do drugiego dnia.

Biblia nie wspomina o tym, że kapłani manny nie jedli, ale tak było. Wojownicy również nie jedli jej, bo nie mogliby być wartościowymi wojownikami, takimi, że 10 mogło gonić 100 wojowników nieprzyjacielskich, a pięciuset aż 10 tysięcy. To była wiedza tajna. Do Ziemi Obiecanej Żydzi weszli z bardzo sprawnym narodowym mózgiem (kapłani), z najlepszą na świecie armią i bardzo licznym i posłusznym narodem.

Czy manna nadaje się dla człowieka? „Od tej manny nasi ojcowie stali się baranami, które kto chciał, jak chciał i gdzie chciał - pędził. Lepiej zdychać z głodu, niż żreć tą żółtą mąkę" - napisano w księgach. Doświadczenie wykazało, że manna nie nadaje się dla bogów i nie nadaje się dla ludzi. Prosty organizm, jakim jest chlorella nie może wytwarzać wszystkich potrzebnych dla organizmu ludzkiego czy boskiego, składników. To można było wiedzieć bez doświadczenia.

– Panie doktorze choroby dziesiątkowały ludzkość niezależnie od modelu żywienia. Tyfus, dżuma, grypa, ospa, gruźlica, teraz AIDS. Palec boży, czy może pewien samoregulator, który od czasu do czasu włącza Matka Natura?

– Stanisław Staszic pisał: „I mór jest waszym dziełem", myśląc o rządzących elitach. Kiedy powstawały epidemie? Po wyniszczających wojnach, w latach nieurodzaju. Za głodem zawsze szedł mór. Przyczyną rozprzestrzeniania się chorób zakaźnych jest niekorzystna zmiana w żywieniu dużych populacji. Posty dawały to samo. Dlaczego najwięcej epidemii przeziębieniowych i grypowych mamy przed Bożym Narodzeniem i przed Wielkanocą? Zmniejsza się odporność. W obozach koncentracyjnych odporność więźniów zmniejszała się do tego stopnia, że wystarczyło zadraśnięcie, a w ranę wdawała się gangrena. Znam opisy z wojny secesyjnej w Ameryce, że żołnierze przetrzymywani w nieprzyjacielskich obozach na skutek zwykłego uderzenia sprzączką od paska umierali na gangrenę. Człowiek żywiony prawidłowo ma tak dużą odporność, że żadne choroby nie są mu straszne. Jest jeszcze jedna przyczyna degeneracji człowieka jako gatunku i jego mniejszej odporności. Otóż człowiek zaczął się rozmnażać w nieprawdopodobnym tempie, łamiąc wszelkie prawa natury. To musiało doprowadzić do takich skutków. Gdyby owady chciały się rozmnażać w sposób tak niekontrolowany jak ludzie, po roku na kuli ziemskiej zabrakłoby miejsca. W gatunku zdrowym istnieje niepisana zasada: dwoje rodziców - dwoje dzieci.

– Stwórca bardzo dokładnie zaprojektował swoje dzieło – człowieka. Wyposażył go w doskonale funkcjonujące zmysły, narządy ruchu, organy wewnętrzne. Nie zapomniał o najdrobniejszych szczegółach, na przykład odporności. Chce pan powiedzieć, że o czymś zapomniał? Przeoczył lekcję, na której miał mu przekazać instrukcję obsługi własnego organizmu?

– Ta lekcja się odbyła, tyle że potem nastąpił ciąg bardzo dziwnych wydarzeń, które doprowadziły do tego, że ludziom zupełnie pomieszało się w głowach. Bóg zaprogramował człowieka i całą naturę dzieląc ich na dwie części: na zjadaczy i zjadanych. Dla zjadanych jest pastwisko, dla zjadaczy cała reszta. Tymczasem człowiek o pomieszanym umyśle pomieszał w swoim garnku. Tłuszcze, białka, węglowodany. Było mu wszystko jedno co je i w jakich proporcjach. Rozwój i upadek wszelkich cywilizacji dobitnie o tym zaświadczają. Lis, który zacznie żywić się kartoflami padnie albo zdegeneruje się. To samo jest z człowiekiem. Jeżeli zgrzeszy przeciwko naturalnemu porządkowi rzeczy, to grozi mu wymarcie.

- Mówimy o „akcie stwórczym", „grzechu pierworodnym", o Bogu. Rozmowa zaczyna dotykać problemów wiary, religii. Ludzkość cierpi i choruje niezależnie od wiary, niezależnie od tego, jakiego czci Boga. Panie doktorze! Mówiąc o tym, że Stwórca „zaprojektował człowieka" miałem na myśli pewną niepisaną konwencję, którą stosują nawet wybitni znawcy teorii Darwina.

- Ależ użył pan bardzo właściwych terminów. Wbrew temu, co mówi nauka, człowiek został stworzony i dokładne opisy tego aktu są dostępne. Pochodzimy od jednej matki lub kilku sióstr, a doszło do tego około 170 tysięcy lat temu. Skąd to wiemy? Z analizy materiału genetycznego, jaki przekazali nam nasi przodkowie, a ściślej mówiąc przodkinie, gdyż geny, o których mowa przekazywane są wyłącznie przez kobiety w mitochondriach. Materiał genetyczny się powoli zmienia i można wyliczyć, na ile zmieni się przez tysiąc lat, dziesięć tysięcy, sto tysięcy...

- Pewnie razi pana określenie „małpa człekokształtna", a teoria ewolucji według pana nadaje się na śmietnik?

- Od 20 milionów lat Ziemię zamieszkiwały przedziwne istoty, w tym również małpy. Neandertalczyk, to jedna z tych prawie małp. W teorii ewolucji naprawdę nie brakuje tylko jednego ogniwa, ona jest pełna luk. Wiadomo przecież, że niektóre siedliska na Ziemi zamieszkiwał na przemian neandertalczyk i człowiek. Są na to dowody. Księga Rodzaju obok człowieka wymienia istoty, które Sumerowie nazywali melosami czyli nieludźmi, a dowodem na ich istnienie jest biblijna historia Kaina, który zabija swojego brata.

- Zatem bogowie stworzyli ludzi na obraz i podobieństwo swoje, ofiarowując im życie bezpieczne, bez chorób, długowieczność, czyli raj na Ziemi.

- Bogowie stworzyli ludzi przy pomocy własnego materiału genetycznego, aby umożliwić im zdrowy rozwój, zdrowe życie, zdrową czynność umysłów, przekazali ludziom sposób na pobieranie żywności znacznie lepszej, niż mogą ją zdobyć najsilniejsi i najsprawniejsi drapieżcy. Dopóki ludzie przestrzegali zaleceń bogów, na Ziemi był raj. Nasi przodkowie mieli spożywać pożywienie przeznaczone tylko dla drapieżników, ale znacznie lepsze. Tylko zwierzęta drapieżne i człowiek posiadają kły, a budowa przewodu pokarmowego u człowieka i drapieżników jest taka sama.

Bogowie ofiarowali więc człowiekowi ogień. Surowe produkty jadalne dla człowieka, przetworzone przy pomocy ognia, stają się znacznie lepsze. Człowiek, jedząc to samo co tygrys, jadł zatem znacznie lepiej. Dzięki temu, że człowiek zdobył ogień, pojawiła się nowa jakość, a ta nowa jakość musiała dać skutki niespotykane u innych gatunków. Była to możliwość utrzymania odpowiednio dużego mózgu (niedopuszczenia do jego zmniejszenia) i dostarczenia odpowiednich źródeł energii, warunkujących zdrową jego czynność. W wyniku grzechu pierworodnego objętość mózgu u człowieka stopniowo zmniejszała się i obecnie jest o około 0,6 litra mniejsza, niż występowała u przodków człowieka, a czynność umysłu stała się na zawsze patologiczna. Objętość mózgu u współczesnego człowieka, najmniejsza w średniowieczu, od kilkuset lat w Europie systematycznie powoli wzrasta.

– Zgodnie z pana rozumowaniem bogowie tworzą ludzi na swój obraz i podobieństwo, po pierwsze chcąc posługiwać się nimi, po drugie aby zbudowali oni Boże Królestwo na Ziemi. Dlaczego nie interweniowali, jeśli nie do końca doskonali przecież ludzie nie potrafili sprostać ich wymaganiom?

– Celem bogów było pozostawienie na Ziemi istot rozumnych, aby mogły one zbudować mądrą cywilizację, o wysokim poziomie technicznym, wyposażoną w wiedzę, która pomoże bogom w rozprzestrzenianiu się życia i rozumu w Kosmosie, wszędzie tam, gdzie jest to możliwe. Bogowie wielokrotnie ingerowali na Ziemi. Ostatnia, pewna ich interwencja miała miejsce za czasów Mojżesza. Ludziom nauki spośród Izraelitów ponownie przekazali prawidłowy model żywienia i zupełnie inne modele żywienia dla pozostałych grup ludności, gdyż w ówczesnych czasach, w plemieniu pasterskim, najlepszej żywności mogło wystarczyć tylko dla nielicznych, dla ludzi nauki, dla plemiennego mózgu. W Biblii wiele razy podany jest skład diety dla rabinów i ich rodzin. Mieli oni spożywać przede wszystkim najlepszy tłuszcz młodych, zdrowych i odpowiednio karmionych zwierząt, ponadto wątrobę, nerki oraz nieco mięsa z tej okolicy ciała zwierzęcia, w której gromadzą się w największej ilości związki fosforowe aktywne, będące nośnikami czystej energii. Zatem chodziło o stworzenie „kasty rozumnych".

- Nasi przodkowie spożywali pokarmy proste, najczęściej jednorodne, dużo rzadziej zapadali na raka, nie miewali stresów, przebywali w czystym środowisku, a jednak średnia długość ich życia była dużo krótsza niż obecnie.

- Kiedyś bardzo dokładnie zbadałem ten problem, który również mnie intrygował. Trafiłem na opasły tom Rosseta, który opisywał proces starzenia się ludności, przytaczając różne badania prowadzone w tej materii. Oto porównano średnią długość życia „sławnych mężów" w I wieku naszej ery w Rzymie i na początku XX wieku w Europie. Wyniki mnie nie zaskoczyły. W starożytnym Rzymie „sławni mężowie" żyli dłużej niż ich odpowiednicy w nowożytnej Europie. A przecież dwa tysiące lat temu nie wykonywano operacji wyrostka robaczkowego, niedrożności jelit, żołądka, gruczołu krokowego. W starożytności nie potrafiono radzić sobie z ospą, dżumą. I mimo wszystko ci ludzie żyli dłużej od nas. Dlaczego? Oni potrafili wybierać pokarmy lepsze i odrzucać gorsze. Jeśli niektórzy lekarze ilustrujący postęp medycyny twierdzą, że w średniowieczu średnia długość życia wynosiła 20-22 lata, to mówią prawdę. Ale jednocześnie zapominają dodać, że na tysiąc urodzeń umierało 800 noworodków, więc od razu średnia obniżała się dramatycznie. A niejaki Tomasz Parr przybył na dwór króla angielskiego w wieku 150 lat, na co posiadano niezbite dowody. Otóż ów Tomasz, „stosownie karmiony i pojony", na skutek czego wkrótce zmarł, nie mógł przeżyć, bo zmienił swoje nawyki żywieniowe. Królewski medyk William Harvey dokonujący sekcji zwłok matuzalema nie natrafił na najmniejszy ślad miażdżycy. Chrząstki żebrowe starca nie były w najmniejszym stopniu zwapnione, a przecież to właśnie one starzeją się najszybciej u człowieka. Wniosek nasuwał się jeden: u Parra proces starzenia przebiegał znacznie wolniej aniżeli u pozostałych ludzi.

- Podsumujmy. Wskutek grzechu pierworodnego człowiek nie potrafi odróżniać dobra od zła, czyli wybierać również produktów dobrych i odrzucać złych. Bogowie interweniują wiele razy, kiedy ich nie do końca rozumni synowie zaczynają coś knocić, ale na to, żeby zmazać skutki grzechu pierworodnego nie mogą się zdecydować i uważają, że ludzie powinni to zrobić sami.

- W pomijanych, niezrozumiałych i odrzucanych treściach zawartych w Biblii, znajduje się ukryty klucz umożliwiający rozwiązanie spraw dla ludzi najważniejszych. Klucz ten jest niedostępny dla umysłów ludzi współczesnych. Największą przeszkodą w rozpoczęciu budowy zapowiadanego Królestwa Bożego na Ziemi, jest niewiedza o tym, że współcześni ludzie nadal nie mogą odróżniać dobra od zła. Powszechna, nieprawidłowa czynność umysłów wszystkich ludzi, czyni niemożliwym znalezienie pierwszej (naczelnej) przyczyny zła, czyni niemożliwym jej usunięcie, a to dopiero mogłoby stworzyć biologiczne podstawy do zrozumienia, w jakich treściach zawartych w Biblii ukryty został potrzebny klucz.

Autorzy wcześniejszych tekstów (głównie sumeryjscy - do Abrahama) i autorzy Biblii, którzy z tych tekstów korzystali, dysponowali znacznie bardziej sprawnymi umysłami od umysłów ludzi współczesnych. Ich wiedza została głęboko ukryta do czasu, gdy na Ziemi pojawią się warunki umożliwiające pojawienie się ludzi (lub tylko jednego człowieka) dysponujących umysłami pozwalającymi na odróżnianie dobra od zła, czyli wiedzących wszystko, co dla ludzi jest najważniejsze.

Autorzy Biblii wiedzieli, że kiedyś takie warunki na Ziemi powstaną i że taki człowiek pojawi się. Wyznawcy judaizmu są tego pewni.

– Ludzkość w szlachetnym odruchu poznania porywa się przeciw bogom, zrywając jabłko z drzewa wiadomości. I oto ten „niewinny" gest ma zaciążyć na całych człowieczych pokoleniach. A może ludziom znudziło się w raju i zapragnęli odmiany?

- W Księdze Rodzaju zakodowano wiadomość, że ludzie odróżniali dobro od zła (jak Bóg czy też bogowie) tylko do czasu, gdy ściśle przestrzegali nakazów Boga i nie spożywali produktów z grupy chemicznie zbliżonej do biblijnego jabłka.

Ta żywność, której Bóg nie pozwalał ludziom spożywać (i której bez użycia ognia spożywać by nie mogli), wprowadzona przez nich samych do jadłospisu, spowodowała grzech pierworodny, pozbawiła umysły ludzi (chemicznie) możliwości odróżniania dobra od zła, zamknęła ludziom dostęp do wiedzy, prawdy i mądrości.

ZŁOTA ZASADA PROPORCJI, CZYLI WZÓR ŻYCIA

– Fundamentalną zasadą żywienia optymalnego jest zachowanie proporcji pomiędzy białkiem, tłuszczem i węglowodanami. „Wzór życia" opracowany przez pana zapisuje się: 1:2,5-3,5:0,3-0,5. Pierwszy składnik to białko, drugi tłuszcz, trzeci węglowodany.

– O proporcjach najwłaściwszych dla człowieka po raz pierwszy szerzej napisałem w roku 1972 w tygodniku „Perspektywy". Wiedziałem, że prawie wszystkie choroby, na które zapada człowiek, mają swoje źródło w niezachowywaniu właściwych proporcji pomiędzy źródłami energii. Innym źródłem energii napędzana jest rakieta, a innym lokomotywa i nie da się tych paliw stosować wymiennie. Organizmy zwierząt i ludzi są zbudowane tak, że powinny korzystać z jednorodnego paliwa, zatem organizmy trawożerców otrzymują jako niemal jedyne źródło energii węglowodany (nie spożywają przecież tłuszczów), a mięsożercy, czyli zwierzęta drapieżne, nie jedzą żadnych produktów zawierających węglowodany, bo ich głównym źródłem energii są tłuszcze dostarczane w pożywieniu lub wytwarzane z własnych białek albo z białek dostarczonych w pokarmie. Jeżeli świętą zasadę proporcji ktokolwiek naruszy, to wówczas powinien się liczyć z zachorowaniem na chorobę Buergera, stwardnienie rozsiane, gościec przewlekły postępujący, nadczynność tarczycy, cukrzycę typu I, sklerodermię, nadciśnienie, miokardiopatię przerostową, niektóre nowotwory. Zapyta ktoś: dlaczego jednak człowiek chorujący na jedną z wymienionych wyżej chorób nie zapada jednocześnie na miażdżycę czy migrenę? Dzieje się tak dlatego, że u chorujących na miażdżycę, niedoczynność tarczycy, nadciśnienie miażdżycowe, kamicę wątrobową, chorobę zwyrodnieniową stawów, dnę, zakrzepy, zatory i zawały spowodowane miażdżycą oraz udar mózgu pochodzenia miażdżycowego, występują inne proporcje między głównymi składnikami odżywczymi niż u chorujących na choroby wymienione w pierwszej grupie. Dlatego właśnie tamte choroby określane są jako

„zespoły antymiażdżycowe". Podobnie prawie nie spotyka się chorych cierpiących jednocześnie na neurastenię i chorobę wrzodową, gdyż przyczyną każdej z tych chorób jest odmienne odżywianie się. Mój wzorzec odżywiania, jako biochemicznie najlepszy dla ludzkiego organizmu, umożliwia wyeliminowanie większości tych chorób.

- Proporcje w diecie optymalnej mogą się jednak zmieniać w zależności od stanu organizmu, chorób, na jakie cierpi pacjent, wieku.

- W ciągu pierwszych 3 - 4 tygodni stosowania diety optymalnej, kiedy organizm przystosowuje się do nowego sposobu odżywiania, potrzeba odpowiedniego, indywidualnego ustawienia proporcji jest niezwykle istotna. Na przykład u osób otyłych trzeba doprowadzić do tego, aby zaczęły one spalać własne zapasy tłuszczu, czyli w tym pierwszym okresie należy dostarczać organizmowi więcej białka i mniej tłuszczu. Po zrównoważeniu bilansu białkowego, gdy ilość spożywanego i wydalanego białka będzie taka sama, spożycie kalorii maleje, zaś proporcje w diecie można doprowadzić do idealnego wzorca - 3:1 - trzy części tłuszczu na jedną część białka.

- Ile trwa przystosowanie się organizmu do nowego sposobu żywienia?

- 4 tygodnie u osób młodszych i 2-3 miesiące u osób starszych. W tym czasie organizm zaczyna budować „maszyny" do spalania nowego rodzaju energii, nasze tkanki przyzwyczajają się do nowego, dużo bardziej kalorycznego paliwa. Zmiany zachodzą w całym ustroju, ale ta „rewolucja" nie boli, a częstokroć jest w ogóle niezauważalna.

- Niemal każdy, kto przeszedł na dietę optymalną, dostrzega znaczne zmniejszenie ilości spożywanych pokarmów. Człowiek nie bywa głodny, mimo że objętościowo je bardzo niewiele i dość rzadko, 2 - 3 razy dziennie. Tymczasem autorzy niektórych diet uważają, że im więcej pracy ma nasz przewód pokarmowy tym lepiej. Każą opychać się otrębami, kiełkami, płatkami owsianymi, surowymi warzywami.

- Pliniusz zauważył już dawno, że „korzystne jest zmniejszać to, co by w jakikolwiek sposób żołądek obciążało". Chodzi więc o to, aby pokarmy, które przyswajamy, pochodziły z końcowych ogniw łańcucha pokarmowego, żeby były maksymalnie skoncentrowane i maksymalnie strawione poza organizmem. Przykłady z techniki ilustrują tę tezę znakomicie. Po co zużywać 30 litrów benzyny, skoro można zużyć 3 razy mniej wodoru? Gdyby węgiel był tak dobry jak ropa naftowa, to bylibyśmy światową potęgą, ale nie jest, więc okazuje się, że do wydobycia węgla musimy dopłacać, podczas gdy arabscy szejkowie pławią się w petrodolarach. Moja wiedza w całości oparta jest na naukach ścisłych, nie odważyłbym się namawiać ludzi do czegoś, co nie miałoby pewnego i niezmiennego uzasadnienia w przyrodzie.

– Czy zdarzają się osoby, które są „odporne" na żywienie optymalne, ludzie, którym ten wzorzec pożywienia nie odpowiada lub wręcz szkodzi?

– Znam przypadek pacjentki, która cierpiała na niewydolność nerek. Osoba ta została przekonana do mojej diety przez kogoś ze swojego otoczenia. Bez konsultacji ze mną, bez szczegółowych wskazówek zaczęła się żywić według wskazań „z drugiej ręki". Jak później się dowiedziałem, pani ta musiała przerwać żywienie optymalne, gdyż czuła się coraz gorzej. Przeanalizowałem ten przypadek. Chore nerki, to zawsze większa ilość mocznika i kreatyniny, a więc w takim przypadku nie należy dodawać organizmowi kolejnych białek. Tymczasem chora zaczęła właśnie od białkowego wzbogacenia swojej diety, bo to „odpowiadało jej bardziej niż tłuszcze". Popełniła błąd. Wątroba nie była w stanie uporządkować galimatiasu, który zafundowała swojemu organizmowi ta osoba.

– Ten przykład powinien ilustrować fakt, że w niektórych chorobach podejmowanie leczenia dietą optymalną na własną rękę może przynieść odwrotne skutki od zamierzonych.

– Człowiek chcąc należycie obchodzić się ze swoim organizmem powinien mieć podstawową wiedzę o jego funkcjonowaniu. Nie powinien nigdy działać w ciemno, na wyczucie, ani dlatego, że tak mu ktoś poradził. Tymczasem ludzie nie rozumieją podstawowych procesów metabolicznych, mieszają podstawowe pojęcia. Mówią na przykład: „cukier owszem jest niezdrowy, ale za to miód... Miód jest wspaniały!" Bzdura! Miód niemal niczym nie różni się od cukru, więc jak można zabraniać komuś spożywania cukru i namawiać go jednocześnie do jedzenia miodu, bo i z takimi „fachowymi" poradami się spotkałem.

– Czy zdarza się, że ktoś po długim okresie żywienia optymalnego rezygnuje?

– To są bardzo sporadyczne przypadki. Z moich obserwacji wynika, że co setna osoba, która stosuje dietę odchodzi od niej po jakimś czasie. Najczęściej przyczyny są zewnętrzne - zmiana środowiska, dłuższy, często zagraniczny wyjazd, leczenie w zakładzie zamkniętym. Ale, na przykład, z 55 chorych, u których przed laty rozpocząłem leczenie choroby Buergera z żywienia optymalnego do dziś nie zrezygnował żaden. Oni doskonale wiedzą, że powrót do starych nawyków musiałby oznaczać ból i cierpienie. Odstępują natomiast ci, którym nic nie dolega i przeszli na dietę z ciekawości albo dla poprawienia samopoczucia, a ponieważ ich organizmy na razie nie buntują się, więc pozwalają sobie na jedzenie byle czego. To, że ktoś rezygnuje, bywa też skutkiem presji środowiska, często najbliższej rodziny, która nie potrafi zaakceptować odmienności upodobań jednego z domowników. To bardzo przykre, bo przecież każdy ma prawo decydować o swoim zdrowiu.

- Proporcje w diecie optymalnej to także kwestia doboru poszczególnych składników pożywienia w zależności od schorzeń, na które cierpi człowiek. Innymi słowy: do regeneracji narządów wewnętrznych należy dostarczać organizmowi materiałów, z których są one zbudowane.

- Dokładnie. Ktoś kto ma chorą wątrobę, powinien zjadać smażoną wątróbkę, ten który cierpi na choroby stawów, powinien dostarczać organizmowi chrząstki, ścięgna, powięzi. Przy stwardnieniu rozsianym ważne będzie zjadanie na przykład móżdżku zwierzęcego. Krótko mówiąc trzeba brać pod uwagę nie tylko proporcje biochemiczne B:T:W, czyli stosunek białka, tłuszczu i węglowodanów, ale również rodzaj i budowę tkanki zwierzęcej, jaką spożywamy.

ALTERNATYWY NIE BYŁO

Jesienią 1993 roku zauważyłem u siebie bardzo dziwne objawy. Zaczęły drętwieć mi nogi, potem doszło podwójne widzenie. Czułem się fatalnie. Ściany wokół mnie „pływały", nie byłem w stanie się skupić, przestałem prawie zupełnie chodzić. Trafiłem do kliniki, rozpoznanie Vertigo, zawroty głowy... Byłem pewien, że w mojej głowie dzieje się coś dużo bardziej niedobrego. Brałem pod uwagę guza, wreszcie pomyślałem o SM. Pojechałem do szpitala w Międzylesiu pod Warszawą. Rezonans magnetyczny nie mógł się mylić – liczne pola demielinizacji. Wyrok: stwardnienie rozsiane. Co mam powiedzieć? Że zawalił mi się cały świat, że mogłem myśleć tylko o wózku inwalidzkim, dobrych kulach? Miesiąc ciężkiej depresji. Choroba nieuleczalna... Sterydy, którymi się faszerowałem działały na mnie fatalnie. Czułem się coraz gorzej. Wiedziałem, że mój mózg wygląda tak, jakby był wyjedzony przez mole. Profesorowie, bioenergoterapeuta, chwytałem się każdej możliwości. Wreszcie pani Barbara, która żywi się według wskazań Kwaśniewskiego już od paru lat, powiedziała: „Olek, co ci szkodzi, spróbuj tak jeść". Pojechałem do Ciechocinka i mówię dr Kwaśniewskiemu, że pracuję na kardiochirurgii, że rezonans potwierdził SM, że czuję się coraz gorzej. „Jeżeli pan może, niech mnie pan ratuje" - kończę. Rozmawialiśmy 5 godzin. Dostałem książkę. „Jak pan chce niech, się pan do tego zastosuje, jak nie, proszę ją wyrzucić" – rzekł lekarz. Mam ją do dzisiaj, oprawiłem ją, prawie nigdy się z nią nie rozstaję. Ledwie udało mi się dojechać do domu, ostry rzut choroby trwał od dłuższego czasu. Próby rehabilitacji zdają się na nic. Nie mam ręki, nie potrafię trafić w czubek własnego nosa, nie wiem gdzie mam kieszeń, nie czuję palców. Sol-Medrol, 3 gramy! Potem zespół odstawienia sterydów. Niskie ciśnienie i mrowienie rąk. Jaki jest ze mnie chirurg bez ręki?

Po pół roku cofnęły się niemal wszystkie objawy. Pozostało lekkie mrowienie w łokciu. Schudłem 20 kilogramów. Teraz mija trzeci rok i jestem zdrowy, zaraz, czy zdrowy?

Pracuję całkowicie normalnie, nawet się nie przeziębiam, nie mam nowych rzutów. Ktoś, kto spotkał się z SM wie, jaki straszny przebieg ma ta choroba. To jest jak równia pochyła, jest gorzej i tylko gorzej. Pani profesor powiedziała mi niedawno: „ta dieta warunkuje panu remisję", to znaczy okres pomiędzy rzutami. Tak, to prawda. Zmiany organiczne są nieodwracalne, centralny układ nerwowy się nie regeneruje, stwardnienie jest nieuleczalne i Kwaśniewski też o tym wszystkim wie, ale jest dobrze tak jak jest i za to jestem mu wdzięczny. Nie mam nawrotów choroby, choć kwestia mojego zdrowia może być dla niektórych wątpliwa. Mnie naprawdę nikt nie dał żadnej alternatywy.

dr nauk medycznych Aleksander Pietrzycki,
Arkadia II Katowice

SZARLATANI I KUGLARZE

– A może z dietą Kwaśniewskiego jest tak, jak z patrzeniem poprzez telewizyjny ekran w oczy Kaszpirowskiemu, chwytaniem się za ręce w zbiorowych seansach bioenergoterapeutycznych, przykładaniem rąk do czubka głowy. Może to zbiorowa sugestia, czy coś w tym rodzaju?

– Zawsze w takich sytuacjach mówię w ten sposób: skoro minister zdrowia jest odpowiedzialny za zdrowie narodu, to powinien wszelkimi dostępnymi siłami dążyć do tego, aby to zdrowie poprawić. W przysiędze Hipokratesa, którą każdy lekarz składa, jest takie piękne zdanie: „Nigdy nie będę bez sprawdzenia występował przeciwko żadnej nowej metodzie leczenia".

Pamiętam, ile razy przypominały mi się te słowa, kiedy chciałem spopularyzować moje prądy selektywne. Wielu nie miało pojęcia o co w tym w ogóle chodzi, natomiast wielu było przeciwko, czyli to nie byli lekarze. Ale, prawdę mówiąc, czasem nie dziwię się moim kolegom po fachu. Przecież od pewnego czasu zarobki w służbie zdrowia są bardzo kiepskie, zatem lekarze choćby z tego powodu nie mogą poprawić swojego modelu żywienia. Mało tego, wielu z nich korzysta z posiłków serwowanych w szpitalach, a co tam podają – wszyscy wiemy: jakiś dżemik, chudy serek, ziemniaki, suchy chleb. Przy takim wyżywieniu nie ma mowy, żeby czynność ludzkiego mózgu się poprawiła. Trudno mieć o to do tych ludzi pretensje. A najgorzej żywią się ci, którzy pracują w naukach podstawowych. Są najbiedniejsi, więc ich model żywienia jest najgorszy.

Jaki jest w Polsce stan nauk podstawowych, każdy widzi. Rzecz w tym, że od czasu rozpowszechnienia się tak zwanej diety przeciwmiażdżycowej, niskokalorycznej i niskotłuszczowej, która skutecznie wypłukuje resztki rozumu z ludzkich głów, uczeni zostali pozbawieni resztek rozsądku i wkrótce sami zauważyli, że czasy wielkich odkrywców skończyły się.

- Na Śląsku w takich sytuacjach mówiło się „byle co jesz, byle co mówisz".

- To bardzo mądre powiedzenie...

- Wróćmy jednak do bioenergoterapeutów. Nie może pan zaprzeczyć, że uzdrowiciele i medycyna niekonwencjonalna bywają często jedyną deską ratunku dla ludzi, na których lekarze położyli krzyżyk. Zresztą sam profesor Aleksandrowicz powiedział kiedyś, że zdrowie jest zbyt cenne, żeby je powierzać lekarzom. To chyba nie tylko autoironia?

- Profesor Aleksandrowicz powiedział także, że nie ma nieuleczalnie chorych, że ograniczona jest tylko nasza wiedza. Jeszcze raz powtarzam: proszę sprawdzić ilu chorym i w jakich chorobach pomogły określone metody. Trzeba się też przekonać, czy skutki określonych metod leczenia są trwałe. Jeżeli będziemy znali odpowiedź na te pytania, możemy decydować, które metody leczenia nam odpowiadają. Pozwoli pan jednak, że zilustruję to, o czym mówimy, fragmentem pewnego listu, który otrzymałem dziś rano. Mój korespondent cierpi na wrzodziejące zapalenie jelita grubego. A oto co dotąd zalecili mu bioenergoterapeuci i uzdrowiciele.

„Panie Doktorze proszę o skreślenie jedzenia i zabiegów, których nie należy stosować (Colitis ulcerosa chronica):

1. Jedzenie pestek dyni i słonecznika.
2. Okłady z rycyny na prawą stronę brzucha (wątroba, woreczek, wyrostek robaczkowy).
3. Zioła od nerwicy, wrzodów żołądka, jelita grubego.
4. Otręby pszeniczne.
5. Nafta oczyszczona (petrol).
6. Drożdże piwne.
7. Witaminy B compl., wit. C forte.
8. Tran rybi (łyżka dziennie).
9. Kiełki pszeniczne.
10. Soki z marchwi, buraków, ziemniaków, selera, kapusty.
11. Miód.
12. Ranne wypijanie 1 litra ciepłej wody.
13. Oliwa z oliwek na noc (łyżka, do pozbywania się toksyn).
14. Kąpiele w wodzie z dodatkiem słomy owsianej.
15. Huba biała, czarna z naszych lasów.
16. Bikom - prądy, które wychwytują chore miejsca, by zamienić na zdrowe i zwracają z powrotem do organizmu. Zabieg trwa około 30 min. (12 zabiegów wziąłem).

17. Masaże stóp - receptorów wszystkich organów w tym chorych.
18. BSM przykładanie dwóch rąk na czubek głowy (30 min. zabieg).
19. Ćwiczenie umysłu metodą Silvy, Reiki.
20. Spanie na żyle wodnej i siatce geopatycznej - przyczyna mojej choroby.
21. Codzienne ćwiczenia oddechowe i gimnastyka rano górnych. kończyn, wieczorem dolnych kończyn. Chodzenie jak kot, niedźwiedź wg Edgara Cayce'go z Ameryki.
22. Picie soku z wołowiny.
23. Jedzenie trzech warzyw, które rosną na powierzchni i jednego, które rośnie pod ziemią.
24. Picie wina czerwonego z żółtkiem jajka.
25. Gotowanie zup chińskich (8 godz.) przestrzegając kolejno wrzucanych składników 4 elementów. Woda, ogień, ziemia, metal.
26. Picie aloesu z winem.
27. Picie porannego moczu swojego 3 razy dziennie.
28. Posty 1-dniowe do 21 dni.
29. Kasze gryczane, jęczmienne.
30. TP1 i TT2 (mikroelementy) doktora Podbielskiego z Międzyrzecza Wlkp.
31. Zakonnicy Bonifratrzy z Łodzi (zioła).
32. Mumjo - smoła ze skał Tybetu".

Człowiek ten dodał jeszcze, że jego wahadełko pokazuje mu, że ja mogę mu pomóc. Cóż, wobec wahadełka i ja muszę skapitulować... Ale proszę zwrócić uwagę, jak te wszystkie głupstwa namieszały ludziom w głowach. To wprost niesamowite.

- Panie doktorze, lista „magii i wiedzy tajemnej", którą przytoczył pan powyżej, świadczyć może o jednym: medycyna konwencjonalna, tradycyjna, z całym zapleczem klinicznym, badawczym, z całymi sztabami uczonych trudzących się w laboratoriach, z nowoczesnym przemysłem farmaceutycznym, z doskonałymi metodami diagnostycznymi, nie jest w stanie wyleczyć wielu chorób, zatem pacjenci chcąc nie chcąc muszą się zwracać ku metodom alternatywnym.

- Proszę zaobserwować w swoim kręgu znajomych, wśród członków swojej rodziny, efekty leczenia. Przecież ludzie, którzy przebywają w szpitalach, leczą się w ambulatoriach, kurują się w sanatoriach, nigdy nie wracają stamtąd wyleczeni. Choroby powracają. Nie może być inaczej, skoro ludzie nie zmieniają swoich nawyków żywieniowych. Cóż, medycyna... Są choroby, które jest w stanie leczyć skutecznie, nie mam co do tego wątpliwości, ale po co je leczyć, skoro właściwy model odżywiania eliminuje większość chorób. No dobrze, załóżmy jednak, że ustrój został zaatakowany przez bakterie, jest infekcja, więc lekarz w takim przypadku ordynuje na ogół antybiotyki. Ale co się dzieje? Niektóre wirusy i bakterie uodporniają się na stosowane antybiotyki. Problem bowiem w tym, że medycyna cały czas próbuje radzić sobie ze skutkami, nie likwidując przyczyn chorób. Tymczasem człowiek nie ma szans w pojedynku z Naturą. W Stanach Zjednoczonych obserwuje się od lat malejącą liczbę zawałów, chorób nadciśnienia, chorób naczyń. Czy to jest skutek wynalezienia jakiegoś cudownego leku przeciw tym schorzeniom, czy to jest zasługa istnienia znakomicie wyposażonych szpitali i klinik? Nie. To jest efekt poprawy wyżywienia w Ameryce. Po fatalnych nawykach ostatnich 50 lat, Amerykanie poszli po rozum do głowy i zaczęli jeść bardziej racjonalnie, ograniczyli na przykład bardzo poważnie spożycie cukru. Już 20 lat temu w USA średnio na dobę zjadano 280 gramów węglowodanów, a w Polsce w tym samym czasie spożywano 650 gramów.

– Ludzie jednak próbują dociekać przyczyn swoich chorób. Od paru lat prawdziwą furorę robi tak zwana "zdrowa żywność". Warzywa i owoce pochodzące z gospodarstw ekologicznych, z plantacji biodynamicznych, z regionów nie skażonych emisjami przemysłowymi mają sprawić, że będziemy zdrowsi unikając trucizn.

– Ta „zdrowa" żywność jest zdrowa tylko w przekonaniu tych, którzy zarabiają na niej o wiele więcej niż na normalnej żywności. Co za różnica czy zje się jabłko z sadu opryskiwanego chemicznie, czy z jabłoni rosnącej za stodołą, którą jedzą robaki. Skład chemiczny tego jabłka będzie ten sam i takie same szkody ono wyrządzi. Można „zdrowo" produkować haszysz, kokainę, morfinę, tytoń czy inne trucizny, na przykład cukier, ale jeżeli się nie wie, że to cukier przynosi najwięcej szkód, to co tu mówić o zdrowej żywności. To jest ogłupianie ludzi i temat zastępczy wynikający z niewiedzy.

– W Cedzynie pod Kielcami, kiedy prowadził pan „Arkadię" trafiali do pana ludzie bardzo ciężko chorzy, skrajnie wyniszczeni. Żeby ratować swoje zdrowie próbowali wszystkiego, leczyli się w najlepszych klinikach i w zapadłych dziurach u wiejskich znachorów. Stan niektórych chorych był beznadziejny. Trzeba być bardzo odważnym człowiekiem, aby wziąć czyjeś życie w swoje ręce. Nie obawiał się pan

porażki? Co tu ukrywać – ci ludzie trafili do pana tylko dlatego, że nikt im nie był w stanie pomóc.

– Nigdy nie odesłałem nikogo do domu, nie potrafiłbym tego uczynić. Był pan w Cedzynie i rozmawiał z pacjentami, więc wie pan, że oni we mnie wierzyli, wierzyli, że jestem w stanie im pomóc, a ja nie mogłem ich zawieść. Oczywiście zdarzali się ludzie w krytycznym niemal stanie, ale nie było przypadku, żebym wiedział, że nie mogę pomóc, a mimo to podejmował się leczenia. A całe leczenie sprowadzało się właściwie tylko do nauczenia tych ludzi obchodzenia się ze swoim organizmem, w niektórych przypadkach wspomagałem proces naprawy prądami selektywnymi i powtarzanymi co pewien czas badaniami. Wykonywaliśmy na przykład morfologię krwi czy OB, gdzie jak na dłoni było widać poprawę. Więc czego miałem się obawiać? Przecież nie nadużywałem zaufania tych ludzi, nie robiłem tego też dla pieniędzy ani dla sławy.

– *A gdyby panu się nie powiodło...*

– Nikomu nie robiłem złudnych nadziei, nie składałem obietnic, które byłyby niezgodne z moją wiedzą. Przychodził do mnie na przykład pacjent cierpiący na cukrzycę. Medycyna konwencjonalna jest mu w stanie ofiarować drakońską dietę i insulinę do końca życia, które zresztą będzie dużo krótsze niż przeciętne. Mówię mu, że jeżeli będzie jadł tak jak dotąd, to z cukrzycy nigdy się nie wyleczy. Opisuję, na czym polega żywienie optymalne, a on się pyta, kiedy będzie zdrowym człowiekiem. Odpowiadam, że to może potrwać od kilku tygodni do kilku miesięcy, bo wszystko zależy od ilości przyjmowanych dotąd leków i ogólnego stanu organizmu. I w tym przypadku byłem pewien, że mogę człowiekowi pomóc. I pomagałem. To są już tysiące ludzi.

– *Od momentu, w którym ludzie zrozumieli, że medycyna nawet na najwyższym poziomie nie jest w stanie skutecznie wyleczyć niektórych chorób, prawdziwą karierę obok działalności bioenergoterapeutów i uzdrowicieli zaczęły robić przeróżne paraleki dostępne w aptekach bez recepty. Zioła szwedzkie, klasztorne nalewki, preparaty z aloesu, dziesiątki środków „na wszystko" sprzedają się jak ciepłe bułeczki.*

– Te preparaty są pożyteczne, ale głównie dla ich producentów. Zarabiają na nich krocie, bo koszty są niewielkie, a zyski ogromne. Czy w organizmie ludzkim są szwedzkie zioła? No więc jakim prawem człowiek wprowadza takie substancje do swojego organizmu. Działanie tych cudownych środków opiera się głównie na ludzkiej wierze w ich cudowne działanie.

- Zawsze zastanawiała mnie niechęć oficjalnej medycyny do ludzi pomagających chorym w sposób przez nią nie akceptowany, ale jednak pomagających. Przypadki wyleczeń na przykład w czasie seansów bioenergoterapeutycznych są udokumentowane. Akupunktura, akupresura - tym leczy się w Ameryce na przykład ból, a u nas chorego szpikuje się tabletkami.

- Jeszcze raz powtarzam: obowiązkiem ministra zdrowia jest przeprowadzenie szeroko zakrojonych badań różnych metod leczenia i wybranie najskuteczniejszej. Trzeba wziąć sto osób chorych na chorobę Buergera, na astmę, na cukrzycę, na nadciśnienie i obserwować na przykład przez pół roku postępy leczenia. Czy to będzie przykładanie rąk do głowy, picie smoły tybetańskiej, patrzenie w oczy Kaszpirowskiemu, nie ma znaczenia. Liczyć się będzie efekt. Jeśli efekt będzie dobry, od nowego roku smołę tybetańską lub aloes podajemy w przedszkolach i obowiązkowo w szpitalach. Ale to trzeba sprawdzić, tak jak sprawdzono swego czasu żywienie optymalne.

- Ludziom, którym odebrano nadzieję, takie preparaty jak „koci pazur", „zioła indiańskiej czarownicy", czy „tybetańska smoła" muszą wystarczyć.

- „Nieuleczalnych" według lekarzy chorób wyleczyłem setki, bo znałem przyczynę tych chorób. Co komu pomoże nawet najcudowniejsze lekarstwo, jeśli nie zna, a więc i nie potrafi usunąć przyczyny zła, jakie powstało w organizmie. Każda choroba kosztuje bardzo dużo. Wydatki ponosi zarówno pacjent, jak i całe społeczeństwo. Rzecz w tym, żeby leczyć jak najbardziej skutecznie, a najlepiej w ogóle nie dopuszczać do powstawania chorób. Ludzie, którzy oszczędzają, na przykład na jedzeniu, żeby kupić sobie smołę z Tybetu są niemal skazani, już nic im nie pomoże.

- Tymczasem rodziny na dorobku oszczędzają właśnie w kuchni...

- Czym jest oszczędzanie? Oszczędzanie polega na mądrym wydawaniu pieniędzy. Na własnym zdrowiu oszczędzać nie wolno. Jeśli człowiek oszczędza na zdrowiu, to potem będzie musiał oszczędzać na wszystkim. Jeśli będzie chorował, jego praca będzie mniej wydajna lub nie będzie pracował w ogóle, czyli będzie miał mniej pieniędzy. Pójdzie wcześniej na rentę, czyli skróci okres swojej produktywności.

POD „PRĄD"

- Był pan jednym z pionierów zastosowania prądów selektywnych, które są w stanie obudzić układ sympatyczny i parasympatyczny człowieka.

- W końcu lat sześćdziesiątych otrzymałem dwa kosztowne aparaty, które można było wykorzystać do leczenia prądami selektywnymi. To była absolutna nowość, nikt się na tym nie znał, nikt nie wiedział w jakich chorobach stosować i jak używać te urządzenia. Zacząłem interesować się prądami, czytać, eksperymentować. Wiedziałem już, że niektóre rodzaje prądów są w stanie, poprzez pobudzenie układu parasympatycznego, doprowadzić do rozszerzenia tętnic. To było bardzo istotne w takich schorzeniach jak miażdżyca, choroba Buergera, choroba Reynauda, w niedowładach, porażeniach itp. Mało tego - korzystne zmiany wywołane działaniem pola elektrycznego są trwałe, jak przypuszczał zresztą ich odkrywca, austriacki fizjolog, który w pierwszej połowie lat pięćdziesiątych opisał ich rodzaje i podał możliwości terapeutyczne. W tym samym czasie przebywał w Ciechocinku pewien pułkownik cierpiący na poważne schorzenie naczyń w kończynach dolnych. „Niech mnie pan ratuje doktorze, bo mi obetną nogi" - prosił. Postanowiłem wypróbować prądy. Efekty przeszły moje najśmielsze oczekiwania. Po 3 tygodniach ów wojskowy, który nie należał już do ludzi najmłodszych, potrafił pójść po śniegu z Ciechocinka do Nieszawy i wrócić o własnych siłach. Po pół roku zajął pierwsze miejsce w biegach na 5 kilometrów w swojej kategorii wiekowej! Badam go po 12 miesiącach i nie ma ani śladu choroby. Arteriografia nie wykazuje zmian! Jasne, że to nie tylko prądy - na drogę staremu wojakowi zaleciłem, jak i co ma jeść. Posłuchał mnie.

- Proszę opisać mechanizm działania prądów selektywnych na ludzki organizm.

- To niestety wymaga pewnego wprowadzenia do tematu. Otóż w poszukiwaniu bardziej skutecznych metod leczniczych zainteresowały mnie prace E. Henssage z lat 1951-1956, dotyczące prądów selektywnych, szczególnie prądów działających na układ wegetatywny.

W jednym z sanatoriów w Ciechocinku, gdzie pracowałem dodatkowo, natknąłem się na prymitywny aparat (galwanostymulator), który umożliwiał uzyskiwanie parametrów niektórych prądów, w tym parametrów prądów tak zwanego „snu elektrycznego" i parametrów prądów pobudzających układ parasympatyczny.

W końcu lat 60. około 30 - 40 proc. kuracjuszy w sanatoriach w Ciechocinku, oprócz innych dolegliwości, chorowało na neurastenię. Jest to choroba powodująca znaczne ograniczenie wydajności pracy i jakości pracy oraz znaczne upośledzenie jakości życia. Powoduje duże straty ekonomiczne.

Próbowałem leczyć neurastenię „snem elektrycznym" - bez widocznych efektów. Wiedziałem, że przyczyną wyższą neurastenii jest przewaga układu sympatycznego w centralnym układzie nerwowym. Założyłem, że pobudzanie układu parasympatycznego przy pomocy prądów teoretycznie powinno wpływać korzystnie na chorych, powinno zmniejszyć lub usunąć przewagę układu sympatycznego, co powinno spowodować poprawę, do wyleczenia choroby włącznie. Pierwsze próby stosowania prądów selektywnych pobudzających układ sympatyczny na centralny układ nerwowy (według zasad stosowanych w „śnie elektrycznym"), przyniosły zaskakująco korzystne efekty. Objawy neurastenii przeważnie ustępowały lub znacznie zmniejszały się. Korzystne efekty występowały w każdym przypadku. W następnych latach efekty te zostały potwierdzone na setkach i tysiącach chorych na neurastenię; w każdym przypadku występowały objawy świadczące o znacznym zmniejszeniu się przewagi układu sympatycznego, potwierdzone ścisłymi, obiektywnymi badaniami czynności układu wegetatywnego.

Zupełnie bezpieczny dla człowieka prąd, to prąd o natężeniu do 10 mA. W celu dodatkowego zabezpieczenia pacjentów, u których stosowano prąd na centralny układ nerwowy, zleciłem wykonanie do aparatów dodatkowych bezpieczników zewnętrznych, ulegających uszkodzeniu przy natężeniu prądu powyżej 10 mA. Prądy selektywne stosowane na centralny układ nerwowy były stosowane z użyciem tych bezpieczników. Nie spotkałem ani jednego przypadku działania szkodliwego czy nawet nieprzyjemnego dla pacjenta podczas stosowania prądów na centralny układ nerwowy.

– Chińczycy wiedzieli od dawna, że większość chorób ma swoje źródło w zaburzeniach układu wegetatywnego. Zakłócenia w czyn-

ności yang i yin można jednak leczyć akupunkturą lub jak pan odkrył... prądami.

- Dawna medycyna chińska uważała zaburzenia w czynności yang (układ sympatyczny) i yin (układ parasympatyczny) za główną przyczynę chorób, a efekty stosowania akupunktury i innych pochodnych technik, wpływających nieswoiście na układ wegetatywny, nadal często bywają skuteczne. Natomiast swoiste pobudzanie układu sympatycznego lub parasympatycznego, w zależności od wskazań, działa korzystnie w każdym przypadku, gdyż w każdym przypadku powoduje wyraźne zmiany w czynności układu wegetatywnego. Porządkowanie zaburzeń w czynności układu wegetatywnego przy pomocy prądów pobudzających układ parasympatyczny (PS) lub prądów pobudzających układ sympatyczny (S), okazało się być skuteczną, tanią, zupełnie nieszkodliwą dla chorego i przynoszącą trwałe wyniki lecznicze metodą. Stwierdziłem, że prądy selektywne można dawkować. Prądy PS i S działają przeciwnie, stąd ewentualne „przedawkowanie" jednego z tych prądów można usunąć kilkoma zabiegami prądu o działaniu przeciwnym.

- *Chińska fizjoterapia nie wszystkim jednak pomaga, a prądy?*

- Żadna z metod leczniczych opartych na dawnej medycynie chińskiej, ani żadna inna metoda lecznicza, stosowana w fizjoterapii, nie działa korzystnie w każdym przypadku. Zawsze po serii zabiegów u niektórych chorych występuje poprawa, u niektórych brak poprawy, u niektórych pogorszenie. I nie może być inaczej, ponieważ każdy organizm jest inny, inaczej reaguje na te same zabiegi.

Wszystkie rodzaje energii działające na organizm ludzki, w tym rodzaje energii stosowane w fizykalnych zabiegach leczniczych, nie mają działania swoistego; wszystkie organizm zamienia na fale elektromagnetyczne, przy czym ta zamiana nie musi zawsze odbywać się z korzyścią dla zdrowia chorego. Poruszenie układu wegetatywnego określonym rodzajem energii nieswoistej nie musi doprowadzić do uporządkowania czynności tegoż układu, może nawet silniej zaburzyć czynność tego układu i w efekcie spowodować nasilenie objawów chorobowych.

Wyniki uzyskiwane przy pomocy różnych metod leczniczych (różnych rodzajów energii) są na ogół nietrwałe i wymagają powtarzania zabiegów.

Prądy selektywne działające na układ wegetatywny nie mają tych wad. Praktycznie działają jak pola elektromagnetyczne, są polami elektromagnetycznymi o ściśle określonych dla każdego z tych prądów właściwościach.

- Profesor Sedlak stwierdził, że fale elektromagnetyczne są uniwersalną formą energii regulującą i sterującą czynnościami komórek, tkanek, narządów, układów narządów i całego organizmu - czyżby zatem zaburzenia w polach elektromagnetycznych doprowadzać mogły do rozwoju choroby?

- Czynniki wyższe powodujące powstanie choroby, powodują zawsze określone zaburzenia w czynności układu wegetatywnego, czyli zaburzenia w wytwarzaniu pól elektromagnetycznych właściwych dla zdrowego organizmu. Zaburzenia te są nie tylko objawami choroby, często objawy będące skutkiem tych zaburzeń są bezpośrednią przyczyną dolegliwości typowych dla określonej choroby.

Porządkowanie zaburzeń w czynności układu wegetatywnego, czyli zaburzeń w polach elektromagnetycznych, jest możliwe przy pomocy prądów selektywnych.

Doprowadzenie do równowagi między układem sympatycznym i parasympatycznym u chorego usuwa objawy związane z przewagą jednego z tych układów towarzyszące określonej chorobie, a drogą sprzężenia zwrotnego może wpływać na metabolizm chorego narządu i usuwać samą chorobę. W chorobach uznanych za czynnościowe (np. neurastenia, migrena, choroba wrzodowa, choroba wieńcowa w tak zwanek „czystej" postaci, czyli bez zmian miażdżycowych), bez zaawansowanych zmian organicznych, uzyskuje się z zasady wyleczenie przy pomocy samych prądów selektywnych. W wielu innych chorobach uzyskuje się prawie zawsze widoczną poprawę stanu zdrowia, większą i bardziej trwałą, niż uzyskuje się przy pomocy wszystkich innych metod leczniczych.

- Działanie prądów selektywnych sprawdził pan też w „Arkadii".

- Dla potrzeb „Arkadii" zakupiłem 8 aparatów. W Akademii przebywało na 2-tygodniowych lub dłuższych turnusach ponad 1650 chorych na różne choroby. Sześć aparatów pracowało przez 10 godzin dziennie - bez przerw. Każdy chory poddawany był codziennie maksymalnie czterem zabiegom prądami selektywnymi, średnio przypadało na 1 chorego 2,6 zabiegu na dobę.

Z perspektywy 28 lat stosowania prądów selektywnych w lecznictwie, mam prawo stwierdzić, że są one metodą bezpieczną, tanią, znajdującą zastosowanie w leczeniu wielu chorób, a wyniki ich stosowania znacznie przewyższają wyniki uzyskiwane przy pomocy innych metod leczniczych. Często te wyniki są trwałe.

- *Są jednak choroby, w których prądy nie skutkują.*

- Wyjątkiem jest choroba Parkinsona, w której efekty są niewielkie. Jest to zrozumiałe, ponieważ przyczyną choroby Parkinsona są organiczne zmiany w gałce bladej, powodujące w efekcie ogólną przewagę układu parasympatycznego, odpowiedzialną za główne dolegliwości w tej chorobie. Natomiast w tak zwanym parkinsonizmie miażdżycowym spowodowanym (przyczyna wyższa) nadmierną przewagą układu parasympatycznego, głównie centralną, stosowanie prądów pobudzających układ sympatyczny - na centralny układ nerwowy - powoduje, bo powodować musi ustąpienie lub znaczne zmniejszenie dolegliwości.

TEN CZŁOWIEK MA RACJĘ!

Kiedy zauważyłam, że to, do czego doszłam po wnikliwych studiach z dziedziny alergologii zaczyna pasować do wiedzy doktora Jana Kwaśniewskiego jak dwa puzzle, nastąpiło olśnienie. Ten człowiek ma rację! Czytałam niemal wszystkie jego teksty w „Dzienniku Zachodnim", czekałam niecierpliwie na każdy kolejny i nigdy nie natknęłam się na nic, co przeczyłoby moim obserwacjom, praktyce lekarskiej, wreszcie teorii, która w tej dziedzinie jest niesłychanie solidna. Prace Brostoffa udowadniające, że alergiczne katary, astmy, padaczki, wysypki, bóle głowy zależą od spożywanego pokarmu (u każdego człowieka od innego), publikacje Helen Krause potwierdzają to. Badanie ALCAT, wraz z dobrze zebranym wywiadem, daje również możliwość wyleczenia tych chorób. Ten powszedni nasz chlebek bywa często przyczyną ostrych zapaleń w przewodzie pokarmowym, bólów stawowych, bólów mięśniowych i innych dolegliwości. Sprawdziłam na dużej grupie chorych, że po zjedzeniu chleba, u każdego z nich następuje ostry ból stawowy już po 12 godzinach, w przypadkach, gdy pokarm wejdzie do rotacji, to znaczy nie będzie jadany częściej niż co 4 doby. Cóż, moje poglądy nie wszystkim odpowiadają. Bardzo chciałabym poznać doktora Kwaśniewskiego, mam setki pytań, na które zapewne pomoże mi on odpowiedzieć.

Lek. med. Ewa Bednarczyk-Witoszek,
Katowice

O PRZYCZYNACH POWSTAWANIA CHORÓB

- Każdy etap pomiędzy pastwiskiem, korytkiem a stołem ma własne choroby, wszystko zależy zatem od sposobu odżywiania.

- A sposób odżywiania zależy od dochodów albo zajmowanego stanowiska w hierarchii społecznej. Czy dziełem przypadku jest, że pierwsi po wojnie zaczęli chorować na chorobę wrzodową oficerowie UB i milicjanci. Wszak oni właśnie mieli ułatwiony dostęp do mięsa i tłuszczów. Choroba wrzodowa nieprzypadkowo zaczęła rozwijać się wśród górników, potem wśród innych przedstawicieli klasy pracującej, najpóźniej rozpowszechniła się wśród nauczycieli.

- Dotąd sądzono, że przyczyną choroby wrzodowej był na przykład nerwowy tryb życia.

- Nie jest to prawdą. Trudniej o bardziej nerwowy tryb życia niż panował na przykład w hitlerowskich obozach koncentracyjnych, a ich więźniowie na choroby wrzodowe nie zapadali. Cała ta „zagadka" polega na tym, że organizm ludzki mający dwa współzależne układy - parasympatyczny i sympatyczny - dostosowuje się do ich wpływów. Miejscowa przewaga układu parasympatycznego w żołądku doprowadza do innej przemiany materii. Przy przewadze układu sympatycznego węglowodany spalane są w szlaku heksozowym i na przykład taka przypadłość jak nadkwasota nigdy nie powstanie. Natomiast gdy przewagę uzyska układ parasympatyczny i węglowodany są przetwarzane w szlaku pentozowym, powstaje szkodliwy dwutlenek węgla, który rozpuszcza się w wodzie, dając kwas węglowy, a ten z solą kuchenną wymienia się tak, że powstaje kwas solny i węglan sodu. Jeżeli teraz zapytamy: co jest przyczyną choroby wrzodowej, to odpowiedź musi brzmieć: jest nią miejscowe wytwarzanie dwutlenku węgla, a przyczyną nadmiernego wytwarzania tegoż dwutlenku jest nadmierna ilość glukozy przetwarzana w żołądku w szlaku pentozowym. Zatem skład diety determinuje wszystko.

– Spotykałem lekarzy uznających żywienie optymalne jako możliwy do przyjęcia sposób przyczynowego leczenia chorób, ale nawet oni wskazywali na schorzenia, którym nie pomoże najlepsza dieta.

– Tak bywa w przypadkach zmian nieodwracalnych, w których uszkodzone narządy nie mają zdolności do regeneracji. Nie chcę podawać tu żadnych przykładów, gdyż ludziom nigdy nie należy odbierać nadziei, ale podkreślam – żywieniem optymalnym nie „zaklina" się choroby. Jeżeli można ją usunąć, to się ją usuwa lub cofa, jeżeli jest za późno, to nawet Kwaśniewski nikomu nie pomoże. Ja nie sprzedaję cudów, jestem lekarzem, moim obowiązkiem jest pomaganie ludziom, gdy tylko to jest możliwe.

– Do „Arkadii" zgłaszali się jednak ludzie nieuleczalnie chorzy i pan im pomagał. Proszę zatem wymienić choroby, co do których ma pan pewność, że dieta optymalna leczy je w sposób przyczynowy.

– Podam tylko te choroby, z którymi stykałem się setki razy, i które leczyłem. O innych, co do których mam pewne przypuszczenia, nie potwierdzone w sposób dostateczny, nie będę mówił. A zatem dieta optymalna leczy: chorobę Buergera, gościec przewlekły i chorobę Bechterewa, zespół Reynauda, miokardiopatię przerostową, chorobę wieńcową, nadciśnienie, neurastenię, cukrzycę typu I zależną od insuliny, cukrzycę typu II prowadzoną na lekach doustnych, a także prowadzoną na insulinie, miażdżycę, chorobę zwyrodnieniową stawów, choroby przewodu pokarmowego, przewlekłą niewydolność mięśnia sercowego, łuszczycę, dnę, choroby alergiczne, stwardnienie rozsiane i stwardnienie boczne zanikowe. W tym ostatnim wypadku żywienie optymalne zatrzymuje postęp choroby i powoduje poprawę stanu zdrowia w każdym przypadku, w stopniu jeszcze możliwym do uzyskania. (O chorobach szczegółowo czytaj w części 2 pt. „Żywienie optymalne a niektóre choroby", przyp. M.C.).

– Zgłasza się do pana wielu chorych na nowotwory. Żywienie optymalne może zahamować proces rozwoju raka?

– Zetknąłem się z bardzo wieloma przypadkami raka w różnych stadiach. Problem w tym, że to jest choroba, której ludzie bardzo się wstydzą, dlatego w tych przypadkach nie dysponuję statystyką wyleczonych, taką jak w innych schorzeniach. Zdarzają się wyjątki i mam opisy na przykład wyleczonego raka płuc z zajęciem serca. Wszystie zmiany się cofnęły, zmienione chorobowo tkanki zwłókniały i człowiek ten przeżył od tego czasu już 8 lat. No cóż, wiadomo czym żywią się nowotwory - węglowodanami, których nasze tkanki nie potrzebują. Wśród pasterzy nie ma raka.

- *A wśród osób na diecie optymalnej?*

- Nie jest mi znany przypadek, aby któraś z osób żywiących się w ten sposób zachorowała na nowotwór. Liczba przypadków raka, z jakimi się zetknąłem, jest natomiast zbyt mała, abym mógł wyciągać ostateczne wnioski, co do skuteczności leczenia tej choroby. Takie badania przeprowadziłem w stosunku do innych chorób, sądzę, że we współpracy z onkologami udałoby mi się potwierdzić fakt przyczynowego działania żywienia optymalnego w chorobie nowotworowej.

- *A co z odpornością organizmu na choroby zakaźne, stres, zmęczenie?*

- Zacznę od chorób zakaźnych. Nauka poznała szereg wirusów i bakterii wywołujących określone choroby. Ale kiedy ustalono ich listę okazało się, że wielu przypuszcza, iż musi istnieć jakaś przyczyna wyższa, aby w jednym ustroju wirus mógł zaatakować skutecznie, a w innym nie. Jeden z uczonych, aby to udowodnić nawet wypił hodowlę bakterii tyfusu. I na tyfus nie zachorował! Gdyby zatem jedyną przyczyną chorób zakaźnych były wirusy czy bakterie, cała ludzkość już dawno by wymarła. Nawet podczas wielkich epidemii w średniowieczu nie chorowali wszyscy, a wielu z tych, którzy zachorowali przeżywało inwazję zarazka. Są ludzie, którzy nie chorują na żadne choroby zakaźne (np. Hunzowie), gdyby wyciągnąć z tego i innych faktów stosowne wnioski, problem chorób zakaźnych mógłby zostać rozwiązany. Co do stresu, to niemal wszyscy, którzy zaczęli żywić się optymalnie, zauważyli, że ich odporność psychiczna mocno wzrosła, nie poddają się tak łatwo przeciwnościom, mają sporą dawkę sił witalnych umożliwiającą im pozytywne myślenie i należyte wyjście nawet z krytycznej sytuacji. Nigdy się nie załamują.

- *Ludzie na diecie optymalnej potrzebują mniej snu, są także bardziej wytrzymali, odporni na zmęczenie, aktywni.*

- Zdarza mi się podróżować wiele godzin samochodem. Nocą, jadąc nawet wiele godzin, nie odczuwam zmęczenia. Mogę zrobić sto przysiadów i nie dostanę zadyszki. Kiedyś biegałem wiele kilometrów, musiałem jakoś wyładować nagromadzoną energię. Naturalne jest, że człowiekowi nigdy nie brakuje tlenu, bo „chodzi" na lepszym paliwie (wodór). Skoro więc żywienie optymalne powoduje większą odporność na zmęczenie, to również nie potrzeba człowiekowi tylu godzin odpoczynku. Ja śpię około 6 - 7 godzin, żona śpi jeszcze krócej.

- Spożywanie dużej ilości produktów zwierzęcych może doprowadzić do podniesienia poziomu kwasu moczowego w surowicy krwi.

- No i świetnie, im więcej tym lepiej, tym wyższa inteligencja. Stwierdzono zależność między podwyższonym poziomem kwasu moczowego a przynależnością do wyższych grup społecznych. W czasie amerykańskich badań okazało się, że najwyższy poziom tego kwasu mają profesorowie wyższych uczelni o wybitnych osiągnięciach naukowych, nieco niższy mieli wykładowcy akademiccy. Dlaczego studenci, osiągający bardzo dobre wyniki w nauce, mieli wyższy poziom kwasu moczowego niż ci przeciętni, każdy niech odpowie sobie sam.

- Ci, którzy znajdą prawidłową odpowiedź powinni czym prędzej zajrzeć do pańskiego jadłospisu, a mądrość i bogactwo przyjdą same.

- Osoby zajmujące kierownicze stanowiska w usługach, przemyśle i handlu, czyli ci, którzy wykazują większą aktywność zawodową, zatem osiągają wyższe dochody, mają wyższy od przeciętnego poziom kwasu moczowego. A dlaczego mają wyższy poziom kwasu moczowego? Odpowiedź jest oczywista - bo lepiej jedzą.

- Niektórzy wiążą jednak poziom kwasu moczowego we krwi z zachorowaniami na dnę.

- Kwas moczowy z dną nie ma żadnego związku bezpośredniego. Może być więc niski poziom kwasu i ataki dny, i odwrotnie. Nie więcej niż 2 procent ludzi o wysokim poziomie kwasu moczowego choruje na dnę i są to ludzie cierpiący na pewną biochemiczną skazę w tkankach obwodowych, narażonych na niższe temperatury. Uszy, palce u rąk i u nóg, właśnie w tych miejscach tkanka zmienia się patologicznie i doprowadza do gromadzenia się kwasu moczowego. Żywienie optymalne w krótkim czasie doprowadza cały ustrój do równowagi, więc poziom kwasu moczowego może być dowolny, a człowiek nie zachoruje na dnę. Pamiętam w 1974 roku poproszono mnie o konsultację lekarską u pewnego wysoko postawionego urzędnika. Ów wiceminister miał nogi opuchnięte jak banie, do pracy wożono go od dłuższego czasu na wózku inwalidzkim, nie mógł w ogóle samodzielnie chodzić. Diagnoza była oczywista - kwas moczowy. Przygotowałem dla niego jadłospis, po miesiącu biegał, wchodził po schodach, był zdrowym człowiekiem.

- Ludzi prześladują kamice - wątrobowe, żółciowe, nerkowe. Czy one też biorą się z niewłaściwego pożywienia?

- Jak najbardziej. Jeśli nie dostarczy się organizmowi budulca do tworzenia kamieni, to ich nie stworzy i odwrotnie.

- Ale mówi się o skłonności genetycznej do kamicy.

- Dziedziczy się kuchnię, a więc sposób odżywiania, pewne nawyki kulinarne! Jeżeli matka miała kamienie nerkowe, a córka uczyła się gotować u jej boku, to jest wysoce prawdopodobne, że i ona odziedziczy skłonność do kamicy nerkowej po rodzicielce. Żywienie optymalne już po 3 - 4 tygodniach doprowadza do rozpuszczania się kamieni nerkowych i wątrobowych.

- Nie próbował pan żywienia optymalnego zalecić sportowcom?

- Próbowałem, a jakże. Jest w Polsce czołowa drużyna piłkarska, której zawodnikom kiedyś zaleciłem właściwy sposób odżywiania. Są bojowi, wytrzymali, zwykle zdobywają bramki w drugiej części gry, kiedy przeciwnicy nie wytrzymują kondycyjnie. I jeszcze jedna ważna rzecz - oni w ogóle nie miewają skurczów mięśni, a kontuzje zdarzają się dużo rzadziej niż innym zawodnikom.

- Ekolodzy i lekarze uważają, że wiele chorób powodowanych jest zanieczyszczeniem środowiska. Czy rzeczywiście stan środowiska decyduje o zdrowiu i chorobie?

- Gdyby tak było faktycznie, to na Śląsku średnia długość życia musiałaby być o wiele krótsza niż jest w rzeczywistości, bo wody, ziemia i powietrze są tu rzeczywiście zatrute jak w żadnym innym miejscu w Polsce. Oto jednak i tu ludzie dożywają sędziwych lat, co świadczy o tym, że czynniki ekologiczne nie mają znaczenia decydującego. Spotkałem amerykańskie prace, których autorzy twierdzili, iż długość życia, stan zdrowia, wydajność pracy nie zależą ani od środowiska, w jakim się mieszka, ani od palenia tytoniu, ani od rodzaju pracy, zależą wyłącznie od dochodu. Dieta bogatych w Ameryce to dieta zawierająca najwięcej tłuszczu zwierzęcego, białka, wapnia i witamin. Wspominałem już o doświadczeniach na szczurach, które wykonywałem wspólnie z synem. Końcowym akordem tych badań była obserwacja odporności poszczególnych grup szczurów na zatrucie chemiczne, którym w tym wypadku był eter. Szczury na diecie optymalnej żyły przy tej samej dawce eteru ponad 5 razy dłużej! Organizm potrafi się świetnie bronić, ale musi mieć czym, musi mieć odpowiednie enzymy, odpowiednią energię. Wątroba jest w stanie zneutralizować wiele trucizn, ale musi być zdrowa, nie może mieć innej bezsensownej roboty, na przykład nie może zamieniać tłuszczów na cholesterol.

- Właśnie. Cholesterol, to słowo odmieniane na wszelkie sposoby wywołuje strach. Czy słusznie?

- Najniższy poziom cholesterolu mają pasterze - Hunzowie, Masajowie, Abchazi oraz moi pacjenci po kilku latach żywienia optymalnego. Średni poziom wynosi około 110-120 miligramów. Jeżeli więc ktoś rzeczywiście tak bardzo przejmuje się zbyt wysokim cholesterolem w swojej krwi - recepta jest prosta. Tymczasem „wróg" cholesterol - to naturalny składnik organizmu z grupy steroli (wielopierścieniowych alkoholi hydroaromatycznych). Musimy mieć świadomość, że brak umiaru w walce z nim grozi utratą zdrowia. Badania naukowe prowadzone w wielu ośrodkach Europy i USA wskazują, że znaczne obniżenie poziomu cholesterolu może prowadzić do nasilania się zachowań agresywnych, a nawet aktów samobójczych. Należy zwrócić uwagę na publikację R.E. Morgana z 1993 r., który stwierdził, iż niewysoki poziom cholesterolu może u mężczyzn powyżej 70 roku życia wywoływać depresję. Willard Faulkner z Vanderbilt University w Nashville sugeruje, że „bardzo niski poziom tego związku u pacjenta przewlekle chorego jest często sygnałem zbliżającej się śmierci". Podobnej oceny - na podstawie własnych obserwacji dokonało wielu uczonych z różnych ośrodków. Na przykład we Francji - na podstawie badania grupy (111) kobiet od 60 do 97 lat stwierdzono, że najdłużej żyły osoby o dużym stężeniu cholesterolu. Ciekawe wyniki opublikowali uczeni z uniwersytetu w Heidelbergu. Badali oni poziom cholesterolu aż u 3700 osób przyjętych do kliniki kardiologicznej. Wyniki były szokujące, gdyż okazało się, że aż 32% chorych o bardzo niskim poziomie cholesterolu zmarło. W pozostałych grupach śmiertelność wynosiła 7,3%.

Wydaje się, że pytanie M.F. Oliver'a: „Czy obniżanie cholesterolu jest zawsze bezpieczne?" jest na czasie. Potwierdza on jedynie, że ludzie o niskim poziomie cholesterolu rzadziej umierają z powodu schorzeń wieńcowych, jednak częściej zapadają na choroby nowotworowe.

- Francuski L'Express napisał niedawno, że „jesteśmy świadkami rewolucji, której celem jest obalenie absolutnej dyktatury cholesterolu". Grupa zwolenników nowoczesności, na czele z profesorem Marianem Apfelbaumem ze szpitala Bichat, uważa, że cząsteczki tego niezbędnego do życia związku lipidowego oskarżane o wszelkie zło wcale nie są wrogiem numer jeden człowieka. Zaczęto znajdować nawet stosowne przykłady: z badań profesora Bernarda Forette ze szpi-

tala Saint Perine w Paryżu wynika, że wskaźnik umieralności u jego ponadsześćdziesięcioletnich pacjentów, którzy mieli stężenie cholesterolu we krwi około 1,54 grama na litr był pięciokrotnie (!) wyższy niż u pacjentów w tymże wieku o stężeniu cholesterolu 2,6, a nawet 3,4 grama na litr. Wyniki tych badań opublikował brytyjski „LANCET". Jak pan skomentuje te wywracające dotychczasowe pojęcia o cholesterolu rewelacje?

- Cholesterol we krwi może być niski w dwóch przypadkach. Gdy wątroba nie musi go wytwarzać zbyt dużo i gdy nie może wytwarzać cholesterolu w ogóle. Ten pierwszy przypadek to pasterze i ludzie stosujący żywienie optymalne rok i dłużej. Druga możliwość zachodzi, gdy człowiek już dogorywa, wówczas organizm nie może syntetyzować cholesterolu, a wiele tkanek nań oczekuje, na przykład hormony sterydowe, izolatory w komórkach itd. Cholesterol potrzebny jest do kilkudziesięciu różnych syntez i to, że on jest wytwarzany znaczy, że jest on potrzebny. Nie trzeba się bać cholesterolu. Jeżeli polska norma przewiduje od 50 - 65 mg/proc. cholesterolu dobrego HDL, to przy żywieniu optymalnym, gdy obserwuje się szybkie ustępowanie zmian miażdżycowych, cholesterol może wzrosnąć do ponad 100 mg/proc. Najwyższy, jaki spotkałem u moich pacjentów wynosił 170 mg/proc., przy czym nie ma żadnego znaczenia, jaki jest ogólny poziom cholesterolu. Na Krecie ludzie mają ponad 500 i nie chorują na miażdżycę. Ale oni do pracy chodzą z butelką oliwy z oliwek, która jest niezłym tłuszczem. O wartości oliwy wiedział Aleksander Macedoński (uczeń Arystotelesa), któremu kapłani z Delf przekazali, że oliwę dali ludziom bogowie, jako środek przeciw zmęczeniu. Jeżeli wątroba wytwarza dużo cholesterolu, to świadczy o tym, że z tych samych przyczyn także inne tkanki mogą go wytwarzać w nadmiarze, w tym ściany, błony wewnętrzne tętnic. Ale nie muszą tego robić. Tymczasem medycyna ordynuje chorym leki obniżające poziom cholesterolu, działające głównie na wątrobę, która zajęta jest ich neutralizowaniem i nie jest w stanie należycie wypełniać swych funkcji i wytwarzać cholesterolu. W ten sposób leczy się cholesterol, a nie miażdżycę. Najdawniej i najczęściej stosowanym lekiem w leczeniu cholesterolu jest clofibrat. Znalazłem kilkanaście prac naukowych potwierdzających, że clofibrat powoduje u chorych raka. Walka z cholesterolem jako takim przypomina zmagania z wrogiem, którego wcale nie trzeba pokonywać, można się z nim zaprzyjaźnić.

- Powinien pan jednak ostrzegać wszystkich zwolenników pańskiej diety, że w razie odstąpienia od niej poziom cholesterolu błyskawicznie zwiększa się. Podobno nawet trzykrotnie.

– Rozumny człowiek nie będzie odstępował od tego co dobre dla jego organizmu, ale muszę przyznać, że to prawda, gwałtowna zmiana składników odżywczych może spowodować takie reakcje. Mnie także to kiedyś się przydarzyło. Byłem w Szwecji i tam po prostu nie było co jeść. Śmierdzące masło, jakieś dziwne jajka, chude wędliny z... ananasem. Jak ci ludzie jedzą! Czułem się fatalnie. To samo powie panu każdy człowiek na diecie optymalnej. Kiedy „zgrzeszy", czasem nawet w sposób niezamierzony, musi to odchorować. Za przewinienia wobec swojego organizmu trzeba zapłacić.

– Powszechnie znany jest tak zwany „paradoks francuski". Polega on na tym, że Francuzi jedzą bardzo dużo tłustych serów, spożywają tłuste mięsa, krwiste befsztyki, jedzą masło zamiast margaryny, popijają do posiłków czerwone wino, a mimo to chorują znacznie rzadziej na choroby serca i naczyń niż Amerykanie, którzy z walki z cholesterolem uczynili niemal narodową religię. Dowiedziono, że na przykład Gaskończycy jedzący tłusto (między innymi słynne pasztety z gęsich wątróbek) umierają na ataki serca czterokrotnie rzadziej niż wieśniacy z amerykańskiego środkowego zachodu.

– Wspomniał pan o czerwonym winie. Niektórzy uważają, że to właśnie dzięki zawartym w nim związkom Francuzi znacznie rzadziej cierpią na choroby serca i naczyń, ale ja powiem panu tylko tyle – czerwone wino przede wszystkim sprawia, że człowiek ma ochotę tłuściej zjeść. Francuzom smakuje akurat wino! Więc niech je piją i nie zmieniają nawyków żywieniowych.

– Zatem Francuzom nie szkodzą tłuste potrawy. Mało tego – udowodniono, że są oni po Japończykach najlepiej chronionym narodem, jeśli chodzi o choroby wieńcowe. We Francji liczba zgonów z powodu tej choroby jest trzykrotnie niższa niż w Stanach Zjednoczonych, gdzie obsesja na punkcie cholesterolu trwa od momentu odkrycia przez Ancela Keysa „prawa" mówiącego o tym, że strażacy z jego rodzinnej Minnesoty spożywali więcej tłuszczu niż Zulusi w Afryce i z tego powodu mieli więcej cholesterolu we krwi, więc również częściej zapadali na choroby wieńcowo-naczyniowe. Dlaczego nikt nie pokusił się o wniosek końcowy – tłuszcze samoistnie nie mogą być przyczyną miażdżycy, nie mogą szkodzić!

– Jest wiele, zdawałoby się oczywistych prawd, którym współczesna medycyna zaprzecza. Chyba taki stan potrwa jeszcze jakiś czas. Oby nie za długo.

HOMO SAPIENS NA PASTWISKU

– Wegetarianie uważają pańską dietę niemal za bluźnierstwo, obelgę wymierzoną w Naturę, pan nie jest im dłużny twierdząc, że tym, którzy wystrzegają się potraw mięsnych tylko wydaje się, że żyją. Dlaczego?

– Każda dieta oparta na pokarmie roślinnym jest dietą sztuczną. Nawet dieta japońska, którą uważam za jedyną rozsądną alternatywę żywienia optymalnego jest sztuczna, gdyż organizm uzyskuje w niej wiele energii z węglowodanów, a białko z ryb. Przyroda udowadnia, że ten sposób pożywienia nie jest naturalny, bo jaki na przykład hipopotam naje się najpierw trawy, a potem idzie łapać ryby.

– Ale Japończycy są szczupli, zdrowi, długowieczni, cechują się wysoką wydajnością pracy, dyscypliną, a spożywają głównie węglowodany (roślinne) i białka, właśnie z ryb.

– Niestety również dieta japońska, zakładająca spożywanie na każdy gram białka 3,2 g węglowodanów i 0,65 g tłuszczu, nie chroni przed wszystkimi chorobami, na przykład nowotworami. Dieta japońska bowiem nie jest w stanie pokryć w stu procentach potrzeb tkanek, zwłaszcza tkanek słabo ukrwionych. Krwotoki mózgowe, tak częste u Japończyków, biorą się zaś ze stwardnienia tętnic mózgowych, przy czym owo stwardnienie nie ma żadnego związku z miażdżycą, bowiem u Japończyków zawarte w pożywieniu węglowodany są spalane przy pomocy dużych ilości białka, witamin i składników mineralnych, których dostarczają ryby, zwłaszcza beztłuszczowy dorsz. Nie są zaś przetwarzane na tłuszcz i cholesterol. Przy spalaniu tłuszczów zwierzęcych nie potrzeba tak dużych ilości białka, witamin i minerałów.

– Dieta japońska jest lepsza od wegetariańskiej?

– Bez porównania. Japończycy unikają tłuszczów, bo wiedzą, że nie należy mieszać paliw. Ci, którzy chcieliby żywić się w sposób japoński mogą skorzystać z zawartych na końcu tej książki tablic. Powinni jednak wcześniej przemyśleć na przykład koszty białka (niekoniecznie z ryb), które będą musieli dostarczać swojemu organizmowi, no i oczywiście pamiętać o produktach mlecznych, z których dozwolone będą tylko chude sery i mleko o zawartości tłuszczu nie więcej niż 10 - 15 gramów w litrze. Niestosowanie tych zasad może doprowadzić do szybko postępującej miażdżycy.

- Wielu wegetarian to ludzie szczupli, wysportowani, zdrowi, nie cierpiący na miażdżycę, choroby serca. Może „pastwisko", jak nazywa pan ten rodzaj odżywiania, wcale nie jest takie złe?

- Przytoczę raz jeszcze opinię Fryderyka Engelsa, który napisał: „Zboże, które początkowo uprawiano wyłącznie jako paszę dla bydła, wkrótce stało się pożywieniem ludzi. I wynaleziono wówczas bydło ludzkie, niewolników". Ten wynalazek okazał się jak dotąd najtrwalszy, jednocześnie dla gatunku ludzkiego najbardziej szkodliwy. Każdy człowiek spożywający produkty zbożowe zawsze musi być i zawsze jest niewolnikiem, zawsze jego umysł musi być umysłem niewolnika, nawet jeśli piastuje on najwyższe stanowiska w nauce, gospodarce czy polityce. Wszystkie wojny, choroby, wszystkie inne nieszczęścia trapiące ludzkość od tysięcy lat, są skutkiem tego przeklętego „wynalazku".

- Czy rodzaj pożywienia może wpływać na ludzkie zachowanie, reakcje, odruchy?

- Tak jest. Pewne jest, że ci bliżej pastwiska, na przykład wegetarianie, reagują w sposób typowy dla trawożernych. Mają stany lękowe, spowodowane przewagą układu sympatycznego, ciągle się czegoś boją, czują się zagrożeni. Człowiek żywiący się w sposób optymalny zachowuje się zupełnie inaczej.

- A agresja? Drapieżniki są agresywne, tymczasem pan twierdzi, że „człowiek optymalny" będzie nastawiony pokojowo, będzie unikał wojen.

- „Tylko mądry jest dobry, tylko głupi jest zły" (Platon). Jeżeli ludzie będą mędrcami, nawet niewykształconymi mędrcami, to ręczę panu, że będą unikać agresji i konfliktów. Po co im to?

- Twierdzi pan, że warunkiem nieodzownym zdrowia człowieka jest to, aby znajdował się on na samym końcu łańcucha pokarmowego. Mało tego, musi dysponować sposobem na poprawę biologicznej

wartości pokarmów. Takie stanowisko wyklucza więc po pierwsze pokarmy roślinne, a po wtóre pokarmy nie przetworzone, surowe.

- W Biblii napisano: „A wszystko, co się rusza i żyje będzie wam za pokarm". Dopiero potem wyłączono ze spożycia zwierzęta przenoszące np. trychinozę. Człowiek sam wybrał pokarm roślinny: „Ponieważ sam wybrałeś, ziele ziemi jeść będziesz, przeklęta będzie ziemia z twojego powodu". Pasterz Abel nie mógł działać na szkodę osobnika z własnego gatunku, natomiast rolnik Kain mógł to zrobić i zrobił. Znamy to z biblijnej przypowieści.

- W Księdze Rodzaju Genesis Bóg zwraca się do ludzi: „Oto dałem wam wszelkie ziele rodzące nasienie na Ziemi i wszystkie drzewa, które same w sobie mają nasienie rodzaju swego, aby były wam na pokarm. I wszystkim zwierzętom ziemnym i wszystkiemu ptactwu powietrznemu i wszemu, co się rusza na Ziemi i w czemkolwiek jest dusza żywiąca, aby miało co jeść". (Gen. rozdz. I w. 28-30). A zatem produkty roślinne były jednak żywnością dla ludzi.

- Trudno to tak określić. Już wtedy były zwierzęta trawo- i mięsożerne. Jak twierdzili Sumerowie, człowiek został stworzony po to, aby służył bogom, czyli musiał mieć cechy niewolnika (był roślinożerny?). Nauka ustaliła, że 110 tysięcy lat temu ludzie wydobywali złoto na terenach dzisiejszej Afryki Południowej. Po co ludziom było wówczas złoto? Bogom natomiast mogło się przydać. Na przykład do konstruowania układów elektronicznych, które wykorzystywali w łączności w innych sferach.

W Biblii jest wyraźnie napisane: „Moje jest srebro, moje jest złoto, rzekł Pan Zastępów". Zatem człowiek najpierw mógł żywić się roślinami, ale potem sięgnął po szpik kostny i jajka. Do czasu, gdy zajął się pasterstwem i osiągnął odpowiednią ilość tłuszczu z mleka swoich zwierząt.

- Człowiek mógł skazać się na śmiertelność i choroby przez złamanie zakazu Boga („Ale z drzewa wiadomości dobrego i złego nie jedz, bo którego dnia będziesz jadł z niego śmiercią umrzesz"), albo, jak pan sugeruje, przez degenerację niejadalną żywnością. Zastanawiające jest jednak, że Bóg nie zakazał ludziom jeść jarzyn, po potopie wręcz nakazał im to mówiąc: „A wszystko co się rusza i żywie będzie wam na pokarm, jako jarzyny zielone dałem wam wszystko. Wyjąwszy, że mięsa z krwią jeść nie będziecie".

- Nadinterpretacja. Przecież wtedy żadnych jarzyn nie było. To jest pewien symbol. Tak samo jak kapłani egipscy zabraniali ludziom zabijania kota czy krokodyla, bo były pożyteczne, tak samo wzbraniano spożywania owych „jarzyn". Jarzyn nie uprawiano, więc ludzie poszukiwali przeróżnych bulw, to znaczy, że one nie były w powszechnym spożyciu. Po to Egipcjanie zachowali miliony mumii, aby można było odtworzyć życie na Ziemi, gdyby ludzie na tyle zgłupieli i zniszczyli swój gatunek. A po co faraonowie się mumifikowali? Po to żeby kiedyś ich ożywić, przypuszczali, że kiedyś będą mogli powstać z martwych, będą mogli być stworzeni na nowo, na podstawie ich własnego materiału genetycznego.

- Chrystus, Owidiusz, Leonardo da Vinci, Platon, Pitagoras, Gandhi, Plutarch, Terturian, Tomasz z Akwinu i wielu innych ludzi nieprzeciętnych było wegetarianami (w każdym razie tak się dziś sądzi). Skoro tak chętnie powołuje się pan na nielicznych myślących, którzy odzyskali prawidłową czynność mózgu, co pan powie o tych ludziach, którym chyba braku rozumu nie można zarzucić.

- Skoro wymienia pan tylu sławnych mężów, to niech pan dopisze również wegetarianina Adolfa Hitlera, który w wieku 50 lat miał taki parkinsonizm miażdżycowy, że lewą rękę miał niemal zupełnie niewładną. Ale zastanówmy się: co to jest wegetarianizm? Ponieważ ludzie nie znali i nie znają składu chemicznego zjadanych produktów, to wydaje im się, że są wegetarianami. Jeżeli człowiek żywi się głównie serem, masłem i śmietaną, jajkami i orzechami jak Gandhi, to czy zje kilogram czy dwa kilogramy jarzyn, które zajmują znacznie większą objętość niż np. orzechy czy jajka, to jemu tylko wydaje się, że jest jaroszem, w gruncie rzeczy jest zupełnie inaczej. 100 gramów smalcu gęsiego, to to samo co 1,5 kg ziemniaków. Pomijając już to, że dieta oparta wyłącznie na pokarmach roślinnych jest bardzo kosztowna, to trzeba uwzględnić, że nie jest ona w stanie dostarczyć organizmowi wszystkich potrzebnych składników, na przykład aminokwasów.

- Pani Maria Grodecka, wielka popularyzatorka wegetarianizmu uważa, że człowiek przystosowany jest przez naturę do jedzenia roślin, a spożywanie mięsa jest niekorzystne m.in. z punktu widzenia ekologii i rolnictwa.

- Człowiek, żeby pokryć pełne zapotrzebowanie swojego organizmu wyłącznie jarzynami, musiałby zjadać od 20 kg pieczarek do ponad 50 kg kalafiora! Tymczasem żołądek człowieka ma pojemność ok. 1,5 litra (u świni 6-7 l, u barana ponad 10 l, u krowy 150 litrów), zatem trawożercy mają dużo większe żołądki od innych. Wszystkożerne, np. świnia, też mają większe, a człowiek ma mniejszy żołądek nawet od drapieżników, bo ma zjadać mięso smażone. Człowiek jako drapieżnik ma kły, z tym że zęby ludzkie są czysto ludzkie, nie zmieniły się w ciągu ostatnich 40 tysięcy lat i nie są ani podobne do zębów drapieżników, ani do zębów trawożerców. Im lepsze żywienie, tym krótsze jelito cienkie, u człowieka ma długość od 4 do 4,5 m, u dużego psa 7 m, u świni 16-20 m, a u barana ponad 40 metrów! I tu jest odpowiedź. Organy dostosowują się do tego, co się zjada!

- Czy tak modne ostatnio białko soi, ponoć najlepiej przyswajalne przez organizm człowieka, posiadające nadto mnóstwo aminokwasów, nie jest w stanie zastąpić mięsa?

- To rzeczywiście jedna z najlepszych pasz, ale dla zwierząt. Dla człowieka jest gorsza od wszystkich produktów zwierzęcych. Ci, którzy chcą spożywać soję, niech to robią, to ich sprawa.

- Zgoda. Niektórzy z nas wybrali pastwisko, inni korytko, bardzo nieliczni zasiedli do stołu. Proszę jednak opisać na czym polega biochemicznie szkodliwość diet roślinnych.

- Rzecz w tym, że ludzie zmieniają swoje upodobania dietetyczne i bardzo często nie da się określić, w którym miejscu drogi pomiędzy pastwiskiem a korytkiem dana osoba się znajduje. Jeżeli człowiek stopniowo zwiększa spożycie produktów pochodzenia zwierzęcego, zwiększa się w diecie zawartość białek lepszych czyli zwierzęcych, zwiększa spożycie tłuszczów, głównie zwierzęcych, spada spożycie węglowodanów złożonych, wzrasta natomiast spożycie węglowodanów prostych, czyli tych najbardziej szkodliwych. Obok spadku spożycia soli kuchennej obniża się przemiana podstawowa i zmniejsza ilość „zjadanych" kalorii. W zależności od tego, w jakim miejscu znajduje się człowiek na drodze z pastwiska do korytka, czyli jakie proporcje występują u niego między białkiem, tłuszczem i węglowodanami, taka jest czynność jego układu wegetatywnego, takie zaburzenia czynności jego organizmu, takie choroby.

- Społeczeństwa zmieniają swoje przyzwyczajenia dietetyczne. W latach „chudych" skłaniają się ku pokarmom roślinnym, gdy powodzi im się lepiej, spożywają więcej mięsa i tłuszczu.

- Każda większa wojna przesuwa 80 - 90 procent ludzi do żywienia pastwiskowego, co powoduje ustępowanie jednych chorób i pojawianie się innych. Kiedy dieta staje się uboższa, pojawiają się choroby z autoagresji - choroba Buergera, Bechterewa, gościec przewlekły, stwardnienie rozsiane, boczne zanikowe, neurastenia i niektóre białaczki, wiele chorób pochodzenia bakteryjnego i wirusowego. Wniosek zatem jest jeden - żywienie pastwiskowe, oprócz wielu ciężkich chorób powoduje także wytwarzanie w nadmiarze katecholamin, a jednocześnie mniejsze wytwarzanie hormonu wzrostowego przysadki czy hormonów sterydowych.

- Żywienie pastwiskowe eliminuje jedne choroby, a jednocześnie przyspiesza inne?

- Tak jest. Miażdżyca nie była kiedyś chorobą zbyt często spotykaną, na przykład wśród chłopów, natomiast choroba Buergera nazywana była „chorobą polską". Przypomnę, że w czasach, kiedy przyjął się ów termin, spożycie ziemniaków na jednego mieszkańca na terenach dzisiejszej Polski wynosiło około 2,5 tony rocznie. Wszyscy pamiętamy owe Reymontowskie „kartofle" obecne w jadłospisie polskiej wsi. W katolickiej Irlandii spożycie ziemniaków było jeszcze wyższe i wynosiło 5 ton rocznie. Dlaczego dziesiątki tysięcy Irlandczyków musiało emigrować do Ameryki? Łatwo odpowiedzieć na to pytanie: z biedy!

- Dlaczego pańskim zdaniem tak ważne są kulturowe i cywilizacyjne uwarunkowania zdrowia i choroby. Można odnieść wrażenie, że dla pana istotniejsze są te czynniki aniżeli procesy zachodzące w komórkach i tkankach, czyli to nad czym pracują w laboratoriach sztaby uczonych.

- Najpierw najważniejsze były dla mnie przez długie lata nauki podstawowe, głównie biochemia. Jeżeli pan prześledzi moje zainteresowania z początków opracowywania założeń diety optymalnej, to łatwo wysnuje pan wniosek, że nie rozpocząłem od studiowania historii ludzkości, filozofii, dziejów cywilizacji. To przyszło później, kiedy poszukując odniesień historycznych zajrzałem do ksiąg klasycznych, do historii dziejów. Jeżeli dostrzegłem, że gdzieś musiano przecież zawrzeć mądrość całego ludzkiego rodzaju, to chciałem to odnaleźć i potwierdzić. Inna rzecz, że gdyby pomysły klasyków były skuteczne, byłby już dawno raj na Ziemi.

- Który z lekarzy i uczonych zrobił najwięcej dla ludzkości? Jakie odkrycia pańskim zdaniem były dla medycyny najważniejsze?

- To niestety jeszcze kwestia przyszłości. Największe odkrycia są dopiero przed nami. Antybiotyki, środki znieczulające, bypassy, przeszczepy serca, to oczywiście postęp, ale postęp niepotrzebny przy prawidłowym żywieniu.

– *Mówi pan: jeśli ktoś jest bogaty, je tłusto i słodko, może zapaść na otyłość bogatych, a do tego nabawić się na przykład chorób naczyniowo-wieńcowych. Budowanie na podstawie tej hipotezy reguł może być niebezpieczne. Bogaci mają szybkie samochody, więc częściej giną w wypadkach. Oglądają telewizję kolorową, która szkodzi oczom. Czy na tej podstawie wysnuje pan wniosek, że bogactwo skraca życie i pogarsza wzrok, bo po pierwsze można zginąć w wypadku, a po wtóre zepsuć sobie oczy?*

– To nie ja jestem autorem prawa mówiącego o tym, że stan zdrowia i choroby nie zależy od stanowiska, rodzaju pracy, palenia tytoniu czy klimatu, zależy wyłącznie od dochodów. Parę lat temu znalazłem pewną amerykańską pracę, z której wynikało właśnie to, o czym mówimy.

Bogaci jedzą więcej mięsa, jajek, serów, masła; biedni jedzą pieczywo, cukier, makarony i mniej pokarmów pochodzenia zwierzęcego. Autorzy tej pracy konkludują: dieta dająca najdłuższe życie i najlepsze zdrowie zawiera najwięcej tłuszczów zwierzęcych, białek, wapnia i witamin. A to, że niektórzy bogaci dołączają do swojej diety węglowodany, to ich sprawa, muszą się liczyć z ryzykiem. Bogactwo na ogół więc nie skraca życia, wręcz przeciwnie, za to bieda zawsze życie skraca.

– *Co sądzi pan o sugestiach uczonych, jakoby sposób reagowania na poszczególne diety zależał od wzajemnego oddziaływania pomiędzy kilkudziesięcioma genami, które sterują metabolicznymi przemianami cholesterolu. Jeżeli taka teoria by się potwierdziła, to znaczyłoby, że nie wszyscy muszą reagować na dietę optymalną prawidłowo. Niektórym może ona szkodzić.*

– Wszystkie procesy w metabolizmie człowieka sterowane są bezpośrednio lub pośrednio substratami, czyli tym, co człowiek zjada, pokarmami. Geny to zaledwie plan budowy, a jeżeli ktoś ma zaledwie „plan budowy", to nie ma jeszcze budowli. Genotyp zawarty jest w plemniku i w komórce jajowej.

Geny to tylko alternatywne plany budowy ludzkiego organizmu. Lepiej być bogatym i zdrowym niż chorym i biednym. Gdyby nasi profesorowie zarabiali dostatecznie dużo, to wtedy czynność ich umysłów poprawiłaby się. Wielu moich pacjentów to dziś bardzo zamożni ludzie, którzy kiedyś byli ludźmi ciężko chorymi i biednymi. A co do reakcji na dietę optymalną, to właśnie ona dostosowana jest najlepiej do genetycznej i biologicznej budowy człowieka oraz jego organów.

TERAZ DO STOŁU

– Nie pochwala pan polskich obyczajów przy stole. Twierdzi pan, że nie tylko jemy byle co, ale i byle jak. Potrawy przygotowywane są bezmyślnie, za to trwonimy na jedzenie za dużo czasu. Czy nie za surowo ocenia pan rodaków?

– Na początek jedna uwaga. Z moich obserwacji wynika, że większość rodaków uprawia styl jedzenia, który nie pasuje do stołu. Proszę zatem, żeby teraz nikt się nie obrażał, ale muszę powiedzieć wprost: zachowanie większości z nas, związane z odżywianiem się, odpowiada... korytu. Tak, tak proszę państwa. Przypomnijcie sobie łapczywość, z jaką czasem rzucacie się na pożywienie, przypomnijcie sobie te tysiące kalorii, które pochłaniacie zupełnie bez sensu na rodzinnych przyjęciach i w czasie świąt, przypomnijcie sobie obstrukcje, wspomnijcie chwile niepohamowanego łakomstwa. Czy to wszystko odpowiada zachowaniu przy stole? Nie znam nikogo, kto żywiąc się w sposób optymalny zjadłby więcej niż potrzebuje jego organizm. Przy stole, przy właściwym modelu odżywiania, nie można się źle czuć z przejedzenia, bo nikt się nie przejada. Przy stole nie wypada się źle zachowywać, być zachłannym, łapczywym, żarłocznym, ale ktoś, kto siada z własnej woli do stołu, nie musi się wcale kontrolować, hamować swojego apetytu, głodu. Zaspokajanie swoich potrzeb przy stole polega na spożyciu jak najmniejszej ilości możliwie najbardziej skoncentrowanego pożywienia.

– Rozumiem, że pan zarezerwował „stół" tylko dla ludzi żywiących się w sposób optymalny. Naraża się pan wielu pradziwym smakoszom, którzy ze spożywania posiłków czynią niemal nabożeństwo, celebrują je, załatwiają przy jedzeniu interesy, spędzają wolny czas. A pan odsyła ich do koryta?!

– Proszę popatrzeć na tak modne ostatnio u nas rauty, cocktaile, przyjęcia. Na półmiskach różności, kolorowo, bajecznie, gościom aż oczy wyłażą na wierzch. Ktoś daje znak do jedzenia. Towarzystwo rzuca się do potraw. Ładuje na talerzyki co popadnie. Trochę szyneczki, śledzika, sałateczki, winogronko, ciasteczko, czekoladka. Kto by tam zastanawiał się nad swoim żołądkiem. „Racjonalne żywienie? To nie dla mnie, teraz trzeba napchać żołądek". Rozpacz! Prawdziwe barbarzyństwo. Zamiast tych wyszukanych, zapewne solidnie zakonserwowanych, przyprawionych, zabarwionych potraw wystarczyłoby zjeść dwa jajka, ćwierć kostki masła, popić śmietaną i człowiek pozostałby człowiekiem.

– Wątpię czy uda się panu odpędzić od stołu ludzi, dla których nie jest on zwykłym meblem, lecz stanowi ważny element egzystencjalny. Przynajmniej od kilku wieków przy stole nie załatwia się jedynie prostej potrzeby fizjologicznej, jaką jest jedzenie, spożywanie posiłków to coś więcej. Wiedzieli o tym już starożytni Rzymianie. Ich uczty zostały utrwalone w licznych przekazach, na malowidłach.

– A właśnie, jedzenie jest taką samą czynnością fizjologiczną jak każda inna. Czym ona się różni? Jakie zwierzę tak celebruje spożywanie pokarmów? Człowiek, który nie jest głodny nie będzie ucztował godzinami, wykorzysta ten czas dużo pożyteczniej.

– Człowiek tym różni się od zwierząt, że ma świadomość. To nie jest drobna różnica.

– „Syty głodnego nie zrozumie", „głodnemu chleb na myśli". Jak pan myśli, po co wymyślono te przysłowia? Powtarzam – dla człowieka o zdrowej czynności mózgu sam akt spożywania nie jest czymś wyjątkowym, czymś, co zasługiwałoby na specjalne traktowanie.

– Jak należy jeść? Dietetycy i lekarze zalecają, aby posiłki spożywać w spokoju, nie szczędzić na nie czasu, przeżuwając każdy kęs osobno.

– Oczywiście jeść optymalnie! Na początku je się inaczej, ponieważ organizm musi sporo zainwestować energii, musi dokonać przebudowy białek. Odzywają się w nim jeszcze stare przyzwyczajenia. Ale z czasem to ustępuje. Człowiek żegna się na zawsze z uczuciem głodu. Nigdy nie zasiada do stołu dlatego, że jest głodny, nie ma więc mowy o rzucaniu się na jedzenie, żarłoczności, łakomstwie. U człowieka żywiącego się w sposób optymalny całkowicie zmieniają się też obyczaje przy stole. Dla niego przedłużanie posiłków, prowadzenie rozmów przy stole nie jest przyjemne. Inna rzecz, że człowiek najadający się każdego dnia do syta, nie będzie celebrował tej czynności, traktował jej w sposób odświętny.

– Opowiada się pan za możliwie prostymi posiłkami, jest pan przeciwnikiem potraw wyszukanych, na których przyrządzenie trwoni

się mnóstwo czasu, ale przecież kuchnia, to ważny element narodowych obyczajów, ważny czynnik spajający rodzinę.

- Rodzina, która będzie zdrowa i szczęśliwa, nie potrzebuje, żeby jednoczył ją stół.

- Siadając do stołu powinniśmy pamiętać, żeby nie mieszać paliw, czyli dbać o to, żeby nasz organizm pracował na jednorodnym źródle energii, czyli tłuszczach. „Tłusto czyli zdrowo", to hasło stawia na głowie całą współczesną dietetykę. Czy nie ma alternatywy dla tłustego jedzenia?

- Po pierwsze hasło „tłusto, czyli zdrowo" stawia dietetykę na nogach i czyni tę naukę przyjazną i użyteczną człowiekowi. Po wtóre alternatywa istnieje, jest nią białko, ale w naszych warunkach byłoby bezsensowne budowanie modelu azjatyckiego, który jest jakby wyższym etapem na drodze do właściwego żywienia. Ja proponuję drogę prosto do celu. A skoro już o Japończykach mowa, to są oni jedyną nacją, jaką znam, która nie żywiąc się w sposób optymalny, nie pomieszała „paliw" i dzięki temu jest w miarę zdrowa. W polskich warunkach wcale nie musimy spożywać 90 kg ryb na jednego mieszkańca, ale możemy wyprodukować 20-30 kg białego sera i 300 jajek, co nie tylko w pełni zastąpi te 90 kilogramów ryb, ale dostarczy białka bardziej wartościowego.

- Dlaczego właściwie jajka?

- Skład chemiczny jajek i wysoka wartość biologiczna zawartych w nich białek sprawia, że powinniśmy widzieć w nich najwyższej jakości produkt spożywczy. To właśnie jajka, a głównie ich żółtka, zawierają tak wiele czynników przeciwmiażdżycowych - nienasyconych kwasów tłuszczowych, siarki, choliny, jodu, witamin, składników mineralnych. Wszystkie te czynniki przeciwmiażdżycowe stają się jednak najbardziej miażdżycorodne, jeśli jajka będze spożywał człowiek nie potrafiący zachować właściwych proporcji pomiędzy głównymi składnikami swojej diety. Zatem jajka, które dla jednych będą podstawą pożywienia, źródłem energii, witamin i innych ważnych składników, dla innych mogą być groźne.

- Konkretnie dla kogo jajką są niebezpieczne?

- Ktoś, kto czerpie 35 - 50 proc. energii z węglowodanów (w przeliczeniu na wartość kaloryczną) powinien liczyć się z tym, że wyższe spożycie jajek spowoduje, że więcej węglowodanów w jego organizmie zostanie przetworzonych na cholesterol i tłuszcze. Ważnym czynnikiem jest również reakcja na stres. Na przykład mężczyźni objadający się po zdenerwowaniu powinni pamiętać, że miażdżyca rozwinie się u nich 10 lat wcześniej niż u innych mężczyzn. Podsumowując - dla człowieka żywiącego się optymalnie, jajka powinny być najważniejszym produktem, innym zalecam ostrożność.

- Na stole mamy już jajka, co teraz każe pan podać?

- Sery i zagęszczoną śmietanę. Pamiętajmy o tym, że kupując mleko kupujemy około 90 procent wody, po co więc narażać się na taką rozrzutność? A zatem produkty pochodzące z przerobu mleka. Bardzo dobre są sery twarogowe, sery twarde i topione, ale wszystkie one, niestety, są za chude dla organizmu człowieka, więc nie obejdzie się na naszym stole bez dodatkowego tłuszczu. Pamiętajmy więc, że sery owszem, ale należy je spożywać z dodatkiem śmietany, majonezu lub masła albo w postaci różnych past na przykład z dodatkiem jajek.

- Myślę, że niektórzy już mają gęsią skórkę, ale kontynuujmy. Przystawki już mamy, teraz chyba pora na pieczyste.

- Mięso jest mniej wartościowym produktem niż jajka i sery, ale powinno być spożywane i w żadnym wypadku nie powinniśmy z niego rezygnować. Dorosły człowiek powinien zadowolić się 100-200 gramami mięsa na dobę. Tak jak nie można na stole zadowolić się tylko jajkami i serem, tak nie można na nim zostawić tylko mięsa i jego przetworów. Pamiętajmy, że z mięsa organizm ludzki nie może sprawnie i tanio budować takich organów jak mózg, wątroba, nerki, przewód pokarmowy. Przy kupowaniu mięsa trzeba kierować się wiedzą o jego wartości odżywczej. Mięśni zwierząt człowiek nie potrzebuje zbyt dużo, za to innych ich organów owszem, bo też chorób mięśni jest stosunkowo niewiele, za to chorób innych organów co niemiara. Trzeba wiedzieć, że nie to mięso jest najbardziej wartościowe, które nam najbardziej smakuje, ale to, które chemicznie najbardziej jest zbliżone do składu naszego ciała, szczególnie do składu narządów intensywnie pracujących i szybko wymieniających swe białka.

- A zatem podroby, móżdżki, co jeszcze?

- Chrząstki, tkanka łączna, skórki wieprzowe. Choroby zwyrodnieniowe stawów byłyby rzadkością, gdyby rzeźnicy nie odrzucali tak konsekwentnie przy obróbce mięsa i jego przetworów wszelkich chrząstek, błon, ścięgien, powięzi, tkanki łącznej, kości, a więc tych elementów, które powszechnie traktowane są jako niejadalne. Tłuszcz z kości jest jednym z najlepszych tłuszczów, jakie może spożywać człowiek i bardzo tanim, bo ile kosztują kości?

– Chce pan powiedzieć, że zupa na kościach będzie lepsza niż na mięsie rosołowym?

– Rosołowe wywary z kości, zwłaszcza szpikowych, powinny być podstawą wszelkich zup. Pamiętajmy, że mądrzy Szwajcarzy biorą ciężkie pieniądze za preparat pod nazwą Rumalon, który jest niczym innym tylko skoncentrowanym wyciągiem z kości i chrząstek cielęcych, skutecznym w leczeniu chorób zwyrodnieniowych. Po co jeść tabletki czy brać zastrzyki, skoro można spożywać produkty naturalne.

– Skoro szpik kostny jest taki wspaniały, dlaczego spożywamy go tak mało?

– Już Galen napisał, że to szpik jest dla człowieka pożywieniem najdoskonalej przysposobionym przez naturę. W tak zwanym raju, na Wyżynie Wschodnioafrykańskiej, czyli tam gdzie ludzie zostali stworzeni, wszystkie kości szpikowe były rozłupywane. Wykopaliska potwierdzają to w sposób oczywisty. Ani lew, ani hiena mimo ogromnej siły swoich szczęk, nie są w stanie rozgryźć kości udowej bawołu. A więc mógł to robić tylko człowiek przy użyciu prymitywnych narzędzi lub kamieni. W szpiku kostnym, gdzie powstają krwinki czerwone, muszą być zawarte najlepsze składniki pokarmowe, a więc budulcowe dla ludzkiego organizmu. Pierwotni to wiedzieli, my nie chcemy w to uwierzyć. Dlatego właśnie kości szpikowe są dziś takie tanie. Na razie! Dopóki ludzie nie poznają ich wartości. Jedna kość udowa bawołu to znakomity obiad dla dwóch osób.

– Nawet ludzie żywiący się w sposób optymalny nie jedzą jednak szpiku kostnego na co dzień. Wolą mięso. Ale jakie mięso wybierać – gotowane, pieczone, smażone, wędzone, z rusztu?

– Oczywiście najlepszym sposobem przetworzenia i częściowego nadtrawienia mięsa jest smażenie. Powszechna opinia przypisuje mięsom smażonym szkodliwość na wątrobę, ale to szkodzi tylko tym, którzy nie potrafią dobrać właściwej diety. Wątroba u takich ludzi przetwarza więcej węglowodanów na cholesterol i tłuszcze, niepotrzebnie pracuje, zużywa się i boli. Oszczędzajmy nasz organizm, dlatego nigdy nie jedzmy mięsa na surowo, na przykład befsztyków tatarskich. Mięso powinno być dojrzałe i nadtrawione. Można je więc przez krótki okres przechowywać w mleku lub occie, można je marynować lub peklować.

– Wędliny?

– Polecam wszelkiego rodzaju salcesony: biały i czarny, ozorkowy, a także wszelkiego rodzaju kiszki: pasztetową, podgardlaną, wątrobianą. Kaszanka jest niezła, ale musimy pamiętać, że zawiera ona 10-12 proc. węglowodanów, a zatem, żeby zachować właściwe proporcje powinna być odsmażana na dużej ilości słoniny lub boczku.

- W powszechnym odczuciu najbardziej wartościowe są wędliny najchudsze - szynka, polędwica, kiełbasy suche i podsuszane.

- Te produkty nie tyle są najbardziej wartościowe, co najdroższe, a my, siadając do stołu, powinniśmy kierować się również kosztem posiłku. Jeżeli twierdzę, że człowiek żywiący się w sposób optymalny może przeznaczać dziś zaledwie około 200-250 złotych miesięcznie na jedzenie, to oczywiście nie mogę sugerować mu zjadania polędwicy. A zatem robiąc zakupy w sklepie mięsnym kierujmy się wartością biologiczną i koncentracją głównych składników odżywczych w produkcie (bardzo pomocne będą tabele zamieszczone w końcowej części tej książki). Smak i wygląd wędliny nie powinien mieć dla nas decydującego znaczenia. Zauważyłem, że ludzie, którzy żywią się w sposób optymalny po pewnym czasie niejako naturalnie zaczynają wybierać produkty, które są dla nich najbardziej wartościowe. Uważają, że boczek, pasztetowa, salceson smakują wyśmienicie.

- Dietetycy na całym świecie zalecają spożywanie mięsa drobiowego, bo jest chudsze, a poza tym nie zawiera cholesterolu.

- Mięso drobiowe jest za chude! Jeżeli komuś kto chce żywić się w sposób optymalny smakuje na przykład mięso kurczaka, to powinien je jeść, ale jednocześnie powinien pamiętać, że w takim wypadku konieczne jest uzupełnienie tłuszczu w stosunku do białka w pokarmie, a więc na przykład filety z kurczaka powinny być faszerowane słoniną lub boczkiem. Niektórym może się to wydać bez sensu, więc najlepiej od razu decydować się na mięso wieprzowe i wołowe lub baraninę.

- Źródłem doskonałego białka są ryby.

- Ale ryby nie są tanie, wręcz przeciwnie. A poza tym ludzki organizm jest zbudowany zupełnie inaczej niż organizm ryby, a przecież jedną z zasad żywienia optymalnego jest to, żeby dostarczać z pokarmem tych składników, z których zbudowane jest nasze ciało. Ryby są dobre dla tych, którzy oparli swoją dietę na jednym głównym składniku, jakim jest białko, na przykład dla Japończyków. Skoro w diecie optymalnej zasadniczym źródłem energii są tłuszcze, ryby możemy w zasadzie wyłączyć ze spożycia, zwłaszcza, że niektóre gatunki mają bardzo niewielką zawartość tłuszczu. Dorsz, okoń, szczupak i sandacz są niemal beztłuszczowe. Łosoś, węgorz, karp, śledź mają z kolei mniej tłuszczu niż wieprzowina. Gdyby zestawić koszt jednego kilograma dobrego tłuszczu, jaki uzyskujemy na przykład z karpia i szpiku kostnego okazałoby się, że potrzeba aż 8 kilogramów karpia, żeby dostarczyć organizmowi tyle tłuszczu, ile mamy w 35 dag szpiku. Ryba jest więc wielokrotnie droższa, bo zawiera mnóstwo odpadów, wody, niskowartościowych składników.

– *Stół jest już zastawiony suto, ale dość monotonnie. A gdzie warzywa, owoce, o słodyczach i deserach nie odważę się wspomnieć.*

– Warzywa, które uprawia się przy użyciu chemicznych środków ochronnych i nawozów sztucznych w głównej mierze składają się z zatrutej wody. Związki azotu, jakie przedostają się do naszych organizmów mogą być bardzo groźne. Ci, którzy zjadają duże ilości warzyw i owoców, na przykład w krajach zachodnich, wcale nie są zdrowsi od pozostałych, chorują jak inni na większość chorób cywilizacyjnych, często są otyli. Nasze organy wewnętrzne wcale nie są przystosowane do trawienia dużej ilości pokarmu roślinnego, w tym owoców i warzyw, przeciwnie nadmiar takiego pokarmu niepotrzebnie obciąża żołądek i przewód pokarmowy. Proszę zauważyć, że jarosze bardzo często są otyli, a ich ciało prawie zawsze jest bardzo słabe. Z punktu widzenia składu ich diety to zupełnie zrozumiałe. Skąd mają czerpać siłę, skoro żywią się głównie wodą i cukrem. Inna rzecz, że miąższ warzyw i owoców nie jest podobny w niczym do tkanek naszego ciała.

– *Owoce i warzywa to jednak niezastąpione źródło witamin.*

– Czy na pewno niezastąpione? Witaminy odkryto głównie dlatego, że wśród ludzi odżywiających się pokarmem roślinnym występowały braki witamin, a zatem... Wszystkie warzwa i owoce razem wzięte nie są w stanie pokryć zapotrzebowania organizmu na najważniejsze składniki odżywcze. Z moich wieloletnich badań wynika, że ludzie żywiący się w sposób optymalny i w ogóle nie jedzący warzyw i owoców mają pełne pokrycie potrzeb witaminowych organizmu, w tym również witaminy C, która rzeczywiście jest potrzebna organizmowi, ale wcale nie musi pochodzić z jabłek albo z cytrusów. Jabłka i gruszki są dla człowieka najgorsze, bo zawierają najwięcej węglowodanów na jeden gram białka. Skoro jednak już komponujemy nasz obiad optymalny, proszę zamówić jeszcze talerzyk fasolki szparagowej, którą obficie polewamy roztopionym masłem. Urozmaici nam to dietę i być może częściowo chociaż zastąpi groch i fasolę tym, którzy bardzo lubią rośliny strączkowe. Grochu i fasoli powinniśmy się bowiem wystrzegać.

– Bez warzyw możemy sobie wyobrazić polski obiad, ale bez ziemniaków nie. Wielu nie może się przemóc do pańskiej diety właśnie dlatego, że surowo zabrania pan jedzenia chleba i ziemniaków, czyli dwóch najważniejszych składników naszego jadłospisu.

– W 100 gramach ziemniaków jest zaledwie około 1,5 grama białka i to kiepskiej jakości oraz 15 gramów węglowodanów. Fatalna proporcja! Skoro już ktoś nie może żyć bez ziemniaków, niech weźmie kilka niedużych, skroi i zrobi sobie frytki na łoju lub smalcu. Z czasem jednak nawet te kilka frytek przestanie smakować. Słodycze są wykluczone. Powinniśmy pamiętać o świętej zasadzie nieprzekraczania 50 gramów węglowodanów na dobę. Skoro ktoś chce na przykład koniecznie zjeść kromkę chleba, w porządku, niech to uczyni, ktoś ma ochotę na dwa ziemniaki, mogą być. Jakiś owoc? Proszę bardzo, podobnie jak kawałek czekolady lub jakiś deser. Ale zawsze należy liczyć, liczyć i liczyć 50 gramów! Bo cukier to biała śmierć, spowodował wśród ludzi więcej szkód niż alkohol, tytoń i narkotyki razem wzięte. W krajach, w których zwiększa się produkcja i spożycie cukru, pogarsza się kondycja biologiczna społeczeństwa i odwrotnie. Bogate kraje zmniejszają spożycie cukru.

– Szwajcarzy, których tak często stawia pan nam za wzór zajadają się czekoladą jak nikt inny. Jedzą jej kilka razy więcej niż my Polacy.

– Czekolada to także tłuszcz, a jeżeli jest z orzechami, to jest już prawie całkiem dobrze. Orzechy bowiem, mimo że są pochodzenia roślinnego, mają dużą wartość odżywczą i zalecane są w żywieniu optymalnym, gdyż dostarczają białka i wartościowego tłuszczu. Mało tego, mają właśnie takie proporcje pomiędzy tymi składnikami, jakie powinny występować w naszej diecie.

– Zaproponował pan kiedyś, żeby wyciąć w pień jabłoniowe sady, a na ich miejsce założyć uprawy orzechów laskowych.

– Można nie wycinać sadów. W Polsce jest dość nieużytków, na których przyjmie się leszczyna. Zamiast importować całe wagony i statki bananów, papryki, pomarańczy, winogron lepiej kupić za granicą dobrych włoskich orzechów. Nie wozimy wtedy wody i cukru tylko sprowadzamy białko i tłuszcz.

– Co powinniśmy pić? Herbatę, kawę, wodę?

– Kawa, herbata owszem, co komu bardziej smakuje, byle nie słodzić. Woda oczywiście, ale z kranu lub ze studni, żadnych wód mineralnych, stołowych, to czyste oszustwo. Ludzie mówią, że nie stać ich na „tłuste życie", ale na wodę w plastikowych butelkach ich stać... Przez całe wieki człowiek pił tylko wodę powierzchniową, bo nie miał dostępu do podziemnych złóż, to wymysł, że głębinowe złoża są lepsze, cenniejsze, zapewniam, że odpowiednie żywienie gwarantuje pełne pokrycie zapotrzebowania organizmu na minerały, sole, mikroelementy i witaminy, nie potrzeba żadnych wód mineralnych. Pamiętajmy, że pragnienie najlepiej gasi czysta woda, do posiłków może być herbata, ziółka, co kto lubi. Słodzone napoje gazowane, coca-colę powinniśmy skreślić całkowicie. Zastanawiam się, jak trzeba było ogłupić ludzi, by zaczęli pić te świństwa. Przecież człowiek nie jest zrobiony z coca-coli, a z wody owszem. Piwo? Może być w niewielkich ilościach.

- *Sól, przyprawy...*

- Powinniśmy unikać soli. Powszechnie uważa się, że jest ona bardzo szkodliwa, że podnosi ciśnienie, choć to nieprawda. Eksperyment, który przeprowadzono w Stanach Zjednoczonych zwiększając grupie kontrolnej dawkę soli udowodnił, że związek ten wcale ciśnienia krwi nie podniósł. Owszem, nadciśnienie i spożycie soli są powiązane wspólną przyczyną wyższą - nieprawidłowym modelem diety. Lekarze odkryli ten związek i uznali, że znaleźli przyczynę, a to mylny wniosek. Żywienie optymalne zapewnia organizmowi sole mineralne w optymalnych ilościach i proporcjach. Dodatku soli wymagają bowiem tylko produkty pochodzenia roślinnego. Tak więc w pierwszym okresie człowiek na diecie optymalnej jeszcze dosala potrawy, ale później ta potrzeba zanika.

Charakterystyczne, że potrawy, które my odczuwamy jako słone, inni uznają za nie dosolone. Przyprawy? Można używać wszystkich, które nie zawierają cukru. Najlepiej korzystać z gotowych przypraw jarzynowych i ziołowych. Można używać musztardę, jeść ogórki kwaszone i konserwowane, grzyby w occie, żurawinę do mięsa, świetną przyprawą jest majonez.

- *Alkohol?*

- Jest dla ludzi. Można skusić się na piwo, choć po jakimś czasie po prostu przestaje ono smakować. Kieliszek wytrawnego wina czy koniaku też jeszcze nikomu nie zaszkodził. Człowiek syty jest zadowolony, ma dobry nastrój i nie musi poprawiać sobie go alkoholem. Większość moich pacjentów, zwłaszcza mężczyzn, wypija codziennie pewną niewielką dawkę alkoholu. Najczęściej jest to tak zwany „drink po zachodzie słońca". Prace naukowe potwierdzają korzystne działanie niewielkich dawek alkoholu na ludzki organizm, przy czym ja osobiście znajduję pewną analogię pomiędzy spożyciem soli i alkoholu.

Właściwy model żywienia eliminuje fizjologiczne czynniki prowadzące do spożywania zarówno soli, jak i alkoholu. Pamiętajmy i o tym, że alkohol jest bardzo dobrym i nieszkodliwym lekiem dla organizmu. Jednak spokojnie proszę państwa... Myślę o dawkach w granicach na przykład 4 gramów, czyli naparsteczek czystego alkoholu.

- Jak to czystego?!

- Stężenie nie ma znaczenia, może to być większa ilość słabej wiśniówki, szklanka piwa albo odrobina spirytusu. Ciekawą jest rzeczą, że dla ludzi jedzących tłuste potrawy nawet najbardziej mocne alkohole nie są za ostre. W czasie wojny żołnierze radzieccy, zwłaszcza ci z osławionych dywizji syberyjskich, wieprzowe tuszonki zapijali czystym spirytusem. Tajemnica ta sprowadza się do podwyższonej odporności śluzówek. Gorąca kawa, herbata nie robiły na tych ludziach żadnego wrażenia.

- Papierosy? Nie jest pan zaciekłym wrogiem tytoniu.

- Palenie papierosów samo w sobie jest sprzeczne ze zdrowym rozsądkiem. Po co palimy? Niektórzy tłumaczą to stresem, zdenerwowaniem, nałogiem. Ale człowiek na diecie optymalnej nie jest zdenerwowany, nie wpada w stresy, uwalnia się od nałogów, między innymi nikotynowego. Mówi się, że palenie zmniejsza apetyt. To prawda. U ludzi powstrzymujących się od jedzenia pod wpływem stresu palenie rzeczywiście hamuje apetyt i wpływa na zmniejszenie ilości spożywanych kalorii, ale jednocześnie zmienia upodobania smakowe. Palacze chętniej piją słodzone płyny, chętniej jedzą słodycze i chętniej piją alkohol. Rzucenie palenia zwiększa u nich apetyt, powoduje nie uświadomione zmiany w doborze pożywienia i przyrost wagi.

- Nasz stół jest prawie pełny. No to cóż, panie doktorze, smacznego. A propos, czym właściwie jest smak?

- Smak jest pojęciem względnym, zależy między innymi od sposobu odżywiania się. Kiedy Ślimak z Jędrkiem szli do dworu pogadywali sobie o tajemniczych limonach, których popróbował jeden z nich i aż mu buzię wykrzywiło, bo takie to było kwaśne. Bo „kużden ma swój smak, wół lubi trawę, a świnia pokrzywy", skwitował rozważania o smaku Ślimak. A człowiek? Jeśli jest przystosowany do najlepszego białka, najlepszego tłuszczu i to podawanych dokładnie w takich ilościach, jakich potrzebuje nasz organizm, zaopatrzonych dodatkowo w witaminy i minerały, to powinien nie mieć wątpliwości jak komponować swoje menu.

- Ile należy jeść?

- Organizm reguluje to bezbłędnie, pozostawmy mu to, nie róbmy niczego na siłę. Czasem przystosowanie może trwać nawet kilkanaście dni, zwłaszcza kiedy nie przestrzega się ściśle ustalonych zasad. W ciągu kilku miesięcy ustala się prawidłowa, niska waga ciała, człowiek nigdy nie utyje, nie będzie jednego dnia jadł za dużo, a innego pościł, zawsze będzie jadł tak samo.

- Ile razy dziennie należy jeść?

- Najczęściej spożywa się dwa posiłki dziennie, ale oczywiście można też jeść rano, około południa i przed wieczorem, natomiast znam osoby, które jedzą tylko raz dziennie. Mój syn żywi się tak już od wielu lat, przecież jeżeli dostarczy swojemu organizmowi zapas tłuszczu, to ten w każdej chwili może zeń skorzystać. „Po trzech dniach przestałem odczuwać głód i już nigdy nie byłem głodny" - tak mniej więcej wyrażają się wszyscy przechodzący na dietę optymalną.

- Nawyki żywieniowe w różnych regionach Polski są różne. Co pan sądzi o kuchni śląskiej?

- Jest fatalna, dlatego na Śląsku tak dużo jest otyłych kobiet. Linia córki dziedziczącej kuchnię po matce od pokoleń wyrządza wiele szkód. Nie można bezkarnie jeść tych wszystkich klusek, makaronów, klopsów z bułką, zagęszczanych mąką sosów. To jest jeden z najgorszych modeli żywienia.

- Ilu ludziom w Polsce dane jest zasiadać każdego dnia do stołu, czyli żywić się w sposób optymalny?

- W tej chwili przy stole siedzi już kilkadziesiąt tysięcy osób. Tylko jeden mój pacjent, biznesmen z Ustki, przekonał około 400 osób do tego sposobu żywienia. Ci, którzy znali go wcześniej i pamiętali w jakim był stanie, zanim trafił do mnie, nie dali się długo przekonywać. Ten człowiek był ludzkim wrakiem, co zresztą opisał kiedyś w polemicznym liście do tygodnika „Wprost", w którym po raz kolejny ktoś udowadniał szkodliwość spożywania nadmiernych ilości tłuszczów nasyconych.

Uważam, że każdy, kto żywi się w ten sposób, jakością swojego życia, swoim wyglądem, brakiem jakichkolwiek chorób najlepiej udowadnia słuszność żywienia optymalnego. To działa na ludzi. Na Śląsku, na Wybrzeżu, w Kieleckiem, słowem tam gdzie dotarłem ze swoimi poglądami mam najwięcej zwolenników.

- Z moich, blisko 10-letnich obserwacji osób żywiących się w sposób optymalny, wyciągam wniosek, że najściślej przestrzegają pańskich wskazówek ci, którzy cierpieli na nieuleczalne choroby: raka, stwardnienie rozsiane, byli po wylewach krwi do mózgu, mieli wrzody żołądka. Inni, którzy na przykład chcieli schudnąć, a poza tym nie cierpieli na większe dolegliwości po jakimś czasie odstępują od żywienia optymalnego. Wyrzeczenie się chleba, owoców, ziemniaków, słodyczy nie przychodzi ludziom łatwo.

- Ci, którzy radykalnie zmienili rodzaj diety i nie czynili żadnych odstępstw, po pewnym czasie przestają mieć ochotę na produkty, które pan wymienił. Ja czasem łapię się na tym, że bezwiednie zerwę jabłko w moim sadzie, nadgryzam kawałek i wypluwam. Ono po prostu mi nie smakuje. Tak samo jest ze słodyczami, chlebem, miodem. Rozumny człowiek po prostu odrzuca te rzeczy, doskonale wie, że one mu szkodzą.

- Ile kalorii powinien spożywać dorosły człowiek na dobę?

- Ile ma ochotę. Nigdy nie należy liczyć kalorii. Pomylić się nigdy nie można. Natura reguluje to sama u wszystkich gatunków żywiących się w sposób właściwy. Jeżeli znamy sposób właściwy dla człowieka, nie będzie zjawiska ani nadmiernego jedzenia, ani postów.

- Jakie jest zapotrzebowanie na białko i energię w żywieniu optymalnym?

- Indywidualne. Każdy człowiek jest inny. Zapotrzebowanie na białko i energię zależy od różnych czynników: od klimatu, rodzaju pracy, wysokości nad poziomem morza, wieku danej osoby. Nie można z góry podać, że człowiek potrzebuje tyle i tyle białka, tyle i tyle energii. Organizm bezbłędnie ustali samodzielnie to zapotrzebowanie.

- Czy spotkał się pan z przypadkiem, aby ktoś na diecie optymalnej przybrał na wadze, mimo że cierpiał na otyłość? Innymi słowy czy pańska dieta działa u wszystkich osób cierpiących na nadwagę?

- Takiego przypadku nie było. Zdarzało się, że komuś przybyło 2-3 kg mięśni, ale skóra stała się jędrna, mięśnie twarde. Tak bywa na przykład u sportowców.

- Dlaczego powiedział pan kiedyś, że żywienie optymalne zmienia człowieka w... Człowieka? Ten drugi „człowiek" pisany jest z dużej litery...

- Człowiek takim, jakim jest, ze wszystkimi swoimi niedostatkami, zmienia się w Człowieka rozumnego. Z człowieka sapiącego w... sapiensa.

BYĆ ZDROWYM I PIĘKNYM

– „Jeżeli w ogóle jest możliwe, aby ludzie byli lepsi i mądrzejsi, to myślę, że tylko w medycynie sposobu takiego szukać należy" – powiedział Kartezjusz. Ludzie chcą być lepsi i mądrzejsi, ale chcą też być zdrowsi i dłużej żyć, czy pan może im to zagwarantować? Czy na przejście na dietę Kwaśniewskiego może być dla kogoś za późno. W jakim wieku dziecko może jeść optymalnie?

– Zacznijmy od końca. Generalnie to dziecko powinno jak najpóźniej być odstawiane od piersi matki. Ksiądz Sedlak był karmiony piersią do 5 roku życia! Dla kogoś takiego przejście na dietę wysokotłuszczową jest naturalnym, fizjologicznym etapem rozwoju osobniczego. Właściwie jednak przejście na pokarm optymalny jest możliwe dużo wcześniej. Dlaczego dwuletni dzieciak miałby odrzucać śmietanę, masło, jajka? Takiemu malcowi nie zachce się cukierków, mało tego – one nie będą mu smakowały. Pokarm matki to dokładne odwzorowanie diety optymalnej, i tu przynajmniej nauka jest zgodna, że nic nie jest w stanie zastąpić mleka kobiety karmiącej. Na każdy gram białka w pokarmie kobiecym w Polsce średnio przypada 3,14 g tłuszczu i 7 g cukru. Wydaje się, że cukru jest bardzo dużo, ale warto wiedzieć, co się z tym cukrem dzieje. Otóż organizm dziecka spala z tego cukru ledwie półtora grama, reszta jest zamieniana na tłuszcz. Gdyby matka żywiła się w sposób optymalny, dzieciak nie musiałby budować całej fabryki przetwarzającej ten cukier na tłuszcz. Dziecko, którego nie przyzwyczaimy do złych pokarmów, będzie odrzucać na przykład produkty słodzone, a wybierać ot, tłusty ser. Cieszę się, że ostatnio nikt już nie kwestionuje dobroczynnego wpływu karmienia piersią na rozwijający się organizm. W przeszłości różnie z tym bywało. Tymczasem bezsprzecznie wykazano związek pomiędzy karmieniem naturalnym a odpornością na niektóre choroby. Dla niektórych zadziwiające było odkrycie, że w tętnicach żołnierzy amerykańskich poległych w Wietnamie, którzy karmieni byli pokarmem naturalnym w pierwszym roku życia, nie wykryto śladów miażdżycy! Ja specjalnie się temu nie dziwię. Żaden człowiek karmiony naturalnie, nie mieszający składników, miażdżycy mieć nie może.

– *A jeśli matka nie ma pokarmu?*
– Nie powinna rodzić dzieci. Dla dobra gatunku.

– *To okrutne co pan mówi.*
– Natura jest okrutna. Matka, która nie potrafi wykarmić swojego potomstwa...

– *Proszę nie kończyć!*
– A jednak spróbuję pana przekonać. Użył pan słowa „okrutne". Odebranie matce prawa do posiadania potomstwa byłoby okrutne, gdyby nie było na to lekarstwa, natomiast lekarstwo takie jest. Każda kobieta ma wolny wybór, więc powinna wiedzieć, że jeżeli chce mieć zdrowe dziecko, które będzie w stanie wykarmić sama, powinna żywić się w sposób najbardziej właściwy dla siebie, najbardziej właściwy dla poczętego życia.

– *Jest pan przeciwnikiem kosmetyków. Uważa pan, że większość z nich jest całkowicie zbędna człowiekowi na diecie optymalnej.*
– Jeśli ktoś chce koniecznie smarować się kosztownym kremem, używać toników, clerasilów itp., to może to robić. Tylko po co? Człowiek dostarczający swojemu organizmowi systematycznie wszelkich składników odżywczych, witamin, minerałów nie potrzebuje dodatkowo odżywiać skóry. Cera jest niezwykle gładka, bez żadnych zmian chorobowych, wyprysków, przebarwień. Wielu moich pacjentów obserwuje nawet wygładzanie się starych blizn. Ponieważ nie ma zaburzeń hormonalnych nie ma również zmian na skórze. A paniom radzę zwrócić uwagę na pewien drobiazg. Często przygotowując kawałek mięsa na obiad starannie okrawacie go z tłuszczu, wieczorem zaś kładziecie na twarz grubą warstwę tłustego kremu, zapominając o tym, że tłuszcz świetnie wchłania się przez skórę. Tymczasem odżywianie tą drogą skóry wcale nie jest najlepsze. Lepiej przez żołądek. I dużo taniej.

– *Pańska małżonka panie doktorze może być żywą reklamą diety optymalnej, wygląda bardzo młodo, jest pogodna, zawsze uśmiechnięta, tryska energią...*
– Jak już wspomniałem, kiedyś żona była bardzo chorą osobą, to z myślą o niej opracowałem założenia nowego sposobu żywienia.

Oboje jesteśmy zawsze w dobrych nastrojach, nigdy nie kłócimy się, dopisują nam humory, nie bywamy zmęczeni. Wszystkie małżeństwa, które żywią się w ten sposób tworzą idealne stadła. We wsi, w której stoi mój letni domek, mam sąsiadów, którzy przeszli na dietę optymalną 15 lat temu. Są zdrowi, praca w gospodarstwie ich nie męczy, wybudowali piękny dom, gospodarz hoduje trzodę chlewną i osiąga znakomite wyniki. Kiedy odstawia świnki do punktu skupu wszyscy się dziwią, że jego zwierzęta są takie dorodne, a przecież wychów w jego zagrodzie trwa dużo krócej niż u innych. Ten człowiek zrozumiał, że tak jak on potrzebuje dobrego pożywienia, tak i zwierzętom nie można odmówić należytej karmy. Stosuje wysokobiałkowe koncentraty i osiąga świetne efekty. To są prości ludzie, ale życzyłbym wielu z naszych rządzących tego zdrowego rozsądku, takiego podejścia do pracy, gospodarki, które mają oni.

- Profesor Aleksandrowicz, znany orędownik spożywania dolomitu, twierdził, że zawarty w nim magnez łagodzi obyczaje. Nie słyszałem jednak dotąd, żeby tłuszcz działał uspokajająco.

- Organizm nie buntuje się, jeżeli dostaje wszystko, czego mu potrzeba. Jeżeli organy się wyciszają, wycisza się cały organizm, człowiek częściej się uśmiecha, jest pogodny i życzliwy, łatwo znosi stres, nie wchodzi w sytuacje konfliktowe, nie prowokuje swoim zachowaniem otoczenia. Z czego to wynika? Z równowagi układu wegetatywnego, z tego że przewagi nie uzyskuje ani układ sympatyczny, ani parasympatyczny.

- Czy jest pan w stanie rozpoznać na podstawie wyglądu danej osoby sposób, w jaki ona się odżywia?

- Sklasyfikowałem ludzi według trzech grup, które są wyznaczone proporcjami przyjmowanych przez nich głównych składników pożywienia. Inaczej mówiąc uznałem, że to skład diety determinuje choroby, na jakie zapadają ludzie. Grupa I to osoby cierpiące na tak zwane zespoły antymiażdżycowe, ludzie spożywający duże ilości białka roślinnego, węglowodanów, ludzie, u których z tłuszczu roślinnego pochodzi ok. 20 - 25 proc. energii. Grupa II to ludzie z zespołem miażdżycowym, czyli ci spożywający dużo białka zwierzęcego, dużo węglowodanów i sporo tłuszczów. Wreszcie grupa III - chorzy z zespołem tak zwanej otyłości ubogich, czyli ci spożywający za mało białka w stosunku do składników energetycznych, spożywający za mało tłuszczów i za dużo węglowodanów oczyszczonych z wartościowych elementów. Każda z tych grup ma swój charakterystyczny typ osobniczy. Ci z zespołem antymiażdżycowym są na ogół wychudzeni, ich organizmy są wyniszczone, a poszczególne organy ich ciała pozbawione są najlepszej energii. Otyli z zespołem otyłości bogatych i otyłości biednych, nie różnią się zbyt od siebie, ich ciała okrywa po prostu gruba warstwa tkanki tłuszczowej, z powodu miażdżycy cierpią na niedokrwienie, szybko się męczą, są mało sprawni.

– *Wiele osób od lat walczących z nadwagą zdecydowało się na żywienie optymalne właśnie po to, aby pozbyć się nadmiernych kilogramów. Na diecie optymalnej szybko ustala się prawidłowa waga ciała. Jaki jest tego mechanizm?*

– Niemal każdy lekarz czy dietetyk odpowie: winny jest tłuszcz. A to nieprawda! Od tłuszczu utyć nie można organicznie. Tkanka tłuszczowa nie zawiera enzymu kinazy glicerolu, który jest niezbędny do odkładania tłuszczu. Za to łatwo utyć od węglowodanów, które człowiek w organizmie zaczyna przetwarzać na tłuszcze i odkładać. Im więcej węglowodanów organizm przetwarza na tłuszcze, tym szybciej przybiera na wadze.

– *Wprowadził pan pojęcia „otyłości ubogich" i „otyłości bogatych". Aczkolwiek każda z nich powodowana jest odmiennymi czynnikami, odmiennym składem diety, to efekt jest taki sam. Ale przecież istnieje też coś takiego jak „skłonność do tycia". Nie będę podawał przykładów, kiedy dwie osoby spożywające identyczne ilości kalorii wyglądają zupełnie inaczej, jednak musi pan przyznać, że przemiana materii nie u wszystkich jest jednakowa.*

– Skłonność do tycia jest mitem, coś takiego nie występuje w przyrodzie. Istnieje wprawdzie wiele czynników dodatkowych (oprócz diety) sprzyjających powstaniu otyłości, jednak nie mają one żadnego wpływu na organizm, który nie otrzymuje w pożywieniu określonej ilości węglowodanów. Co do metabolizmu, to faktycznie może on się różnić osobniczo, ale decydujący wpływ ma rodzaj pożywienia, a nie metabolizm.

– *Ile kilogramów miesięcznie można stracić na diecie optymalnej?*

– To zależy od rodzaju otyłości, na którą człowiek cierpiał. Na przykład osoby powstrzymujące się od jedzenia pod wpływem stresu i te, u których stres nie ma wpływu na ilość i jakość spożywanego pokarmu, mogą zeszczupleć nawet 6 kilogramów miesięcznie, aż do uzyskania prawidłowej, niskiej wagi.

- Zrzucenie paru kilogramów jest czym innym niż leczenie otyłości.

- Oczywiście. Leczący się na otyłość muszą zmodyfikować swoją dietę, zwiększając w niej udział białka w stosunku do tłuszczu. Dopóki będzie się tracić na wadze, powinno się utrzymywać proporcje: 1 g białka na 1,5 do 2 g tłuszczu.

- Zdarzają się także ludzie, którzy nie mogą schudnąć na diecie optymalnej ani grama.

- Ich waga może być po prostu należyta albo też działa tu pewien mechanizm wiążący się z poziomem lipazy lipoproteinowej. Osobnicy reagujący na stres żarłocznością mają bardzo niski poziom lipazy, który po wprowadzeniu żywienia optymalnego powinien wzrosnąć i ubytek zbędnych kilogramów powinien następować dość szybko. Bywa jednak i tak, że u niektórych uwalnianie tłuszczu z tkanki tłuszczowej jest utrudnione, gdyż poziom enzymu zwanego lipazą nie wzrasta. Zaobserwowałem jednak, że niektóre osoby po pewnym czasie odzyskują zdolność wytwarzania lipazy i pacjent szczupleje. U innych należałoby lipazę wprowadzić sztucznie.

- Wie pan jak to zrobić?

- Miliony ludzi na całym świecie nie mogą patrzeć na swoje odbicie w lustrze i walczą każdego dnia z nadwagą. To kosztuje ogromne sumy, zarabiają na tym producenci preparatów mających, rzekomo, wspomagać proces odchudzania. Czasem nawet udaje się stracić kilka kilogramów, po czym wszystko wraca do „normy". Tymczasem od diety bogatotłuszczowej utyć nie można, a przypadki, kiedy ludzie nie potrafią spalić własnego tłuszczu, choć rzadkie, potrafię skutecznie wyleczyć. Do tego potrzebny jest jednak producent owego enzymu niezbędnego w leczeniu niektórych rodzajów otyłości. Lipazę lipoproteinową można wytwarzać, tak jak i inne preparaty, z komórek zwierzęcych. To jest patent na zarobienie milionów dolarów, bo ci ludzie daliby wszystko, żeby trwale schudnąć, a nikt nie może im tego zagwarantować.

- Ten enzym to swego rodzaju klucz do własnych magazynów tłuszczowych. Pan proponuje „wytrych", którym można zastąpić zgubiony klucz.

- Tak to można określić. Na razie takich enzymów się jeszcze nie wytwarza, istnieją natomiast już prądy selektywne, które pobudzając układ sympatyczny potrafią zmusić zakończenia nerwów sympatycznych w tkance tłuszczowej do wytwarzania noradrenaliny na miejscu, w samej tkance tłuszczowej. I właśnie noradrenalina może być kolejnym „wytrychem" do własnych tłuszczowych pokładów, które zostają uwolnione do krwi w postaci kwasów tłuszczowych. Wówczas chudnie się nawet bez klucza, czyli bez lipazy lipoproteinowej w organizmie.

– A co z wysiłkiem fizycznym? Wszystkie diety zalecają ruch jako sposób na wspomaganie procesów dochodzenia do prawidłowej wagi.

– Zmuszanie ludzi otyłych, którzy mają czasem trudności ze zwykłym wchodzeniem po schodach, do intensywnych ćwiczeń fizycznych jest nieludzkie i najczęściej doprowadza do tego, że człowiek rezygnuje z diety i odchudzania, bo to jest dla niego przykre. U ludzi, których skład diety jest nieprawidłowy, wysiłek fizyczny może nawet doprowadzić do przyspieszenia procesów miażdżycy. Pewne badania przeprowadzone na grupie młodych i zdrowych ludzi wykazały, że po wysiłku aktywność fibrynolityczna krwi jest niższa! Oznacza to, że ci ludzie będą bardziej podatni na rozwój choroby wieńcowej, miażdżycy i zakrzepów. A ilu sportowców w sile wieku umiera na serce? Kolarze, wioślarze, bokserzy...

– Ludzie żywiący się w sposób optymalny nie powinni jednak rezygnować z ruchu?

– Przeciwnie. Obserwuje się u nich wewnętrzną potrzebę podejmowania wysiłku fizycznego. Nawet starsi biegają i uprawiają ćwiczenia fizyczne z przyjemnością.

– Wracając jeszcze do metod odchudzania. Właściwie wszyscy grubi mówią, że nie jedzą za wiele i na dobrą sprawę ich tycie nie jest niczym uzasadnione. Oczywiście nie tyją oni z powietrza, ale przecież bywa i tak, że osoba na ścisłej diecie, na przykład przebywająca w szpitalu przez miesiąc, nie może schudnąć ani grama. Jak pan wytłumaczy to zjawisko?

– Komórki mogą przystosowywać się do spalania tłuszczu, ale wymaga to białka, energii, określonych witamin i mikroelementów. Tych jednak w pożywieniu opartym o węglowodany brakuje. Tak więc nie jest dla mnie niczym nadzwyczajnym, że na przykład ktoś na niskotłuszczowej diecie szpitalnej nie może schudnąć. Dlaczego? To proste. Organizm zamiast tłuszczu spala własne białka, z których ponad 50 procent przetwarza na glukozę i stąd czerpie energię. Chory nie chudnie i mimo że spala białka, to efektu nie widać dlatego, że to właśnie białka wiążą wodę, czyli waga ciała nie zmienia się.

- Taki model odżywiania oprócz otyłości może mieć jednak dużo gorsze konsekwencje.

- Właśnie. Chory cierpi częstokroć na zmiany zwyrodnieniowe w stawach, skoki ciśnienia, kamicę woreczka żółciowego, nie tak rzadka bywa także choroba nowotworowa. Gdy komórkom człowieka dostarczy się najlepszego białka, a do tego najlepszego paliwa czyli tłuszcze nasycone, potrzebne do ich spalania witaminy i mikroelementy, to efekt jest gwarantowany. Organizm przestawia się po prostu ze spalania węglowodanów na spalanie tłuszczów.

LEKARSTWO ZNALAZŁO SIĘ W OJCZYŹNIE

Mieszkaniec Astley Road Zygmunt Augustyniak wybrał się do Polski w odwiedziny do krewnych i tam usłyszał o doktorze Janie Kwaśniewskim. Dzisiaj mówi: – Doktor Kwaśniewski opiera swoją kurację o dietę i prądy elektryczne. Wróciłem do domu 12 dni temu i od tego czasu nie czuję bólu w ramieniu, przestały mi dokuczać dolegliwości żołądkowe, zniknęły żylaki na lewej stopie.

62-letni Augustyniak odwiedził swoją siostrę mieszkającą w Szczecinie. Podczas pobytu jego problemy zdrowotne przybrały na sile. Siostra poradziła wizytę w Kielcach u doktora Kwaśniewskiego. Wtedy nie był przekonany do podobnych metod leczenia. Jednak ból był coraz większy i Augustyniak postanowił zaryzykować. Efekty przeszły najśmielsze oczekiwania.

– Przedtem ból był nie do zniesienia. Teraz sytuacja uległa diametralnej zmianie. Żylaki na stopie praktycznie zniknęły, ramię jest w porządku i wreszcie mogłem wyrzucić tabletki na dolegliwości żołądkowe. Chciałbym, by wszyscy chorzy wiedzieli, że mają szansę na wyleczenie przy pomocy metody doktora Kwaśniewskiego. Sam początkowo nie wierzyłem, dzisiaj nawet mój lekarz jest zadziwiony efektem.

Zygmunt Augustyniak ma nadzieję, że zburzenie muru berlińskiego pozwoli większej liczbie osób z Zachodu skorzystać z pomocy doktora Kwaśniewskiego.

„Guardian" (Wielka Brytania), 4.01.90

ROZUMNI ŁĄCZCIE SIĘ

- Potrafi pan ocenić potencjał intelektualny człowieka po jego tuszy, wzroście. Twierdzi pan, że szczupli i niewysocy mają największe predyspozycje intelektualne. Nie chcę tutaj udowadniać, że może się pan mylić, bo wysokich i tęgich geniuszy nauki, wybitnych mężów stanu było wielu, jednak zastanawia mnie, skąd pan czerpie takie przekonanie.

- Zapewniam pana, że znacznie więcej mądrych i wiedzących ludzi było średniego wzrostu, ważyło niewiele, za to zawartość ich mózgoczaszki znacznie różniła się od przeciętnej.

- Mówiąc o myślących ma pan na myśli starożytnych mędrców - i maleńką garstkę żyjących w ubiegłym stuleciu oraz zaledwie kilku współczesnych. Profesor Julian Aleksandrowicz, Erich Fromm, ksiądz profesor Włodzimierz Sedlak, Jerzy Giedroyc. Dlaczego ci tak mądrzy ludzie nie rozwiązali problemów ludzkości?

- Odpowiedź jest prosta - dopiero teraz poziom nauk podstawowych jest dostatecznie wysoki, aby można było odpowiedzieć jasno i precyzyjnie na wszystkie trapiące narody problemy, w tym również fundamentalne zagadnienia zdrowia i choroby.

- Kiedy nastąpi przełom, kiedy ludzkość zrozumie wreszcie, że droga do życia w zdrowiu, szczęściu, bez agresji i wojen wiedzie przez żołądek, a ściślej mówiąc przez pańską dietę?

- Wiele przepowiedni łączy koniec drugiego Millenium z mającym czekać ludzkość przełomem, momentem, w którym rozpocznie się budowa Królestwa Bożego na Ziemi. Skąd na przykład pewien mnich żyjący w XI wieku wiedział, że w Kościele będzie 111 papieży, po czym nastąpi koniec ery chrześcijańskiej. Mało tego, on wiedział, jakie będą cechy charakterystyczne pontyfikatu każdego z nich, zaś ostatni na Tronie Piotrowym zasiądzie człowiek czarnoskóry. Teraz mamy 109 papieża... Skłaniam się ku tej dacie także dlatego, że wiem, iż niektórzy prawdziwi prorocy swoje przepowiednie opierali nie na własnej intuicji czy przeczuciach, ale na przekazach boskich.

– *Sugeruje pan, że mieli zdolności porozumiewania się z Bogiem?*

– Ja to wiem. Awicenna potrafił odbierać informacje boskie, Sokrates podobnie. Ten starożytny mędrzec podał nawet warunki, w jakich mogło dojść do przekazu: „nad ranem możesz najbardziej prawdy dotykać". W Biblii podaje się cztery rodzaje łączności z Bogiem, między innymi kontakt drogą radiową. A drugie przykazanie: „Nie będziesz wzywał Pana Boga swego nadaremno" odnosi się właśnie do tego. Ksiądz profesor Sedlak naliczył 37 interwencji boskich w swoim życiu. Zastanówmy się: co mu kazało opuścić Ćmielów 31 sierpnia 1939 r. tuż przed hitlerowskim najazdem? Takich przykładów w jego życiu było bardzo wiele. On pytał i otrzymywał odpowiedzi.

– *Czy pan również porozumiewa się z Bogiem?*

– Przepraszam, ale to będzie jedyne pytanie, na które nie odpowiem.

– *Ale jednak myślał pan o sobie przytaczając w jednym z pism Księgę Eklezjastyka: „Mądrość wszystkich starodawnych badać będzie mądry, i będzie się zajmował prorokami. Opowiadania mężów starodawnych będzie zachowywał i subtelności przypowieści razem doścignie. Tajemnice przypowieści badać będzie i skrytymi podobieństwami zajmować się będzie. Jeśli wytrwa zostawi sławę większą niż tysiące, a jeśli odpocznie będzie mu to pożyteczne".*

– Brak wiedzy u współczesnych zamyka im drogę do prawdy, bowiem prawda jest, według Platona, zgodnością rzeczy z naszą o nich wiedzą.

– *Jedyny nieomylny?*

– Wielokrotnie wspominałem, że pojawiali się w dziejach ludzie myślący. Niestety, było ich niewielu, więc czytelnik tej książki łatwo zapamięta ich nazwiska.

– *Nie wierzę, aby tylko tych parę osób, które pan wymienia, miało patent na mądrość. Historia zna setki imion mężów światłych, rozumnych, którzy popchnęli ludzkość i cywilizację na tory postępu.*

– Gdyby wiedza starożytnych przekazana przez Boga i ukryta w Biblii była wcześniej odszukana, zrozumiana i praktycznie zastosowana, to już dawno na Ziemi byłoby Królestwo Boże. Nie byłoby chorób, cierpienia, głodu, nędzy, bogatych, biednych, broni, wojen, terroryzmu, narkomanii, alkoholizmu, przestępczości, kobiety nie rodziłyby dzieci w bólach, nie trwonionoby ogromnych sum na zbrojenia, na broń masowego zniszczenia, której ułamek może zmieść z naszej planety cały ludzki rodzaj. Zatem warunkiem nieodzownym, aby posiąść wiedzę, są biologiczne podstawy ku temu, a poza tym rozwój nauk podstawowych. Ten ostatni warunek zdaje się już być spełniony.

– Poszukując sojuszników dla dzieła odnowy rodzaju ludzkiego zwracał się pan do wielu wpływowych osób i instytucji. Na początku lat dziewięćdziesiątych przesłał pan swoją książkę pt. „Żywienie optymalne" papieżowi.

– Z najwyższym niepokojem śledziłem informacje o stanie zdrowia papieża Jana Pawła II. Jego kondycja wyraźnie zaczęła się pogarszać przynajmniej od połowy 1992 roku. Duże zagrożenie dla życia Ojca Świętego powoduje miażdżyca tętnic mózgowych, a jej skutkiem jest m.in. tak zwany parkinsonizm miażdżycowy, którego objawy są wyraźnie widoczne. Kilkakrotnie pisałem do Watykanu, do papieża, w trosce o to, aby mógł on żyć i pracować jak najdłużej, w możliwie największej sprawności psychofizycznej. Jesienią 1992 roku wielki zwolennik mojej diety, pewien obywatel szwedzki, przygotowywał mój wyjazd do Ojca Świętego, abym mógł mu przedstawić moją wiedzę. Uprzedzał jednocześnie, że w Stolicy Piotrowej są ludzie, którzy dość skutecznie blokują „przepływ informacji". Miałem otrzymać osobiste zaproszenie w ciągu miesiąca. Niestety, do dziś nie otrzymałem żadnej odpowiedzi, do audiencji nie doszło. Stan papieża nie jest dobry, zaś my tracimy czas zamiast ratować jego zdrowie i życie.

– Prawdę mówiąc nie dziwię się, że nie otrzymał pan odpowiedzi z Watykanu. Pan chce zmazać skutki grzechu pierworodnego, tymczasem to zastrzeżone jest wyłącznie w kompetencji Kościoła.

– Żywienie optymalne usuwa jedynie biologiczne skutki grzechu pierworodnego. Sakrament Chrztu Świętego, jak naucza Kościół, usuwa skutki duchowe, nie ma tu więc żadnej sprzeczności. Przeciwnie, dostrzegam, że Kościół katolicki, a osobiście papież – Polak mógłby zapoczątkować zapowiadaną budowę Królestwa Bożego na Ziemi. Jestem gotów udostępnić całą wiedzę, cały dorobek mojego życia. Ksiądz Sedlak napisał: „Czeka nas albo renesans człowieczeństwa albo wielka zagłada" – myślę, że obecnie jesteśmy bliżsi tego drugiego. Broń atomowa, termojądrowa, chemiczna. Kwestią czasu jest, kiedy rozpocznie się kataklizm, który zmiecie wszystko.

– Odnowionym rodzajem ludzkim powinni być ludzie, których przekonał pan do swojego modelu odżywiania. Byłaby to w Polsce całkiem silna grupa nacisku.

– W grudniu 1987 roku powstał już nawet Społeczny Komitet Akademii Zdrowia „Arkadia", który chciał powołania fundacji wspierającej badania i promującej żywienie optymalne, jednak ostatecznie ludzie ci rozjechali się do domów i nic z tego nie wyszło. Sądzę, że po ponadpółrocznym cyklu moich tekstów w katowickim „Dzienniku Zachodnim", do którego, o ile mi wiadomo, zwróciły się także inne krajowe redakcje z prośbą o udostępnienie felietonów z cyklu „Tłuste życie", zwolenników mi przybyło. Świadczą o tym setki listów przychodzących pod mój domowy adres w Ciechocinku. Czasem bywają dni, że ta korespondencja mnie przytłacza, ale zapewniam pana, że nigdy, żadnego listu nie pozostawiam bez odpowiedzi, co najwyżej pacjent musi uzbroić się w cierpliwość i nieco poczekać.

– Odpowiada pan każdemu indywidualnie, czy też stosuje pan pewien schemat, odbitka kserograficzna włożona do koperty i już...

– Pewne zalecenia dotyczące żywienia są niezmienne, ale niektóre zasady trzeba dostosować do rodzaju schorzenia, wieku chorego, stanu jego organizmu. Dlatego staram się odpowiadać możliwie wyczerpująco, dokładnie opisując zalecenia i unikając specjalistycznych terminów lekarskich. Nie chodzi bowiem o to, żeby się wymądrzać przed chorymi, ale żeby ich wyleczyć.

– Chorzy często nie ufają drodze korespondencyjnej, wsiadają do pociągu czy samochodu i zjawiają się w Ciechocinku.

– To się zdarza, ale przypadki wymagające osobistej wizyty, konsultacji i badania na miejscu są sporadyczne. Zawsze mówię tak: „zamiast tracić pieniądze na podróż, proszę je wydać na dobrą żywność i zacząć dietę od dziś, nie tracić czasu".

– Liczy pan na to, że pewnego dnia ci, którzy odzyskali zdrową czynność umysłu, zapomnieli o chorobach, słowem stali się innymi ludźmi, odpłacą panu za to wszystko, co pan dla nich uczynił?

– Ci ludzie darzą mnie szacunkiem za przywrócone im człowieczeństwo i to mi wystarczy.

– Wiem, że nie dba pan o dobra doczesne ani o tytuły. Jednak powtórzę to, o czym w świecie medycznym mówi się dość często. Jeśli Kwa-

śniewski udowodni, że jego dieta rzeczywiście jest remedium na większość chorób, to nagroda Nobla w dziedzinie medycyny jest pewna.

- Już na początku lat siedemdziesiątych profesor Szczygieł obiecywał mi nie tylko tę nagrodę, jeśli udowodnię, że moja dieta pomaga ludziom. Powiedziałem mu: „niech pan sobie weźmie tę nagrodę, a mnie zrobi tylko badania, które czarno na białym wykażą to, że jest to najlepszy sposób przyczynowego leczenia większości chorób". Dwa lata wcześniej głośno mówiłem o szkodliwości spożywania margaryny. Kto mnie wtedy słuchał? Do dziś wielu ludzi dałoby się pokroić twierdząc, że jest ona zdrowsza od masła, a to przecież kompletna bzdura.

- Ostatnio już nie ma takiej jednomyślności. Zauważa się na przykład fakt, że obróbka chemiczna i termiczna powoduje powstawanie w niej związków, które mogą mieć działanie rakotwórcze.

- To samo odkryłem ćwierć wieku temu, można to sprawdzić w moich publikacjach z tego okresu.

- Zatem jest możliwe, aby współcześni ludzie przestali mieć poglądy, a czynność ich umysłów stała się zdrowa?

- Wielokrotnie sprawdziłem, że nie tylko jest to możliwe, ale prawie pewne. Kilkadziesiąt tysięcy ludzi w Polsce i niewielkie grupy ludzi z wielu innych krajów stosując żywienie optymalne, nie tylko odzyskało zdrowie w stopniu jeszcze możliwym do odzyskania, ale uzyskało zdrową czynność umysłu. Dlaczego o nich tak mało słychać? Dlaczego nie wpływają na naszą gospodarkę, na nasze życie, skoro wiedzą lepiej od innych? Cóż z tego, jeśli oni wiedzą, skoro inni nie wiedzą, nie wiedzą, że nie wiedzą i wiedzieć nie mogą.

Żywienie optymalne wyobcowuje ludzi z ich środowiska, jeśli nie postępują rozważnie, są narażeni na szykany. Ponieważ o tym wiedzą, a niektórzy, starając się pomóc innym, zaszkodzili sobie, na ogół nie usiłują naprawiać tego, czego naprawić się nie da.

Tym niemniej, prawie wszyscy piszący do mnie deklarują chęć zorganizowania się i podjęcia działań w organizacji mającej na celu rozumne, przyczynowe uporządkowanie życia ludzi, przyczynowe zatrzymanie degradacji Ziemi i odbudowę tego, co się odbudować jeszcze da z tego, co bezrozumni ludzie, w swym bezrozumnym pędzie do samozniszczenia dotychczas potrafili zniszczyć. Najbardziej zbliżony program działania ma Partia Zielonych, raczkująca w Polsce. Zieloni chcą dobrze dla wszystkich, aczkolwiek nie mając wiedzy, nie mogą tego „dobrze" przeprowadzić. Komuniści też chcieli dobrze dla wszystkich, ale bez wiedzy, a co gorsze z chorym „światopoglądem" zbudować mogli na Ziemi tylko piekło.

Zieloni tym różnią się od innych, że nie bronią interesów wąskich grup ludzi, jak to robią wszystkie inne partie czy stowarzyszenia, ale w swoim programie za cel główny stawiają dobro życia na Ziemi. Taki cel jest godnym poparcia i jest możliwy do zrealizowania przy pomocy wiedzy, jaką zgromadziłem i przy pomocy ludzi, jakich przez wiele lat, dla tych celów przygotowywałem.

Sytuacja w Polsce od ponad 300 lat jest zła. Obecni rządzący nie są wcale mądrzejsi od swych poprzedników. Pochodzą przecież z tego samego zdegenerowanego narodu i również zostali wybrani na drodze selekcji negatywnej. Wszelkie próby naprawy Rzeczypospolitej są nieudolne, zawsze kosztowne, przeważnie szkodliwe, nie dotyczą przyczyn zła, nie mogą być skuteczne i to nie ze złej woli rządzących, a z braku wiedzy. Dotychczas inaczej być nie może.

– Czy skutkiem diety dla rabinów, przekazanej przez Najwyższego są owe nieprzeciętne właściwości umysłów „ludu Izraela", o jakich tak chętnie pan mówi?

– Bóg Mojżesza, który nie chciał zostawić ludziom swego imienia przekazał ludziom nauki w Izraelu niezmiernie ważną wiadomość: w żywieniu człowieka nie wolno razem spożywać tłuszczu i cukru (węglowodanów).

– Naród wybrany miał popychać cywilizację do przodu. Ryzykowna teza...

– Jakie praktyczne skutki dla ludzkości spowodowała dieta dla rabinów przekązana przez Boga Mojżeszowi? Były to skutki dla dalszego rozwoju ludzkości decydujące. Prawie cały postęp techniczny i technologiczny, prawie cały postęp w naukach podstawowych, ale także chrześcijaństwo i komunizm są skutkami tej diety. Nagrody Nobla w wielu dziedzinach wiedzy otrzymują głównie uczeni wywodzący się z rodzin rabinów.

Dlaczego bogowie obecnie nie chcą nam pomóc, a tylko obserwują naszą Ziemię? Nie chcą nam pomóc przynajmniej z dwóch powodów. Po pierwsze, obecnie nie mieliby z kim rozmawiać, ponieważ ludzie jeszcze nie uwolnili swoich umysłów ze skutków grzechu pierworodnego i nie nadają się do podjęcia dialogu z bogami i do zrozumienia ich. Po drugie – wiedzą, że ludzie sami potrafią rozwiązać ten problem w niedługim czasie i słusznie oczekują, wychodząc z założenia, że gatunek, który sam potrafi uwolnić się od skutków grzechu pierworodnego, będzie miał zupełnie inną pozycję w przyszłych kontaktach z bogami. Możemy być wdzięczni bogom za ich postawę w tej sprawie. Zrobili bardzo dużo, abyśmy sami stali się zdolni ten problem rozwiązać. Wiedzą, że wkrótce sami go rozwiążemy.

Od czasów Einsteina wiemy, że czas jest pojęciem względnym, co potwierdzono w doświadczeniach. Bogowie wiedzą o tym od bardzo dawna, znają nie tylko przeszłość, ale i przyszłość.

Jest naród wybrany, który potrafił zachować i przekazać potomnym zapomnianą wiedzę Sumerów (sumeryjska część Biblii - do Abrahama), wzbogacić tę wiedzę, skierować działania ludzkości w kierunku rozwoju techniki. Jest naród wybrany, który umiał dla niewielu swych przedstawicieli stworzyć warunki, by osiągneli zdrową czynność umysłu. Oczywiście i oni popełniają błędy, gdyż nie wszyscy i nie zawsze przestrzegają „diety" ułożonej przez Boga Mojżesza dla rabinów i ich rodzin, bowiem pojawiło się wiele nowych produktów spożywczych, których prawodawcy biblijni przewidzieć nie mogli. Duża część wiedzy rabinów dotychczas jest tajna i nie udostępniona dla innych, ale to z ich wiedzy ludzkość uzyskała większe korzyści niż z całej wiedzy rozpoznanej i zgromadzonej przez resztę ludzkości. Oni nadal oczekują na Mesjasza. Ich mrówcza praca, nie wolna od błędów, prowadzona przez całe tysiąclecia stworzyła biologiczne podstawy do pojawienia się człowieka, którego wiedza potrafi rozumnie i przyczynowo uporządkować życie ludzi. Być może, zapowiadany Mesjasz wkrótce się pojawi.

- Współcześni dietetycy uznaliby dietę rabinów, pełną puryn i cholesterolu, za morderczą. Przecież 6 gramów tłuszczu na 1 gram białka i pół grama węglowodanów nawet dla pana wydaje się ilością nie do przyjęcia.

- Kapłani izraelscy nie chorowali ani na miażdżycę, ani na dnę, ani na inne znane dziś choroby. Gdyby żółtka jaj, podroby, tłuszcze zwierzęce nasycone były rzeczywiście przyczyną miażdżycy, jak to się ludziom wmawia, z ogromną dla nich szkodą, to zwierzęta nie jedzące jajek, masła i innych tłuszczów na miażdżycę chorować by nie mogły, a tymczasem...

- A tymczasem tętnice afrykańskich słoni, które spożywają tylko pokarm roślinny, mają takie zmiany miażdżycowe, jakby całe życie jadły tylko jajka i słoninę.

- Właśnie! W czasie akcji odstrzału ugandyjskich słoni badacze dokonujący sekcji zwłok tych ogromnych zwierząt nie mogli wyjść z podziwu, jak bardzo zniszczone są ich aorty i tętnice wieńcowe. Wniosek jest bardzo prosty - przyczyna miażdżycy tkwi gdzie indziej.

- Wróćmy jednak do kapłanów izraelskich. Swoje interesy zabezpieczyli nieźle, bo zagwarantowali sobie monopol na tłuszcz, a nieposłusznych karali śmiercią.

- Jeżeli ktoś złamał zakaz kapłanów, bezwzględnie tracił życie. „Do końca dni naszych, we wszystkich plemionach naszych, żadnej tłustości jeść nie będziecie, bo cała tłustość jest pańska" (czytaj: kapłańska) - napisano w Biblii. Kapłani mieli monopol na mądrość, więc nawet sługa kapłana nie miał prawa zjeść resztek, nawet gość. Niewolnik musiał pozostać niewolnikiem, skoro odtrącono go od pańskiego stołu i nakazano jeść mannę i chleb powszedni.

- Z pana słów wynika, że jest jeden lud wybrany, mający w dodatku mądrych przywódców duchowych, którzy od stuleci dysponują właściwym wzorem pożywienia. Ale rabini zalecają koszerność w przyrządzaniu potraw. Koszerna dieta optymalna?! Brzmi to przynajmniej dziwnie.

- Żaden naród (prócz Żydów) nie ma dziś żywności czystej, przygotowanej w odpowiednich warunkach, przyrządzonej z odpowiednich składników. Oni doskonale wiedzieli, jak uniknąć zatruć pokarmowych, skażenia żywności środkami chemicznymi. Nie ma znaczenia, czy to się nazywa koszerność czy inaczej - ważna jest zasada. Na przykład pieczątka naczelnego rabina na wódce koszernej, to jest kwestia umowy i wiary. Przecież koszerność w przypadku alkoholu, to czysty nonsens. Ale ludzie to kupują, a rabini się cieszą, bo każda sprzedana butelka to czysty zysk.

- Zatem w porównaniu do wielu innych narodów, my Polacy jesteśmy beznadziejnym, wybrakowanym, skazanym na marną egzystencję gatunkiem. Nasze mózgi mają wadliwą czynność, a wzorce postępowania, którymi kierujemy się w tym, co nazywamy życiem, nie są nic warte. Jest aż tak źle?

- Jest źle. Bardzo źle i mówię to nie dla wywołania powszechnego strachu i lęku. Oczywiście są narody, których kondycja jest jeszcze gorsza od naszej. Afganistan, Indie... Weźmy to, co dzieje się u nas w sferze komunikacji. Dlaczego takim powodzeniem cieszą się telefony komórkowe, przekazy satelitarne, radiostacje i radary? Wszystko to powoduje niesamowity bałagan w naszej mikroprzestrzeni. To przerażające, co zgotowaliśmy sobie dzięki nierozumnym inwestycjom w dziedzinie łączności. Te wszystkie urządzenia zakłócają wszelkie procesy życiowe na naszej planecie. Życie jest procesem energetycznym, jest pewnym elektromagnetycznym bilansem. Tło elektromagnetyczne Ziemi wzrosło w ciągu kilkudziesięciu ostatnich lat 200 tysięcy razy! To niewyobrażalne, na jakie niebezpieczeństwa narażamy swoje organizmy. Niestety, zaczęliśmy w Polsce kopiować wszystkie błędy zachodnich państw.

– Rozległością swojej wiedzy, renesansowym jej charakterem zadziwia pan nawet przeciwników. Nad księgami literatury medycznej, ale i dziełami historycznymi i filozoficznymi, spędzał pan całe dnie. Jak w dzisiejszym „oceanie informacyjnym" odsiać ziarno od plew, jak uniknąć pseudonauki, rzeczy wtórnych, nieoryginalnych, nic nie wnoszących do naszej wiedzy?

– Kiedyś przesiadując w bibliotece uniwersyteckiej w Toruniu poprosiłem o „Ród ludzki" Staszica – najwspanialszą książkę, jaka kiedykolwiek została napisana przez Polaka. Przyniesiono mi to dzieło, bym ze zdumieniem skonstatował, że nikt przede mną go nie czytał! Niektóre karty były nierozcięte, książka nie nosiła śladów używania. Najpierw nie chciałem uwierzyć, żeby w uniwersytecie, w tak wielkim ośrodku naukowym nie znalazł się ani jeden czytelnik tej księgi. Później wszystko stało się dla mnie jasne. Oprócz nielicznych, którzy parali się zawodowo na przykład filozofią, nikt nie zaglądał do dzieł takich tytanów ludzkiej myśli, jak Arystoteles, Awicenna, Herodot czy Pliniusz. A przecież właśnie tam są te głębokie przejawy rozumu.

– Pisma starożytnych były przez wieki pilnie strzeżone. Dostęp do wiedzy mieli tylko nieliczni, a kto zbyt zbliżył się do źródła poznania, czasem gorzko tego żałował. Płonęły biblioteki, wiele wspaniałych dzieł uległo zagładzie.

– Najwięcej cennej literatury starożytnej spalono na stosach inkwizycji. To, czego nie pochłonął ogień z Biblioteki Aleksandryjskiej, co nie zaginęło w Konstantynopolu, to zginęło w mrokach średniowiecza. Zatem zniszczono umysłowy dorobek całych pokoleń i teraz człowiek musi dochodzić do wszystkiego od początku. Kapłani egipscy wiedzieli, skąd biorą się choroby, a Herodot to opisał. Kapłani Majów znali się świetnie na astronomii, Grecy kładli podwaliny pod współczesną kulturę, modele sprawowania władzy politycznej. Oni to wszystko wiedzieli dużo, dużo wcześniej, niż nam się wydaje. Na podstawie skąpych informacji, cząstkowych obserwacji potrafili wyciągać właściwe wnioski. Możliwości są dwie - albo mieli mózgi o wiele bardziej sprawne niż mamy dzisiaj, albo otrzymali precyzyjne instrukcje z zewnątrz.

- Skąd taka wrogość środowiska lekarskiego wobec pańskiej teorii? Jaka jest kondycja zdrowotna naszego społeczeństwa każdy widzi, więc...

- Powtarzam - lekarzowi nie wolno bez sprawdzenia odrzucać żadnej metody leczenia, która może pomóc człowiekowi. Każdy z nas składając przysięgę Hipokratesa ślubował wierność tej zasadzie. Zdaje się, że niektórzy moi koledzy o tym zapomnieli. Teraz powiem coś bardzo nieprzyjemnego dla nich. Jeżeli przez trzydzieści lat większość środowiska odrzucała moją wiedzę, moje doświadczenia, tysiące „beznadziejnych" według nich przypadków, to znaczy, że nie mamy w Polsce lekarzy, bo jeżeli nie przestrzegają świętej zasady, na którą przysięgali, nie są godni nazywać siebie lekarzami.

- O zawiści wobec wielkich uczonych, o głupocie świata, szyderstwach, na jakie byli narażeni, można by mówić bez końca. Wesaliusza, genialnego anatoma, który właściwie stworzył współczesną anatomię, zaczęto prześladować, kiedy odważył się powiedzieć, że anatomia Galena nie jest anatomią człowieka, lecz zwierząt. Semmelweis oszalał na skutek szykan, z jakimi się spotkał. Pasteur... Drwiono z niego, drwiono z bakterii, negując ich istnienie. Dziś kpiarzy i prześladowców nikt już nie pamięta, za to o „ojcach medycyny" mówi się z najwyższym szacunkiem.

- Jest to dla mnie jakieś pocieszenie, choć prawdę powiedziawszy już dość dawno uodporniłem się na małoduszność, złośliwość, złą wolę, podłość. Listera opluto za to, że „wymyślił" antyseptykę, Wels popełnił samobójstwo, a Morton i Jackson zmarli w szpitalach dla obłąkanych. Genialny William Harvey, który opracował teorię krążenia krwi, nazwany został Circulator - i to bynajmniej nie na jego cześć, ale z powodu gry słów: „krążenie"- „szarlataneria".

PRZESTROGI DLA RZECZYPOSPOLITEJ

- Jest pan bezlitosnym krytykiem życia politycznego w Polsce.

- Ponad 200 różnych partii, różne odmiany związków zawodowych, różne inne organizacje, różne bezrozumne programy działania, ogromne koszty społeczne tej działalności, która musi przynosić dla narodu tylko szkody, obrona swoich własnych interesów, zawsze sprzecznych z interesem narodu, strajki, protesty, blokady dróg, okupacja budynków, bezrozumne i bardzo kosztowne wybory najlepszego, którego nie ma z kogo wybrać i w takim stanie czynności umysłów, które muszą wybrać najgorszego - czy to nie świadczy o kompletnym upadku politycznego obyczaju? Do tego dochodzi najkrótsza długość życia ludzi w Europie, najkrótszy wiek produkcyjny, najgorszy stan zdrowia, najgorsza jakość wytwarzanych towarów, niska wydajność pracy. Rząd dopuścił do pojawienia się ponad 2 milionów bezrobotnych, którzy powinni produkować. Przy tym nie tylko nie ogranicza liczby ludzi przynoszących swą pracą dla narodu tylko szkodę, ale ich liczbę zwiększa.

Po wprowadzeniu stanu wojennego, ówczesny Sejm, pod karabinem, intensywnie pracował uchwalając w krótkim czasie wiele pakietów ustaw, które według „widziało im się" ówczesnych rządzących miały uzdrowić naszą gospodarkę. Wiemy, jakie to przyniosło rezultaty. Obecny rząd postępuje tak samo, a w wielu sprawach nawet gorzej. Gdy trzeba ratować naród, zajmuje się koroną na głowie orła, burzeniem pomników, budowaniem nowych, wprowadza nowe prawa i ustawy, które nic zmienić nie mogą. Kołłątaj napisał: „Trudno o większy anarchii dowód jak niestałość i zmienność praw cywilnych". Praw w Szwajcarii prawie się nie zmienia. Są dobre. U nas prawa złe zastępowane są przez gorsze.

- Z pana słów przebija rozgoryczenie. Nie uznaje pan autorytetów, lekceważy pan wykształcenie, wiedzę innych. Kategoryczność stwierdzeń nie przysparza panu przyjaciół.

- Niestety, tak. Mądrość zawarta w przekazach ludzi nauki z dalekiej przeszłości nie jest dostępna dla współczesnych ludzi, dlatego prawie całe „wykształcenie" współczesnych ludzi opiera się na wierze i poglądach tych, którzy mieli w przeszłości lub mają obecnie podobną czynność mózgu, do czynności ludzi wykształconych. Dlatego wykształcenie współczesne musi ogłupiać ludzi. Obecnie, im człowiek jest bardziej wykształcony, tym jest bardziej ogłupiony, tym jego praktyczna działalność w społeczeństwie jest bardziej szkodliwa. Tołstoj zauważył, że ludzie zwracający się ku „pięknu" odwracają się od dobra. Podobne spostrzeżenia poczynił Staszic, który także zauważył, że w czasach największej głupoty rymotwórstwo najpowszechniej kwitnie. Od dawna dla narodów piękne musi być to, co wydaje się być piękne dla rządzących, dla najbardziej zdegenerowanych, gdyż dotychczas tacy ludzie najgorliwiej parli ku władzy i najczęściej ją sprawują.

Narody nie powinny oddawać władzy ludziom, których aktualny skład diety jest najbardziej dla tych narodów w skutkach szkodliwy, którzy z tego powodu cechują się najbardziej patologiczną czynnością umysłu oraz określonymi cechami biologicznymi, po których można ich rozpoznać. Najbardziej szkodliwy skład diety i najbardziej szkodliwą dla narodów czynność umysłu mają ludzie, którzy na stres reagują żarłocznością. Przeważnie mają przy tym określoną nadwagę ciała, miażdżycę tętnic mózgowych większą i wcześniejszą od innych. Kilku bystrych obserwatorów życia potrafiło określić cechy psychofizyczne tych ludzi, po których można ich rozpoznać. Maksym Gorki widział ich tak: „Najchytrzejszymi wrogami ludu, którzy go zawsze najokrutniej oszukiwali, byli otyli, mali ludzie, o czerwonych gębach, niegodziwi, chciwi, przebiegli i okrutni... Ci otyli, mali ludzie to najbardziej jadowite owady kąsające lud". George Orwell opisał ich następująco: „Aż dziw, jak typ pluskwy plenił się w ministerstwach: mali, przysadziści mężczyźni bardzo wcześnie nabierający tuszy, krótkonodzy, o chyżych owadzich ruchach i nalanych, nieprzeniknionych twarzach z maleńkimi oczkami. To właśnie ten typ prosperował pod kierownictwem partii". Erich Maria Remarque wyodrębnił takich ludzi w wojsku: „Jest zresztą rzeczą śmieszną, że nieszczęście świata tak często wywodzi się od ludzi małych, którzy są o wiele energiczniejsi i mniej skłonni do zgody niż rośli. Zawsze wystrzegałem się przydziału do oddziałów z małymi dowódcami kompanii; są to zwykle najgorsze psy".

Takimi ludźmi w historii, którzy przynieśli narodom ogromne szkody, byli: Marks, Napoleon, Hitler, Mussolini, Franco, Stalin, Beria i wielu innych oraz niezliczone „pluskwy", których sobie dobierali do pomocy. Nie oznacza to, że takich ludzi należy raz na zawsze wyeliminować z możliwości pełnienia przez nich funkcji decyzyjnych. Trzeba im dać możność wyboru i przekazać stosowną wiedzę. Jeśli potrafią z tej wiedzy skorzystać i zaczną odżywiać się w sposób optymalny, to szybko uzyskają zdrową czynność umysłu i wówczas będą mogli zajmować wysokie stanowiska, oczywiście tylko wówczas, gdy sami będą tego chcieli.

W narodzie, który chce być narodem zdrowym, nie można dawać prawa głosu i powierzać stanowisk decyzyjnych ludziom z niedojrzałym centralnym układem nerwowym. Mózg niedojrzały musi być niesprawny w działaniu.

– Jeżeli ktoś jest tłusty, to trzeba go wyeliminować ze sprawowania władzy. To trochę śmieszne prawo, podobnie jak pana słynna propozycja, żeby kandydaci na premiera trykali się głowami, jak kozły.

– Obecnie wszelkie wybory są kosztowną głupotą przynoszącą zawsze wybór do władz osobników najgorszych, umiejących mówić wyborcom to, co sami chcą usłyszeć stosownie do swojej czynności umysłu.

Od roku 1976 wystąpił szczególnie patologiczny dobór ludzi na stanowiska decyzyjne, po roku 1981 nie można było już oddawać władzy gorszym, bo oddawano ją najgorszym. Napisałem wówczas pół żartem, pół serio, że jeśli nie umiemy dobrać przynajmniej przeciętnego obywatela z przynajmniej chłopskim rozumem na stanowisko premiera, bowiem nasze kryteria doboru ludzi są szczególnie patologiczne, wyznaczmy premiera według określonych cech biologicznych. Proponowałem, by kandydaci na premiera tak długo stukali się głowami, aż zwycięży ten z najbardziej twardą głową. Moją propozycję uzasadniałem następująco: Herodot zaobserwował bardzo duże różnice w twardości kości czaszek u poległych żołnierzy egipskich w stosunku do żołnierzy pędzonych do boju przez Persów. W tym okresie Egiptem jeszcze rządzili ludzie nauki, którzy potrafili umiejętnie przygotować biologicznie ludzi do różnych zawodów, w tym do zawodu żołnierza. Czaszki Persów były bardzo kruche i ginęło ich po kilku na jednego zabitego żołnierza egipskiego. Ponadto człowiek odżywiający się lepiej od innych ma większy mózg, lepiej chroniony przed skutkami urazów, zatem premierem powinien zostać człowiek o największym, najlepiej chronionym mózgu. Mojego artykułu oczywiście nie wydrukowano, ale był on znany i komentowany wśród dziennikarzy, o czym wspomniano w „Polityce".

– Jak ma więc wyglądać ta idealna Rzeczpospolita?

– Najlepszym rozwiązaniem dla ludzkości będzie, zapowiadana przez Kanta „Społeczność obywatelska (...). Dla niej wszakże, o ile ludzie byliby dość rozsądni, by ją znaleźć, i dość mądrzy, by dobrowolnie poddać się jej przymusowi, potrzebna byłaby jeszcze całość kosmopolityczna, tj. system wszystkich państw, którym grozi niebezpieczeństwo wzajemnego oddziaływania na siebie. Z braku takiego systemu i z powodu przeszkód, jakie nawet możliwości takiego projektu stawiają ambicja, żądza panowania oraz chciwość zwłaszcza tych, którzy mają władzę w rękach, rzeczą nieuniknioną jest wojna".

Mądry prawodawca ateński Perykles, który jako jeden z nielicznych rządzących miał prawo napisać: „Dałem ludowi pewność życia", wiedział, że narodami rządzą najczęściej najgorsi ludzie. Napisał: „Dla tych bowiem, którzy mają władzę, którym się dobrze powodzi i którzy mają możność wyboru, wojna jest najwyższym szaleństwem". Prawie wszystkie wojny rozpoczynali najwięksi szaleńcy, którym powodziło się dobrze, mieli władzę i mieli możność wyboru.

Społeczeństwo rządzące się prawem naturalnym, o bardzo wysokiej moralności i powszechnej miłości wszystkich do wszystkich, opisał bystry obserwator, Polak, Benedykt Dybowski. Społeczeństwo to odżywiało się bardzo jednostronnie, wyłącznie mięsem i tłuszczem niedźwiedzim, ale nie było społeczeństwa zdrowszego, bardziej długowiecznego, o wyższej moralności niż opisani przed ponad 100 laty przez Dybowskiego Kamczadele. My mamy o wiele większe możliwości techniczne, o wiele bogatszą ziemię, mamy ponadto wiedzę pozwalającą na znacznie lepsze odżywianie od odżywiania ówczesnych Kamczadeli. Możemy odżywiać się znacznie lepiej od najzdrowszych, najbardziej długowiecznych pasterzy, możemy, po niedługim czasie uzyskać rezultaty lepsze od spotykanych wśród tych ludzi.

Moje propozycje dla naszego narodu i dla innych narodów pokrywają się z sugestiami Kanta. Różnica polega na tym, że ja wiem, jak te cele osiągnąć.

– Naród polski, choć bezlitośnie przez pana krytykowany, ma jednak pańskim zdaniem szczególne predyspozycje, żeby spełnić ważną rolę dziejową.

– Od dawna wiadomo, że są dwa narody wybrane. Jeden, izraelski, miał za zadanie zachować wiedzę Sumerów, wzbogacić ją, stworzyć podstawy materialne pod rozwój cywilizacji rozumnej, o wysokim poziomie technicznym. Drugim narodem wybranym ma być naród polski. To od niego ma rozpocząć się odnowa biologiczna całego rodzaju ludzkiego. W następnym etapie, który zresztą już można byłoby zacząć realizować, należy przyczynowo opanować zjawisko starzenia się ludzi, a przynajmniej, do czasu ostatecznej odnowy rodzaju ludzkiego, starać się opóźniać starzenie u ludzi i przedłużać życie.

Stefan Żeromski przewidział: „Za lat 50 medycyna będzie wskazywała drogi masom ludzkim, podniesie je i świat odrodzi". Żeromski bezbłędnie określił czas, w jakim pojawi się wiedza umożliwiająca spełnienie jego przepowiedni, nie przewidział tylko głupoty rządzących i tak zwanych uczonych, dla umysłów których ta wiedza jest nadal niedostępna.

Istnieją również „przepowiednie", że to właśnie od Polski ma zacząć się zapowiadana budowa Królestwa Bożego, że w Polsce powstanie wiedza niezbędnie potrzebna dla praktycznej realizacji tego wielkiego celu. Oto niektóre z tych „przepowiedni": „Ku zdumieniu wszystkich narodów świata z Polski wyjdzie nadzieja udręczonej ludzkości", „Wraz ze zmartwychwstaniem narodu polskiego ustaną wojny", „Warszawa środkiem ustali się świata", „Języka waszego będą się uczyć na całym świecie".

– Polska dieta uważana jest za najgorszą na świecie, choć jak świadczą przykłady z historii, w czasach, kiedy jedliśmy lepiej, nasze państwo było silne i potężne. Na początku lat siedemdziesiątych próbowano poprawić menu narodowe.

– Gdy Gierek rozpoczynał „przerwaną dekadę", narzekał, że codziennie nie przychodzi do pracy 200 tysięcy ludzi, a gdy niechlubnie ją kończył, codziennie opuszczało pracę około 2,4 miliona ludzi. Pojawił się masowy wzrost zachorowań na choroby cywilizacyjne, znaczne obniżyła się jakość pracy i jej wydajność. Szczególnie szybka degeneracja naszego narodu wystąpiła w drugiej połowie lat 70. i była największa na Śląsku. Co ludziom zafundował Gierek? Coca-colę, kolejki w sklepach mięsnych i długi.

– Za jedno powinien pan być mu wdzięczny – wprowadził cukier na kartki.

– Gdyby wiedział, co czyni, mógłby z tego nawet wyciągnąć korzyści, ale powody tej decyzji były przecież całkiem inne.

W 1974 roku opracowano i wprowadzono w życie tak zwany „Plan poprawy wyżywienia narodu", który zakładał osiągnięcie najbardziej szkodliwych wskaźników spożycia na rok 1980. Wskaźniki te osiągnięto, zgodnie z planem w roku 1980. Minister sprawiedliwości powinien sprawdzić, kto opracował ten nieszczęsny plan i czy kierował się przy tym tylko głupotą, czy też było to działanie celowe. Wypowiedź Nixona z 1971 roku, przedrukowana przez „Trybunę Ludu", że obecnie, dla wolnego świata „najlepszy komunista to będzie tłusty komunista" z następowym sterowaniem gospodarką żywnościową w Polsce (pasze, brojlery, duże rzeźnie, chłodnictwo do przechowywania wody, inne działania) świadczą o świadomym działaniu pewnych ludzi.

Przewidywałem szkodliwe skutki wprowadzenia tego planu i jego realizacji. Tłumaczyłem ówczesnemu premierowi Piotrowi Jaroszewiczowi szkodliwość tego planu, ale i on, wykazujący duże zrozumienie dla moich propozycji, miał ręce związane opiniami utytułowanych „ekspertów".

– Twierdzi pan, że jednym z najważniejszych objawów określających wartość biologiczną narodu jest wiek dojrzewania dzieci, a ściśle określonym wskaźnikiem tego procesu jest wiek wystąpienia pierwszej miesiączki u dziewcząt.

– Im wartość biologiczna narodu jest niższa, tym wcześniej występuje pierwsza miesiączka u dziewcząt. Wartość biologiczna mieszkańców Anglii zaczęła wzrastać od czasów Henryka VIII i była najwyższa około roku 1830. Korzystne zmiany w produkcji i spożyciu żywności zaowocowały znacznym wzrostem wartości biologicznej ludzi w tym kraju, a to spowodowało powstanie i potęgę Imperium Brytyjskiego. Dlaczego powstało Imperium Brytyjskie, a nie jakieś inne? Przyczyną wyższą był specyficzny poziom degeneracji elit w Anglii i jego skutki. Bystry obserwator (z rabinów) Fryderyk Engels napisał o tym tak: „Na szczęście dla Anglii dawni feudalni baronowie wymordowali się prawie zupełnie w wojnach Białej i Czerwonej Róży. Ich następcy doskonale znali wartość pieniądza, wygonili dzierżawców z ziemi i zastąpili ich przez krowy i owce. Okazało się, że jeden pasterz wytwarza żywność dla kilkunastu ludzi i to żywność zupełnie innego rodzaju".

Przyczyną pierwszą powstania Imperium była samolikwidacja najbardziej zdegenerowanych i najszkodliwszych dla narodów panów feudalnych w Anglii. Cała reszta, to tylko skutki. Skutkiem wzrostu wartości biologicznej ludzi było stopniowe wydłużanie wieku dojrzewania. Najpóźniej dojrzewały dziewczęta w Anglii około roku 1830. Pierwsza miesiączka występowała średnio około 21 roku życia, a w rodzinach bogatych jeszcze później. W 1850 roku spożycie cukru w Anglii wynosiło średnio 12,5 kg na głowę rocznie. W drugiej połowie XIX wieku „Anglia umiędzynarodawia się stopniowo w jedzeniu i piciu... co przyniesie koniec odrębności wyspiarskiej" – napisał Fryderyk Engels. Były to zmiany niekorzystne i spowodowały one stopniowe obniżanie się wartości biologicznej narodu, czego jednym z objawów było przyspieszenie dojrzewania u dziewcząt o 4 - 6 miesięcy na każde dziesięciolecie. W 1946 roku średni wiek pierwszej miesiączki u dziewcząt w Anglii zatrzymał się na wieku średnio 14 lat i 6 miesięcy, i od tego czasu niewiele się zmienia.

- Często przytacza pan powiedzenie Giulio Cezare Vaniniego o tym, że „losy narodów zależą od ich obyczajów, a obyczaje zależą od sposobu odżywiania, od narodowych potraw, od soków czerpanych z ziemi". Proszę o przykłady.

- Polska odzyskała niepodległość po pierwszej wojnie światowej nie dlatego, że nasz naród stał się narodem mądrzejszym, zdrowszym, bardziej pracowitym, lecz dlatego, że elity zaborczych sąsiadów zdegenerowały się do poziomu naszej szlachty z czasów saskich. Szczególnie dotyczyło to elit w Rosji. Dalsza nasza smutna historia aż do czasów obecnych jest bardziej skutkiem naszej głupoty niż skutkiem wpływu innych.

Drugim obok unii Polski z Litwą wyjątkowym zjawiskiem było powstanie Konfederacji Szwajcarskiej. Już 2 tysiące lat temu sam wielki Cezar, obserwując wybory w alpejskiej wiosce powiedział, że wolałby być pierwszym w tej wiosce niż drugim w Rzymie. Szwajcarzy ostatnią wojnę mieli w roku 1386. Zwycięską. Od tego czasu w wojny się nie bawią, potrafili swą niepodległość bez wojen zachować, żyją z własnej pracy i, w znacznym stopniu, z głupoty innych narodów. Mieszkańcy Alp to przecież Niemcy, Włosi, Francuzi i Austriacy. Odmienne języki nie były przeszkodą w zorganizowaniu państwa ludzi podobnie się odżywiających i tylko z tego powodu mających podobną czynność umysłu i podobne obyczaje. Szwajcarzy, zwłaszcza ich elity, nie mogli się zdegenerować poniżej pewnego, niebezpiecznego poziomu, ponieważ ziemia jaką zamieszkują na to nie pozwala. Mają oni tylko około 10 proc. ziemi uprawnej, ale za to mają bardzo dobre pastwiska. Masowo rozwinęli hodowlę bydła mlecznego, trzody chlewnej i drobiu, produkcję masła, śmietany, serów, żywca wieprzowego i jaj. Nie dlatego nasza historia w ostatnich stuleciach jest taka smutna, że nasze położenie w Europie jest niedobre. Położenie Szwajcarii jest równie „złe" jak nasze, ale zawsze wiedzieli komu (i ile) z niebezpiecznych sąsiadów zapłacić, a kogo zlikwidować, aby utrzymać swą niepodległość. Nasza ziemia, w porównaniu ze szwajcarską, jest bardzo bogata.

Przykłady unii Polski z Litwą, czy Konfederacji Szwajcarskiej dowodzą, że ludzie zawsze chętnie łączą się w większe organizacje państwowe, gdy ich diety przypadkowo staną się podobne i gdy pojawi się u nich, z tego powodu, zbliżona czynność umysłu.

- Bardzo lubi pan ilustrować swoje tezy dotyczące prawidłowego żywienia i właściwej czynności ludzkich mózgów procesami i wydarzeniami historycznymi. Na przykład powstawanie imperiów.

- Gdy wartość biologiczna narodów obniża się, ludzie dzielą się na coraz to mniejsze organizacje państwowe. Od ponad 15 lat wartość biologiczna mieszkańców Europy Zachodniej (także USA, Kanady, Australii, Nowej Zelandii) powoli, systematycznie wzrasta, a to jest jedyną przyczyną łączenia się Europy w jeden organizm państwowy. Wartość biologiczna narodów WNP i byłych krajów tak zwanej demokracji ludowej jeszcze się obniża (wyłączając Czechów, Węgrów i mieszkańców byłej NRD, gdzie już się nie obniża, ale jeszcze nie wzrasta), czego skutkiem są tendencje separatystyczne, powodujące w skutkach dalsze obniżanie się wartości biologicznej ludzi.

Dawno przewidywałem, że stopniowe obniżanie się wartości biologicznej ludzi w ZSRR doprowadzi do katastrofy biologicznej i gospodarczej w tym kraju. Moje listy do Breżniewa i Gorbaczowa były próbami przeciwdziałania tym szkodliwym trendom, których skutki i dla naszego narodu musiały się okazać i okazały się wysoce szkodliwe. W listach do Breżniewa i Gorbaczowa wystąpienie ciężkiego kryzysu w ZSRR zapowiedziałem na rok 1991. W feudalnej Europie, wymuszone umiejętnie przez Kościół zmiany w składzie diety elit (posty), spowodowały szybkie i znaczne obniżenie wartości biologicznej ludzi, co pociągnęło za sobą rozpad państw narodowych na coraz mniejsze struktury feudalne. Naszych zachodnich sąsiadów dopiero Bismarck zjednoczył w państwo narodowe.

- Jednym z nielicznych władców polskich, których darzy pan szacunkiem jest król Kazimierz Wielki.

- Proces jednoczenia ziem polskich zapoczątkowany przez Łokietka, został utrwalony przez Kazimierza, słusznie nazwanego Wielkim. Kazimierz potrafił usłuchać rad mądrych doradców - rabinów. Zaczął od przyczyny naczelnej - naprawy gospodarki żywnościowej i dlatego nazywany jest królem chłopów. Zmiany w produkcji żywności polegały na szybkim i znacznym rozwoju hodowli bydła mlecznego, uzyskany nadmiar białka (sery, mleko) był kierowany na pasze dla trzody chlewnej i „niezliczonych stad drobiu". Mury kilkudziesięciu zamków i wielu miast były spajane białkiem jaj. Ale zostawały żółtka, sprzedawane za bardzo niską cenę wszystkim chętnym. I wystarczyło, by przeciętny człowiek, przez kilka tygodni zjadał dużo żółtek, by w krótkim czasie jego wartość biologiczna wybitnie wzrosła, a on sam stał się znacznie mądrzejszym i znacznie sprawniejszym w działaniu kupcem, rzemieślnikiem, hodowcą czy żołnierzem. Skutkiem nagłego wzrostu wartości biologicznej ludzi w Polsce był szybki rozwój gospodarczy kraju, powszechne bogactwo i bardzo niski przyrost naturalny. Kazimierz nie prowadził wojen, poza niezbędną obroną przed najazdem Tatarów. Wojował o wiele bardziej skutecznie przy pomocy pieniędzy. Wiedział, że każda wojna, nawet zwycięska, jest zawsze dla narodu bardzo szkodliwa. Że najcenniejsze dla narodu jest życie młodych mężczyzn, których nie wolno tracić w wojnach, nawet zwycięskich.

– *Od kiedy zaczął się upadek Polski i Polaków?*

– Do czasów Kazimierza Wielkiego wartość biologiczna Litwinów znacznie przewyższała wartość biologiczną Polaków. Traktowali naszych przodków jak bydło, które można bezkarnie łupić. Robili to regularnie. Wysoką wartość biologiczną Litwini zawdzięczali swojej kuchni, lepszej od ówczesnej kuchni polskiej.

Dzięki reformom Kazimierza Wielkiego w gospodarce żywnościowej sposób odżywiania obu narodów stał się taki sam. Efektem była ówczesna unia Polski z Litwą – zjawisko rzadko spotykane w historii. Reformy Kazimierza Wielkiego wystarczyły do czasów Zygmunta Augusta. Mieliśmy już swój złoty wiek bez wojen, z dobrym stanem zdrowia ludzi, z ogólnym bogactwem, bez inkwizycji, bez prześladowań religijnych, bez cenzury, gdy najbardziej wartościowi ludzie z wielu krajów osiedlali się w Polsce, znajdując tu spokój, tolerancję i godne, dostatnie życie, wzbogacając swą pracą i swoim potencjałem genetycznym wartość biologiczną naszego narodu. Jeśli mieliśmy swój złoty wiek wtedy, to obecnie możemy również go mieć. Może to być stały wiek złoty, ponieważ mamy ku temu znacznie większe możliwości techniczne, mamy wiedzę jak to zrobić, mamy wiedzę jak szybko podnieść wartość biologiczną narodu. Skutkiem niskiej wartości biologicznej ludzi w Polsce jest także niska wydajność pracy i niska jakość wytwarzanych dóbr. W końcu lat 70. jeden pracownik zatrudniony w przemyśle motoryzacyjnym w Japonii wytwarzał rocznie 14 dobrych samochodów, podczas gdy w Polsce nie mógł wyprodukować jednego Poloneza czy FSO.

Przyczyny znacznego obniżenia się wartości biologicznej ludzi w Polsce w następnym okresie, były te same, które w średniowieczu doprowadziły do biologicznego zniszczenia i degradacji elity. Wartość biologiczna naszego narodu była najniższa w czasach saskich i tylko niewiele wzrosła do dziś, głównie dzięki działalności Staszica i tak zwanych pozytywistów. Tym reformom przeszkadzali skutecznie i nadal przeszkadzają: Mickiewicz, Słowacki, Sienkiewicz i paru innych, co zauważył i o czym napisał jeden ze sprawniejszych współczesnych umysłów - Aleksander Bocheński.

- Jest pan bezlitosny dla polskiej tradycji, czyżby było aż tak źle?

- Było bardzo źle i jest bardzo źle, ponieważ wszystkie osoby i instytucje odpowiedzialne za rozumne przygotowanie młodego pokolenia do dorosłego życia, robią to i tylko to, co jest dla młodych ludzi najbardziej szkodliwe. Dzieci powinny być uczone tylko przez ludzi o najbardziej sprawnych umysłach, życzliwych dla innych i dobrych. Takich ludzi nie mamy. Antystenes z Aten słusznie twierdził, że „Państwa giną wtedy, gdy nie umieją (rządzący) odróżniać ludzi złych od dobrych".

Od śmierci Zygmunta Augusta nasze państwo i nasi rządzący nie umieją tego czynić. Diogenes z Synopy napisał, że „Nieszczęście wynika tylko z braku rozumu". Od kilkuset lat w naszym narodzie rozumu nie ma zupełnie. Jeżeli pojawią się ludzie myślący, a czasem wiedzący: Staszic, Dybowski, Aleksandrowicz, Sedlak to są wyśmiewani, prześladowani, dawniej paleni na stosach. Nie mogą ich wiedzy zrozumieć ani tak zwani uczeni, ani rządzący. W państwach komunistycznych i w tak zwanych państwach demokracji ludowej, do niszczenia takich ludzi wykorzystywano często „uczonych" lekarzy psychiatrów. W Polsce również. Biskup lwowski nie zgadzał się na pochowanie Dybowskiego na cmentarzu. Dobrze, że dowódca Lwowskiego Okręgu Wojskowego miał kapelana, który rozkazy przełożonych wykonać musiał. Na rozkaz - Dybowskiego jednak na cmentarzu pochowano. Dybowski, członek rządu, wybitny lekarz i uczony, człowiek wyjątkowo dobry i szlachetny, uczony wysokiej klasy, który popchnął naukę światową do przodu, i to w kilku dziedzinach, który nawet na zesłaniu potrafił uprawiać naukę, miał wielu uczniów i zwolenników, ale jeszcze więcej „uczonawych" przeciwników. Jego wiedza i przemyślenia w wielu dziedzinach są nadal aktualne. Ale dla młodzieży nie znane. Wielka szkoda. Młodzież uczona jest wszystkiego, ale nie tego, co dla niej samej i dla narodu może być pożyteczne. W Polsce do pewnego czasu poetów nie było. Gdy Polska zaczęła upadać, zaczynali się pojawiać poeci.

- *Polska tradycja romantyczna jest droga sercu każdego Polaka...*

- Uważani za największych wieszczów pojawili się w okresie najgłębszego upadku naszego narodu: Mickiewicz, Słowacki, Norwid czy Baczyński. „Rozpustni, lekkomyślni, chciwi i marnotrawni, dumni i podli, dzielność praw zniszczywszy, na wszystkie namiętności wyuzdani panowie byli w Polsce" - napisał Staszic. Tak samo z rządzącymi było w okresie międzywojennym, tak samo za tak zwanej komuny, tak samo jest nadal. Bowiem jeszcze ludzie w Polsce muszą oddawać władzę nad sobą ludziom o takich samych cechach, jakie mieli panowie w dawnej Polsce. I jeszcze jeden cytat:

„Rymotwórstwo w tych wiekach bajarstwa, galanterii i zabobonu najpowszechniej kwitnęło" - i dalej: „Chorób gatunki... liczniejsze jak w naturze, przewrócony porządek siły, zdrowia, rozumu i głupstwa" - konkluduje Staszic. Nigdy w naszej historii degeneracja całego naszego narodu nie była tak głęboka, jak jest obecnie. Nigdy choroby nie były tak liczne, tak przewrócony porządek siły, zdrowia, rozumu i głupstwa. Nigdy Wokulski (czytaj Bolesław Prus) nie widział otyłego chłopa czy chłopki.

W Galicji, przed ponad 100 laty, wśród rekrutów do armii austriackiej, nie nadających się do służby było 8 - 11 proc. Częsta była gruźlica, chłopców z płaskostopiem do wojska nie brano. Lekarze badający poborowych zauważyli bardzo ciekawe i dotąd niezrozumiałe dla nauki zjawisko. Gdy wzrastała waga ciała i wzrost u poborowych z rodzin włościańskich, zmniejszała się waga ciała i wzrost u synów kupców i zamożnych rzemieślników. Gdy z kolei w innych latach bardziej „dorodni" stawali się synowie kupców i rzemieślników, to synowie włościan byli niżsi i lżejsi. Przyczyną tych zjawisk były okresowe zmiany w produkcji i spożyciu żywności, w spożyciu różnym u różnych klas społecznych.

W końcu lat 30. spisano wszystkich chorych na nowotwory złośliwe w ówczesnej Polsce. Naliczono ich nieco ponad 5000 (pięć tysięcy), przy takiej samej liczbie ludności jak obecnie. Pięć tysięcy w całej Polsce! Gdyby współczesna medycyna stała przynajmniej na takim poziomie jak w końcu lat 30. w Polsce, to chorych na nowotwory (wszystkich) nie powinno być więcej niż nieco ponad pięć tysięcy. Tylko w jednym dniu w TV, w niektórych programach podano następujące wiadomości: większość dzieci ma wady postawy, prawie wszystkie płaskostopie, według komisji lekarskiej z Chełmży tylko 10 proc. poborowych jest w pełni zdrowych. Wnioski może każdy wyciągnąć. Zastanowić się również.

– *Co należy zatem zrobić, żeby uratować Polskę?*

– Dla szybkiego, taniego i możliwie znacznego poprawienia wartości biologicznej naszego narodu, należy, zgodnie ze wskazaniami Arystotelesa, rozpocząć od rozpoznania przyczyny pierwszej, naczelnej, tj. tego, co jest powodem całego łańcucha przyczyn i skutków. Poznania czynników decydujących o życiu na Ziemi w ogóle, a życiu człowieka w szczególności.

Pierwszą przyczyną wszystkiego jest głównie Słońce. Z jego energii powstało wszelkie życie, powstał gaz ziemny, ropa naftowa oraz dużo kopalin wykorzystywanych przez człowieka od dawna.

Energia Słońca jest wciąż wiązana na Ziemi dzięki roślinom. Uszlachetniana i koncentrowana jest dzięki następnym ogniwom łańcuchów pokarmowych w wodzie i na lądzie. W swojej najbardziej uszlachetnionej, skoncentrowanej postaci, powinna stanowić główne pożywienie człowieka.

Z naszej ziemi, przy rozumnym postępowaniu, możemy mieć, po niedługim czasie, nadmiar wartościowej żywności. Umieli to czynić Sumerowie czy Egipcjanie, umieli Polacy po reformach w gospodarce żywnościowej przeprowadzonych przez Kazimierza Wielkiego.

Wiedza na ten temat nigdy nie była znana ludziom (no, może poza uczonymi w starożytnym Egipcie, czy Cyrrusowi – twórcy Imperium Perskiego), nie jest znana obecnie. O losach narodów decydował głównie przypadek. Przypadkowe i korzystne zmiany w produkcji żywności były jedyną przyczyną powstania Imperium Rzymskiego i Brytyjskiego. Niekorzystne zmiany w produkcji żywności były, jak dotąd, przyczyną upadku wszystkich, uważanych za wielkie, cywilizacji. Były jedyną przyczyną upadku Polski.

Arystoteles pisał tak: „Każdy, kto zastanawia się nad sztuką rządzenia ludźmi, dochodzi do wniosku, że los imperiów zależy od kształcenia młodzieży". Najbardziej rozumny polski premier – Jan Zamoyski, pisał: „Takie będą Rzeczypospolite, jakie ich młodzieży chowanie". Chowanie obejmuje głównie opiekę nad matką, najbardziej korzystne żywienie, u człowieka również uczenie tego, czego uczyć się powinno. Duża część naszej młodzieży nie może się wykształcić, chociaż może być kształcona. Przed kilkoma laty badano na Śląsku 16-letnie dziewczęta „dobrze rozwinięte fizycznie". Aż u 70 proc. dziewcząt rozwój umysłowy był znacznie poniżej normy i zdecydowanie zły. I te dziewczęta można kształcić, ale wykształcić się nie da. Szanse na to, aby mogły one urodzić i wychować wartościowe biologicznie dziecko, są żadne. Bowiem z pustego i Salomon nie naleje. Pustej głowy się nie napełni, jeżeli nawet się nie wie, czy należy ją napełnić, aby było dobrze, a „wie" się źle. Zamiast oleju w głowach, znajduje się w nich groch z kapustą, popity coca-colą.

Powoływanie każdego nowego życia bez spełnienia powyższych warunków jest zawsze dużym przestępstwem wobec własnego dziecka i wobec narodu. To trzeba wiedzieć. W dobrych warunkach biologicznych ludzie rozmnażają się powoli, mają mało dzieci, ale są to dzieci biologicznie wartościowe. W okresie pasterskim „rodzina nie rozmnażała się tak szybko jak bydło, natomiast bydło ludzkie, niewolnicy, rozmnażali się równie dobrze jak bydło" - napisał Fryderyk Engels. On wiedział, co pisze.

Byli i są ludzie oraz organizacje, którym zależy, aby pozostali byli chorzy, tępi, aby żyli krótko, aby produkowali jak najwięcej dzieci, ubogich duchem, cichych i pokornego serca, dających się strzyc po gołej skórze, a nawet obdzierać ze skóry. „Męczennicy dają ludziom zły przykład" - napisał Dawid Russell. W Biblii jest napisane zupełnie co innego o tym, jakim być powinien człowiek, jeśli chce być przez Boga umiłowany. „Nikogo bowiem nie miłuje Pan jako tego, który z mądrością przebywa". Od czasu popełnienia przez naszych przodków tak zwanego grzechu pierworodnego, ludzi mądrych praktycznie nie było. Byli co najwyżej wiedzący, którzy wiedzieli, co to jest mądrość. Takim człowiekiem był Salomon, ks. St. Staszic i ks. prof. Włodzimierz Sedlak, takimi ludźmi byli autorzy Biblii. Sedlak przez 60 lat codziennie modlił się do Boga o mądrość, bo wiedział lub prawie wiedział, co to jest mądrość. Jego definicja mądrości: „Mądrością wydaje się być umiejętność gry na logice przyrody" - jest prawie najlepszą definicją mądrości. Przyroda jest zawsze logiczna. Zawsze jest przyczyna i zawsze jest skutek. Nic nie dzieje się bez przyczyny. Moja definicja mądrości jest następująca: mądrość, to znajomość przyczyn rzeczy. Można jeszcze dodać - przyczyn dla człowieka najważniejszych i ważnych.

Gdy zapytałem Sedlaka, który był przecież jednym z najwybitniejszych uczonych na świecie, twórcę bioelektroniki, czy udało mu się zdobyć mądrość, odpowiedział: „Trochę brakło, ale niewiele. Jeszcze mam nadzieję".

Czy współczesny człowiek może być mądry? Czy każdy współczesny człowiek może być mądry? Co należy czynić, aby zdobyć mądrość? Ile czasu na to potrzeba, aby umieć odrzucać zło i wybierać dobro, czyli aby znać przyczyny rzeczy, czyli aby spełniać kryteria człowieka mądrego?

Dla wielu ludzi uzyskanie zdrowej czynności umysłu jest możliwe, czyli zdobycie mądrości jest możliwe. I to niezależnie od wykształcenia. Ojciec mojego przyjaciela, który ukończył 96 lat i nadal pracuje fizycznie, który stosuje od lat żywienie optymalne, powiedział kiedyś o mnie i mojej książce pt. „Żywienie optymalne": „Jest to najmądrzejsza książka, jaką czytałem, a czytałem dużo. Niestety, wiem, że ani uczeni, ani politycy nie mogą z wiedzy w niej zawartej skorzystać. Wielka szkoda. Może w przyszłości potrafią"? Może potrafią.

– Kiedyś porównał pan, za Arystotelesem, ludzki organizm do struktur państwa. Czy takie zestawienie nie jest zbyt ryzykowne?

– Arystoteles zauważył, że organizm zwierzęcia można przyrównać do państwa dobrze rządzonego. Takim dobrze rządzonym państwem może być i powinien być organizm każdego człowieka. Wszystkie narody przy organizowaniu swojego bytu państwowego tworzą takie same struktury, jakie występują w zwierzęcym czy ludzkim ciele. Jest oczywiste, że narody bardziej chore na ciele i umyśle tworzą bardziej zdegenerowane struktury państwowe. Rozpatrzmy te struktury i ustalmy warunki niezbędne do poprawnego działania organizmu czy państwa.

Poszczególne narządy i układy w organizmie odpowiadają następującym strukturom powoływanym w każdym państwie: przewód pokarmowy to szeroko pojęta gospodarka żywnościowa; narządy zmysłów to odbiorcy informacji; obwodowy układ nerwowy to łączność; serce i układ krwionośny – transport; wątroba – przemysł; mięśnie – klasa robotnicza; skóra – straż graniczna i służby celne; przysadka, grasica, nadnercza, trzustka, tarczyca, szyszynka, podwzgórze – inteligencja techniczna, twórcy systemów informacji, organizatorzy produkcji; kwasy rybonukleinowe i dezoksyrybonukleinowe – nadajniki i odbiorniki radiowe; układ odpornościowy – armia; przeciwciała przeciwtkankowe, powoływane do walki ze strukturami własnego organizmu – policja, wojska wewnętrzne, służba więzienna, sądownictwo, kolegia do spraw wykroczeń; włosy, malowane paznokcie, brwi – sztuka i kultura; mózg – rząd złożony z obywateli o zdrowej czynności umysłu, wyposażonych w wiedzę.

– Pewien minister polskiego rządu powiedział kiedyś, że „rząd się sam wyżywi". Mózg zdaje się też jest organem uprzywilejowanym?

– Jest oczywiste, że najważniejszy dla organizmu jest mózg, a dla państwa rząd. Ich zadaniem jest zapewnienie pokrycia wszystkich potrzeb wszystkich tkanek i narządów (grup zawodowych) w składniki budulcowe, części zamienne, energię, wszystkie inne potrzebne składniki, aby każda komórka i narząd (jednostka, grupa zawodowa) miały zawsze to, co potrzebują dla najlepszego pełnienia swej funkcji, zawsze dla naczelnego dobra całego organizmu (państwa). Zadaniem mózgu (rządu) jest utrzymanie w zdrowiu organizmu (państwa), przewidywanie zagrożeń i omijanie ich. Nadrzędnym celem wszystkich komórek i narządów (jednostek, grup zawodowych) jest praca dla dobra całego organizmu (państwa). Tak być powinno, ale tak nie jest; od czasów grzechu pierworodnego żadnemu narodowi nie udało się stworzyć zdrowej struktury państwowej, gdyż nie było to możliwe i nie jest na razie możliwe z przyczyn biologicznych. Mózg (rząd) powinien wiedzieć, od czego zależy zdrowie i pomyślność organizmu (narodu), powinien znać potrzeby wszystkich komórek, tkanek i narządów (jednostek, grup zawodowych), powinien zorganizować pokrycie tych potrzeb na poziomie optymalnym, warunkującym poprawną ich pracę bez nadmiernego obciążenia i bez zatruwania środowiska wewnętrznego w organizmie (czy środowiska naturalnego w państwie) powinien zgromadzić rezerwy na wypadek ewentualnych, okresowych niedoborów żywności. Aby mózg (rząd) mógł spełniać prawidłowo swe zadania, musi uprzednio sam zorganizować pokrycie swoich własnych potrzeb na poziomie warunkującym własną zdrową czynność. Musi wiedzieć, że musi to zrobić, musi wiedzieć jak to zrobić. W staroindyjskiej księdze Bhagawad-gita napisanej co najmniej 5 tysięcy lat temu, a być może nawet 50 tysięcy lat temu (sugestie uczonych amerykańskich), zawierającej wiele informacji, których ludzie na pewno sami nie mogli wymyśleć i które na pewno otrzymali od bogów, jest napisane, że „części ciała pracują dla zadowolenia całego ciała. Kończyny ciała nie pracują dla samozadowolenia, ale dla zadowolenia całości". Jeśli mózg (rząd) potrafi zapewnić pokrycie potrzeb wszystkich komórek (ludzi) na przynajmniej dostatecznym poziomie, organizm funkcjonuje poprawnie, ale płaci za to przyspieszonym starzeniem. Jeśli zaopatrzenie jest niewystarczające, a zwłaszcza jeśli nie jest dostosowane do potrzeb organizmu, skutki są fatalne.

Jak wygląda obecnie sytuacja naszego narodu w porównaniu do struktur organizmu? Odpowiedź jest oczywista. Dopóki nasze państwo będzie musiało utrzymywać jakąkolwiek wymienioną strukturę, dopóty nasze państwo będzie państwem chorym, kierowanym przez nowotwór.

– Jako umysł renesansowy zajmujący się nie tylko zdrowiem ludzkiej duszy, ciała, ale i kondycją całych narodów, przygotował pan projekt przestawienia polskiej gospodarki na zupełnie nowe tory. Jaka jest „strategia dla Polski" Jana Kwaśniewskiego?

– Człowiek dla zdrowego, długiego, godnego życia potrzebuje białka i tłuszczu o wysokiej wartości biologicznej, podawanych w określonych proporcjach, w żywności uszlachetnionej, skoncentrowanej, zawierającej wszystkie pozostałe około 2 miliony składników, występujących również w optymalnych ilościach i proporcjach. Należy zatem, przy możliwie najniższych nakładach energii, produkować z każdego hektara możliwie dużo białka i tłuszczu. Szczegółowy program żywnościowy wymaga oddzielnego opracowania. Tu podane są tylko ogólne zasady. Należy zatem:

1. Rozwinąć jako cel główny, strategiczny, hodowlę bydła mlecznego, produkcję masła, bardzo tłustej śmietany i serów.
2. Rozwinąć produkcję żywca wieprzowego, wykorzystując część białka, węglowodany i składniki mineralne z mleka.
3. Rozwinąć hodowlę kur niosek i produkcję jaj.
4. Maksymalnie przybliżyć przetwórstwo do producenta. Odbierać od niego tylko produkty trwałe, uszlachetnione, skoncentrowane.
5. Rozwinąć te gałęzie produkcji roślinnej, które bezpośrednio dają białko i tłuszcz o wartości przydatnej w żywieniu człowieka. Praktycznie będą to orzechy laskowe, orzechy włoskie i słonecznik.
6. Rozwinąć produkcję soi – tylko na pasze.
7. Rozwinąć hodowlę kóz i produkcję trwałych przetworów z mleka koziego.
8. W niektórych rejonach rozwinąć hodowlę gęsi z następowym ich tuczem.

– W pana teorii makroekonomicznej nie ma miejsca dla cukrowni, sadów owocowych, produkcji warzywnej.

– Oczywiście, że nie! Należy przerwać produkcję żywca wołowego, brojlerów, cukru, słodzonych przetworów owocowych i słodzonych napojów, znacznie ograniczyć produkcję owoców, zaprzestać produkcji owoców najbardziej szkodliwych: jabłek, gruszek. Należy także zaprzestać produkcji zbóż na cele spożywcze, prawie zupełnie zaprzestać produkcji ziemniaków na cele spożywcze, rzepak produkować wyłącznie na cele paszowe, przerwać produkcję szklarniową w ogóle, a produkcję kwiatów szklarniowych w szczególności. Z chłodni należy wyrzucić wszystkie produkty zawierające określony odsetek wody. Należy określić wysoki poziom procentowy białka i tłuszczu w produkcie, który będzie wolno przechowywać w chłodniach.

– *I Polska się sama wyżywi?*

– Obecnie zbieramy z terytorium kraju około 400 milionów ton tak zwanej biomasy. Koszt społeczny pozyskania tej biomasy i jej przetwórstwa jest o wiele za wysoki. W efekcie więcej energii wkładamy w produkcję żywności, niż jej uzyskujemy z tej żywności. Bez większych nakładów możemy uzyskać z naszej ziemi jeszcze ponad 100 milionów ton biomasy.

Taka ilość energii, umiejętnie wykorzystana i przetworzona, wystarczy dla optymalnego żywienia około 5 milionów ton ludzi, czyli ponad 100 milionów osób. Takie mamy możliwości. Nadmiar dobrej żywności, który wkrótce się pojawi, będzie bardzo dobrym towarem eksportowym jeszcze przez pewien okres. Za dobrą żywność uzyskamy wszystkie potrzebne surowce. Produkcję energii należy oprzeć głównie na energii jądrowej, jak to zrobiły mądrzejsze i bogatsze od nas narody: Szwajcaria, Belgia, Holandia, Francja, Anglia, RFN, Japonia. Trzeba kupić bezpieczne technologie, a do budowy i eksploatacji elektrowni jądrowych skierować ludzi o najwyższej wartości biologicznej, stosownie opłacanych i żywionych. Takich ludzi możemy mieć po kilku miesiącach. Nie należy spalać węgla. Przyda się dla celów przetwórczych w przyszłości. Transport należy przestawić na silniki elektryczne, wodorowe i gazowe.

W krajach najbogatszych głównym źródłem energii są elektrownie atomowe. Jest to zabawa na krótki dystans. Na Ziemi, co średnio około 15 tysięcy lat, dochodzi do kolizji z planetoidami czy kometami. Ostatnia kolizja była niewielka, spowodowana przez tak zwany meteoryt tunguski, ale przedostatnia, która wydarzyła sie około 9000 lat temu była fatalna w skutkach. Ludzkość tę katastrofę zapamiętała jako potop. Wiele gatunków zwierząt wymarło, prawie wszyscy ludzie wyginęli. Przeżyć udało się tylko ludziom, którzy schronili się w jaskiniach położonych w górach.

Obecnie każda taka katastrofa, nawet mniejsza, byłaby końcem życia na Ziemi. Efekt wybuchu współczesnych ładunków nuklearnych można porównać do awarii kilkuset elektrowni czarnobylskich albo setek tysięcy bomb takich jak w Hiroszimie i Nagasaki. Ludzkość tego nie przeżyje, życie na Ziemi musiałoby wtedy zginąć.

Trzeba zatem energetykę przestawić na odnawialne źródła energii. Dobrze zagospodarowana Sahara dostarczyłaby więcej energii, niż obecnie ludzkość jej zużywa. W rezerwie są inne pustynie, energia wiatru czy wody.

Transport należy przestawić na silniki elektryczne, wodorowe i gazowe. Wszystkie arsenały broni konwencjonalnych, chemicznych, jądrowych muszą zostać zlikwidowane.

Istnieją obecnie warunki techniczne, aby stworzyć system zabezpieczania Ziemi przed katastrofami kosmicznymi. Trzeba ten system zbudować.

To jest jedno z najpilniejszych zadań, które współcześnie żyjące pokolenie powinno zrealizować.

Ciechocinek - Katowice, wrzesień - październik 1996 r.
wywiad przeprowadził Marek Chyliński

Zapoznałem się z pracą lek. med. Jana Kwaśniewskiego, pt. „Wpływ odżywiania na biologiczną i kulturową ewolucję człowieka" - stanowi ona zdecydowane wzbogacenie literatury, dotyczącej naukowych zasad odżywiania się. Autor dysponuje bogatym materiałem z dziedziny kulturowego uwarunkowania zdrowia i choroby zależnie od panującego w danej epoce sposobu odżywiania się.

Idee, jakie reprezentuje lek. med. J. Kwaśniewski, znajdują uzasadnienie naukowe zwłaszcza w zakresie profilaktyki chorób cywilizacyjnych, a ponadto przedstawiają duże walory praktyczne. Fakt, że w trudnych - odległych od ośrodków naukowych - warunkach stworzył lek. J. Kwaśniewski oryginalne koncepcje, to niezależnie od ostatecznych ich weryfikacji - uważam, że jego badania zasługują na poparcie.

Kierownik Kliniki Hematologicznej IMW AM
prof. dr Julian Aleksandrowicz
Kraków

PIĘĆ LAT PÓŹNIEJ, CZYLI NIEDOKOŃCZONA ROZMOWA

– Przyzna pan, panie doktorze, że w ciągu tych pięciu lat, które upłynęły od pierwszego wydania tej książki wiele się zmieniło. Pana dieta jest powszechnie znana! Omawiały ją wszystkie bez mała wysoko nakładowe, ilustrowane pisma, gościł pan w telewizji, pana książki, jak mówi jeden z największych fotografików wszechczasów Chris Niedenthal „sprzedają się na ulicy". Czy spodziewał się pan takiego sukcesu?

A propos Niedenthala, czy pan wie, że amerykański „Time" w swoim wiodącym tekście na temat otyłości zamieścił jego wypowiedź, w której twierdzi on, że „kiedy jestem głodny, biorę po prostu kawałek żółtego sera, smaruję grubo masłem, a potem popijam 30-procentową śmietaną". Niedenthal dodał też, że na pańskiej diecie czuje się świetnie i zeszczuplał kilkanaście kilogramów...

– Rzeczywiście, żywienie optymalne jest powszechnie znane, ale nie tam, gdzie znane być powinno, aby mogło znaleźć szersze zastosowanie. Decydenci w służbie zdrowia przeważnie nic nie słyszeli o żywieniu optymalnym, a politycy, jako osoby niekompetentne, niezdolne do myślenia, nie mające czasu ani na myślenie, ani na czytanie, z góry odrzucają wszystko to, co jest niezgodne z aktualną „wiedzą" medyczną.

A tymczasem wiedzy medycznej nie ma. Jest tylko medyczna wiara lub medyczne poglądy. Czy spodziewałem się takiego sukcesu? Moim celem nie jest sukces osobisty, nawet przeszkadza mi on w pracy i w życiu. Moim celem jest przyczynowa odnowa biologiczna rodzaju ludzkiego tak sterowana, aby z tej odnowy skorzystało możliwie wielu Polaków w kraju i poza jego granicami. O Chrisie Niedenthalu oczywiście wiem. Reakcja lekarzy, dziennikarzy nawet tych z magazynu „Time", jest na takie i inne informacje typowa: brak jakichkolwiek wniosków. „Ale żeby im kto jakie lekarstwo narail, od którego dopiero byliby zdrowi – mówił o sobie współczesnych sam Sokrates - to wydadzą każde pieniądze na zdobycie takiego lekarstwa". Lekarstwo im droższe, leczenie im bardziej kosztowne tym lepsze – wierzą niemal wszyscy.

Leczenie najlepsze, bo przyczynowe, nie tylko nie kosztuje nic lub bardzo mało, ale pozwala na znaczne oszczędności; żywienie optymalne jest tańsze niż każde inne, a leki, często drogie, stają się zbędne.

– Na zakończenie słowa wstępnego, które napisałem do pierwszego wydania „Diety optymalnej", przytoczyłem opinię, wedle której na potwierdzenie i upowszechnienie każdego wielkiego odkrycia potrzeba było w przeszłości najmniej 50 lat. Sądząc po tym, jak szybko w ostatnich latach upowszechnia się pańska teoria żywienia i to na całym świecie, tym razem nie trzeba będzie czekać tak długo. Grupa zwolenników w Austrii zgłosiła nawet pańską kandydaturę do Nagrody Nobla w dziedzinie medycyny.

– Wszystko na to wskazuje, że nie trzeba będzie czekać aż 50 lat. Może także dlatego, że moje odkrycia okazały się w praktyce ważniejsze od wszystkich dotychczasowych odkryć. A Nagroda Nobla? Gdyby nagroda ta była przyznawana za ważne dla ludzkości odkrycia, to już dawno nie powinno być chorych i chorób, przestępstw, wojen i zbrojeń, ani żadnej innej patologii w rodzaju ludzkim. W zdrowym biologicznie gatunku działań na szkodę innych osobników z własnego gatunku i na szkodę gatunku po prostu nie może być.

– Ponad 90 procent dawnych zwyczajów żywieniowych uległo gruntownej zmianie. Nasi przodkowie, setki ich pokoleń, odżywiali się wyłącznie produktami naturalnymi, a rodzaj pożywienia zmieniał się tylko w zależności od pory roku. Tymczasem w ostatnich stuleciach zużycie rafinowanego cukru, jak podają badacze niemieccy, wzrosło dziesięciokrotnie za życia kilkunastu zaledwie pokoleń, a spożycie tłuszczu zwierzęcego tylko dwuipółkrotnie! Nic zatem dziwnego, że w takich warunkach centralny układ nerwowy wraz z mózgiem nie otrzymywał w wystarczających dawkach właściwego budulca, co z kolei wpłynęło na rozliczne patologie osobnicze, dewiacje, wzrost agresji. Okrucieństwo, terror, wojny, wreszcie eksplozja chorób cywilizacyjnych. Panie doktorze przecież pan mówi o tym od ponad 20 lat, w tej książce napisaliśmy to 5 lat temu, a tu nagle takie rewelacje podawane są w fachowej literaturze i pismach zajmujących się zdrowiem. Czyżby te wszystkie wektory, w których błądziła nauka, w tym również medycyna, zaczynały się wreszcie schodzić?

– Jak pisał Sedlak weryfikację nowej wiedzy mogą i powinni przeprowadzić wyłącznie jej przeciwnicy. To oni powinni udowodnić, że ta wiedza jest zła, zaproponować coś lepszego i wykazać, że to coś jest lepsze.

Mogłem dawno udowodnić w badaniach naukowych prawdziwość mojej wiedzy, ale musiałoby to wiązać się z dodatkowymi cierpieniami chorych. Przy różnych badaniach i z ich przyczyny (badań) umierają corocznie tysiące ludzi. Lekarzowi nie wolno bez ważnego powodu narażać chorego na cierpienia, tylko dlatego, że sam jest niedouczony i asekuruje się, wykonując ogromną ilość badań, przeważnie zbędnych. W 1974 r. od ministra nauki otrzymałem do dyspozycji 7 milionów złotych na badania i przez wiele miesięcy nie mogłem znaleźć nikogo i nigdzie, kto by takie badania zechciał przeprowadzić. Wszyscy mieli tak „napięte plany" badań naukowych, że nic już się nie dało zrobić. Czas pokazał, że z tych wszystkich badań wyszło, mówiąc słowami Sedlaka – zwyczajne gówno.

Badania na zwierzętach wykonał prof. Stanisław Berger w 1976 roku, kilka prac na zwierzętach wykonał prof. Henryk Rafalski. Badania na ludziach chorych wykonał zespół 11 profesorów i docentów ze swoimi współpracownikami, pod kierunkiem prof. Rafalskiego. Rezultaty badań potwierdziły moją wiedzę w całej pełni. Powtórzę, że udowodniono, iż u zwierząt żywienie optymalne powoduje najkorzystniejszy rozwój organizmów, zwiększa wagę mózgów o średnio 8 proc., poprawia zdolność uczenia średnio o 40 proc., ma wybitne działanie przeciwmiażdżycowe i leczy miażdżycę u zwierząt doświadczalnych. Badania wykonane na ludziach wykazały, że żywienie optymalne nikomu nie zaszkodziło, a wyleczenie lub poprawa stanu zdrowia po 6 miesiącach obserwacji nastąpiła u wszystkich. Czuję się zatem uprawniony by zapytać: czy ktokolwiek na świecie uzyskał podobne rezultaty? W 1974 r. Jerzy Grotowski po zapoznaniu się z moją wiedzą powiedział, że w tym kraju i w tym narodzie nie będzie mogła być zrozumiana. Cóż, w innych krajach niestety wcale nie było i nie jest lepiej.

Chore państwo opierające się na chorej nauce nie potrafi zapewnić ludziom zdrowia, dobrobytu i bezpieczeństwa. Nie spełniało i nie spełnia zadań, do spełnienia których zostało powołane. Przestępczość rośnie z każdym rokiem, dzieci zabijają dzieci, przestępcy są hołubieni przez wymiar sprawiedliwości, ofiary przestępstw są pozostawiane same sobie.

Od dawna znam tajemnicę przestępczości, którą znali tylko autorzy rękopisów z Qumran. Już 12 lat temu zwracałem się do marszałka senatu z propozycją przyczynowego leczenia i wyleczenia przestępczości właśnie. Marsze przeciw przemocy organizowane po każdej nowej, niepotrzebnej śmierci nie zapobiegają przestępczości, a nawet ją nasilają.

Niedawno zwróciła się do mnie optymalna prawniczka, która chciała wykonać takie badania na więźniach, ponieważ wie, jak pisała, że przyczyną przestępczości jest niekorzystne odżywianie. Ogólnopolskie Stowarzyszenie Bractw Optymalnych będzie pilotowało wykonanie takich badań na więźniach. Powinny być przeprowadzone jeszcze w bieżącym roku po to, aby nowe tysiąclecie rozpocząć od przyczynowego leczenia i wyleczenia przestępców i przestępczości. Od czegoś, a raczej od kogoś trzeba przecież zacząć.

– Panie doktorze w Stanach Zjednoczonych od kilkunastu lat furorę robi tak zwana dieta doktora Atkinsa, której założenia są z grubsza rzecz biorąc bardzo podobne do pańskich odkryć. Pana przeciwnicy, a tych przecież nie brakuje, w lot mogą pochwycić myśl, że oto Kwaśniewski coś zapożyczył, podpatrzył, krótko mówiąc: kto był pierwszy?

– Zasady żywienia optymalnego opracowałem w drugiej połowie lat sześćdziesiątych. Mogłem to zrobić tylko dlatego, że zmuszono mnie do dokładnego nauczenia się składu chemicznego produktów spożywczych, zarówno tych jadalnych jak i tych (dla optymalnych) niejadalnych.

Następną sprawą było uporządkowanie produktów według kryteriów obowiązujących w naukach ścisłych. Jednak nie zrobiłem tego według zawartości kalorii, tłuszczu, zawartości białka, czy węglowodanów, jak dotąd porządkuje je oficjalna nauka, co z kolei wyklucza możliwość ułożenia najlepszego biochemicznie modelu żywienia dla człowieka.

Na kursie do specjalizacji w Instytucie Balneoklimatycznym w Poznaniu już w 1967 r. przedstawiłem kolegom lekarzom optymalny model żywienia. Kilku z nich już wówczas zastosowało optymalny model żywienia dla siebie i swoich rodzin. Żywienie optymalne stosowałem już wówczas u niektórych chorych przebywających w Wojskowym Zespole Sanatoryjnym w Ciechocinku. Tym pierwszym, u którego zastosowano żywienie optymalne był pułkownik Karol K., przed wojną kadet lwowski, więzień gułagu na Syberii, żołnierz frontowy.

Chorował on na kilka chorób, ale najgroźniejszą była zaawansowana miażdżyca tętnic kończyn dolnych. Groziły mu operacje, do amputacji nóg włącznie. Był pierwszym, u którego zastosowałem prądy selektywne na nogi, co w połączeniu z żywieniem optymalnym dało takie rezultaty, iż chory, który wcześniej potrafił przejść bez bólu zaledwie kilkadziesiąt metrów, po 23 dniach przeszedł po śniegu z Ciechocinka do Nieszawy i z powrotem (około 20 km) i ani razu nie pojawił się u niego ból nóg! Za pół roku przesłał mi informację, że w biegu na 5 km zajął pierwsze miejsce w swojej grupie wiekowej w czasie zawodów w Legii Warszawa.

W następnych latach optymalnych przybywało. Już w 1969 r. odnotowałem pierwsze przypadki wyleczeń z cukrzycy typu II i typu I oraz z wielu innych chorób.

Próby zainteresowania uczonych okazały się nieskuteczne. W 1971 r. opublikowano mój artykuł o odżywianiu sportowców, a na początku 1972 r. w „Perspektywach" przedstawiłem w skrócie swoją wiedzę. Napisałem, że proporcje między głównymi składnikami odżywczymi: białkiem, tłuszczem i węglowodanami są ważniejsze niż wartość kaloryczna czy zawartość poszczególnych składników odżywczych w produkcie i w żywieniu człowieka. Profesorowie z Instytutu Żywności i Żywienia obrzucili mnie wtedy wyzwiskami, co weszło im w nawyk i czynili tak przez długie lata i dopiero od niedawna zamilkli i żaden z nich nie podpisał „Stanowiska 30 profesorów" na temat żywienia optymalnego.

Ponieważ nie było możliwe zrozumienie mojej wiedzy przez uczonych w Polsce, poza nielicznymi wyjątkami (prof. Julian Aleksandrowicz, prof. Zbigniew Żółtowski, prof. Bolechowski, następnie prof. Henryk Rafalski) sądziłem, że może w innych krajach uczeni będą mieli sprawniejsze umysły. Starałem się zatem zainteresować ludzi nauki w innych krajach, ale bez rezultatu. Już na początku lat 70. usiłowałem zainteresować uczonych w USA pisząc do kilku instytucji naukowych. Po kilku latach pewien amerykański Żyd, który wiele z mojej wiedzy skorzystał i pomagał mi w moich próbach zainteresowania uczonych w USA, po przyjeździe do Polski poinformował mnie, że w USA pojawiła się dieta dr. Atkinsa, podobna do mojej. Ja pisałem do uczonych w USA dużo wcześniej, niż pojawiła się dieta doktora Atkinsa. To co pisałem w „Perspektywach" w roku 1972 jest nadal w pełni aktualne. Zmniejszyłem tylko proporcje białka, ponieważ obecnie dostępność białka zwierzęcego jest zdecydowanie lepsza, lecz ludzkiemu organizmowi nie potrzeba go aż w takich ilościach.

Już na początku lat 70. spożycie białka w Polsce wynosiło średnio 110-120 gramów na głowę dziennie, ale w 75-80 procentach było to białko pochodzenia roślinnego, o znacznie niższej wartości biologicznej.

Dieta doktora Atkinsa jest dietą odchudzającą. Zawiera zbyt dużo białka, co nie jest korzystne dla organizmu, oraz zbyt mało węglowodanów, co również szkodzi. Ale i tak dieta dr. Atkinsa, zwłaszcza w odchudzaniu, jest lepsza od wszystkich proponowanych dotychczas diet.

Żywienie optymalne, biochemicznie najbardziej korzystne dla człowieka, jest leczeniem przyczynowym w prawie wszystkich chorobach ludzkich, leczy je oraz zapobiega zachorowaniom, daje pełne zdrowie fizyczne i jako jedyne, daje prawidłową, zdrową strukturę i czynność umysłów ludzkich. Ja wiem, że żywienie optymalne to nie jest sposób na odchudzanie, ale sposób na przyczynową odnowę biologiczną zdegenerowanego rodzaju ludzkiego. Nic istotnego nowego w żywieniu najlepszym dla człowieka pojawić się nie może, bo żywienie optymalne jest tym najlepszym, opartym na wiedzy, a wiedza, jeśli jest wiedzą, zmieniać się nie może.

„Kiedy zaczynałem pisać tę książkę musiałem przekonywać całe kręgi ludzi, którym przez lata prano mózgi, wbijając do głów bzdury na temat nadwagi. Zasadniczym przekonaniem była świadomość o niezastąpionym działaniu węglowodanów, rzekomo potrzebnych każdemu, a utrata wagi miała być skutkiem ciągłych głodówek. Ale, dzięki temu, że dieta dr. Atkinsa działa i to działa dobrze, miliony ludzi nauczyło się jak szybko i bez problemów pozbyć się nadmiernych kilogramów. Nauczyli się także przeciwstawiać ogólnie przyjętym dogmatom".

– To cytat z książki dr. Roberta Atkinsa i musi pan przyznać doktorze, że niektóre problemy są jakby całkiem znajome. Dziś jednak centrum dietetyczne Atkinsa na Manhattanie odwiedzają tysiące ludzi, a dietę tę stosują miliony Amerykanów, o czym świadczy 7 milionów sprzedanych książek jego autorstwa. Pan, jak sądzę, jest jednak dopiero na początku drogi, którą przebył Atkins. Przytoczone powyżej pierwsze dwa zdania pasują do pańskiej sytuacji idealnie.

– Historia narodu polskiego od ponad 200 lat jest historią narodu bardziej zdegenerowanego od większości narodów zaliczanych do wysoko rozwiniętych. Ostatnia wojna jeszcze bardziej obniżyła wartość biologiczną narodu z powodu ponad 5 lat przymusowego postu. Później też ludzie musieli „pościć", gdyż wartościowa żywność była na kartki, a zarobki niskie, zmuszające do kupowania produktów najtańszych, czyli produktów zbożowych i cukru.

Amerykanie nie wygłodzili swojego narodu. Dlatego w USA wszystkie nowe pomysły, jeśli okazują się w praktyce dobre, szybko znajdują sponsorów i zwolenników. Polacy w Chicago też mają umysły bardziej sprawne od Polaków zamieszkujących w kraju. Już samo to, że potrafili wyjechać do kraju, w którym za swoją pracę otrzymują zarobki 5-10 razy wyższe, świadczy o ich bardziej sprawnych umysłach. Spotkanie z Polakami w Copernicus Center w Chicago różniło się korzystnie od podobnych spotkań organizowanych dotychczas w Polsce. Prymitywnych pytań nie było, a zrozumienie mojej wiedzy było szybsze i głębsze.

Uczeni w Polsce są tacy, jacy być mogą, pochodząc z tak zdegenerowanego jak nasz narodu. Dlatego mogą tylko odtwarzać wczorajszą wiedzę, powtarzać to, co inni pierwsi odkryli lub opracowali. Dlatego w medycynie i biologii w Polsce od ostatniej wojny było tak mało istotnych odkryć.

Według Sedlaka uczony to taki człowiek, który zgromadził szeroką, interdyscyplinarną wiedzę w takim zakresie, że potrafił popchnąć naukę do przodu. Takich uczonych w Polsce nie było i nie ma. Tylko ks. prof. Włodzimierz Sedlak popchnął wyraźnie naukę do przodu i to w kilku dziedzinach. „Najgorsza jest cisza, otaczała mnie przez całe lata" – pisał Sedlak. „Utrzeć mu nosa, przyklepać głowę, upodobnić do nas" – pisał o swoich kontaktach z uczonymi i: „Przerażająca jest zmowa głupców. To najpotężniejszy związek choć bez prezesa i składek" – wyciągnął wnioski.

Doświadczam tego samego od blisko 35 lat. Było mi lżej, niż prof. Włodzimierzowi Sedlakowi czy prof. Julianowi Aleksandrowiczowi, który też był niszczony przez swoich kolegów uczonych, ponieważ dość wcześnie wiedziałem, że tak być musi i inaczej być nie może. Byłem pewny, że moja wiedza prędzej czy później zostanie zrozumiana i przyjęta do praktyki, ponieważ dawała w praktyce rezultaty wielokrotnie przewyższające te, które są udziałem medycyny i wszystkich innych „alternatywnych" metod leczenia.

Optymalnych przybywa dużo szybciej niż zwolenników dr. Atkinsa, mimo że dopiero kilka lat temu uzyskali oni dostęp do mojej wiedzy w szerszym zakresie, a i moi liczni przeciwnicy są bardziej zacietrzewieni w potępianiu mojej wiedzy.

Do tego dochodzi przysłowiowe „polskie piekło", które zmusza Polaków do walki z tym co nowe, tylko dlatego, że jest inne. W kotle piekielnym dla Polaków wszyscy są zanurzeni równo po szyję, bo gdy ktoś chce nieco podnieść głowę, natychmiast jest pociągany za nogi w celu wyrównania poziomu.

Ludzie stosujący żywienie optymalne - sami, oddolnie, zorganizowali się w Bractwa Optymalnych, kierowane przez Ogólnopolskie Stowarzyszenie Bractw Optymalnych z siedzibą w Jaworznie. Zorganizowali się nie po to, aby mieć na przyszłość profity z przynależności organizacyjnej, a tylko po to, aby pomagać innym. Ogólnopolskie Stowarzyszenie powoli zamienia się w ogólnoświatowe. Szybko przybywa lekarzy otwierających nowe „Arkadie", w których zalecane jest żywienie optymalne i stosowane leczenie prądami selektywnymi. Powstały „Arkadie" stosujące leczenie stacjonarne.

Jeszcze w tym roku powinno powstać Centrum Światowe Optymalnych w Polsce, duży obiekt leczenia stacjonarnego, w którym będą mogli szkolić się lekarze, laboranci, dietetycy i kucharze. Zgłosiło się wielu lekarzy i laborantek fizykoterapii, którzy chcą być szkoleni.

Jeszcze w bieżącym roku powinna zacząć się produkcja nowoczesnych aparatów do leczenia prądami selektywnymi przeznaczonych dla lekarzy i dla indywidualnych pacjentów, u których zabiegi powinny być powtarzane.

– Panie doktorze jak pan przyjął oświadczenie Komitetu Terapii Polskiej Akademii Nauk w sprawie pańskiej diety, które – przypomnę – zakwalifikowało ją jako szkodliwą i krótkowzroczną.

– Oświadczenie Komitetu Terapii Polskiej Akademii Nauk optymalnym nie zaszkodziło, a raczej upewniło ich, że postępują właściwie. Trzeba wiedzieć, aby zabierać głos w sprawach dla ludzi najważniejszych. Gdy się nie wie – rozsądniej jest milczeć. Gdy się nie wie np. jaka jest przyczyna cukrzycy typu I i typu II i nie potrafi się ani jednego chorego z tych chorób wyleczyć, to występowanie przeciwko wiedzy człowieka, który wyleczył tysiące ludzi z obu postaci cukrzycy i setki tysięcy z wielu innych „nieuleczalnych" chorób, jest szczytem niedorzeczności.

– Przeciętny człowiek wypija i zjada około 1 tony pokarmu rocznie. Wszystko, co przekracza zapotrzebowanie organizmu, nie tylko pochłania cenną energię w procesie trawienia, ale jest też zbędnym i szkodliwym balastem stopniowo paraliżującym podstawowe funkcje organizmu, a więc prowadzącym do choroby. Zastanawiające jest dla mnie to, że do takich wniosków dochodzą lekarze promujący tak zwaną medycynę naturalną, choć daleko im do uznania diety optymalnej za jedyny słuszny i właściwy sposób odżywiania człowieka.

– W prosty sposób można „naukowo" określić optymalny model odżywiania człowieka, badając tak zwaną przemianę podstawową. Przemiana podstawowa jest określana przez zużycie energii przez organizm człowieka w spoczynku w przeliczeniu na dobę, na jednostkę wagi ciała. Mierzy się w spoczynku ilość zużywanego przez organizm tlenu w jednostce czasu.

Najlepszy model żywienia oparty został na małej ilości białka najbardziej zbliżonego składem do białek człowieka, na podawaniu gotowej energii w związkach fosforowych w pożywieniu oraz możliwie znacznych ilości wodoru, a możliwie małych węgla, podawaniu potrzebnej ilości węglowodanów tak, aby organizm nie musiał ich wytwarzać i nie musiał z tego powodu wytwarzać ciał ketonowych, podawaniu wszystkich potrzebnych witamin i składników mineralnych w optymalnych ilościach i proporcjach, najlepiej w postaci gotowych enzymów i innych złożonych związków, w których witaminy i składniki mineralne stanowią niewielką, ale niezbędną ich część, trawieniu produktów wstępnie przed ich spożyciem przy pomocy ognia. Taki właśnie model żywienia cechuje się najniższą przemianą podstawową liczoną w kaloriach.

Im odżywianie jest lepsze, tym organizm wykonuje mniej pracy przy trawieniu, przy wchłanianiu, spalaniu i przetwarzaniu spożytych składników pożywienia, tym zużycie tlenu jest mniejsze, tym jest dla organizmu lepiej. Podanie zbyt dużej ilości białka zmusza organizm do zbędnej pracy. Białko zwiększa przemianę podstawową do 15 proc. w zależności od spożywanej jego ilości oraz zawartości spożywanych łącznie tłuszczów i węglowodanów.

Organizm nie robi nic ponad to, co robić musi. Mądrością jest stworzenie mu takich warunków zaopatrzenia, aby robić musiał możliwie mało. Najmniej pracy na utrzymanie życia zużywa organizm człowieka stosującego żywienie optymalne. Im skład diety jest gorszy od optymalnego, tym więcej „roboty głupiego" musi wykonywać organizm, tym wyższa jest przemiana materii.

Podane wyżej kryterium oceny wartości danego modelu żywienia jest kryterium opartym o wiedzę ścisłą, a jako takie jest prawdziwe, niezależnie od wiary lub poglądów uczonych.

Proszę sobie wyobrazić, że wysyłam np. książkę i dodatkowe informacje do premiera rządu w języku używanym w tym kraju. Ten odsyła przesłane materiały do ministra zdrowia. Ten z kolei przekazuje je zurzędniczałemu lekarzowi do załatwienia, a ten z kolei pisze do mnie, że owszem, wyniki są rewelacyjne, ale nie mogą być wprowadzone w życie, dopóki nie uzna ich oficjalna nauka. Uznanie mojej wiedzy przez oficjalną naukę byłoby końcem tak zwanej nauki, a gdzie znajdzie się uczciwych uczonych, którzy chcieliby popełnić naukowe samobójstwo, stracić prestiż, stanowiska i dochody. Nie ma takich uczonych ani w Polsce, ani w żadnym innym kraju.

Moja wiedza oskarża oficjalną medycynę, wykazuje jej nieudolność i szkodliwość, nieumiejętność przyczynowego leczenia chorób, ogromne marnotrawstwo środków, nieumiejętność zapewnienia zdrowia ludziom. Po co zatem staram się zainteresować swoją wiedzą od wielu lat, różnych polityków czy uczonych, skoro wiem, że oni tej wiedzy zrozumieć nie mogą i nawet nie mają czasu się z nią zapoznać? Czynię to wyłącznie dla spokoju własnego sumienia. Aby nikt mi nie zarzucał, że nie próbowałem. Nawet jeśli ponosiłem określone szkody nie mogło mnie to powstrzymać w próbach przyspieszenia zrozumienia i przyjęcia do praktyki mojej wiedzy.

Dzięki różnym „przepowiedniom" od dawna wiedziałem, kiedy nadejdzie pora na powszechne wykorzystanie mojej wiedzy. Ale i tak, dla spokoju sumienia, próbowałem tę wiedzę przekazać ludziom jak najszybciej, gdyż wiedziałem, że jest to wiedza, na której pojawienie się ludzkość od dawna oczekuje. Obecnie nadeszła stosowna pora. Jeśli zajdzie taka potrzeba i będę musiał powiedzieć więcej niż dotychczas, być może to uczynię. Ale wolałbym nigdy tego „więcej" nie mówić.

We wszystkich dziedzinach życia ludzkiego dzieje się wciąż i wciąż źle, a że jest źle winna jest głównie medycyna. Nie dlatego, że nie znalazła stosownych rozwiązań, bo tego zrobić nie mogła. Dlatego, że nie stara się zrozumieć najważniejszej dla ludzi wiedzy ani jej sprawdzić. Gdyby wprowadzono w życie mój program poprawy wyżywienia narodu w roku 1974, to medycynie pozostałaby dziś tylko chirurgia urazowa i profilaktyka. Inne jej działy byłyby już szczątkowe, po dalszych latach — zbędne. Oskarżona jest medycyna. O tym czy słusznie - ma decydować właśnie ta oskarżona medycyna. Przecież to paranoja. Gdy oskarżony jest sędzią we własnej sprawie, źle być musi.

— Ktoś stwierdził kiedyś lapidarnie, że do życia potrzebujemy tylko 1/4 tego, co spożywamy, reszta to źródło utrzymania lekarzy. To są przecież słowa Herodota, że „z pokarmów, które spożywamy, powstają wszystkie choroby ludzkie", zatem ograniczenie, czy wręcz wyeliminowanie niektórych pokarmów z naszej diety może prowadzić do zdrowia. Znalazłem tę konstatację w pracy popularnonaukowej o wpływie jedzenia na jakość życia. Co pan na to?

— Zjawisko powstrzymywania się od jedzenia u zwierząt żyjących w warunkach naturalnych, jak również zjawisko przejadania się — u zwierząt nie występuje. Zwierzęta nie poszczą i jedzą dokładnie tyle, ile potrzebują. Tak samo jest u człowieka, gdy zjada takie produkty i w takiej ilości, jakie jego organizm potrzebuje. Człowiek był i jest dostosowany do żywienia optymalnego. Optymalny nie zjada zbyt dużo pożywienia w kaloriach, nie pości, nie zna uczucia głodu czy pragnienia. Biblijne: „głodni będą nakarmieni, a spragnieni napojeni" już się sprawdziło właśnie u optymalnych.

Żywności pochodzenia roślinnego człowiek może zjeść bardzo dużo, a i tak będzie głodny. Thor Heyerdahl o swoich i swojej żony doświadczeniach pisał: „Mogliśmy jeść tyle, że nasze żołądki nie były w stanie strzymać więcej, i owoce chlebowe, taro i kokosy zostawały na stole. Byliśmy napełnieni do ostatnich granic możliwości, a jednak głodni. Przy tym oboje byliśmy chorzy. Na choroby pomogła nam wieprzowina". Więzień obozów koncentracyjnych Stanisław Grzesiuk zjadał codziennie około 1 kg chleba i co najmniej 2 kg surowych kartofli. Pewnego dnia w okresie 3 godzin zjadł 17,5 litra nadkwaszonej zupy. „Czułem żarcie w gardle i byłem głodny" – napisał.

Mechanizmy odczucia głodu i sytości są rozregulowane u ludzi na skutek zjadania nie tych pokarmów, jakie zjadać powinni. Po przejściu na żywienie optymalne czasem trzeba czasu, aby te mechanizmy dostosowały się do nowego modelu żywienia. Samo rozciągnięcie żołądka balonikiem powoduje ustępowanie głodu. Ludzie odżywiający się produktami roślinnymi, szczególnie jarosze, zjadają znacznie więcej pożywienia objętościowo i w kaloriach. Mają przez to większe żołądki. Po przejściu na żywienie optymalne ten mechanizm nie działa, do czasu zmniejszenia się objętości żołądka, co trwa parę miesięcy. Mechanizm chemiczny uczucia sytości zaczyna działać dopiero po około 20 minutach od początku jedzenia. Optymalnemu wystarczy 3-5 minut aby zjeść posiłek, bo zjada mało, a produkty są częściowo strawione poza organizmem przez obróbkę kulinarną. I ten mechanizm może u optymalnych początkowo zawodzić. Trzeba poczekać. Trzeba pomóc sobie rozumem. Nie jeść gdy się jeść nie chce, nie jeść na siłę, zmniejszyć ilość spożywanych pokarmów. Można to łatwo zrobić, bowiem u optymalnych uczucie silnego głodu nie występuje. Po kilku miesiącach mechanizmy zawiadujące odczuciem głodu i sytości dostosowują się do objętości i składu żywienia optymalnego i działają wówczas bezbłędnie. Człowiek zjada tylko tyle, ile potrzebuje i je wtedy, gdy jeść potrzebuje.

– Zwolennicy diety optymalnej bardzo często pytają o posty. Jaka jest pana opinia na ten temat? Czy dobrze urządzać od czasu do czasu głodówkę czy nie?

Kiedyś posty były podyktowane względami, które miały niewiele wspólnego z religią. Przecież w warunkach permanentnego niedoboru, kiedy najubożsi, a tych była większość, mieli dalece ograniczone możliwości zaspokajania swoich potrzeb żywieniowych, posty były świetnym wytłumaczeniem dlaczego na przykład przez 200 dni w roku nie można jeść mięsa. Jeszcze w XVIII wieku posiłki chłopów nie przekraczały 2,5 tys. kalorii, a przecież pracowali oni bardzo ciężko w polu. Katastrofalną, wyniszczającą rolę dla populacji odgrywał zwłaszcza Wielki Post, przypadający na najtrudniejszy okres w roku – przednówek, kiedy brakowało dosłownie wszystkiego. „Raz tylko jada na dzień w środy, piątki i soboty i to po kawałku chleba suchego, a w inne dni to tylko na oleju, ale za to codziennie się upija, od rana do wieczora przesiedzi w karczmie" – pisał ks. Tomicki o losie polskiego chłopa pańszczyźnianego. Teraz w warunkach względnego dostatku wydaje się, że możemy pozwolić sobie na omijanie postów.

Posty były wprowadzone tylko po to, aby zamienić rządzonych w „bydło ludzkie", w niewolników. Już Karol Wielki za zabicie człowieka karał winnego niewielką grzywną, a za złamanie postów karą była śmierć. Pościli tylko rządzeni. Rządzący nawet w czasie postu zjadali tyle samo kalorii, tylko w innych produktach. W Polsce od dawna żywności było pod dostatkiem i była to żywność pochodzenia zwierzęcego. Po reformach w gospodarce żywnościowej przeprowadzonych przez Kazimierza Wielkiego aż do Zygmunta Augusta żywności było za dużo. Później poszczono przez 170 dni w roku, dodatkowo wprowadzono liczne święta, w czasie których praca była zabroniona. Wszystko po to, aby „strzyc rządzonych do gołej skóry". Po śmierci Zygmunta Augusta, który nie godził się na wpuszczenie jezuitów do Polski, już po 40 latach ich działalności Polska weszła na drogę prowadzącą do powszechnego upadku.

Kuchnia polska była zawsze tłusta, a zrobiła się jeszcze bardziej tłusta po przejęciu potraw z kuchni litewskiej. Jadano powszechnie dziczyznę, drób i bardzo dużo jaj, których nigdy nie brakowało i należały do najtańszych produktów. Jan III Sobieski i królowa Marysieńka byli rozmiłowani w omletach.

Degradacja biologiczna elit w Polsce spowodowana przez jezuitów była przyczyną dalszych smutnych losów narodu polskiego. Józef Wybicki, autor słów „Jeszcze Polska nie zginęła", tak pisał o metodach stosowanych przez jezuitów i o skutkach takiego postępowania: „Jezuici, w innych krajach oświeceni, u nas w powszechnym zamroku. Niezrozumianą łaciną nieszczęśliwe nasze obciążali głowy... Myśleć nie uczono, nawet zakazywano. Nie dano duszy pokarmu i nawet ciału gimnastyki broniono. Barbarzyńcy. Chcieli mieć z młodzieży cienie i mary, z ludzi wolnych – bydlęta w jarzmie, z obywatelów przeznaczonych do służenia Ojczyźnie radą i orężem – nieczułe i ciemne stwory. Udało im się". W ten sposób zniszczono mieszczan i chłopów. Podstawy pod poprawę wartości biologicznej Polaków stworzył Stanisław Staszic, a jego prace kontynuowali pozytywiści.

Pozytywistyczna „praca u podstaw" dała szybkie rezultaty: dużą produkcję wartościowej żywności. Pod koniec XIX wieku kuchnia warszawska była bardzo tłusta. Znany dziennikarz niemiecki Fritz Wernitz tak o niej pisał w 1875 r.: „Kuchnia warszawska jest nadzwyczaj esencjonalna i tłusta. Pożywne mięso polskich wołów spożywane tutaj w znacznych ilościach, jest niedrogie. Kraj wytwarza masowo mleko, masło, jaja, a sery tutejszych produkcji są znakomite. Stosowano bardzo dużo tłuszczu, głównie masła. Wyborne polskie indyczki gotowane w maśle, kury i gęsi tuczone, wyborna dziczyzna".

Dalej pisał: „Wspólny jest natomiast dla wszystkich warstw społeczeństwa polskiego całkowity brak otyłości (!). Wśród tysięcy mieszkańców nie spotkałem w Warszawie ani jednego grubasa, co jest tym osobliwsze, że jada się tu tłusto, suto i pożywnie".

Podobnie i Bolesław Prus nie spotykał zupełnie otyłych wieśniaków polskich. Jedynym wyjątkiem przez niego spotkanym był otyły parobek, który, gdy mu wół „złamał ziobro", trafił do pasieki, dopiero na miodzie utył. Obecnie otyłość w Polsce jest powszechna, mimo niewątpliwie „imponujących osiągnięć współczesnej dietetyki". Ale to tylko dietetycy mówią o swoich osiągnięciach, podczas gdy fakty są inne. Prawie wszyscy profesorowie zajmujący się dietetyką, a spotkałem ich wielu, byli otyli.

W innych specjalnościach medycznych otyłość wśród profesorów nie występowała tak często. Takie są fakty. Osiągnięcia współczesnej dietetyki stosowane w praktyce – przynoszą duże szkody. Lepiej nic nie wiedzieć niż „wiedzieć" źle. Nauka wie źle.

– Naukowcy z uniwersytetu w Sheffield w Wielkiej Brytanii twierdzą, że dieta niskotłuszczowa, choć korzystna dla zdrowia, wpływa negatywnie na nasz nastrój. Innymi słowy ludzie, którzy nie żałują sobie tłustych potraw, mają lepsze samopoczucie niż zwolennicy warzyw i owoców. Gryzonie, np. myszy, którym oszczędzano tłuszczów, za to dostarczano duże ilości węglowodanów, były zdecydowanie bardziej agresywne, nerwowe, mało towarzyskie. Brytyjczycy upatrują takich efektów diety niskotłuszczowej w pewnym hormonie o nazwie cholecystokinina (CKK), który wytwarzany jest w trzustce i jelicie cienkim. Otóż poziom tego hormonu zależy właśnie od ilości spożywanych tłuszczów, a jego podstawową funkcją jest pobudzanie wydzielania soku trzustkowego i żółci oraz wytwarzanie (pośrednio) serotoniny w mózgu. A serotonina jak wiadomo pośredniczy w przekazywaniu impulsów w komórkach nerwowych. Ale nie każdych impulsów, a tylko tych odpowiedzialnych za przyjemne odczucia i doznania... Brzmi to interesująco, nieprawdaż?

– Mało jest obecnie w Polsce ludzi szczęśliwych. Prawie każdemu zawsze czegoś brakuje, zazdrość i zawiść występują powszechnie. Niekorzystne odżywianie powoduje złe zaopatrzenie mózgu w części zamienne i energię, a mózg taki jest mózgiem człowieka bezrozumnego, któremu musi być zawsze źle. Bardzo mało nieszczęśliwych jest wśród optymalnych i nawet jeśli jeszcze mają powody do bycia nieszczęśliwymi, bywają dużo mniej nieszczęśliwi od innych. Odpowiedź znajdziemy w Biblii: „Wszystkie dni głupiego są złe, a mądry ma gody ustawiczne".

– Profesor Franciszek Świderski z Instytutu Żywienia Człowieka Szkoły Głównej Gospodarstwa Wiejskiego w Warszawie od lat uparcie twierdzi, że dieta człowieka tylko w nieznacznym stopniu wpływa na poziom cholesterolu w organizmie człowieka. Argumenty, których używa ten uczony w znakomitej większości są tożsame z pańską wiedzą, bo oto prof. Świderski twierdzi, że upatrywanie w żółtkach jaj zagrożenia cholesterolowego jest nieuzasadnione, mało tego, to jaja mają być właśnie źródłem zdrowia dla naszego organizmu, gwarantując... utrzymanie prawidłowego poziomu cholesterolu po spożyciu posiłku. Przyzna pan, że brzmi to zaskakująco w kontekście odsądzania jaj od czci i wiary przez dietetyków, chociaż wiadomo powszechnie, że trudno znaleźć drugi naturalny produkt, który byłby tak bogaty w witaminy A, D, F, B1, B12 B-karoten, a poza tym lecytynę, cholinę i cały szereg mikroelementów.

– Wystarczy poczytać biochemię, aby wiedzieć, jak z tym cholesterolem jest, pod warunkiem że potrafi się zrozumieć to, co napisano.

Na temat cholesterolu napisałem chyba wszystko, co jest potrzebne do pełnego zrozumienia tematu. Warunkiem podstawowym jest, aby zainteresowany przeczytał i przeanalizował moje słowa. Uczeni nie czytają nawet tego, co sami napisali, a o zrozumieniu można tylko pomarzyć. Niezależnie od przekonań i poglądów uczonych i nieuczonych, żółtko jaj jest biochemicznie najlepszym produktem dla człowieka, pod warunkiem że ilość węglowodanów jest w diecie niewielka. Z żółtkiem jest tak jak z ogniem. Na pytanie, czy ogień jest dobry czy zły, odpowiedź może być tylko jedna: to zależy. Ogień jest dobry, gdy ogrzewa nasze mieszkania, smaży nasze mięso, gotuje wodę na kawę czy herbatę, produkuje prąd elektryczny, porusza silniki samochodów i samolotów. Jest bardzo zły, gdy człowiek zapala go w nabojach karabinowych i armatnich, był zły w ogniu greckim dawniej, a w napalmie obecnie, w miotaczach ognia czy bombach lotniczych i rakietach. Jest zły, gdy pali nasze lasy i domy, gdy powoduje u ludzi oparzenia. Surowcem do wytwarzania cholesterolu są trójglicerydy, a surowcem do wytwarzania trójglicerydów są węglowodany. Gdy węglowodanów jest w diecie tak mało, aby poziom trójglicerydów we krwi był poniżej 100 mg %, najlepiej poniżej 60 mg %, nie ma warunków technicznych do syntezy trójglicerydów, a następnie do syntezy z nich cholesterolu w komórkach błony wewnętrznej tętnic. Zatem rozwój miażdżycy jest niemożliwy. W tych warunkach następuje szybkie ustępowanie zmian miażdżycowych i wyleczenie z miażdżycy po dłuższym czasie.

– Powinniśmy jeść to co nasi przodkowie, aby uchronić się przed chorobami cywilizacji – radzi amerykański antropolog dr Stone Boyd Eaton. Nasze geny zostały zaprogramowane 10 tysięcy lat temu, gdy człowiek nie uprawiał zbóż i warzyw ani nie hodował zwierząt. Ponieważ to geny sterują procesami biochemicznymi zachodzącymi w naszym organizmie – dowodzi Eaton – jesteśmy przystosowani do diety opartej na mięsie dzikich zwierząt, bo tylko takie zamieszkiwały Ziemię, kiedy kształtował się nasz model przemiany materii. Uczony dodaje poza tym, że połowę życiowej energii powinniśmy czerpać z węglowodanów, lecz ich źródłem powinny być owoce, a nie mąka lub cukier. Zatem taki paleolityczny model odżywiania zakłada, że oprócz dziczyzny będziemy raczyć się orzechami, korzonkami, a nawet liśćmi.

– Powinniśmy rzeczywiście jeść to, co jedli nasi przodkowie. A odżywiali się oni głównie jajkami i szpikiem kostnym. Nawet nie musieli polować. Jajek ptasich i kości udowych bawołu, do zawartości których nie mógł się dobrać żaden drapieżnik, było pod dostatkiem. Ślady ludzi w Afryce spotyka się tylko tam, gdzie znajdowały się równocześnie kamienie potrzebne do rozłupywania kości szpikowych. Zwierzęta trawożerne, którymi odżywiały się drapieżniki w Afryce, były dla potrzeb optymalnego żywienia o wiele za... chude. „Szpik jest to pożywienie najdoskonalej dla człowieka wypracowane przez naturę" – wiedział sławny lekarz grecki Galen. Również autorzy Biblii znali wartość szpiku. Napisali, że gdy ludzie zbudują zapowiadane Królestwo Boże na Ziemi, to Pan Zastępów przybędzie na Ziemię, „zaprosi ludzi na ucztę z tłustości, z wina czerwonego, z tłustości ze szpikiem i przekaże ludziom tajemnicę życia wiecznego".

Geny niczym nie sterują. To one są sterowane i uruchamiane tym, co człowiek zjada. Wszystkie procesy życiowe są uruchamiane i sterowane bezpośrednio lub pośrednio substratami zawartymi w pożywieniu. U człowieka znajduje się od 80 tysięcy według jednych do stu tysięcy genów według innych badaczy. Geny te są różnorodne i umożliwiają dostosowanie się organizmu człowieka do każdego środowiska i do bardzo różnorakiego pokarmu. Ale są uruchamiane tym, co człowiek zjada. Niektóre przez całe życie nie są uruchamiane, jeśli brakuje przypisanych do nich substratów. Gen, to w praktyce enzym, czyli określona maszyna. Nie ma tłuszczu w diecie, nie są uruchamiane geny i enzymy potrzebne do spalania tłuszczu.

Model przemiany materii jest kształtowany przez to, co człowiek zjada. Inna była przemiana materii u kapłanów izraelskich, inna u wojowników, inna u pozostałych Izraelitów, chociaż wszyscy mieli taki sam genotyp, gdyż pochodzili od Jakuba i jego synów. Głównie z powodu jednolitego genotypu Bóg wybrał Izraelitów do doświadczenia, które miało odpowiedzieć na pytanie, czy sztucznie wytwarzana żywność, zwana manną, nadaje się do jedzenia dla człowieka. Po doświadczeniu na dwóch pokoleniach okazało się, że nie bardzo się nadaje.

– „Surowa dieta wegetariańska może prowadzić do osłabienia wzroku" – to cytat z renomowanego „New England Journal of Medicine". Przekonał się o tym 33-letni Francuz, który przez 13 lat unikał nie tylko mięsa, ale też wszelkich produktów zawierających białko zwierzęce. Badania wykazały u niego uszkodzenie soczewki i poważne upośledzenie zdolności widzenia, zaś testy krwi znaczny niedobór witamin i składników mineralnych. Raport angielskiego pisma podkreśla, że osoby odmawiające przyjmowania produktów pochodzenia zwierzęcego muszą wzbogacać swoją dietę. Nie od dziś wiadomo, że dieta, która eliminuje białka i tłuszcze zwierzęce, wpływa negatywnie na funkcjonowanie podstawowych organów człowieka. Ale przecież jarosze nigdy nie byli postponowani przez oficjalną medycynę. Wręcz przeciwnie. Mówiło się, że warzywa, owoce, a nawet zboża, kiełki, to jest właśnie droga do zdrowia i długowieczności. Najpierw zaczęto zastanawiać się nad margaryną i powoli zdejmować ją z piedestału, później rehabilitacji doznały poczciwe jajka. Skąd ten dość nieoczekiwany zwrot?

– Dieta wegetariańska umożliwia jedynie wegetację, jest przyczyną degeneracji fizycznej i umysłowej człowieka, jest przyczyną chorób zaliczanych do pastwiskowych, takich jak choroba Buergera, gościec przewlekły postępujący, choroba Bechterewa, białaczki, nowotwory złośliwe, choroba wieńcowa, miokardiopatia przerostowa, choroba reumatyczna, guzkowe zapalenie tętnic, zapalenie skórno-mięśniowe, jest przyczyną prawie wszystkich kolagenoz z toczniem rumieniowym i trzewnym, sarkoidozy, neurastenii, wysokiej podatności na infekcje wirusowe, niskiej wydajności i jakości pracy, podatności na wirusowe zapalenie wątroby czy zapalenie kłębków nerkowych, jest przyczyną marskości wątroby i niewydolności nerek.

Złe żywienie u wegetarian powoduje patologiczną czynność mózgu, co powoduje, że widzą oni otaczającą rzeczywistość w sposób dokładnie odwrotny od prawdy. Budowa ciała przedstawicieli wszystkich gatunków jest ukształtowana przez odżywianie.

Powszechną zasadą dotyczącą wszystkich gatunków jest zależność między wartością biologiczną spożywanego pokarmu a budową przewodu pokarmowego. Im wartość biologiczna pożywienia jest wyższa, tym przewód pokarmowy jest mniej rozbudowany, gdyż produkty lepsze są bardziej skoncentrowane i bardziej zbliżone chemicznie do składu chemicznego ciała zwierzęcia czy człowieka. Na końcu łańcucha pokarmowego znajduje się człowiek. U zwierząt wielkości człowieka przewód pokarmowy jest znacznie bardziej rozbudowany, przygotowany do trawienia znacznie większej objętościowo masy spożywanego pokarmu.

Człowiek, tylko dzięki umiejętności trawienia pokarmu poza organizmem, co czyni od zarania dziejów przy pomocy ognia, ma najmniej pojemny i najkrótszy przewód pokarmowy oraz najmniejszy żołądek. Ma żołądek mniejszy i przewód pokarmowy krótszy w porównaniu nawet do drapieżników.

Zwierzę o wadze człowieka zaliczane do wszystkożernych, takie jak dzik czy świnia, ma 2-3 razy większy żołądek i o wiele dłuższy przewód pokarmowy. Człowiek ma około 5-7 m jelita cienkiego, a prosiak aż 18 m, ma także większe i dłuższe jelito grube. Zwierzę trawożerne takie jak baran czy owca, ma rozbudowany żwacz, dwa przedżołądki, a samego jelita cienkiego ma około 40 metrów. Takie są fakty.

Główną i groźną chorobą występującą tylko u ludzi jest cukrzyca typu I. Cukrzycę typu I można też wywołać u drapieżników karmionych produktami pochodzenia roślinnego, co jest możliwe tylko przez podawanie produktów roślinnych niejadalnych zupełnie dla drapieżników, ale możliwych do spożycia dzięki obróbce kulinarnej, a to potrafi robić tylko człowiek. W naturze prawie nie występują produkty roślinne jadalne przez drapieżniki, a jeśli występują, to są dla nich i tak niedostępne, np. orzechy kokosowe, włoskie, laskowe, słonecznik, inne nasiona oleiste.

Tymczasem człowiek na surowo mógłby jeść tylko to, co jedzą drapieżniki, oraz inne produkty pochodzenia roślinnego, zbliżone pod względem składu chemicznego do produktów pochodzenia zwierzęcego a niedostępne dla drapieżników.

„Znacznie wyższy rozwój Aryjczyków i Semitów należy wiązać z występującą u nich obfitością mięsnego i mlecznego pokarmu" – pisał Fryderyk Engels. Ogromny postęp, jaki stał się udziałem ludzkości w ostatnich 200 latach, zawdzięczamy tylko niektórym narodom aryjskim, a zwłaszcza Semitom. Narody będące na przymusowej diecie jarskiej, takie jak Chińczycy, Hindusi, Pakistańczycy, prawie wszystkie narody Afryki, Ameryki Środkowej czy Południowej, do ogólnego rozwoju cywilizacji technicznej nie wniosły nic lub prawie nic.

– Jest pan wielkim zwolennikiem ruchu Bractw Optymalnych, wspiera pan ich działania, zachęca, aby integrowały środowiska ludzi, którzy wybrali ten model żywienia, proponuje pan im różne idee i przedsięwzięcia, jak na przykład to, aby założyli własną kasę chorych, a raczej zdrowych. Od takich pomysłów tylko krok do polityki. Czy nie obawia się pan, że na fali popularności diety optymalnej ktoś będzie usiłował zbudować własną karierę na przykład polityczną? A może sam Jan Kwaśniewski będzie startował w wyborach parlamentarnych?

– Stowarzyszenie Bractw Optymalnych powstało oddolnie. Po prostu ludzie, którzy doświadczyli dobrodziejstw ze stosowania żywienia optymalnego pragną pomagać innym. Widzą więcej i patrzą szerzej od innych ludzi.

W tak zdegenerowanym gatunku ludzkim trzeba być wyjątkowym durniem, aby bawić się w politykę. Ludzie rozsądniejsi omijają politykę z tego powodu, że wiedzą, iż nic nie wiedzą. Politycy tego nie wiedzą. Nic nie wiedzą o prawach rządzących w gatunku ludzkim, nie znają przyczyn rzeczy, nie wiedzą co dobre, a co złe. Jeśli się nie wie, co dla ludzi dobre a co złe, podejmowanie się kierowania innymi ludźmi nic dobrego kierowanym ludziom i tym kierującym przynieść nie może.

Dyżurnym argumentem Edwarda Gierka na zarzuty, że w państwie dzieje się źle, była odpowiedź: „A jednak nasza młodzież jest taka dorodna". Faktycznie „dorodność młodzieży" jest wielkim nieszczęściem dla tej młodzieży i dla narodu, ale trzeba o tym wiedzieć. Trzeba wiedzieć, co powoduje tę dorodność i co należy czynić, aby Polacy stali się ludźmi lekkimi, zdrowymi i długo żyjącymi w stałym dobrobycie. Każdy gatunek ma optymalną wysokość ciała i wagę ciała osobników. U człowieka ta optymalna waga i wysokość jest niska. Nie spotkałem żadnego długoletniego optymalnego, który chciałby być politykiem, radnym, posłem, senatorem czy ministrem. Taki optymalny wie, która praca jest dla rodzaju ludzkiego pożyteczna, która bezużyteczna, a która szkodliwa. W całej prawie historii ludzkości praca rządzących powodowała dla narodów tylko szkody i nadal je powoduje. Człowiek biologicznie zdrowy nie może działać na szkodę własnego narodu, zatem nie może przyłączać się do rządzących, których praca jest dla ludzi szkodliwa. Może tylko radzić, aczkolwiek nie ma wśród rządzących ludzi, którzy potrafiliby z tych rad skorzystać, a przynajmniej je pojąć.

Katowice – Ciechocinek
Maj 2000
Wywiad przeprowadził Marek Chyliński

CZĘŚĆ 2

Żywienie optymalne a niektóre choroby

SKĄD SIĘ BIORĄ CHOROBY?

Przyczyną prawie wszystkich chorób jest niekorzystne odżywianie. Informacja przekazana nam przez Herodota, że „z potraw, które się zjada, powstają wszystkie choroby ludzkie", jest jak najbardziej zgodna z prawdą, ponieważ oparta jest na wiedzy uczonych starożytnego Egiptu, a ci, w pewnych okresach, wiedzą dysponowali. Przy każdym innym od optymalnego modelu żywienia, człowiek chorować musi. Jeśli nawet nie na ciele, to na umyśle.

Profesor Aleksandrowicz wiedział, że wszystkie choroby i wszystkie nieszczęścia trapiące rodzaj ludzki mają swoją przyczynę w „wadliwej strukturze i wadliwej czynności mózgów ludzkich".

Wadliwa struktura i wadliwa czynność mózgów ludzkich, powszechna wśród ludzi od czasów popełnienia przez nich tak zwanego grzechu pierworodnego, też ma swoją przyczynę, a tą przyczyną jest nieprawidłowe odżywianie mózgu, którego z kolei przyczyną jest nieprawidłowe odżywianie organizmu ludzkiego.

Zdrowa jest czynność umysłu tylko u ludzi, którzy dysponują wiedzą o sprawach dla ludzi najważniejszych (Staszic, Sedlak, autorzy Biblii), czyli tych, którzy mają dostęp do prawdy. Bowiem prawda jest to zgodność rzeczy z wiedzą.

Takimi prawdziwymi stwierdzeniami są np. stwierdzenia Staszica: „Ludzie nie mają żadnego własnego rozumu, wiara czyni człowieka głupim, poglądy są i będą najszkodliwsze ludziom", czy Sedlaka: „Nauka stała się uczonym trupem myśli" i inne. Człowiek wiedzący, a już zawsze człowiek mądry, używa tylko dwóch słów w ocenie wszystkich zjawisk składających się na życie jednostek i całego rodzaju ludzkiego. Mówi „wiem" gdy wie, i „nie wiem", gdy nie wie, ale wie, w razie potrzeby, jak może się dowiedzieć.

W posiedzeniach każdego rządu, sejmu, senatu, we wszystkich zgromadzeniach ludzi w tak zwanej nauce i w każdej innej dziedzinie działalności ludzkiej, nie słyszy się nigdy słów „wiem" lub „nie wiem", a tylko te, które świadczą o chorej strukturze i chorej czynności mózgu u tych, którzy używają słów wymienionych wyżej lub podobnych do nich, słów, które zawsze świadczą, że dana osoba „nie wie". Gdy mówca nie wie, to nie powinien w ogóle zabierać głosu. Dalej może już tylko bezrozumnie bełkotać. Dlatego w rodzaju ludzkim są choroby, wojny, przestępczość, powszechna jest każda inna szkodliwa dla jednostek i rodzaju ludzkiego działalność.

Nic nie znaczą dobre intencje, gdy nie ma wiedzy. Mało jest chcieć czynić dobrze, gdy nie wie się, co dobre a co złe. A ludzie tego nie wiedzą i nadal nie wiedzieć muszą. Nieważne w jakim kraju jaki rząd rządzi i jakie prawa są uchwalane i wprowadzane. Zawsze ludzie rządzeni byli źle i zawsze stanowili prawa szkodliwe dla swojego własnego gatunku.

Żywienie dla człowieka jest najlepsze tylko wówczas, gdy jest oparte na prawach obowiązujących w naukach ścisłych - fizyce, chemii, biochemii i bioelektronice.

W technice urządzenie jest tym lepsze, im z lepszych materiałów i według lepszych planów jest zbudowane, Ważne jest także źródło energii oraz dokładne przestrzeganie „instrukcji obsługi". Z człowiekiem jest dokładnie tak samo, bo te same prawa obowiązują i w organizmach żywych.

Życie to białko. Białko białku nierówne. Bywa gorsze, lepsze i najlepsze. Najlepsze jest to, którego skład chemiczny jest najbardziej zbliżony do składu chemicznego ciała człowieka. Organizm potrzebuje energii. Bez ciągłego dostarczania energii z zewnątrz życie zamiera, „bowiem procesy plazmowe są wygasające i wymagają stałego zasilania z metabolizmu (przemiany materii)" - Sedlak. Są lepsze i gorsze źródła energii. Najlepsze są te, które na jednostkę wagi dostarczają najwięcej energii w kaloriach (kcal/g) i które potrzebują mniej tlenu na wytworzenie 1 kcal energii.

Potrzebne są składniki niezbędne do prawidłowego funkcjonowania organizmu, podawane w najkorzystniejszych ilościach i proporcjach, które znaleźć można prawie tylko i wyłącznie w produktach pochodzenia zwierzęcego.

Jedynym jak dotychczas modelem żywienia opartym o prawa obowiązujące w naukach ścisłych jest żywienie optymalne. W znanej diecie profesora Lutza, doktora Atkinsa, czy w tak zwanej diecie punktowej dla lotników kanadyjskich, które też są zaliczane do diet niskowęglowodanowych, podstawowe prawa obowiązujące w naukach ścisłych nie są ściśle przestrzegane, zatem te diety mogą powodować określone szkody, ale i tak są one prawie zawsze o wiele lepsze niż wszystkie inne rodzaje odżywiania.

Już w 1972 r. podzieliłem główne modele odżywiania na trzy zasadnicze. Były to diety: kanadyjska, lotnicza i optymalna.

Pierwsze dwie zwykło się określać jako „pastwiskowa" i „korytkowa". O trzeciej jest ta książka.

Dietę pastwiskową stosują tak zwani jarosze, wegetarianie - z przymusu lub z własnego wyboru. Dieta korytkowa to była dieta większości ludzi w krajach bogatych i ludzi o wyższych dochodach w krajach zwanych, żeby było śmieszniej, krajami rozwijającymi się.

Między dietą pastwiskową a korytkową i korytkową a optymalną jest wiele diet pośrednich i każda z nich powoduje określone choroby i inne, zawsze szkodliwe, skutki dla jednostek i społeczeństw. Na ogół, po każdej wojnie, powodzi, nieurodzaju, pomorze bydła, świń czy drobiu, przeciętna dieta ludzi przesuwała się w kierunku pastwiska, a przy przypadkowym zwiększeniu ilości pozyskiwanego wodoru, a zmniejszeniu ilości wytwarzanego węgla, ludzie maszerowali powoli w kierunku korytka, a liczba ludzi stosujących korytkowy model żywienia powoli się zwiększała. W określonym kraju jest najgorzej, gdy liczba stosujących korytkowy model jest najwyższa, a jest ona najwyższa wśród ludzi o najwyższych dochodach.

Masowe pojawienie się takich ludzi wśród elit rządzących w Niemczech, Francji, Austrii, Anglii, innych krajach, było bezpośrednią przyczyną wybuchu pierwszej wojny światowej, o czym, jak dotąd, wiedział tylko Jarosław Haszek, i o czym napisał w „Przygodach dobrego wojaka Szwejka".

W latach 1970-85 w USA, Szwajcarii, Francji, Anglii, Nowej Zelandii, Kanadzie, w innych bogatszych krajach przeciętna dieta ludzi zaczęła powoli od korytka zmierzać w kierunku stołu, co spowodowało w tych krajach gwałtowne cofanie się liczby chorych na choroby cywilizacyjne. W USA np. w okresie dziesięciu lat liczba chorych na nadciśnienie spadła o 70 proc. A potem? Potem popędzono ludzi z powrotem na pastwisko. Wydano ogromne pieniądze na propagandę, przekonano ludzi, że margaryna jest lepsza od masła, żółtka jaj są gorsze od zielonej sałaty, wieprzowina to śmierć, tłuste sery i śmietana to pewny zawał, a najlepszy jest jogurt zero procent tłuszczu, takież mleko, a poza tym dużo zatrutej wody z upraw warzyw pod folią. Matki przekonano, że w czasie ciąży powinny odżywiać się pastwiskowo, a dzieci należy karmić sztucznie, a gdy te nie chcą jeść, instynktownie broniąc się przed szkodliwą żywnością, to trzeba tym dzieciom podawać dianabol czy inne sterydy poprawiające apetyt.

Tak zwana nauka tylko rejestruje zjawiska. Nie wie ona, co jest dobre a co złe w życiu ludzkim, a przy powszechnie patologicznej czynności mózgów uczonych - wie źle. Co złego dzieje się w rodzaju ludzkim nauka uważa za dobre, a co jest dobre, uważa za złe.

Złe są wady wrodzone u dzieci, zła jest duża waga urodzeniowa dziecka i zła jest duża długość jego ciała, złe jest sztuczne karmienie, źle jest gdy dziecko „ząbkuje" coraz to wcześniej, a powinno jak najpóźniej, najlepiej dopiero po ukończeniu 3 roku życia, źle jest gdy matka nie karmi dziecka piersią przynajmniej 2-3 lata, źle jest gdy matka nie ma pokarmu, źle jest, gdy dziecko jest „dorodne" - gdy ma nadwagę czy szybko rośnie. Źle jest, gdy chłopcy dojrzewają coraz wcześniej, a termin pierwszej miesiączki u dziewcząt również się obniża, zła jest nieprawidłowa budowa ciała: długie nogi, długie ręce.

Złe są choroby, złe jest działanie na szkodę osobników z własnego gatunku, zła jest przestępczość, narkomania, zbrojenia, wojny, mozolenie się na próżno, zła jest praca nie przynosząca pożytku, a jeszcze gorsza jest praca powodująca szkody.

Ani uczeni, ani politycy nic nie wiedzą o tych sprawach, zależnościach między nimi, ot, robią tylko to, co im się trafi - jak mówił Sokrates.

Naiwnością jest wiara lub pogląd, że może im się trafić coś rozsądnego i pożytecznego.

Na szczęście optymalnych szybko przybywa, organizują się w Bractwa. Ogólnopolskie Stowarzyszenie Bractw Optymalnych w Jaworznie staje się stowarzyszeniem ogólnoświatowym. To już lawina, której zatrzymać się nie da. Lawina, która spowoduje wyleczenie ludzi z prawie wszystkich chorób, która uzdrowi umysły ludzkie, usunie skutki tak zwanego grzechu pierworodnego, umożliwi rozumne zorganizowanie życia ludzkiego na Ziemi. Mogą to zrobić tylko optymalni, bo wszyscy inni przez wiele tysięcy lat nie potrafili uwolnić ludzkości od chorób, zbrojeń, wojen, przestępczości, mozolenia się na próżno, biedy, głodu, „próżniactwa i pracy zbytniej" (Staszic).

Nie potrafili, zatem i dalej nie będą mogli „potrafić". Bowiem metody wymyślone przez wszelkich „poprawiaczy" świata nie były skuteczne w przeszłości, nie są skuteczne obecnie i nie mogą być skuteczne w przyszłości.

Trzeba te metody zmienić. Można je zmienić tylko w jeden sposób. Najpierw trzeba uzdrowić powszechnie patologiczną czynność umysłów ludzkich. Dopiero tacy ludzie będą mogli odróżniać dobro od zła i nie będą mogli działać na szkodę innych ludzi czy na szkodę przyrody. Takimi ludźmi są już optymalni i oni będą awangardą postępu.

Przyjrzyjmy się jak zmieniały się nasze przyzwyczajenia żywieniowe. W miarę przyrostu produkcji energii zawartej w żywności przypadającej na każdego człowieka, stopniowo i bardzo powoli zmieniają się stosunki między głównymi składnikami odżywczymi, zmienia się przeciętny skład diety i zmieniają się skutki powodowane określonym modelem żywienia.

W każdym narodzie produkcja energii jest różna i tempo przyrostu produkcji energii jest również różne. Bywa, że ilość energii w wytwarzanej żywności zmniejsza się.

W tej dziedzinie ludzkość nie dysponuje żadną wiedzą. Zawsze działał tu przypadek, ale od czasu do czasu, gdy nauka głęboko się zdegenerowała, przypadek został zastąpiony chorobliwymi i szkodliwymi poglądami uczonych. Gdy ludzie nic nie wiedzą, szanse na podjęcie pożytecznych lub szkodliwych działań są zbliżone. Jak orzeł i reszka w rzucie monetą. Gdy „wiedzą źle", a nauka wie tylko źle, szans na pożyteczne działania nie może być i nie ma. Naukowa moneta ma na awersie i na rewersie zawsze reszkę. Zawsze podejmowane są decyzje szkodliwe. Wiedział o tym prof. Sedlak, gdy pisał: „Konsekwencje decyzji uczonych, którzy muszą wybierać zło, bywają nadzwyczaj groźne".

Gdy jakiś naród w przeszłości potrafił wyciągnąć z ziemi, którą zamieszkiwał, więcej energii, powstawała „ wielka cywilizacja". Taka przyczyna wystąpiła u Summerów, starożytnych Egipcjan (zwłaszcza u początków ich cywilizacji), Persów, Greków, Rzymian, a w nowszych czasach spowodowała powstanie Imperium Brytyjskiego i zaowocowała rozwojem techniki i wynalazczości. „Wszystko, co doskonałego w świecie ludzie widzą, jest Anglika dziełem" - pisał Staszic. Tymczasem zarówno Imperium Brytyjskie, rozwój techniki, wynalazki powstały przypadkowo, a nie przez zamierzone działanie. Stało się to w wyniku znacznie zwiększonej (w stosunku do innych narodów) produkcji energii z ziemi. Cała reszta, z komputerami, bronią termojądrową, licznymi wynalazkami, wylądowaniem człowieka na Księżycu, to tylko skutki nagłego i znacznego wzrostu energii pozyskiwanej z ziemi, ściślej z 1 ha na 1 tonę wagi ciała ludzi, jaki pojawił się w Anglii na przełomie XVIII i XIX wieku. Ilość energii pozyskiwanej z ziemi wzrastała aż do roku 1830, czego jednym z ważnych biologicznie skutków było stopniowe opóźnianie się wieku występowania pierwszej miesiączki u dziewcząt w Anglii. Od tego roku ilość pozyskiwanej energii z każdego hektara systematycznie się zmniejszała, co spowodowało przyspieszenie dojrzewania o średnio 5 miesięcy na każde 10 lat i wiek pierwszej miesiączki doszedł średnio do 14,5 roku w latach 70. XIX wieku.

Anglia zeuropeizowała się w jedzeniu i piciu (w produkcji żywności), co, jak słusznie przewidywał Fryderyk Engels, musiało doprowadzić do upodobnienia się Anglików do Niemców czy Francuzów, co z kolei musiało spowodować rozpad Imperium. W naturalnym cyklu określającym miejsce jednostek czy narodów w ich wędrówce do korytka i czasem dalej w całej historii ludzkości bywało tak, że stopniowo i powoli zwiększano ilość energii pobieranej z ziemi. Pojawiał się nadmiar produktów pochodzenia roślinnego, który przeznaczano na pasze dla bydła, trzody, drobiu i innych zwierząt hodowlanych.

Wzrost produkcji żywności pochodzenia zwierzęcego powodował wzrost spożycia tej żywności. Stopniowo poprawiała się wartość biologiczna białka w przeciętnej diecie, co powodowało stopniowe zmniejszanie spożycia białka. Im więcej w diecie było białek pochodzenia zwierzęcego a mniej białek pochodzenia roślinnego, tym bardziej zmniejszało się zapotrzebowanie organizmów ludzkich na białko. Zwiększało się spożycie tłuszczów, głównie zwierzęcych, co wiązało się ze spadkiem spożycia węglowodanów. Wzrost spożycia tłuszczu o 1 g powoduje średnio spadek spożycia węglowodanów o 3 g.

Gdy ludzie sprawujący władzę zaczęli stosować korytkowy model żywienia, przeważnie kończyło się to wojną, za wojną szedł głód, „a za głodem mór" - Staszic („mór" to wielkie epidemie chorób zakaźnych, pojawiające się nie z powodu uzłośliwienia się zarazków, a z powodu osłabienia odporności wygłodzonych organizmów ludzkich). Wojna powodowała zniszczenia i ogromne marnotrawstwo energii. W zabitych, rannych, kalekich żołnierzach tracono gigantyczne ilości energii.

Za faraonów zabicie jednego żołnierza kosztowało kilka centów, w czasie pierwszej wojny światowej kosztowało już 25 tysięcy dolarów, a w drugiej wojnie światowej już ponad 100 tysięcy dolarów, obecnie jest jeszcze bardziej kosztowne.

W każdej wojnie zmniejszało się znacznie pogłowie zwierząt gospodarskich. Zjadano krowy, które powinny wytwarzać białko i tłuszcz, i kury, które powinny znosić jajka. Dalsze straty energii powodowała odbudowa pogłowia zwierząt gospodarskich.

Natura potrafi zabijać bezrozumnych ludzi dużo taniej niż wojna.

Grypa, która przyszła po zakończeniu pierwszej wojny światowej, zabiła więcej ludzi, głównie młodych, niż padło ich na polach wszystkich bitew.

Jeśli rządzący nie potrafią się dogadać, nie potrafią zapobiec zbrojeniom i wojnom, przestępczości i narkomanii, a dotąd nie potrafili, to znaczy, że się do rządzenia nie nadają.

Jeśli medycyna nie potrafi zapobiec występowaniu chorób i nie potrafi chorych skutecznie, tanio, praktycznie bezpłatnie (optymalni) leczyć tak, aby ich wyleczyć, to znaczy, że medycyna nie spełnia swojej roli ochrony zdrowia i że się do tej roli nie nadaje. Lekarzy optymalnych przybywa w Polsce i w wielu innych krajach. Oni leczą skutecznie i praktycznie bezpłatnie, gdyż żywienie optymalne jest tańsze niż przeciętne, a ponad 90 proc. optymalnych odstawia wszystkie leki, przestaje chodzić do lekarzy, przestaje opuszczać pracę, pracuje lepiej i wydajniej.

W kazaniu o zbawieniu człowieka w dniu 27.01.1980 r. ks. prof. Sedlak mówił: „Nie ma się co dziwić, że zbawców ludzkości było już tak wielu w historii świata. I co? No i co? I nic - człowieka można dalej zmieniać jak dawniej (skutki będą takie same - przyp. autora). Różnych metod używano do poprawy świata - przez wybijanie całych narodów, przez obietnice, pedagogiczny wpływ, pieniądze, miraże, święte wojny, nienawiść, konflikty, skłócenia, wyzwolenia.

Optymalni sprawdzili moją wiedzę na sobie i doskonale wiedzą, że sprawdza się ona w praktyce.

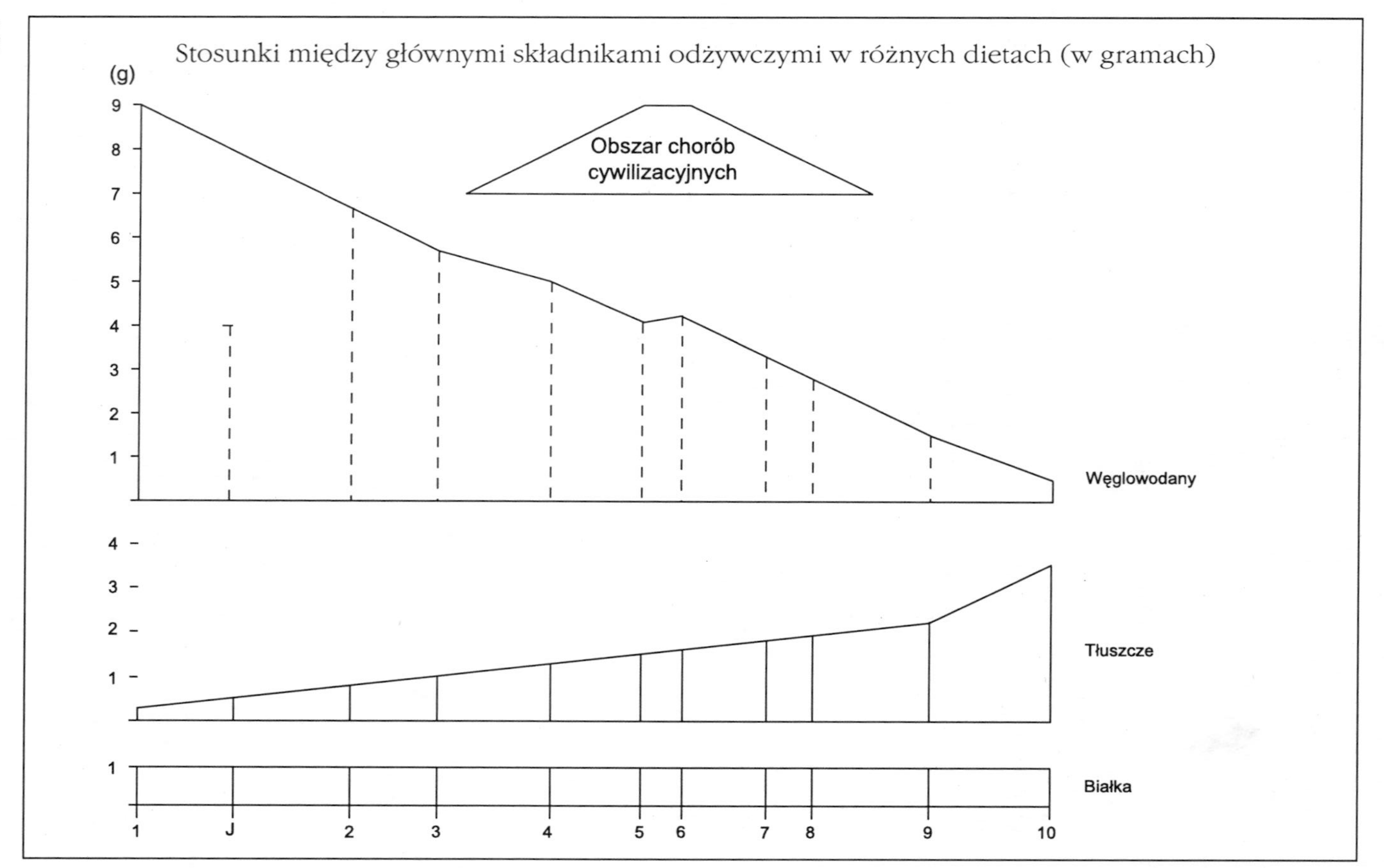
Stosunki między głównymi składnikami odżywczymi w różnych dietach (w gramach)
(g)
9
8
7
6
5
4
3
2
1
Obszar chorób cywilizacyjnych
Węglowodany
4
3
2
1
Tłuszcze
1
Białka
1
J
2
3
4
5
6
7
8
9
10

Na wykresie podano zawartość tłuszczu i węglowodanów w różnych dietach w stosunku do białka, wyrażone w jednostkach wagowych. Zawartość białka przyjęto jako jedną jednostkę.

Cyfry u dołu wykresu oznaczają, ile - licząc w pionie - zawartych jest w diecie tłuszczy i węglowodanów na 1 g białka:

1. Chleb średnio
2. Polska 1947/48 - przeciętna dieta wyliczona z przeciętnego spożycia
3. Polska 1955
4. Polska 1969 średnio i gospodarstwa chłopskie w Polsce w 1978 r.
5. USA 1949
6. Polska 1978 tylko w gospodarstwach domowych o dochodach powyżej 36 000 zł rocznie na głowę ludności
7. USA 1972
8. USA 1978
9. Początek obszaru żywienia optymalnego
10. Żywienie optymalne

Wykres przedstawia więc stosunki między głównymi składnikami odżywczymi w różnych dietach, od występujących w chlebie, przez dietę pastwiskową, korytkową, aż do optymalnej. Między tymi głównymi dietami występuje nieskończona liczba diet pośrednich, tak że praktycznie każdy człowiek ma swój indywidualny skład diety i ukształtowany przez tę dietę skład organizmu, określony typ przemiany materii, tryb życia, chorób, czynności umysłu, jakości życia i jego długości.

Literą **J** zaznaczono dietę japońską, która jest dietą sztuczną. Zawiera dużo białka o niezbyt wysokiej jakości (ryba), mało tłuszczu, dużo węglowodanów w postaci głównie skrobi (ryż). Dieta ta chroni przed chorobami cywilizacyjnymi, ale powoduje inne choroby. Nie powoduje miażdżycy, ale powoduje stwardnienie tętnic, zwłaszcza mózgowych, spowodowane niedoborem kolagenu w diecie. Jest przyczyną bardzo częstych krwotoków mózgowych spotykanych u starszych ludzi w Japonii. Dieta japońska jest lepsza od większości znanych diet i modeli żywienia, ale nie jest najlepsza dla czynności mózgu. Może być stosowana u tych, którzy nie chcą czy nie mogą żywić się optymalnie. W warunkach europejskich rybę może zastąpić chudy ser (kluski z serem, naleśniki z serem, serniki), a ryż - wszystkie produkty zbożowe.

Na wykresie stosowanie spotykanych dotąd diet zakończono na roku 1978 w USA.

W następnych latach, po rozpowszechnieniu się różnych niskotłuszczowych i niskokalorycznych modeli żywienia, podawanie przeciętnego spożycia głównych składników odżywczych w przeciętnej diecie mija się z celem. Gdy np. połowa ludzi żywi się pastwiskowo a połowa optymalnie, to przeciętny skład diety wyjdzie taki, jak przy żywieniu korytkowym.

ZAWARTOŚĆ GŁÓWNYCH SKŁADNIKÓW ODŻYWCZYCH W RÓŻNYCH DIETACH I PROCENT ENERGII UZYSKIWANEJ W DANEJ DIECIE Z GŁÓWNYCH SKŁADNIKÓW ODŻYWCZYCH

Nr diety	Stosunek **B** : **T** : **W** w jednostkach wagowych	Stosunek **B** : **T** : **W** w % energii
1	1 : 0,3 : 9	9,7 : 6,3 : 84
2	1 : 0,8 : 6,7	9,5 : 17 : 93,5
3	1 : 1 : 5,7	11 : 25 : 6
4	1 : 1,3 : 5	11 : 33 : 56
5	1 : 1,5 : 4,1	12 : 40 : 48
6	1 : 1,6 : 4,3	11 : 42 : 47
7	1 : 1,8 : 3,2	13 : 50 : 37
8	1 : 1,9 : 2,8	12 : 53,5 : 34,5
9	1 : 2,2 : 1,5	13 : 67 : 20
10	1 : 3,5 : 0,5	10,5 : 84 : 5,5

Uwaga: liczba chorych na choroby cywilizacyjne i liczba tych chorób zaczynają się zmniejszać przy spadku spożycia węglowodanów poniżej 40 proc. w przeliczeniu na wartość kaloryczną. W USA choroby cywilizacyjne zaczęły ustępować od początku lat 70. głównie wśród ludzi o wysokich i średnich dochodach. Właśnie w tym okresie zaobserwowano w USA wyraźną zależność między ustępowaniem chorób cywilizacyjnych a wysokością dochodów. Po prostu, ludzie o wyższych dochodach zawsze w USA zjadali więcej produktów pochodzenia zwierzęcego niż przeciętnie i niż spożywali ich ludzi o niskich dochodach.

W końcu lat 70. stwierdzono w USA szybkie cofanie się chorób cywilizacyjnych, zmniejszanie liczby zawałów, udarów, zmniejszenie śmiertelności w zawale - ale tylko śmiertelności przedszpitalnej. W szpitalach wszystko było po staremu. Nie stwierdzono zmniejszenia liczby zawałów tylko u mężczyzn w wieku powyżej 65 lat, ale tylko u mężczyzn z wykształceniem podstawowym. W 65 r. życia odchodzą w USA na emeryturę głównie pracownicy fizyczni, a ci zarabiają mniej, emerytury również mają niższe od przeciętnej.

Rządzące w bogatych krajach elity od pokoleń znajdują się między korytkiem a stołem, jedni bliżej stołu, inni dalej, ale nigdy na tyle blisko, aby mogli być ludźmi w pełni zdrowymi i o w pełni zdrowej czynności mózgów. Są sprytniejsi, wiedzą więcej od inaczej odżywiających się, i tę wiedzę wykorzystują nie dla dobra rodzaju ludzkiego, a dla swojego dobra.

John Davidson Rockefeller, żyjący w latach 1839-1937 (przeżył 98 lat) w 1923 r. utworzył fundację naukową. Fundacja ta np. przekazała duże sumy na badania śladów przodków ludzkich i historii życia na Ziemi.

Jak wyraził się dyrektor tej fundacji, wydano duże środki na badania po to, aby dokładniej poznać rodowód człowieka, co pozwolić by mogło na usprawnienie rządzenia masami ludzkimi.

Rządzący (i posłuszna im nauka) popędzili ludzi na pastwisko, a sami przesunęli się bliżej stołu.

Badania wykonane w USA wykazały, że dzieci z rodzin od pokoleń bogatych rodzą się małe, są chude, ważą niewiele, najpóźniej dojrzewają, są przeważnie „opóźnione w rozwoju". Einstein w młodości też z tych przyczyn był uważany za przygłupa. Z tych właśnie pozornie niedorozwiniętych dzieci wyrastają ludzie potrafiący dobrze pilnować interesu. Co wyrosło z młodego Einsteina wiedzą prawie wszyscy.

Do około 1980 r. we wszystkich krajach stosunki między głównymi składnikami odżywczymi były regulowane przez naturalne mechanizmy powodujące stopniowy wzrost spożycia białka zwierzęcego kosztem roślinnego i wzrost spożycia tłuszczu kosztem spadku spożycia węglowodanów, średnio na 1 g zwiększenia spożycia tłuszczu o 3 g zmniejszało się spożycie węglowodanów. Postępy w rolnictwie i hodowli pozwalały na przeznaczanie stopniowo coraz większej ilości zboża i innych produktów roślinnych na paszę dla bydła, trzody i innych zwierząt gospodarskich. Efektem było ogólne zwiększenie spożycia produktów pochodzenia zwierzęcego kosztem zmniejszenia spożycia produktów pochodzenia roślinnego.

Te naturalne mechanizmy były i jeszcze są zaburzane przez różne nakazy i zakazy religijne, wprowadzone wyłącznie w celu uzyskania degradacji biologicznej i umysłowej podstawowych mas ludzi. Niewolnicze odżywianie daje niewolniczy umysł, dużą produkcję potomstwa, niską wydajność pracy, powoduje, że ludzie są ubodzy duchem, cisi i pokornego serca, posłuszni tym, którzy nimi rządzą.

Posty w religii katolickiej (było 170 dni postów w każdym roku), nakazy żywienia w islamie, hinduizmie i innych religiach miały na celu utrzymanie „bydła ludzkiego" na poziomie bezmyślnego, wierzącego, nędznego, niewolniczego bytu. Gdy się nie udawało utrzymać ludzi na pastwisku, zawsze wymyślano wojny, które pędziły ludzi na pastwisko. Następował pokój i cykl ten rozpoczynał się od nowa, aż do następnej wojny.

W drugiej połowie XX wieku sporo się zmieniło. Wynaleziono bronie, których rządzący boją się użyć, bo również oni sami musieliby zginąć. Trzeba było zmienić metody. Zamiast wojen wymyślono diety niskokaloryczne, niskotłuszczowe, wydano ogromne środki na reklamę, na przekonywanie ludzi, że tłuszcze zwierzęce są najgorsze, żółtka to na pewno miażdżyca, że najlepsze są owoce i warzywa. Tymczasem nawet zwierzę trawożerne padnie, jeśli naje się owoców, np. gruszek, a przecież człowiek jest superdrapieżnikiem! Ludziom o umysłach odżywianych przez ich organizmy odżywiane produktami pochodzenia roślinnego wszystko można wmówić. Hitler mówił, że „ludzie najłatwiej uwierzą w największe kłamstwo. W prawdę nie uwierzą nigdy". Aby wierzyli, trzeba ich utrzymywać na pastwisku. W pewnym okresie aż 98 proc. pastwiskowo odżywianych Niemców zawierzyło Hitlerowi i poparło go w wyborach.

W ostatnich 50 latach duże wojny stały się zbyt niebezpieczne dla rządzących. Wojny małe okazały się być niewystarczające. Za mało w nich zabitych, za mało zniszczeń, za małe koszty wojen, brak istotnego wpływu na produkcję i spożycie żywności.

Wymyślono setki różnych diet. Niezależnie od tego, kto je wymyślał, czy jednostki zupełnie niekompetentne (dieta Diamondów, sposób na odchudzanie wymyślony przez Demisa Roussosa), czy też instytucje złożone z osobników dobieranych zawsze drogą selekcji negatywnej (FAO, dieta 1000 kcal, piramida żywnościowa, inne), skutki są takie same. Zawsze płaci człowiek chorobą.

Im bardziej bezrozumną i im mniej nadającą się dla człowieka jest jakaś dieta, tym więcej znajduje zwolenników.

Żywienie optymalne tym różni się od wszystkich innych modeli żywienia, że:

1. Jest oparte o prawa rządzące w naukach podstawowych - fizyce, chemii, biochemii.
2. Jest oparte o zasady stosowane od dawna we wszystkich urządzeniach technicznych.
3. Zwiększa objętość mózgu u zwierząt o 8 proc., poprawia zdolność uczenia zwierząt o 40 proc., daje najwyższy poziom związków fosforowych aktywnych w mózgu (akumulatorów), które nawet u szczurów stanowią główne źródło energii dla mózgu i serca u ludzi stosujących żywienie optymalne. Tylko takie źródło energii umożliwia zdrową czynność mózgu ludzkiego (i serca), tylko takie źródło energii było przekazane człowiekowi przez Boga (bogów). Tylko tak odżywiony i według podanych wyżej zasad zbudowany mózg działa poprawnie, po ludzku, zdrowo, i tylko człowiek mający w głowie tak zbudowany i tak zasilany mózg potrafi odróżniać dobro od zła, nie może „mozolić się na próżno", nie może działać na szkodę innych osobników z własnego gatunku ani na szkodę przyrody. Takimi byli ludzie w rajskim okresie życia, takimi być przestali w wyniku wprowadzenia do spożycia produktów dla człowieka niejadalnych na surowo, możliwych do spożycia dopiero po ich nadtrawieniu przy pomocy ognia. Tylko człowiek gotuje, smaży, piecze, wędzi, pekluje, miele, czyli trawi poza organizmem. Kukurydza, ryż, pszenica, żyto, inne zboża, ziemniaki, groch czy fasola są dla człowieka niejadalne na surowo i jako takie nie nadają się do spożycia dla ludzi. Gdy człowiek je zjada, zawsze płaci: patologiczną budową i czynnościami swojego mózgu, chorobami serca, innymi chorobami, przyspieszonym dojrzewaniem, skróconym życiem, bydlęcym, niewolniczym bytem, nienawiścią do innych, „przy czym pracuje, ile tylko może, nad zagładą własnego gatunku" (Immanuel Kant). Wszystkie choroby i wszystkie nieszczęścia trapiące ludzi są spowodowane przez spożywanie produktów dla nich nie przeznaczonych. Nieprzestrzeganie tej instrukcji było skutkiem tak zwanego grzechu pierworodnego, który zamienił rozumny, zdrowy, długowieczny gatunek ludzki w gatunek zdegenerowany, o zawsze chorym umyśle. Salomon mówił, że liczba głupców jest nieskończona. Se-

dlak, że tylko człowiek głupi wie wszystko, z wyjątkiem tego, że jest głupi. Wiedział on też, że tylko Salomon i Tomasz z Akwinu prosili Boga o mądrość. Tym trzecim był dotychczas właśnie ks. prof. Włodzimierz Sedlak.

4. Wiedza obejmująca żywienie optymalne została potwierdzona w badaniach naukowych.
   W badaniach na ludziach udowodniono, że żywienie optymalne nie powoduje jakichkolwiek szkód dla organizmu ludzkiego, a poprawa lub wyleczenie następuje w każdym przypadku (prof. Henryk Rafalski i recenzenci badań - prof. Jan Hasik i prof. Jan Tatoń).
5. Sprawdziła się na milionach chorych, którzy dzięki stosowaniu żywienia optymalnego uzyskali prawidłową wagę ciała, pozbyli się chorób, uzyskali zdrową czynność umysłów, umiejętność odróżniania dobra od zła, inną jakość życia i prawie zawsze - szczęście. „Od tego czasu, jak jem jak człowiek, to czuję się jak człowiek, a nie trwożliwe, chore, bezrozumne bydlę ludzkie, jak było dawniej" - napisał jeden z optymalnych.

Przy żadnym innym modelu żywienia (diecie) takich badań nie przeprowadzono, a już takich efektów, jakie występują u stosujących żywienie optymalne, nie uzyskano przy żadnej diecie i przy żadnym innym modelu żywienia czy leczenia.

Ludzie, którzy nawet nie wiedzą, że istnieje model żywienia, który daje zdrowie i jako jedyny - zdrową czynność umysłu ludzkiego, nie wiedzą nic. Takimi są obecnie wszyscy uczeni, politycy i - filozofowie. Ludzie uważają filozofię za królową nauk. Sedlak, człowiek, który wiedział, powiedział o filozofii, że jest ona najgłupszą profesją. Trzeba wiedzieć, aby mieć prawo radzić innym. Wiedzą tylko osoby stosujące żywienie optymalne przez odpowiednio długi czas. To oni są tymi ludźmi, których pojawienia Bóg (bogowie) przepowiedział w tak zwanej piątej tajemnicy fatimskiej: „Jeden na dziesięciu otrzyma moc leczenia chorób, ale tylko u tych, którzy go poproszą o pomoc". Ci ludzie już są wśród nas. Jest ich najwięcej w Polsce i wśród Polaków w USA, Kanadzie, Niemczech, Australii i w wielu innych krajach. Ich liczba rośnie lawinowo. Budowę zdrowego, rozumnego i dobrego rodzaju ludzkiego można będzie rozpocząć i skutecznie ukończyć, gdy optymalni będą stanowili przynajmniej 10 proc. ogólnej liczby ludzi.

CHOROBA BUERGERA

Jest to choroba z autoagresji spowodowana określonym, nieprawidłowym składem diety. Przed 100 laty była nawet zwana chorobą polską ze względu na bardzo częste występowanie na naszych ziemiach. Tam, gdzie jest choroba Buergera, miażdżycy być nie może. Choroba Buergera jest zaliczana do tak zwanych zespołów antymiażdżycowych. Jest to typowa choroba pastwiskowa. Głównym źródłem energii u chorych na chorobę Buergera są węglowodany spalane w szlaku heksozowym, a wolne kwasy tłuszczowe są spalane głównie w czasie stresu przez narządy uprzywilejowane w zaopatrzeniu, takie jak mózg czy serce.

Określony skład diety jest przyczyną nadmiernego spalania węglowodanów i nadmiernego wytwarzania hormonów zwężających tętnice, takich jak adrenalina czy noradrenalina. Komórki ścian tętnic nie mogą żyć przy tak złym zaopatrzeniu, jakie otrzymują. Najgorzej ukrwione są tkanki obwodowe - stopy, podudzia i dłonie. Komórki te buntują się, zaśmiecają środowisko organizmu produktami swojej przemiany materii, które powinny na miejscu utylizować. Nie mogą tego robić, bo nie mają tyle energii, ile potrzeba i brakuje im białka, z którego mogłyby zbudować potrzebne enzymy (maszyny). Do spalania cukru (glukozy) w organizmie potrzebny jest magnez. Organizm chorego spala bardzo dużo cukru, zużywa przy tym dużo magnezu. Poziom magnezu u chorych na tę chorobę jest 3 razy wyższy niż u zdrowych. We wszystkich chorobach „pastwiskowych" występuje hypermagnezemia" to znaczy podwyższony poziom magnezu w tkankach i w surowicy krwi.

Organizm pobiera z pożywienia tyle i takich minerałów, jakie potrzebuje. Jeśli pobiera dużo magnezu, to oznacza, że ten organizm spala dużo węglowodanów w szlaku heksozowym, tym typowym dla trawożernych i niewolników, przy którym synteza (tworzenie) cholesterolu jest 300 razy mniejsza niż przy przetwarzaniu glukozy w szlaku pentozowym. Dlatego u tych chorych miażdżyca nie powstaje. Ale choremu jest wszystko jedno z jakiego powodu zatykają się jego tętnice w rękach czy nogach. Jest mu wszystko jedno z jakiego powodu nie może chodzić, bolą go stopy, palce wrzodzieją lub usychają jak u egipskiej mumii, wyje po nocach z bólu.

Niedawno w TV pokazano film o naszym rekordziście świata w pływaniu sprzed lat, chorym na chorobę Buergera. Miał bardzo silne bóle w nodze, stał całymi dniami i nocami, bo w pozycji stojącej bóle były mniejsze. Nie mógł jeść, ale dwa litry bardzo słodkiego kompotu wypijał na raz. Profesor występujący w filmie powiedział, że zupełnie nie wiadomo, dlaczego ta choroba pojawia się u jednych ludzi, a inni nie chorują, że to taki ślepy los i nie wiadomo na kogo popadnie. W tym czasie, gdy sportowiec chorował, znałem już przyczynę choroby Buergera i wyleczyłem sporą grupkę chorych z tej choroby. Pomóc mu nie mogłem - dzięki lekarzom.

Palenie tytoniu wpływa bardzo niekorzystnie u chorych na chorobę Buergera, podobnie jak u chorych na wszystkie pozostałe choroby pastwiskowe, czyli tak zwane zespoły antymiażdżycowe, ponieważ u tych chorych występuje ogólna i miejscowa przewaga układu sympatycznego, a palenie tą przewagę zwiększa, wpływa niekorzystnie na skład diety tych chorych, zwęża i tak już zwężone naczynia tętnicze.

Papierosy w dawce powyżej 40 sztuk na dobę działają odwrotnie. Porażają układ sympatyczny, co powoduje zwiększenie przewagi układu parasympatycznego, co powoduje z kolei rozszerzenie naczyń tętniczych i zmniejszenie bólów. Nie oznacza to wcale, że chory na chorobę Buergera powinien palić 40 i więcej papierosów. Chory na chorobę Buergera żywi się źle. Papierosy kosztują dużo. Jeśli wyda dużo pieniędzy na papierosy, to musi wydać mniej na jedzenie. Czyli musi kupować jedzenie tańsze, a tańsze jest jedzenie pastwiskowe, które jest przyczyną choroby.

Organizm może poprawić zaopatrzenie jednych tkanek kosztem innych. Ale musi mieć z czego zabrać. Gdy nie ma z czego, żadne leki czy zabiegi, czy duża ilość wypalanych papierosów pomóc nie może. W chorobie Buergera nie występują zmiany zarostowe zapalne w tętnicach mózgowych, ponieważ tętnice mózgowe nie zwężają się pod wpływem przewagi układu sympatycznego: adrenaliny, noradrenaliny.

Stan zdrowia chorych na chorobę Buergera podczas leczenia szpitalnego z zasady pogarsza się. Często chory idzie do szpitala na własnych nogach, a wychodzi bez nogi czy nóg. Dieta w szpitalu jest dietą pastwiskową, która musi nasilać postęp choroby. Ponadto stres spowodowany pobytem w szpitalu powoduje brak apetytu i zmiany w żywieniu na jeszcze gorsze. Odwiedzający chorego w szpitalu przynoszą choremu kwiatki, które bezpośrednio nie szkodzą, ale przynoszą też kompoty, słodycze, czekoladki, soki owocowe czy owoce. A te produkty już szkodzą.

W „Arkadii" przebywało 53 chorych na chorobę Buergera, w tym 10 kobiet. Średni wiek chorych wynosił 34 lata (od 21 do 47 lat), chorujących średnio 10,2 lat (od 6 miesięcy do 21 lat).

Chorych z mniej zaawansowaną chorobą starałem się nie przyjmować ze względu na ograniczoną ilość miejsc, a poza tym oni mogli wyleczyć się w domu. Po amputacji kończyny było 16 osób, po innych amputacjach było 15, po sympatektomiach (od 1 do 4) było 37 osób.

Sympatektomia to leczenie operacyjne polegające na przecięciu nerwów układu sympatycznego, tego zwężającego tętnice. Po operacji więcej krwi do nogi czy ręki nie dopływa. Zmienia się tylko jej rozmieszczenie. Skóra robi się gorąca, a mięśnie stają się jeszcze bardziej niedokrwione. Często po zabiegu występuje gwałtowne pogorszenie i nogę trzeba amputować. Czasem po operacji, a częściej po 3-4 operacjach, występuje poprawa. Na ogół odnerwia się jedną nogę, czasami obie, gdy trzeba odnerwia się jedną lub obie ręce. Skóra odnerwionych kończyn staje się gorąca, chory zaczyna tracić dużo ciepła. Aby tę utratę ciepła wyrównać, musi więcej ciepła wytwarzać. Aby wytwarzać więcej ciepła, musi nie tylko jeść więcej. Musi jeść inaczej. A to inaczej różni się od diety powodującej zachorowanie na chorobę Buergera, zbliża dietę w kierunku korytkowym, a na takiej diecie na chorobę Buergera już się nie choruje.

Na ogólną liczbę 53 chorych znaczne owrzodzenia palców, stóp, podudzi, kikutów pooperacyjnych występowały aż u 41 chorych. Bóle spoczynkowe występowały u 36 chorych. W chorobie Buergera bóle są bardzo silne. Często wymagają podawania narkotyków.

Na 53 chorych, którzy teoretycznie powinni mieć 106 zdrowych nóg, próbę wysiłkową można było wykonać tylko na 29 kończynach dolnych. Pozostałe 77 nóg nie nadawało się do wykonania tej próby. Albo ich nie było, albo były tak znacznie owrzodziałe, że próby nie można było przeprowadzić.

U chorych stosowano prądy selektywne PS na kończyny dolne, czasem, w razie potrzeby, również na kończyny górne. Leczeniem przyczynowym było żywienie optymalne. Uzyskano następujące wyniki: bóle spoczynkowe kończyn występujące u 36 chorych ustąpiły u 25 w okresie od 1 dnia do 12 dni, średnio po 7 dniach. U wszystkich pozostałych zmniejszyły się znacznie, tak że nikt nie musiał brać już narkotyków czy innych leków przeciwbólowych. W okresie pobytu owrzodzenia wygoiły się u 5, u wszystkich pozostałych zaczęły się goić. Szybko ustępowały obrzęki, sinica, plamy na skórze.

Chodzić z bólami mogło tylko 20 chorych. Tylko u nich można było zmierzyć tak zwany dystans chromania, czyli dystans w metrach, jaki mogli przejść do czasu, gdy pojawiający się ból uniemożliwiał dalsze chodzenie.

Spośród 20 chorych, którzy mogli chodzić, u 8 objawy chromania ustąpiły, u 12 wydłużył się dystans chromania o średnio 1100 proc. I to w okresie 12 dni. Siła mięśni kończyn dolnych wzrosła średnio o 55 proc., zaopatrzenie w krew kończyn zwiększyło się średnio o około 240 proc.

Pobudzenie maksymalne nerwów naczyniorozszerzających może u zdrowych zwiększyć przepływ maksymalnie o 500 proc. U chorych poprawa ukrwienia po leczeniu prądami selektywnymi jest o połowę mniejsza, ale i tak nie do uzyskania przy pomocy wszystkich innych metod leczenia.

„Gdybym wiedział, że taki doktor Kwaśniewski istnieje, to miałbym obie nogi i żyłbym jak człowiek" - napisał chory wyleczony z choroby Buergera. Ministrowie zdrowia, rada naukowa przy ministrze zdrowia, wielu profesorów o tym już od dawna wiedziało, ale chorym powiedzieć nie chciało. Wyjątków prawie nie było.

Każdy chory, który przebywał w „Arkadii" z chorobą Buergera, został z tej choroby wyleczony. Tylko nie odrosły im już odcięte nogi czy palce. Wyleczone zostały setki chorych na tę chorobę. Nawrotów choroby nigdy nie było. Wszystkie owrzodzenia, czasem bardzo duże, wygoiły się po kilku miesiącach, najdalej po 20 miesiącach.

Niedawno spotkałem chorego, który przebywał w Arkadii w grudniu 1987 r. Miał 7 palców u stóp, jak u mumii egipskiej - były czarne i martwe. Po kilku miesiącach sam w domu poodcinał sobie te palce żyletką, niektóre odpadły same. Za 9 miesięcy był już zdrowy i jest zdrowy do dziś.

Choroba Buergera jest straszną chorobą, prowadzącą do kalectwa i przedwczesnej śmierci, powoduje ogromne bóle i zamienia życie chorego w piekło. Nadal tak się dzieje, pomimo że każdy kolejny minister zdrowia z obecnym włącznie, wielu profesorów i lekarzy od dawna wiedzą, że tak być nie musi. Jeśli się nie wie, trzeba się uczyć, a już na pewno nie wolno nie sprawdzić.

CHOROBA BECHTEREWA

Jest to zesztywniające zapalenie stawów kręgosłupa, choroba z autoagresji, pastwiskowa, spowodowana określonym, niekorzystnym odżywianiem. Jest przyczyną silnych bólów stawów i kręgosłupa, powoduje zniekształcenia kręgosłupa, innych stawów, zniekształcenia postawy ciała, usztywnienie kręgosłupa. Jest przyczyną inwalidztwa, dość często jest przyczyną kalectwa. Ogranicza zdolność do pracy.

Liczba chorych na tę chorobę wzrasta po każdej wojnie. Choroba dotyczy głównie mężczyzn, może pojawiać się u kilkunastoletnich dzieci.

Choroba postępuje, jej leczenie jest mało skuteczne, często nieskuteczne. Znacznie obniża jakość życia.

Żywienie optymalne jest leczeniem przyczynowym w tej chorobie. Poprawę stanu zdrowia znacznie przyspiesza stosowanie prądów selektywnych PS, które rozszerzają naczynia tętnicze, poprawiają zaopatrzenie tkanek w „części zamienne", energię i tlen.

Zmiany chorobowe i dolegliwości z nimi związane w chorobie Bechterewa ustępują nawet szybciej niż u chorych na inne kolagenozy, czyli choroby tkanki łącznej. Jest wiele czynników ułatwiających zachorowanie na różne kolagenozy, ale czynniki te działają szkodliwie tylko na ludzi o określonym, nieprawidłowym składzie diety. Eskimosi na Grenlandii nie chorowali na gościec przewlekły postępujący i chorobę Bechterewa ani na inne kolagenozy mimo narażenia na zimno i wilgoć. Na choroby te nie chorują pasterze.

Ponad połowa chorych na kolagenozy, to chorzy na gościec przewlekły postępujący. Inne choroby z tej grupy: choroba Bechterewa, toczeń rumieniowy rozsiany, guzkowe zapalenie tętnic, sklerodermia, zapalenie skórno-mięśniowe, rumień guzowaty, inne rzadsze choroby z tej grupy ustępują po wprowadzeniu żywienia optymalnego równie szybko, jak ustępują u chorych na gościec przewlekły postępujący. I w tych chorobach należy zwiększyć spożycie produktów zawierających dużo tkanki łącznej.

W „Arkadii" przebywało 24 chorych na chorobę Bechterewa, w tym 20 mężczyzn i 4 kobiety w wieku od 22 do 56 lat, średnio w wieku 36,8 lat. Średni wiek zachorowania wynosił 24 lata (od 12 do 54 lat), czasokres trwania choroby 12,8 lat (od 2 do 21 lat), czyli u większości choroba była zaawansowana. Uzyskano wyniki: bóle stawów i kręgosłupa ustąpiły całkowicie u 11 chorych, ustąpiły bóle stawów bądź kręgosłupa, zmniejszyły stawów lub kręgosłupa u 4 chorych, znacznie się zmniejszyły u 7.

Niewielką poprawę zaobserwowano u chorego krańcowo wyniszczonego, chorego ponadto na skrobiawicę, nadciśnienie i niewydolność nerek. U tego chorego OB obniżyło się tylko o 5 (ze 120 do 115).

Chora w wieku 52 lat, chorująca na chorobę Bechterewa od 18 lat, od 4 lat nie chodząca, po 4 miesiącach żywienia optymalnego w domu przyjechała samodzielnie, w dobrym stanie zdrowia i dobrej sprawności.

Przy przyjęciu średnie OB wynosiło 68,3 (od 6 do 126), po 12 dniach pobytu obniżyło się do średnio 38,3 (od 0 do 115), to jest obniżyło się średnio o 44 proc.

Stosowano tylko żywienie optymalne i prądy selektywne na kręgosłup. Żadnych ćwiczeń nie stosowano. Na ćwiczenia było za wcześnie.

Bez ćwiczeń ruchomość kręgosłupa mierzona odległością palców od podłogi przy wyprostowanych kolanach i pochyleniu do przodu znacznie się zwiększyła. Odległość między palcem środkowym dłoni i podłogą wynosiła średnio 45,5 cm, a po 12 dniach tylko 23,3 cm średnio.

Prawie wszyscy chorzy z tej grupy w warunkach domowych odzyskali pełną sprawność fizyczną i zapomnieli, że kiedykolwiek byli chorzy na chorobę rzekomo nieuleczalną.

Czy ćwiczenia fizyczne są dobre dla chorych na choroby gośćcowe, czy też są złe? Trzeba wiedzieć, kiedy konkretnemu choremu ćwiczenia fizyczne przyniosą pożytek, a któremu zaszkodzą. Jeżeli się tego nie wie, lepiej jest nie radzić wcale.

W obozach koncentracyjnych często stosowano „gimnastykę" w celu szybszego wyniszczenia więźniów. Chorzy na kolagenozy żywią się niewiele lepiej, niż byli odżywiani więźniowie w obozach. Ćwiczenia im przeważnie szkodzą. Szkodzą zawsze, gdy OB jest wysokie. Szkodzą rzadziej, gdy OB jest poniżej 30 po 1 godzinie. Są pożyteczne, gdy OB jest poniżej 15, a chorzy stosują żywienie optymalne. Zatem po 1 - 2 miesiącach od wprowadzenia żywienia optymalnego można stopniowo zacząć ćwiczenia, stopniowo zwiększając ich ilość. Ćwiczymy tylko wówczas, gdy nie boli.

STWARDNIENIE ROZSIANE

Jest to choroba z autoagresji, spowodowana wyłącznie określonym, nieprawidłowym składem diety. Należy do zespołów antymiażdżycowych, jest typową chorobą „ubogopastwiskową".

Nie występuje np. w Indiach, pojawia się rzadko u Hindusów, którzy wyemigrowali do Anglii, natomiast u dzieci tych Hindusów występuje równie często jak u dzieci rodowitych Anglików.

W Indiach nie można odżywiać się tak źle, aby zachorować na SM, w Anglii można. W Polsce również można. W krajach ubogich nie ma tak dużo tak złej żywności, aby układ nerwowy musiał się buntować, a organizm go niszczyć. W krajach bogatych takiej żywności jest dużo. W mózgu, móżdżku, rdzeniu kręgowym występują zmiany chorobowe. Choroba zaczyna się najczęściej od zaburzeń wzroku. Każdy człowiek, zwłaszcza młody, u którego występują przejściowe zaburzenia widzenia, powinien pamiętać o tym, że może to być początek stwardnienia rozsianego. Szczególnie powinien o tym pamiętać lekarz, zwłaszcza okulista. Choroba postępuje, często rzutami, prowadzi prawie zawsze do kalectwa i przedwczesnej śmierci.

Dotychczas jest chorobą nieuleczalną. Liczne i różnorodne leki stosowane u chorych na SM praktycznie nie pomagają, często szkodzą. Niektóre są bardzo drogie.

Do sanatorium chorych na SM się nie wysyła, ponieważ pobyt i zabiegi przeważnie im szkodzą. Pracowałem w Ciechocinku i takich chorych nie widywałem zbyt często. Pamiętam, w 1978 r. przywieziono do mnie dziewczynę, na noszach, chorującą od 2 lat. Zdążyła już odwiedzić kilka szpitali i klinik, choroba szybko postępowała. Ręce były niesprawne, od kilku miesięcy nie chodziła. Powiedziała: „Ja wiem, że jestem nieuleczalnie chora i żadne leczenie już mi nie pomoże". Udało mi się przekonać ją i jej matkę, że warto spróbować. Po wprowadzeniu żywienia optymalnego stan jej zdrowia szybko zaczął się poprawiać, po 3 tygodniach zaczęła chodzić, po 7 miesiącach była już zdrowa, po 2 latach wyszła za mąż, urodziła troje zdrowych dzieci i - jest zdrowa.

W następnych latach tych chorych było coraz więcej. Czy każdy chory na SM może się z tej choroby wyleczyć? Niestety, nie. Choroba dotyczy układu nerwowego. Zmiany chorobowe w układzie nerwowym, jeżeli są duże, cofnąć się nie mogą. U chorych na udar mózgowy często dochodzi do zupełnego porażenia kończyn prawych lub lewych, po niedługim czasie porażenia zmieniają się w niedowłady, te stają się stopniowo coraz mniejsze, czasem mogą ustąpić całkowicie. Na tej samej zasadzie ustępują skutki zmian w układzie nerwowym spowodowane stwardnieniem rozsianym. Zwłaszcza w początkowym okresie komórki, które nie działają, nie są jeszcze zniszczone, a tylko nie mogą pełnić swojej funkcji. Gdy poprawimy ich zaopatrzenie w „części zamienne" i energię, bardzo często ich funkcja wraca, a objawy choroby ustępują lub się zmniejszają. Chorzy na SM mają bardzo obniżoną odporność na infekcje. W niektórych badaniach stwierdzono, że choroby pochodzenia wirusowego i bakteryjnego występują u nich aż 90 razy częściej niż przeciętnie.

Co może uzyskać chory na SM po wprowdzeniu żywienia optymalnego? Może:

1. Zostać wyleczony z choroby, co zdarza się dość często, jeśli choroba nie trwa długo. Czasem można wyleczyć chorego na zaawansowaną już chorobę, trwającą nawet 5 lat.
2. Zawsze może uzyskać zatrzymanie choroby.
3. Zawsze występuje poprawa sprawności i cofanie się objawów chorobowych w mniejszym lub większym zakresie.
4. Przy stałym stosowaniu żywienia optymalnego nowe rzuty choroby praktycznie się nie zdarzają.
5. Po kilku miesiącach pojawia się najwyższa odporność na wszelkie infekcje: katary, grypy, przeziębienia, opryszczki, anginy - praktycznie się nie zdarzają.

Żywienie optymalne jest leczeniem przyczynowym u chorych na SM. U tych chorych najczęściej tętnice rąk, a zwłaszcza nóg są silnie zwężone. Kończyny są zimne. Bardzo dobre i szybkie rezultaty uzyskuje się, stosując dodatkowo prądy selektywne PS na kończyny, w celu rozszerzenia tętnic i uzyskania poprawy ukrwienia. Najczęściej już po kilku zabiegach nogi czy ręce robią się ciepłe, a siła mięśni szybko wzrasta. Przy stosowaniu żywienia optymalnego na ogół wystarcza jednorazowe leczenie prądami PS. Czasem zabiegi trzeba powtarzać po roku lub po kilku latach.

Czasem ustępowanie choroby jest bardzo szybkie. Na pierwszy turnus w „Arkadii" przyjechał chory M.A., lat 26 z Zabrza, chorujący na SM od 7 lat. Utrzymywały się zaburzenia wzroku, upośledzenie sprawności kończyn górnych i bardzo duże dolnych. Chodził powoli, z trudnością, o kulach. Przyjechał 2 listopada 1987 r. W dniu 9 listopada już chodził znacznie lepiej, z jedną laską, od dnia 10 listopada chodził już dobrze bez laski, od 12 listopada chodził na tańce i grał w tenisa stołowego. Po 2 miesiącach w domu ustąpiły zaburzenia wzroku i wszystkie inne objawy choroby. Stan obecny - zdrowy. Nie u wszystkich chorych poprawa była tak duża i postępowała tak szybko.

W „Arkadii" przebywało 212 chorych na stwardnienie rozsiane, w tym 131 kobiet i 81 mężczyzn. Średni wiek kobiet wynosił 36 lat (18 - 63 lat), średni wiek zachorowania 28,5 lat (od 10 do 57 lat), średni czas trwania choroby 7,5 roku (od 1 do 23 lat). Upośledzenie sprawności kończyn dolnych lub porażenie występowało u wszystkich, zimne nogi u 128, zaburzenia wzroku u 98, upośledzenie sprawności rąk u 86, zaburzenia równowagi u 56, trudności w oddawaniu moczu u 14, zaburzenia mowy u 4. Choroby towarzyszące: neurastenia - 29, nietrzymanie moczu - 26, nadwaga - 22, pojedyncze przypadki migreny, łuszczycy, choroby wrzodowej. Chorób zaliczanych do cywilizacyjnych praktycznie nie było. Średni wiek chorych mężczyzn wynosił 37,5 lat (od 22 do 55), średni wiek wystąpienia zachorowania 25,4 lat (od 16 do 46 lat), średni czas trwania choroby 12,1 lat (od 1 do 32 lat). Upośledzenie sprawności nóg lub porażenie występowało u wszystkich, zimne nogi u 75, upośledzenie sprawności rąk u 53, zaburzenia wzroku u 52, zaburzenia równowagi - 28, zaburzenia połykania - 4, zaburzenia mowy - 1, trudności w siusianiu - 13. Z nadwagą było 11, neurastenią - 9, chorobą wrzodową - 4, nadciśnieniem - 4, po 1 przypadku łuszczycy, brucellozy, choroby wieńcowej, astmy i migreny.

Chorzy, którzy nie mogli być przyjęci z powodu niemożności poruszania się, stosowali żywienie optymalne w domu i przyjeżdżali na leczenie prądami, gdy już mogli chodzić.

Chory nie chodzący od 2 lat przyjechał po roku stosowania żywienia optymalnego w domu, chodził o własnych siłach, z dużą poprawą, inny przyjechał już po 3 miesiącach.

U wszystkich chorych ustąpiło uczucie zimna w kończynach, a wskaźnik oscylometryczny (świadczy o stanie ukrwienia tętniczego) na podudziach poprawił się średnio o 1,68. Poprawiła się sprawność kończyn, ustępowały lub zmniejszały się zaburzenia wzroku i równowagi.

Chorych na neurastenię wyleczono żywieniem optymalnym i prądami selektywnymi PS stosowanymi na centralny układ nerwowy. U cierpiących na nietrzymanie moczu stosowano prądy SVU pobudzające zwieracz pęcherza, uzyskując wyleczenie u 20 kobiet i poprawę u pozostałych 6, wyleczenie u 4 mężczyzn i poprawę u 5.

Dolegliwości bólowe związane ze zmianami zwyrodnieniowymi kręgosłupa występujące u 28 chorych ustąpiły u 22, zmniejszyły u 6. W okresie 12 dni siła mięśni kończyn dolnych, mierzona opisaną poprzednio próbą wysiłkową wzrosła u wszystkich średnio o 68 proc. (od 20 do 180 proc.), czyli bardziej, niż to uzyskano u chorych na miażdżycę kończyn dolnych czy chorobę Buergera.

Chorzy otyli stracili na wadze średnio o 3,4 kg (od 2 do 8 kg), chorzy nadmiernie wychudzeni, czasem mocno wyniszczeni, przybrali na wadze średnio 2,6 kg (od 1 do 5 kg).

W okresie 2 tygodni można tylko zatrzymać chorobę i uzyskać większą lub mniejszą poprawę stanu zdrowia i sprawności. U chorych na SM stosujących żywienie optymalne w domu poprawa stopniowa występuje do 2 lat. Żaden otyły chory na SM nie reagował na stres żarłocznością, która to reakcja występuje u chorych na otyłość „bogatych" i jest spowodowana niekorzystnymi proporcjami między tłuszczem i węglowodanami w diecie.

Stwardnienie boczne zanikowe - jest to straszna chorobą, na szczęście niezbyt częsta, prowadząca do śmierci chorego średnio po 2 latach od zachorowania. Jest chorobą z autoagresji, podobna do stwardnienia rozsianego, ale zmiany chorobowe umiejscowione są w ośrodkach i drogach ruchowych, co prowadzi do szybkich zaników wszystkich prawie mięśni, zaburzeń mowy i połykania, porażenia oddychania.

W „Arkadii" przebywało 15 chorych na SLA. Zaniki mięśni występowały u 12, zimne kończyny u 11, zaburzenia chodu u 11, całkowite porażenie rąk u 4, nóg u 3, zaburzenia mowy u 8, zaburzenia połykania u 8, równowagi u 6, zwieraczy u 3. U wszystkich chorych wystąpiła wyraźna poprawa stanu zdrowia i sprawności, przeciętnie wyższa niż u chorych na SM.

Uwaga: chorym na SM i na SLA trzeba podawać, zwłaszcza w pierwszych tygodniach, móżdżek i rdzenie kręgowe. Wystarczy około 150 g na tydzień, później mniej. Od niedawna w USA u chorych na SM stosowane są „kiełbaski móżdżkowe" z dobrymi rezultatami. Może i w Polsce pojawi się żywność przyspieszająca ustępowanie szeregu chorób. Gdy w Polsce nie będzie się mogła pojawić, pojawi się w innych krajach, a Polak, jak zwykle, pozostanie i przed szkodą, i po szkodzie - głupi.

GOŚCIEC PRZEWLEKŁY POSTĘPUJĄCY

Jest to choroba z autoagresji, której przyczyną główną jest określony, nieprawidłowy skład diety. Jest to choroba ciężka, prowadząca bardzo często do inwalidztwa, dość często do znacznego stopnia kalectwa. Naliczono ponad 10 odmian tej choroby, w tym postać dziecięcą zwaną chorobą Stilla-Chauffarda. W ostrej postaci w krótkim czasie może dojść do śmierci chorego. Leczenie choroby jest drogie, leki mało skuteczne, działają różnie u różnych chorych, czasem poprawiają stan zdrowia chorego (np. złoto), a czasem te same leki powodują znaczne szkody.

Chorobę dotychczas leczy się objawowo. Leczeniem przyczynowym jest żywienie optymalne, ponieważ przyczyną główną wszystkich chorób z autoagresji jest niewłaściwe odżywianie. To leczenie jest skuteczne w każdym przypadku. Zawsze poprawia stan zdrowia i sprawność chorego, zawsze powoduje spadek OB, zmniejszenie lub ustąpienie bólów, w większości przypadków uzyskuje się wyleczenie i to bez żadnych nawrotów choroby.

Trafiło do mnie dziecko w wieku 7 lat, chore na chorobę Stilla od 3 roku życia. Było to w 1970 r. Dziecko przez 4 lata, z przerwami, przebywało w różnych szpitalach i klinikach, a jej stan (była to dziewczynka) stale się pogarszał. Rodzice twierdzili, że tym razem wypisano ją do domu „na umarcie". Żadnych szans na dalsze życie nie miała. Biedna, wystraszona istota o sztywnej szyi, opadniętej głowie, zniekształconej klatce piersiowej, żabim brzuchu, rączkach i nóżkach jak patyczki i potwornie powiększonych i zniekształconych stawach dłoni, łokciowych, barkowych, kolanowych, sztywnych stawach biodrowych, małpim kręgosłupie i postawie.

Tak zniekształconego chorobą dziecka dotychczas nie widziałem. Dziecko nie miało żadnych szans na dłuższe życie. OB było ponad 130 po godzinie. Dziewczynka była jednak ufna, cierpliwa, grzeczna, pozwoliła sobie pobrać krew na OB. Do mojego gabinetu weszła Wanda

Wermińska. Powiedziałem: Pani profesor, proszę zobaczyć to dziecko. Dziecko zamieniło się w przestraszone zwierzątko i wybuchnęło płaczem, zaczęło ze strachu drżeć na całym ciele. Określenie „profesor" kojarzyła z jeszcze większym bólem i cierpieniem, po przykrych doświadczeniach z pobytów w licznych szpitalach i klinikach! Była córką leśniczego zza Wisły. Odwiedziłem ją po miesiącu. Zastałem ją zjadającą ser biały ze słoniną. Już po miesiącu ustąpiły bóle, a OB zmniejszyło się ze 130 przed miesiącem, do 42. Po pół roku OB było już 2!

Pojechałem do profesora, z którego kliniki małą wypisano do domu „na umarcie". Przedstawiłem rezultaty uzyskane u małej oraz u innych chorych na GPP. Mówiłem: „Co panu szkodzi sprawdzić, może będzie pan mógł skutecznie pomóc tym, niepotrzebnie chorym dzieciom, uchronić je przed kalectwem. Profesor miał przynajmniej 30 kg nadwagi i tępą głowę. Poczuł się zagrożony tym, że metody przez niego stosowane są mało skuteczne lub nieskuteczne. Na współpracę się nie zgodził, podobnie jak nie zgodziło się na nią wielu innych profesorów i docentów, do których zwracałem się z propozycjami współpracy w celu skutecznego leczenia chorych na różne choroby. Wiedziałem, że zrozumieć nie mogą, ale byłem i jestem lekarzem. Musiałem próbować. A może się uda? Nie udało się. Nie mogło się udać.

Po 9 latach dziecko przyjechało do Ciechocinka z rodzicami, aby się pokazać - i pochwalić. Była ładną, zdrową dziewczyną. Prawie wszystkie zmiany w stawach cofnęły się zupełnie. Zniekształcenia kręgosłupa i sylwetki również ustąpiły. Pozostała tylko przesunięta jedna rzepka; ten defekt poprawiono operacyjnie.

Żywienie optymalne jest leczeniem przyczynowym w gośćcu przewlekłym postępującym, który u stosujących żywienie optymalne powinien zmienić nazwę na ustępujący. Ilość chorych na GPP rośnie wśród najbiedniejszych, a wyjątkowo zdarza się wśród bogatych.

W USA ilość chorych na GPP jest najniższa u białych, bogatych protestantów zamieszkujących duże domy w dzielnicach podmiejskich. Ludność zamieszkująca centra miast (biedniejsza) choruje znacznie częściej. Zaobserwowano występowanie GPP częściej u Murzynów niż u białej ludności, najwięcej chorych na tę chorobę występowało wśród ludności indiańskiej w rezerwatach.

Produkcja hormonów w organizmie jest sterowana substratami, czyli jedzeniem. Przy żywieniu korytkowym ilość hormonów i ich rodzaj jest inny niż przy żywieniu pastwiskowym. Doustne środki antykoncepcyjne działają podobnie jak hormony wytwarzane w nadmiarze przy żywieniu korytkowym. Gościec przewlekły postępujący jest chorobą spowodowaną żywieniem pastwiskowym. Gdy człowiekowi żywiącemu się pastwiskowo podaje się hormony występujące w nadmiarze przy żywieniu korytkowym, to przemiana materii u takiego człowieka pod wpływem tych hormonów zmienia się na bardziej korytkową. Hormony te wymuszają również zmianę w składzie diety chorego zachodzącą poza świadomością chorego i - lekarza. Pod wpływem encortonu czy dexamethazonu, które od dawna są stosowane w „leczeniu" GPP, stan zdrowia często się poprawia, OB często się obniża i często tyje się.

Palenie tytoniu u chorych na GPP nasila przewagę układu sympatycznego u tych ludzi, zwęża tętnice obwodowe, pogarsza ukrwienie tkanek obwodowych, wpływa na zmiany w diecie w kierunku bardziej pastwiskowym, co w efekcie nasila postęp choroby.

Tak działają papierosy w dawce pobudzającej układ sympatyczny, czyli około 10 - 15 papierosów na dobę. U palących 40 i więcej papierosów na dobę lub więcej niż 25 przy nierównomiernym paleniu papierosy porażają układ sympatyczny, dochodzi do przewagi układu parasympatycznego i wówczas palenie wpływa korzystnie na chorych na GPP. Chorzy na GPP palą papierosy prawie zawsze w dawce pobudzającej układ sympatyczny. Nie oznacza to, że chory na GPP powinien palić po 40 i więcej papierosów na dobę. Jego organizm jest słaby, chory, nie ma rezerw. Korzystny efekt może być niewielki w stosunku do szkód lub może go nie być wcale.

Leczenie przyczynowe polega na wprowadzeniu żywienia optymalnego. Oczywiście trzeba jeść nieco inaczej. Trzeba znacznie zwiększyć ilość kolagenu w diecie: chrząstki, galarety, nogi wieprzowe, świńskie uszy, flaczki, płucka i - żółtka. Koniecznie bardzo gęste rosoły, najlepiej z wołowiny. Mięso trzeba gotować bardzo długo, tak aby było bardzo miękkie. By powięzie z mięsa (szponder) były miękkie. Chrząstki również. Dobre są salcesony włoskie i krwiste. Te drugie przyspieszają ustępowanie anemii tak częstej u chorych na GPP. Trzeba pamiętać o zjadaniu dużej ilości tłuszczów: masła, śmietany, łoju, słoniny, boczku. I skórek wieprzowych. Te zjadać najlepiej w bigosie. Zjadać zawsze tyle, na ile się ma ochotę. Nie należy ograniczać pożywienia ilościowo, nie należy też jeść „na siłę".

OB powinno obniżać się o ponad 40 proc. co 2 tygodnie. Bóle stawów najczęściej mijają już po kilku, kilkunastu dniach. Leki trzeba ograniczyć, a następnie odstawić.

Bardzo pomocne w szybkim leczeniu choroby jest stosowanie prądów selektywnych PS pobudzających układ parasympatyczny. W GPP ręce i nogi są zimne. Krew do nich dochodzi słabo. Samo żywienie optymalne spowoduje ustąpienie przewagi układu sympatycznego i poprawi ukrwienie tkanek, ale po pewnym czasie. Zmiana żywienia na optymalne poprawia nagle i znacznie zaopatrzenie tkanek całego organizmu, ale, podobnie jak w każdym społeczeństwie, zawsze są równi i równiejsi. Narządy uprzywilejowane pierwsze korzystają z poprawy zaopatrzenia, intensywnie się regenerują, zużywając przy tym dużo energii. Na początku części zamiennych i energii brakuje najbardziej dla tkanek słabo odżywionych. One muszą poczekać na swoją kolej. Aby nie musiały zbyt długo czekać, dajemy w pożywieniu więcej takich produktów, których skład chemiczny jest podobny do składu chemicznego uszkodzonych chorobą tkanek. Produkty te wymieniłem wyżej. W początkowym okresie należy dać więcej białka. Na 1 g białka powinno być około 2 g tłuszczu. Po spadku OB poniżej 30 po 1 godzinie zwiększyć tłuszcz do 4 - 5 g na 1 g białka. Gdy istnieje ogólna przewaga układu sympatycznego u chorych na GPP, prądy selektywne PS stosujemy na centralny układ nerwowy w celu szybkiego usunięcia tej przewagi. Prądy PS stosujemy również na tkanki obwodowe, na ręce i nogi, czasem na kręgosłup, w celu szybkiego usunięcia skurczów tętnic i w celu szybkiej poprawy ukrwienia. Leczenie prądami wystarcza zwykle, jeśli je przeprowadzimy jednorazowo. Działają ponad rok, a w tym okresie dolegliwości związane z GPP powinny już ustąpić, powinny również znacznie się zmniejszyć lub ustąpić zniekształcenia stawów spowodowane chorobą.

Czy każdy chory na GPP może się z tej choroby wyleczyć? Ponad 90 proc. chorych może się wyleczyć. Ale są wyjątki. Przy dużych zniekształceniach i przykurczach potrzebne jest leczenie operacyjne. Z tym należy poczekać, aż OB obniży się do 10 - 20 po godzinie.

Dość często w GPP dochodzi do przerostu i patologicznej zmiany funkcji torebki maziowej w stawie. Trzeba ją usunąć operacyjnie. Jeśli torebka maziowa jest patologicznie zmieniona w 1 - 2 stawach, trzeba je zoperować. Przy zmianach w wielu stawach mogą być z tym trudności i złagodzone objawy GPP mogą się utrzymywać.

W pierwszych 2 latach działalności w Arkadii przebywało 234 chorych na GPP, w tym 213 kobiet i 21 mężczyzn. Średni wiek, w którym wystąpiło zachorowanie wynosił od 2 roku życia do 64, średnio 40,3 lat. Najczęstszą chorobą towarzyszącą była neurastenia i nietrzymanie moczu - tylko u kobiet. Nieliczne przypadki nadciśnienia, choroby wieńcowej, choroby wrzodowej, migreny, miażdżycy tętnic kończyn dolnych (tylko 3 chorych) występowały wyłącznie u chorych przez długie okresy leczonych hormonami sterydowymi. Wśród nie leczonych hormonami były pojedyncze przypadki sklerodermii, raka nieoperacyjnego, tocznia rumieniowego, stwardnienia rozsianego i bocznego zanikowego, zespołu Raynauda, czyli chorób zaliczanych wyłącznie do „pastwiskowych". Uzyskano następujące rezultaty: wyleczono chorych na neurastenię (44 osoby), na nietrzymanie moczu (38 - tylko kobiety) - chore wyleczono prądami SVU, wyleczono chorych na nadciśnienie, migrenę, chorobę wrzodową.

Chorzy na GPP patologicznie wychudzeni przybrali na wadze od 1 do 5 kg w okresie 12 dni. Chorzy z otyłością ubyli na wadze średnio 3,7 kg.

Od pierwszego dnia pobytu odstawiono wszystkie leki u 190 chorych. U pozostałych ilość przyjmowanych leków zmniejszono 17 razy. W czasie pobytu bóle stawów ustąpiły całkowicie u 88 chorych, znacznie się zmniejszyły u 132, nie zmniejszyły się u 4 mimo spadku OB u tych chorych. W pierwszym dniu średnie OB wynosiło 54,9 (od 2 do 149). W 12 dniu pobytu OB wynosiło średnio 31,7 (od 0 do 113). Średni spadek OB wyniósł 23,1 tj. ponad 42 proc.

U wszystkich ustąpiło uczucie zimna, ustępowały obrzęki, przykurcze, zniekształcenia stawów, zmiany troficzne skóry, goiły się owrzodzenia podudzi, szybko i znacznie poprawiła się sprawność psychofizyczna.

Na ogólną liczbę 234 chorych tylko dwoje zgłosiło pogorszenie stanu zdrowia w domu, spowodowane odstąpieniem od żywienia optymalnego.

CUKRZYCA TYPU I

Cukrzyca typu I zwana jest młodzieńczą lub insulinozależną. Na cukrzycę typu I choruje w Polsce ponad 100 tysięcy ludzi. Są to przeważnie ludzie młodzi. Starszych nie ma. Ci bowiem wymierają wcześniej. Cukrzyca typu I skraca życie średnio o 30 proc., znacznie pogarsza jakość życia, kosztuje społeczeństwo bardzo dużo, więcej niż cukrzyca typu II.

Wśród zwierząt żyjących w warunkach naturalnych, trawożernych i mięsożernych, cukrzyca ta nie występuje. Na cukrzycę zapadają przedstawiciele tych gatunków, które z braku wiedzy (człowiek) lub pod wpływem człowieka (psy, trzoda chlewna) odżywiane są produktami przeznaczonymi dla trawożernych, gdy ich skład diety jest jeszcze gorszy niż występuje on u trawożernych.

Cukrzyca typu I nie występuje u Eskimosów, Masajów, Hunzów, pasterzy z Jakucji, Abchazji, Gruzji, Bułgarii.

Przyczyną cukrzycy typu I jest cukier, czyli dieta, w której na 1 g białka przypada więcej lub znacznie więcej węglowodanów, niż się to spotyka w diecie zwierząt trawożernych.

Do spalania węglowodanów potrzeba dużo białka, witamin, magnezu i innych mikroelementów, których nie ma zupełnie w cukrze, słodzonych płynach, miodzie czy mące ziemniaczanej. Jest ich za mało we wszystkich produktach pochodzenia roślinnego, w których na 1 g białka przypada ponad 10 g węglowodanów. Dieta, w której jest za mało białka zmusza organizm do spożywania większej ilości pożywienia, dla pozyskania większej ilości białka, witamin, minerałów, ale i do spożywania zbyt dużej ilości węglowodanów. Białka do spalania węglowodanów w takiej diecie brakuje. Brakuje witamin i magnezu do spalania węglowodanów. Organizm radzi sobie w ten sposób, że część węglowodanów przetwarza na tłuszcze, gdyż oszczędza w ten sposób białko, witaminy czy magnez.

Do spalania węglowodanów, do ich przetwarzania na tłuszcz, cholesterol, czy na inne sposoby potrzebna jest insulina. Przyczyną wytwarzania insuliny jest cukier. Gdy nie ma węglowodanów w diecie, wytwarzanie insuliny u człowieka jest minimalne. Głównie od składu diety i od szeregu innych czynników zależy to, w jaki sposób dostarczane węglowodany będą przetworzone. Od tego z kolei zależy, ile potrzeba w diecie gramów cukru, aby wytworzona została 1 jednostka insuliny. Może to być 6, 10, 15 g cukru na 1 jednostkę insuliny.

Organizm cukru nie chce. Musi się przed nim bronić. W cukrzycy typu I broni się głównie w ten sposób, że niszczy komórki beta trzustki, które wytwarzają insulinę. Komórki zniszczone już insuliny wytwarzać nie mogą. Na kilka, kilkanaście miesięcy przed zachorowaniem u wszystkich przyszłych chorych znajdują się we krwi przeciwciała przeciwko komórkom beta trzustki. Gdy znaczna część tych komórek ulegnie zniszczeniu, organizm przestaje niszczyć pozostałe komórki. Dlatego w momencie zachorowania przeciwciała przeciwko komórkom beta trzustki wykrywa się u 30-70 proc. chorych.

Organizm człowieka nigdy nie zniszczy wszystkich komórek beta. Zostawia ich tyle, ile potrzebuje. Nie do spalania cukru, a do innych ważnych przemian. Insulina potrzebna jest do bardzo wielu przemian w organizmie, przy czym jej udział przy spalaniu czy przetwarzaniu glukozy nie jest najważniejszy. Operacyjne usunięcie całej trzustki u drapieżników (człowiek, kot, pies, lis, sowa, inne ptaki drapieżne) prowadzi do ciężkich zaburzeń w organizmie i do szybkiego zgonu. A przecież drapieżniki spożywają minimalne ilości węglowodanów. Operacyjne usunięcie trzustki u zwierząt trawożernych: koza, owca, królik, krowa, a także małpy (!!!), powoduje niewielkie zaburzenia w przemianie materii i zwierzęta trawożerne oraz małpy, mogą żyć bez trzustki bardzo długo. Człowiek i drapieżniki bez trzustki żyć nie mogą. Insulina jest daleko bardziej niezbędna u człowieka i pozostałych drapieżników niż u zwierząt trawożernych i małp.

Drapieżniki, a zwłaszcza ptaki drapieżne, mają większy mózg, są o wiele bardziej inteligentne od trawożernych czy ziarnojadów, żyją też o wiele dłużej. Człowiek z budowy anatomicznej, biochemii, historii jest typowym drapieżnikiem. Jest superdrapieżnikiem od początku nauczonym jak należy najbardziej wartościową żywność pochodzenia zwierzęcego „ulepszać" przy pomocy ognia. Człowiek nie mógł mieć wspólnych przodków z małpami, ponieważ bez trzustki żyć nie może, a małpy mogą. Ponieważ nie ma żadnej odporności na śpiączkę afrykańską, na którą małpy są odporne. Małpy, przeważnie roślinożerne z konieczności, to znaczy gdy nie mogą zdobyć produktów pochodzenia zwierzęcego lub przez pokolenia odzwyczaiły się od jedzenia produktów zwierzęcych, mają budowę bardziej zbliżoną do drapieżników niż człowiek. Zwłaszcza pawiany. Mają uzębienie typowe dla drapieżników, a drapieżnikami nie są. Uzębienie człowieka zupełnie nie przypomina uzębienia ani drapieżników, ani trawożernych. Jest czysto ludzkie. Było takie samo u naszych przodków, jak jest obecnie. Z tym że nasi przodkowie nie mieli próchnicy i nie wypadały im zęby z powodu paradontozy. Dentystów nie było, bo nie byli potrzebni. Gdy w zapowiadanej na najbliższe lata budowie „Królestwa Bożego na Ziemi" na początku jego budowy dentyści jeszcze będą potrzebni, to po jego zbudowaniu już potrzebni nie będą. Diabetolodzy też na pewno potrzebni nie będą.

Pozostałe jeszcze komórki beta trzustki (5 - 15 proc.) nadal wydzielają insulinę, ale w ilości o wiele za małej przy tak dużej ilości spożywanych węglowodanów. Ilość ta będzie wystarczająca, gdy ilość węglowodanów w diecie zmniejszymy do takiego poziomu, aby wystarczało insuliny wytwarzanej przez pozostałe przy życiu komórki beta trzustki.

W cukrzycy typu I wzrasta poziom glukozy we krwi, bo jej tkanki nie chcą i nie potrzebują. Bronią się przed glukozą, jak przysłowiowy diabeł bronił się przed święconą wodą. Glukoza jest wydalana z moczem, jej poziom we krwi znacznie wzrasta. Chory chudnie, ponieważ spala własny tłuszcz zapasowy, do spalania którego insulina nie jest niezbędna. Organizm wytwarza ciała ketonowe w ilości przekraczającej możliwości spalania ich w organizmie. Dochodzi do kwasicy. Dołączają się ciężkie zaburzenia w przemianie materii i chory, bez podania insuliny, wkrótce musi umrzeć. Chorzy na cukrzycę typu I „leczeni" insuliną umierają najczęściej z powodu niewydolności nerek, spowodowanej głównie zmianami w drobnych tętniczkach nerek, które to zmiany są spowodowane cukrzycą, a w skutkach są takie, jak w miażdżycy. Wszystkie dotychczas zalecane w „leczeniu" cukrzycy diety zawierają o wiele za dużo cukru, aby wystarczało tej insuliny, którą wytwarzają pozostałe przy życiu komórki beta trzustki. Trzeba podawać insulinę w zastrzykach. W zależności od wielu czynników trzeba jej podawać więcej lub mniej. Czasem wystarcza jeden zastrzyk dziennie, a czasem trzeba insulinę przyjmować kilka razy na dobę.

Organizm nie chce cukru i nie chce podawanej mu insuliny. Broni się przed nią tak jak może. Organizm wytwarza wówczas przeciwciała przeciwko insulinie i niszczy ją. Insuliny działające długo działają słabo, bo są rozkładane. Trzeba zwiększać ilość podawanej insuliny do 100, a nawet 200 j. na dobę i - nadal na cukrzycę chorować. Czeczeńcy nie chcą Rosjan (cukru) i nie chcą ich armii (insuliny). Bronią się tak jak broni się organizm chorego na cukrzycę przed cukrem i przed insuliną. Jedyne wyjście to przerwać wojnę. Gdy nie będzie cukru, insulina potrzebna nie będzie. Cukrzycy również nie będzie.

MARSKOŚĆ WĄTROBY

Najczęstszą przyczyną marskości wątroby, występującej głównie u dzieci, rzadziej u dorosłych, jest żółtaczka zakaźna spowodowana wirusem. Z wirusami powodującymi żółtaczkę zakaźną styka się każdy człowiek i to wielokrotnie w różnych okresach swego życia. Występuje kilka wirusów powodujących żółtaczkę. Jedne są przenoszone drogą pokarmową, inne są wszczepiane przy zastrzykach czy przy pobieraniu krwi.

Na żółtaczkę chorują tylko nieliczni spośród tych, którzy z wirusem się zetnęli. Chorują ci, u których odporność organizmu jest najniższa. A najniższa odporność występuje u ludzi na diecie „ubogopastwiskowej".

Faktyczną przyczyną choroby jest złe odżywianie, które powoduje niską odporność organizmu i tylko w takim organizmie wirus może wywołać chorobę.

Dlaczego jedni chorują, a inni nie?

Na żółtaczkę choruje co roku sporo osób, ale marskość wątroby rozwija się tylko u nielicznych z tych, którzy zachorowali. Główną przyczyną powstania marskości wątroby u tych chorych, jest szczególnie zły sposób żywienia stosowany u chorych na żółtaczkę w szpitalach. Niedawno ukazało się doniesienie w polskim piśmiennictwie naukowym (z AM w Białymstoku) o korzystnym wpływie diety bogatotłuszczowej na chorych na ostre wirusowe zapalenie wątroby.

Wątroba zaatakowana wirusem powinna być jak najbardziej oszczędzana. Najbardziej oszczędzają wątrobę tłuszcze nasycone, o długich łańcuchach. Tylko one omijają wątrobę i są kierowane, drogą naczyń chłonnych, bezpośrednio do krwi. Białko powinno być bardzo ograniczone, ale powinno to być białko o najwyższej wartości biologicznej. Wątrobę bardzo obciążają zbyt duże ilości białka. Wątroba nie lubi cukru (węglowodanów), który musi przetwarzać na tłuszcze i cholesterol. Dieta u chorych na wirusowe zapalenie wątroby zawiera sporo białka, mało tłuszczu i dużo węglowodanów, czyli najbardziej obciąża wątrobę. „Kto tak fatalnie programuje nasz mózg?" - pytał ks. prof. Włodzimierz Sedlak. Jeśli nauki podstawowe ustalą, że coś dla człowieka jest złe, natychmiast jest zalecane dla chorych jako najlepsze. Jeżeli nauki podstawowe ustalą, że coś jest dla organizmu najlepsze, natychmiast jest chorym i zdrowym zabraniane. Mózg człowieka został bardzo dobrze zbudowany i bardzo dobrze zaprogramowany przez tych, którzy człowieka stworzyli. „To ludzie porobili, że chorym i nieszczęśliwym jest człowiek" - napisał wiedzący Stanisław Staszic. Człowiek miał nawet szanse na „żywot wieczny" i to tu, na ziemi. Stracił rozum i stracił wszystko.

Immanuel Kant pisał „Wysoce błędne jest mniemanie, że przyroda wybrała sobie człowieka za swego ulubieńca i postępowała z nim łaskawiej niż ze wszystkimi zwierzętami; przeciwnie... Co więcej bezrozumność jego własnych przyrodzonych skłonności sprowadza nań nadto wymyślone przez niego samego utrapienia, zaś inne jeszcze zadawane mu przez jego własny ród, przez ucisk, władzę, barbarzyństwo wojen itd. sprowadzają nań tak liczne klęski, przy czym sam pracuje, ile tylko może nad zagładą własnego gatunku..."

Od wielu lat zbiera się pieniądze na przeszczepy wątroby. Są one wykonywane głównie za granicą, a kosztują obecnie około stu tysięcy złotych za jednego operowanego. Po operacji chory nie jest zdrowy i żyje na ogół krótko. Za pieniądze wydawane (uciekają one z kraju, co zubaża naród) na przeszczep 1 wątroby można wyleczyć setki chorych na marskość wątroby i zapobiec wystąpieniu marskości u kilku tysięcy dzieci chorych na żółtaczkę, przy czym pieniądze te zostałyby w kraju.

W styczniu 1990 r. zgłosiła się do mnie siostra chorego umierającego w szpitalu na ciężką zastoinową marskość wątroby. Tej choroby obecnie wyleczyć nie można. Nawet, gdy się wymieni wątrobę operacyjnie, chore serce zniszczy zdrową wątrobę bardzo szybko. Gdy się wymieni serce, chora wątroba zniszczy je równie szybko. Tylko jednoczesny przeszczep wątroby i serca mógł choremu przedłużyć życie. Powiedziałem siostrze chorego: „Mogę pani podać sposób na prawidłowe żywienie, które powinno bratu pomóc. Decyzja należy do pani".

W dniu 2 września 1992 r. ukazał się wywiad z chorym i jego siostrą w tygodniku „Kujawy i Pomorze". Oto istotne fragmenty wywiadu:

Chory: „Jajek, śmietany, smażonego mięsa nie pozwalano mi jeść. Na chudy twaróg, warzywa, cielęcinę nie miałem w ogóle apetytu - wtrąca pan Piwoński. - Cokolwiek zjadłem, od razu wymiotowałem".

Siostra: „To, co zalecił dr Kwaśniewski było dokładnym zaprzeczeniem wskazań wszystkich lekarzy - mówi pani Niwińska. - Zaczęłam kurację od jajek na boczku. Stopniowo zwiększałam porcję, wprowadzałam szaszłyki, wieprzowinę smażoną na smalcu, tłuste mleko, śmietanę. Po tygodniu ustąpiły torsje. Brat nabierał apetytu. Z dnia na dzień czuł się silniejszy. Po kilku miesiącach ustąpiły objawy marskości wątroby, obrzęki, woda w płucach".

Brat: „Po kilku miesiącach żywienia stałem się żwawszy, bardziej sprawny fizycznie, mogę prowadzić samochód, nie męczą mnie spacery po lesie. W czasie pobytu w szpitalu ważyłem 95 kg, teraz 74. Tyle miałem wody w organizmie. Nigdy nie odczuwam głodu" - dodaje pan Zenon.

Siostra: „W marcu tego roku - po 14 miesiącach żywienia - pojechaliśmy do kliniki. Lekarze powiedzieli, że jego stan jest dobry".

Redaktor: „A co teraz mówią lekarze, ci wszyscy, którzy wcześniej stawiali krzyżyk nad panem Zenonem? Widzą przecież zdecydowaną poprawę jego stanu zdrowia?"

Siostra: „Cóż, próbowałam z nimi rozmawiać, chciałam opowiedzieć o żywieniu, które brata uzdrowiło, ale oni wcale nie chcieli mnie słuchać. Jestem oburzona, że lekarze w ogóle nie przyjmują do wiadomości innych metod niż sami stosują. Już nawet nie próbuję nikogo przekonywać, że takie jedzenie jest nie tylko zdrowsze, ale i znacznie tańsze..."

Chorego zobaczyłem po miesiącu. Był jeszcze w ciężkim stanie. Miał migotanie przedsionków, bilirubiny około 20 mg% (norma do 1), albumin we krwi tylko 0,8 g/litr. A co to oznacza, każdy lekarz wie. Chory musiał siedzieć przez całą dobę, gdy się położył, występował obrzęk mózgu, woda w płucach. Migotanie przedsionków ustąpiło samoistnie po 3 miesiącach, poziom albumin we krwi wrócił do normy dopiero w grudniu, czyli po 11 miesiącach. To spowodowało zupełne ustąpienie puchliny brzusznej, obrzęków, wątroba znacznie się zmniejszyła. Stan zdrowia chorego był na tyle dobry, że po 14 miesiącach stosowania żywienia optymalnego wyjechał na miesiąc za granicę. Samochodem. Większość chorych na marskość wątroby może się z tej marskości szybko wyleczyć. Ale trzeba dużo wiedzieć. Trzeba pod kontrolą lekarza wykonywać badania krwi i śledzić zmiany, które zachodzą.

NEURASTENIA

Liczba chorych na nerwice wzrasta we wszystkich grupach wieku. Występują one bardzo często u dzieci i młodzieży.

U chorych przebywających w sanatoriach około 90 proc. podaje skargi spowodowane nerwicą, u około 30 proc. nerwica jest chorobą zasadniczą. Leczenie chorych na nerwice jest długotrwałe, kosztowne, mało skuteczne. Nerwice są często przyczyną trwałej niezdolności do pracy, ponadto znacznie ograniczają wydajność pracy i pogarszają jej jakość, są bardzo uciążliwe dla chorych. Kosztują nas wszystkich bardzo dużo.

Neurastenia jest nerwicą najczęściej spotykaną w krajach o modelu żywienia zbliżonym do modelu żywienia występującego w Polsce.

Przyczyną choroby jest przedłużający się stres, powodujący zmiany w modelu żywienia w kierunku „pastwiskowym". Większość ludzi, gdy ma zmartwienie, nie może jeść. Jeśli stres się przedłuża zmiany nim spowodowane utrwalają się i chory nagle zaczyna jeść inaczej niż poprzednio. I już jest chory na neurastenię. Neurastenia najczęściej pojawia się u ludzi, którzy pod wpływem stresu powstrzymują się od jedzenia, rzadziej u ludzi, u których stres nie ma wpływu na ilość i jakość zjadanych pokarmów. U ludzi, którzy na stres reagują żarłocznością występuje rzadziej, najczęściej w późniejszym wieku, gdy już rozwinie się miażdżyca tętnic mózgowych. Objawy neurastenii najczęściej spotykane u chorych są następujące: bezsenność, męczące sny, lęki, płaczliwość, potliwość, przyspieszone bicie i bóle serca, suchość w ustach, zmęczenie po wypoczynku nocnym, stałe uczucie zmęczenia, natrętne myśli, bóle głowy, szczególnie rano, zawroty głowy, nadwrażliwość na nagłe bodźce słuchowe, drżenie rąk, drżenie określane przez chorych jako „wewnętrzne".

Bezpośrednią przyczyną neurastenii jest nadmierne wytwarzanie amin katecholowych (adrenalina, noradrenalina), czego przyczyną jest ogólna przewaga układu sympatycznego. Bardzo ważny wpływ ma też określony skład diety, zmuszający organizm do spalania glukozy w szlaku heksozowym w spoczynku i wolnych kwasów tłuszczowych w czasie stresu. Tak na stres reagują wszystkie zwierzęta trawożerne, niewolnicy i - chorzy na neurastenię. Drapieżniki reagują zupełnie inaczej. Przedłużający się stres mobilizuje ich organizmy i przygotowuje do maksymalnego wysiłku, gdy ten wysiłek będzie potrzebny.

U ludzi jest podobnie. Wiedzieli o tym wybitni dowódcy i potrafili ze swojej wiedzy skorzystać. Armia przygotowana przez Mojżesza była najlepszą armią. Jak mówi Biblia, dziesięciu wojowników izraelskich mogło gonić stu innych, a pięciuset dziesięć tysięcy. Liczy się nie ilość, ale jakość. Niedawna wojna w Zatoce Perskiej potwierdziła to w pełni. O czynnikach pozwalających dobrze przygotować żołnierza, czy sportowca wiedzieli: kapłani z Delf, Cyrrus, Aleksander Macedoński czy Jan III Sobieski.

Sobieski 9 listopada 1673 r. stanął pod Chocimiem z mniejszą armią niż zamknięta w twierdzy armia turecka. Pierwszy szturm został odparty. Przez całą noc z 10 na 11 listopada Sobieski utrzymywał wojska w gotowości bojowej, zmuszając przez to przeciwnika do czuwania. Było zimno i padał deszcz. Sobieski czekał. Gdy przedłużający się stres spowodował u Turków znaczny spadek wartości bojowej ich wojsk, z Polakami było odwrotnie. „Turcy są bardziej wrażliwi na zimno, deszcz i niepogodę, aniżeli Polacy. Teraz czas uderzyć" - zapisał Sobieski o wyprawie pod Chocim. Uderzenie wzmocnionych długotrwałym stresem Polaków na osłabionych Turków spowodowało pokonanie ich armii. Dziesięć tysięcy janczarów zginęło w ciągu 20 minut.

Podobnie jest w sporcie. Gdy w jakimś narodzie, w określonym okresie, sposób żywienia sprzyja pojawianiu się materiału ludzkiego zdolnego do uzyskania dobrych wyników w określonej dziedzinie sportu, to pojawiają się dobrzy sportowcy. Gdy tych warunków nie ma, wyniki w sporcie są mierne. W meczu z Legią trener Widzewa na pytanie dziennikarza, co sądzi o dalszym przebiegu meczu, postawione w momencie, gdy Legia strzeliła bramkę, odpowiedział: „To bardzo dobrze. Ta bramka spowoduje sportową złość u zawodników". I spowodowała. Sposób żywienia piłkarzy Widzewa jest lepszy. Sił im nie brakuje. Grają do końca. Większość bramek Widzew strzela w drugiej połowie meczów i to już od kilku lat. Obecny przeciętny model żywienia Polaków nie sprzyja pojawianiu się ludzi o predyspozycjach przydatnych dla piłkarzy. I nic tu nie pomoże Górski czy Piechniczek. Z wrony orła się nie zrobi. Lepiej być krukiem niż wroną. Już 25 lat temu w „Sportowcu" napisałem, jak należy odżywiać sportowców, aby mogli uzyskiwać najlepsze wyniki, by byli odporni na kontuzje, by mieli szybszy refleks, by mogli grać najlepiej w najważniejszych dla drużyny meczach, by ich kariera sportowa trwała długo. Nikt nie zrozumiał. Najbliższy zrozumienia był Jacek Gmoch.

Neurastenia powoduje bardzo duże straty w dochodzie narodowym spowodowane niską wydajnością pracy i bardzo niską jej jakością.

Przykład opisany przez zbrodniarza Rudolfa Hessa potwierdza, jak bardzo zmniejsza się wydajność pracy chorego na neurastenię. W latach 20. przebywał w więzieniu za zabójstwo polityczne. W więzieniu pracował, a normę pracy wykonywał łatwo i w czasie kilku godzin. Zachorował na neurastenię. W pamiętniku opisuje wszystkie objawy neurastenii, które u niego wystąpiły. Pisze: „Mimo że zaciekle pracowałem, nie wykonywałem już normy". Z neurastenii wyleczył się w szpitalu dzięki lepszemu wiktowi - jak napisał.

Życie chorych na neurastenię jest bardzo uciążliwe. Ci ludzie życiem cieszyć się nie mogą. Zjadają wiele leków - przeważnie bez skutku. Bowiem człowiek lekami się nie odżywia.

Żywienie optymalne powoduje ustąpienie choroby w czasie od 3 tygodni do 2 - 3 miesięcy.

Przyczyną wyższą choroby jest przewaga układu sympatycznego w centralnym układzie nerwowym i w tkankach obwodowych. Tę przewagę można usunąć szybko po zastosowaniu leczenia prądami selektywnymi PS - pobudzającymi układ parasympatyczny. Leczenie pomaga na rok, na kilka lat. Spotykałem chorych, którzy zostali wyleczeni prądami bez zmiany modelu żywienia. Przez 6, 10, a nawet 16 lat od czasu leczenia prądami - byli zdrowi, bez neurastenii. Prądy selektywne pomagają w każdym przypadku. Najlepiej łączyć żywienie optymalne z prądami PS. Wówczas objawy choroby ustępują szybko, a wyleczenie jest zawsze trwałe.

Prostym badaniem określającym stopień przewagi układu sympatycznego w neurastenii i ustępowanie tej przewagi oraz choroby w miarę leczenia prądami selektywnymi jest badanie ilości wydzielanej śliny. Wkłada się między zęby a policzek kawałek wcześniej zważonej ligniny, po 2 minutach trzymania w ustach wyjmuje się ją i ponownie waży. To pozwala określić, ile wydzieliło się śliny. Badanie powtarza się po leczeniu prądami. Po 15 zabiegach prądami PS ilość śliny wzrosła u wszystkich średnio o 58 proc. Pozostałe objawy neurastenii ustępują lub znacznie się zmniejszają. Jeżeli pod wpływem leczenia prądami następuje ustąpienie przewagi układu sympatycznego, co powoduje zmianę w przemianie materii, co z kolei wpłynie na skład diety człowieka, to wyleczenie bywa trwałe.

MIAŻDŻYCA

Samo słowo oznacza dla współczesnego człowieka fatum, zły los, który wcześniej lub później staje się udziałem prawie wszystkich ludzi. Panuje przekonanie, że przed miażdżycą nie można się obronić, że z miażdżycy nie można się wyleczyć, że jedynie można, nie zawsze zresztą, opóźniać postęp choroby, że można przy pomocy różnych środków, kosztownego leczenia, zabiegów chirurgicznych jedynie łagodzić jej skutki. Prawda jest inna.

Miażdżyca jest chorobą ludzką. Zmiany miażdżycowe stwierdzono jeszcze u niektórych (długowiecznych) papug oraz u słoni afrykańskich. Papugi odżywiają się głównie nasionami zawierającymi białko, tłuszcze i węglowodany w różnych proporcjach. Słonie żywią się głównie trawą. Jajek i tłuszczów nie jedzą...

Znaleziono wiele tak zwanych czynników ryzyka, które częściej są spotykane u ludzi chorujących na miażdżycę. Żaden z dotychczas rozpoznanych czynników ryzyka nie jest przyczyną miażdżycy. Wiele z tych czynników to tylko objawy choroby, a nie jej przyczyna.

Miażdżyca może wystąpić w każdym wieku. Jest spotykana już u płodów, u dzieci w każdym wieku, zupełnie może jej nie być u najstarszych ludzi.

Już ponad 25 lat temu napisałem: „Aby człowiek w ogóle mógł zachorować na miażdżycę, musi odżywiać się na tyle źle, aby węglowodany stanowiły źródło energii dla komórek naczyń tętniczych i na tyle dobrze, aby te węglowodany były przetwarzane w tak zwanym szlaku pentozowym". Wszystkie inne czynniki przyspieszające lub zwalniające postęp miażdżycy działają na zwiększenie bądź zmniejszenie ilości glukozy przetwarzanej w szlaku pentozowym w komórkach naczyń tętniczych, w tym praktycznie wszystkie czynniki ryzyka działają w ten sposób.

Bezpośrednią przyczyną miażdżycy są węglowodany, a szczególnie fruktoza, czyli cukier z miodu, owoców i z cukru, który wytwarzają cukrownie.

Do wytworzenia cholesterolu potrzebna jest niezbędnie specjalna maszyna. Jest nią NADPH, czyli nukleotyd adenozynodwufosfopirydynowy. Bez tego enzymu (maszyny) synteza cholesterolu w komórkach ścian tętnic nie jest możliwa.

Maszyna ta powstaje w organizmie ludzkim przy okazji 3 różnych reakcji. Ale w istotnej dla powstania miażdżycy ilości i miejscu powstaje wyłącznie z glukozy przetwarzanej w cyklu pentozowym.

Wniosek jest prosty: bez glukozy w pożywieniu i bez jej spalania (przetwarzania) w szlaku pentozowym wytwarzanie cholesterolu nie jest możliwie, a zatem i rozwój miażdżycy nie jest możliwy.

Bez określonej ilości węglowodanów w diecie organizm nie może ich dostarczyć do komórek tętnic, bo nie można dostarczyć czegoś, czego nie ma. Przy małej ilości węglowodanów miażdżyca powstać nie może. Przy bardzo dużej ilości węgowodanów w diecie miażdżyca również nie powstaje, ponieważ węglowodany muszą być spalone, tak jak węgiel w piecu. Mogą być przetworzone w komórkach ścian tętnic tylko wówczas, gdy odżywienie jest kalorycznie obfite, gdy występuje w diecie zbyt mało białka lub białko jest niskiej jakości (słonie w Afryce w porze suchej i ludzie chorujący na otyłość „ubogich"), przy niedoborze pewnych witamin i składników mineralnych potrzebnych do spalania węglowodanów, przy nadmiarze innych witamin i składników mineralnych potrzebnych do przetwarzania glukozy w szlaku pentozowym, przy stosowaniu leków czy hormonów, które mają wpływ na zwiększenie ilości glukozy przetwarzanej w ścianie tętnic w szlaku pentozowym.

Co robić, aby nie było miażdżycy? To samo co w technice należy robić, aby nie można było wytwarzać koksu. Bez węgla nie ma koksu, bez węglowodanów nie ma cholesterolu. W technice należy zamiast węgla używać energii elektrycznej (atomowej, z wody, z wiatru) oraz wodoru, paliw płynnych i gazu. W tym przypadku w technice nie będzie koksu. Aby na pewno nie chorować na miażdżycę i aby (prawie) na pewno z tej miażdżycy się wyleczyć, trzeba ograniczyć spożycie węglowodanów do bezpiecznego poziomu, a zamiast węglowodanów dostarczać energię elektryczną (związki fosforowe wysokoenergetyczne) oraz tłuszcze. Możliwie najlepsze. Najlepsze tłuszcze to wolne kwasy tłuszczowe maksymalnie uwodornione, o długich łańcuchach, zawierające ponadto wszystkie witaminy, minerały, enzymy potrzebne do spalania tłuszczów. Wszystkie te składniki powinny być spożywane w optymalnych ilościach i proporcjach. Tego warunku nie może spełnić żadna fabryka. Ani fabryka margaryny, ani produkująca odżywki, witaminy, składniki mineralne czy odżywki dla dzieci. Warunki te spełniają tłuszcze z żółtka, szpiku, masła, śmietany, boczku, słoniny, tłustego sera czy tłustego mięsa.

Wbrew powszechnemu przekonaniu nie należy ograniczać cholesterolu w pożywieniu. W pokarmach roślinnych nie ma cholesterolu, ale ludzie żywiący się tylko produktami roślinnymi na miażdżycę chorują. Sami wytwarzają cholesterol. W zależności od składu diety organizm człowieka może wytworzyć na dobę od kilku do kilkudziesięciu razy więcej cholesterolu niż otrzymuje w pokarmie, zatem cholesterol pokarmowy nie ma żadnego znaczenia dla występowania miażdżycy. Ilość cholesterolu dostarczanego w pokarmie nie ma też żadnego wpływu na poziom cholesterolu we krwi. Zatem, jeżeli badanie krwi wykazuje wysoki poziom ogólny cholesterolu, to oznacza, że organizm za dużo wytwarza cholesterolu. Jeśli wytwarza ten cholesterol w komórkach ścian tętnic - rozwija się miażdżyca.

Panuje powszechne przekonanie, że przyczyną miażdżycy są tłuszcze, zwłaszcza nasycone, zwłaszcza zawarte w żółtkach jaj kurzych i maśle. Jest to przekonanie błędne.

Głównym hormonem przyspieszającym rozwój miażdżycy jest insulina. Przyczyną insuliny jest glukoza (węglowodany) dostarczana w pokarmie. Rozwój miażdżycy przyspiesza hormon wzrostowy przysadki, hormony kory nadnerczy, niedoczynność tarczycy oraz wiele leków powszechnie stosowanych. Nie można określić czy np. 10 g węglowodanów zmusza organizm do wytworzenia 1 jednostki insuliny czy też potrzeba tych węglowodanów 8 czy 15 g. U każdego człowieka inna jest przemiana materii i innej ilości glukozy w diecie potrzeba, aby organizm wytworzył 1 jednostkę insuliny.

Im więcej węglowodanów spożywa człowiek, tym więcej musi wytwarzać insuliny. Insulina jest jednym z głównych czynników rakotwórczych u człowieka. Ale przyczyną insuliny jest cukier. Zatem przyczyną insuliny i większości nowotworów złośliwych są węglowodany. Biochemicznie najlepszym produktem dla dziecka jest jajko, dla człowieka dorosłego - żółtko.

Żółtko zawiera wiele czynników „przeciwmiażdżycowych" (choliny, jodu, siarki i innych), a prawie we wszystkich badaniach wykonanych u ludzi właśnie żółtko najbardziej zwiększa poziom cholesterolu we krwi.

Jak to być może, że coś, co jest najlepsze, u większości ludzi powoduje największe szkody? Tego lekarze i uczeni pojąć nie mogą.

W niektórych badaniach tłuszcze z żółtka zwiększały poziom cholesterolu we krwi u ludzi do 4,5 razy bardziej niż jakiekolwiek inne tłuszcze. Nic dziwnego, że przy takich wynikach żółtka jaj zostały uznane za najbardziej szkodliwe dla człowieka, stąd „1 jajko na tydzień" zalecane przez lekarzy.

Od 30 lat zjadam co najmniej 6 żółtek na dobę i jakoś mi to nie zaszkodziło. Wprost przeciwnie. Moi pacjenci przez wiele lat zjadają 5 - 12 żółtek na dobę i są zdrowi. Na kilkadziesiąt tysięcy ludzi w Polsce i wielu z różnych innych krajów nigdy nie zgłoszono mi, że jakiś człowiek stosujący przez lata żywienie optymalne zachorował na raka. To oczywiste. Komórki ciała człowieka można długo hodować w żółtku jaj, ale komórki raka giną w żółtku po kilkunastu godzinach. Komórki ciała człowieka nie muszą mieć cukru aby żyć. Komórki raka muszą mieć cukier. Cukier jest zły i niepotrzebny, bo nie ma go w żółtku czy białku jaj.

Dlaczego żółtko powoduje największy wzrost poziomu cholesterolu we krwi u człowieka? Właśnie dlatego, że jest najlepsze. Po spożyciu tej samej ilości żółtek (na kg wagi ciała) wzrost poziomu cholesterolu będzie większy lub mniejszy, może go nie być wcale, może szybko i znacznie się obniżyć. Najlepsze tłuszcze (z żółtka) najbardziej ograniczają ilość spalanych węglowodanów w organizmie, a najbardziej zwiększają ilość węglowodanów przetwarzanych na tłuszcze i cholesterol. Żółtka mogą najbardziej zwiększać ilość węglowodanów przetwarzanych na tłuszcze i cholesterol tylko wówczas, gdy te węglowodany człowiek spożywa. Jeśli spożywa ich mało, organizm nie ma czego przetwarzać na tłuszcze i cholesterol, zatem miażdżyca rozwijać się nie może. Jeśli już jest - musi się cofać.

Napoleon podczas wizytacji jednej z twierdz zapytał jej komendanta, dlaczego nie przywitano go salwą armatnią. Komendant odpowiedział, że z kilku powodów. „Po pierwsze nie mamy armat" - powiedział. „Innych powodów proszę nie wymieniać, ten pierwszy w zupełności wystarczy" - odparł Bonaparte.

Wszystkie czynniki ryzyka, które mają wpływ na powstanie miażdżycy, to te pozostałe powody, o których Napoleon już słuchać nie chciał. Wystarczył mu powód pierwszy.

Żaden z pozostałych czynników ryzyka w miażdżycy nie ma istotnego wpływu na jej rozwój, jeśli nie ma węglowodanów w diecie w potrzebnej do tego ilości, czyli jeśli nie ma armat.

Aby nasze tkanki i narządy nie musiały wojować ze sobą i z całym organizmem, a organizm z nimi (choroba Buergera, Bechterowa, cukrzyca typu I, gościec przewlekły postępujący, łuszczyca, astma, inne choroby alergiczne, a nawet miażdżyca) nie dostarczajmy mu armat. Dostarczajmy traktory. Jeśli nie chcemy zachorować na raka, czyli na Rewolucję Francuską czy bolszewicką, nie dostarczajmy naszym komórkom i tkankom armat, czyli węglowodanów. Medycyna nie umie zapobiegać miażdżycy, nie umie jej przyczynowo leczyć. Usiłuje „leczyć" poziom cholesterolu we krwi, co powoduje zawsze znaczne szkody dla chorego.

Nie należy leczyć cholesterolu czy trójglicerydów. Należy przyczynowo leczyć miażdżycę. Najbiedniejsi ludzie, w najbiedniejszych krajach, mają bardzo niski poziom cholesterolu i trójglicerydów we krwi, na miażdżycę nie chorują, ale ich przeciętna długość życia nie przekracza 35 lat. Wszystkie diety zalecające ograniczenia kaloryczne są złe. A wszystkie diety zalecane dotąd w zapobieganiu i „leczeniu" otyłości i miażdżycy obejmują większe lub mniejsze ograniczenia kaloryczne. Jedynym wyjątkiem jest żywienie optymalne.

Napisałem, że przyczyną miażdżycy są węglowodany spożywane w ilości „średniej". Załóżmy, że człowiek spożywa 400 g węglowodanów na dobę. Może z tej ilości np. 200 g spalić, a 200 g przetworzyć na tłuszcze i cholesterol. To ile spali, a ile przetworzy, zależy od ilości spożywanych równolegle tłuszczów, od ich wartości biologicznej i kalorycznej.

Przy tej samej ilości tłuszczu, tłuszcze o najwyższej wartości biologicznej są źródłem energii tak dobrym, że organizm nie musi spalać glukozy w większej ilości, a może ją przetwarzać na tłuszcze i cholesterol. Gdy musi to robić w komórkach ścian tętnic powstaje miażdżyca. Nie z tłuszczu - zawsze z węglowodanów. Z ogólnej ilości węglowodanów może np. spalić tylko 50 g, a aż 350 g przetworzyć na tłuszcze i cholesterol. Noworodek karmiony piersią na 100 g maltozy (cukier mleczny) aż 90 g średnio przetwarza na tłuszcz i cholesterol, w tym głównie na tłuszcz. U dzieci karmionych piersią miażdżyca powstać nie może. Nawet w Polsce. U dzieci karmionych mlekiem krowim miażdżyca powstać musi. Dlaczego nie może powstać miażdżyca u dzieci karmionych piersią? Dlatego, że tłuszcze są praktycznie jedynym źródłem energii u tych dzieci.

W USA organizm noworodka otrzymuje w mleku matki 5,7 proc. energii w białku, 90,6 proc. w tłuszczu i tylko 3,7 proc. w węglowodanach. W mleku najlepszym, czyli najbardziej tłustym i zawierającym najmniej białka, ilość energii z białka wynosi 2,9 proc., z tłuszczów 95,1 proc., z węglowodanów tylko 2 proc. W mleku najmniej wartościowym (np. Pakistan, Indie) ilość energii z białka wynosi 13,9 proc., z tłuszczów 79 proc., z węglowodanów 7,1 proc.

Najgorszy model żywienia występował w USA w latach 1949 - 1955. Miażdżyca, zawały, wylewy, nadciśnienie, cukrzyca, otyłość były wówczas znacznie częstsze niż obecnie, przeciętna długość życia również była krótsza. U żołnierzy amerykańskich poległych w Korei miażdżyca była zjawiskiem powszechnym, w tym u ponad 30 proc. zwężenie tętnic wieńcowych było większe niż 50 proc. U żołnierzy brytyjskich ginących w Korei częstość przypadków miażdżycy była jeszcze wyższa. Ale u poległych żołnierzy, którzy w dzieciństwie karmieni byli mlekiem matki przez rok i dłużej, miażdżycy nie było wcale!

Czyżby mleko matki podawane dziecku przez rok i dłużej mogło uchronić przed rozwojem miażdżycy w wieku dojrzałym? Bepośrednio nie, ale pośrednio - tak. Gdy dziecko karmione jest mlekiem matki dostatecznie długo (w starożytnym Egipcie ponad 3 lata) jego organizm dostosowuje swój metabolizm do składu mleka kobiecego.

Jednym z ważnych czynników powodujących miażdżycę jest niska wytrzymałość mechaniczna błony wewnętrznej tętnic. To jest przyczyną częstych uszkodzeń mechanicznych śródbłonka. W celu reperacji tych uszkodzeń do uszkodzonego śródbłonka wędrują komórki mięśni gładkich z błony środkowej. Błona środkowa jest znacznie lepiej zaopatrzona w składniki budulcowe, tlen i energię, niż śródbłonek. W nowym środowisku komórki mięśni gładkich trafiają na niedobór energii i tlenu. Muszą jakoś sobie radzić. Przy złym odżywianiu tkanki najsłabiej ukrwione otrzymują najgorsze „paliwo", czyli glukozę. Najgorsze paliwo, czyli glukoza potrzebuje znacznie więcej tlenu do jej spalenia. A tlenu brakuje. Komórki te radzą sobie w ten sposób, że przetwarzają węglowodany na tłuszcze, uzyskując dzięki temu znaczne ilości tlenu. Następnie przetwarzają te tłuszcze na cholesterol, uzyskując przy tym znaczne ilości wodoru. Ten wodór spalony z tlenem daje potrzebną energię do „reperacji" uszkodzonego śródbłonka. Ale w tych komórkach, jako odpad, gromadzi się cholesterol. Tak zaczyna się miażdżyca.

Przyczyną niskiej wytrzymałości komórek śródbłonka tętnic jest określone, niekorzystne odżywianie. W chlebie, jarzynach czy ziemniakach, w jabłkach, w innych produktach pochodzenia roślinnego nie ma wartościowych „części zamiennych" dla narządów i tkanek człowieka. Przy złym odżywianiu najgorsze części zamienne i najgorsze źródła energii otrzymują tkanki z zasady najsłabiej odżywione. A do takich właśnie tkanek zaliczają się komórki błony wewnętrznej tętnic. Łatwo jest zabić królika, trudno kota. Wytrzymałość mechaniczna tkanek u kota jest kilka razy wyższa niż u królika. Jeśli człowiek żywi się jak królik, niech się nie spodziewa, że będzie zdrowy, odporny na urazy i kontuzje. Najgorzej odżywiani przed laty ludzie w Polsce mieli bardzo niską wytrzymałość mechaniczną tkanek, nie wolno im było grać w piłkę nożną czy siatkówkę. Mogli grać tylko w brydża. Choroba zwyrodnieniowa stawów i kręgosłupa była u nich powszechna, otyłość również, na miażdżycę zapadali o 10 lat wcześniej niż inni mężczyźni. Postęp miażdżycy był u nich szczególnie szybki, a dotyczył on głównie tętnic wieńcowych i mózgowych. Na stres żarłocznością reagowało 90 proc. tych ludzi. Straty z powodu takiego żywienia lotników wojskowych, bo to właśnie byli oni, były ogromne. Wiele katastrof lotniczych, wielu zabitych lotników i rozbitych samolotów to efekt fatalnego żywienia.

Współczesna medycyna jako ważne czynniki ryzyka w rozwoju miażdżycy podaje: otyłość, cukrzycę, nadciśnienie, hiperlipidemie pierwotne, palenie tytoniu, niedobór składników mineralnych w diecie, zwłaszcza magnezu, nadmiar witaminy D i wapnia. Cztery pierwsze czynniki na pewno nie są przyczyną miażdżycy, a są spowodowane wspólną przyczyną wyższą. Błyskawica w czasie burzy nie jest przecież przyczyną deszczu. Palenie tytoniu działa różnie na różnych ludzi. W zależności od ilości wypalanych papierosów na dobę i składu diety, palenie może przyspieszać postęp miażdżycy, może nie przyspieszać, może też działać przeciwmiażdżycowo. Nie oznacza to, że należy palić tytoń. Ale trzeba wiedzieć na ten temat całą prawdę, aby komuś radzić. Papierosy w dawce porażającej układ sympatyczny (40 i więcej na dobę) znacznie przyspieszają rozwój miażdżycy w tętnicach wieńcowych i mózgowych. Papierosy w dawce pobudzającej układ sympatyczny (10-15 sztuk na dobę) teoretycznie działają przeciwmiażdżycowo. Chorzy na choroby zaliczane do tak zwanych zespołów antymiażdżycowych mają również przewagę układu sympatycznego. Papierosy w małych dawkach zwiększają tę przewagę, nasilają postęp choroby, ale nie przyspieszają miażdżycy, zwłaszcza miażdżycy tętnic wieńcowych i mózgowych.

Przeciążanie kończyn najczęściej przyspiesza rozwój miażdżycy w tętnicach tych kończyn. Ponad 90 proc. chorych na miażdżycę tętnic kończyn dolnych przez długie okresy przeciążało swoje nogi.

Do dnia dzisiejszego wyleczyłem z miażdżycy tętnic kończyn dolnych kilka tysięcy mężczyzn i kobiet. Z miażdżycy tętnic kończyn górnych – również. Ustąpienie objawów choroby lub znaczna poprawa wystąpiły u wszystkich chorych, których leczyłem. Nie było dotychczas metody leczenia miażdżycy kończyn dolnych, która by powodowała u wszystkich tak dużą poprawę w tak krótkim czasie. I to bez żadnej szkody dla organizmu. Takie rezultaty może dać tylko leczenie przyczynowe. Żywienie optymalne jest leczeniem przyczynowym w miażdżycy. Prądy selektywne znacznie przyspieszają ustępowanie objawów choroby.

Prądy selektywne szybko rozszerzają naczynia tętnicze; już po 2 - 3 zabiegach nogi robią się ciepłe. Żywienie optymalne dostarcza znacznie lepszego paliwa dla tętnic i mięśni. Do spalania lepszych paliw potrzeba mniej tlenu. Zmniejszenie zapotrzebowania na tlen, poprawa jakości „paliw", poprawa w dostawie części zamiennych, rozszerzenie tętnic o średnio ponad 200 proc. powoduje tak szybkie ustępowanie objawów chorobowych, jakie uzyskiwano w Arkadii. Jakich nie uzyskiwano dotychczas nigdzie. Po wprowadzeniu żywienia optymalnego następuje wyleczenie nie tylko z miażdżycy. Równolegle ustępują inne choroby.

Według współczesnej medycyny uzyskiwanie podobnych rezultatów nie jest możliwe. No cóż – trzeba sprawdzić. Jeden z największych autorytetów w nauce przed ponad 100 laty powiedział, że aparaty cięższe od powietrza nigdy nie będą mogły latać. Okazało się szybko, że mogą. Obecnie może się okazać, że ludzie wcale nie muszą chorować, a jeśli chorują, mogą się ze swoich chorób przyczynowo wyleczyć. Bezboleśnie i tanio.

Najczęściej spotykane powikłania miażdżycy to zakrzepy i krwotoki mózgowe, powodujące porażenia i niedowłady, najczęściej połowicze, zawały serca na tle zakrzepu lub zatoru tętnic wieńcowych, niedrożność aorty brzusznej, tętnic udowych i podkolanowych, powodujące bóle samoistne, bóle przy chodzeniu, owrzodzenia palców, stóp, podudzi, martwicę wilgotną lub suchą palców, stopy, podudzia. Może wystąpić niewydolność nerek spowodowana miażdżycą czy martwica pętli jelit spowodowana zakrzepem czy zatorem.

W zaawansowanej miażdżycy tworzą się wystające ponad poziom ściany naczyniowej blaszki miażdżycowe, które mogą się oderwać, popłynąć z prądem krwi i zatkać mniejszą tętnicę w mózgu, sercu, kończynach, innych narządach. W miejscu oderwania blaszki powstaje skrzep, który może spowodować niedrożność tętnicy. Powikłania miażdżycy z tych powodów dają objawy ostre, często dramatycznie się kończące. Nie można przewidzieć, kiedy i w jakim narządzie pojawi się ostre zwężenie lub zamknięcie tętnicy.

A jak sprawy wyglądają po wprowadzeniu żywienia optymalnego? Chorych na zaawansowaną miażdżycę tętnic mózgu (po wylewach), naczyń wieńcowych (zawały), tętnic kończyn (amputacje, przeszczepy naczyniowe, operacyjne odnerwianie tętnic) leczyłem wiele tysięcy. Żywienie optymalne chroni przed zakrzepem, ale nie może od razu spowodować wyleczenia miażdżycy. Na to potrzeba czasu. Spotkałem 11 przypadków świadczących o ostrej niedrożności tętnicy w pierwszych tygodniach żywienia optymalnego, w tym były 4 incydenty mózgowe i 7 w kończynach dolnych. Żaden przypadek nie zakończył się tragicznie. Jest to zrozumiałe, gdyż przy żywieniu optymalnym organizm dysponuje najlepszymi źródłami energii i najlepszymi paliwami, które może skierować do zagrożonej niedokrwieniem tkanki. Przy tym żywieniu organizm ma ogromne możliwości regeneracyjne i szybko potrafi zreperować uszkodzoną tkankę, udrożnić zatkaną tętnicę, usunąć skutki niedokrwienia.

CHOROBY PRZEWODU POKARMOWEGO

Na ponad 1650 chorych na różne choroby, przebywających w Akademii Zdrowia Arkadia w latach 1987 - 1990, nieco ponad 43 proc. uskarżało się na dolegliwości ze strony przewodu pokarmowego. Byli to chorzy na chorobę wrzodową żołądka i dwunastnicy, kamicę wątrobową, przewlekłe zapalenie woreczka żółciowego i dróg żółciowych, stany zapalne jelit, wrzodziejące zapalenie jelita grubego, marskość wątroby, inne choroby. Chorzy przyjeżdżali w poniedziałek. Od pierwszego dnia otrzymywali typowe żywienie optymalne według 2-tygodniowego jadłospisu.

Przy żywieniu zbiorowym nie można nigdy jeść tak dobrze, jak można to robić w domu. Różne choroby wymagają nieco odmiennego odżywiania. Inne produkty należy zwiększyć w diecie chorych na stwardnienie rozsiane, inne u chorego na gościec przewlekły postępujący, jeszcze inne u chorych na choroby, w których występują zaburzenia w różnych innych tkankach czy narządach.

Zmiana dotychczasowego modelu żywienia, po wprowadzeniu żywienia optymalnego, była największa u chorych na choroby zaliczane do „pastwiskowych", a najmniejsza u chorych na choroby zaliczane do „korytkowych". Ale i u jednych, i u drugich, była to zmiana duża.

Każda duża zmiana w żywieniu powoduje częste zaburzenia w czynności przewodu pokarmowego. Zaburzenia te pojawiają się czasem już w pierwszym dniu Bożego Narodzenia, a częściej, bo po dłuższym poście, pojawiają się w pierwszym dniu Wielkiej Nocy. Obecnie ludzie nie poszczą tak rygorystycznie, jak pościli dawniej, dlatego chorych „z przejedzenia" bywa po świętach poprzedzonych postem mniej.

Na ponad 1650 chorych z Arkadii, którzy nagle zaczęli odżywiać się dietą optymalną, niewielkie zaburzenia przewodu pokarmowego wystąpiły tylko u 37 osób w pierwszym dniu, utrzymywały się w drugim dniu u 6 jeszcze, od trzeciego dnia żadnych zaburzeń ze strony przewodu pokarmowego już nie było. Po przejściu na żywienie optymalne najszybciej ustępują choroby i dolegliwości przewodu pokarmowego, bo też przewód pokarmowy jest układem narządów, które w pierwszej kolejności mogą korzystać z dobrodziejstw żywienia optymalnego.

Zaburzenia ze strony przewodu pokarmowego przez cały czas pobytu utrzymywały się u jednej chorej, były nieco mniejsze niż te, z którymi przyjechała, ale były. Powiedziałem chorej, że albo muszą to być pasożyty, albo jakieś zmiany organiczne, że po powrocie do domu,powinna ustalić przyczynę dolegliwości. Zawiadomiła mnie, że znaleziono u niej polipy w jelicie, które operacyjnie usunięto, co spowodowało wyleczenie. U innej chorej wystąpiły silne bóle brzucha po 8 dniach pobytu. Była to lekarka-stomatolog. Takie bóle w domu powtarzały się u niej bardzo często, od 20 lat, odwiedziła w tym czasie wiele klinik i wielu profesorów. Żadnej poprawy nie było. Po wystąpieniu ataków bólu otrzymywała zawsze typowe leki rozkurczowe i przeciwbólowe, które jej nigdy nie pomagały. Nie pomogły też po ich zastosowaniu w Arkadii. Okazało się, po dłuższej rozmowie i dokładnej analizie objawów chorobowych, że choruje na migrenę brzuszną. Chorobę szybko wyleczono prądami selektywnymi S, pobudzającymi układ sympatyczny i choroba więcej nie powróciła. Dlaczego przez 20 lat nie rozpoznano choroby?

Większość chorych przebywających w Arkadii była wielokrotnie leczona w różnych szpitalach i klinikach. Miała ze sobą dokumentację leczenia. Rozpoznania chorób były określone i ustalone. Ale dość często chorzy nie chorowali na te choroby, które u nich rozpoznano i na które byli bezskutecznie leczeni. Mylono np. chorobę Buergera ze stwardnieniem rozsianym i odwrotnie, a najczęściej mylono stwardnienie boczne zanikowe ze stwardnieniem rozsianym. Takich i innych pomyłek było bardzo dużo. Ktoś niedawno powiedział, że dotąd najlepszym urządzeniem diagnostycznym jest mózg lekarza, który potrafi myśleć.

Najszybciej chorzy zdrowieli z choroby wrzodowej. Nadkwasota i bóle ustępowały po 1 - 2 dniach i już nie powracały. Niedawno wykazano, że owrzodzenia w żołądku mogą się goić nadzwyczaj szybko - po kilkunastu, kilkudziesięciu godzinach. Brak węglowodanów w diecie w ciągu kilku godzin uniemożliwia ich spalanie w szlaku pentozowym w żołądku, zatem uniemożliwia nadmierne wytwarzanie dwutlenku węgla, co uniemożliwia powstawanie w nadmiarze kwasu węglowego, co z kolei uniemożliwia nadmierne wytwarzanie kwasu solnego.

Prądy selektywne działają bardzo szybko. Efekty są widoczne już po 2 - 3 zabiegach. W chorobie wrzodowej występuje miejscowa przewaga układu parasympatycznego w żołądku. Stosujemy prądy S, pobudzające układ sympatyczny. Z choroby wrzodowej można wyleczyć się, zwiększając w pożywieniu zawartość najbardziej wartościowego tłuszczu, co przesuwa chorego bliżej stołu, a tam już się nie choruje.

Od dawna w żywieniu chorych na chorobę wrzodową stosowano dietę bogatotłuszczową. Była to tak zwana dieta Sippy'ego. Polega ona na spożywaniu do 0,5 litra na dobę śmietany 30-proc. Taka ilość śmietany to aż 150 g najbardziej wartościowego tłuszczu. Niezależnie od tego co chory jeszcze ponadto zje, tłuszcz jest u niego zasadniczym źródłem energii. Wtedy na chorobę wrzodową się już nie choruje.

W Polsce przed laty stosowano dietę Sippy'ego. W polskim piśmiennictwie ukazały się 2 prace naukowe na ten temat. W pierwszej autorzy zauważyli znacznie rzadsze występowanie miażdżycy u chorych na chorobę wrzodową leczonych przez wiele lat tą dietą (śmietaną), w drugiej zauważyli ustępowanie zmian miażdżycowych u chorych przy długoletnim leczeniu ich dietą Sippy'ego. Dieta ta nie jest żywieniem optymalnym, ale jest zbliżona do żywienia optymalnego na tyle, że chroni przed miażdżycą i powoduje ustępowanie miażdżycy. Żywienie optymalne powoduje to samo, tylko o wiele szybciej. Przy żywieniu optymalnym nie leczy się jakiejś choroby, a przyczynowo zamienia się człowieka chorego w zdrowego.

Możliwe jest nawet wyleczenie z ciężkiej, zastoinowej marskości wątroby. U kilkunastu chorych z „Arkadii" rozpoznano uprzednio marskość wątroby: zastoinową, żółciową, alkoholową. Wszyscy znosili dietę dobrze, a dolegliwości wątrobowe ustąpiły.

OTYŁOŚĆ

Obiegowe pojęcia i poglądy na temat otyłości są nieprawdziwe, i dotąd takimi będą, dopóki wśród ludzi będą ludzie z nadwagą i osoby otyłe. Żaden człowiek otyły nie chce być otyłym, ale być nim musi, ponieważ nie wie, jak powinien postępować, żeby być szczupłym. Otyłość jest największym nieszczęściem dla człowieka. Człowiek otyły chorować musi, a czynność jego umysłu musi być patologiczna. Wbrew utartym opiniom otyłość jako taka nie jest przyczyną żadnej choroby. Otyłość i określone choroby mają swoją wspólną przyczynę wyższą. Nie jest prawdą, że człowiek za dużo je i dlatego tyje. Każdy zjada tyle, ile potrzebuje. To, że człowiek otyły zjada więcej od innych, też ma swoją przyczynę wyższą. Tą przyczyną są określone proporcje między białkiem, tłuszczem a węglowodanami w diecie.

Otyłość „ubogich" - jest to typ otyłości występujący najczęściej u ludzi biednych. Przyczyną główną tej otyłości jest zbyt niska zawartość białka w diecie w stosunku do węglowodanów. Od chleba z pełnego zboża utyć nie można. Ale już od chleba z mąki „oczyszczonej" z bardziej wartościowych składników tyje się. Jeżeli do diety opartej na zbożu i ziemniakach dodamy produktów zawierających tylko węglowodany, takich jak cukier, mąka ziemniaczana, miód, soki owocowe, dżemy, daktyle, figi czy jabłka, na 1 g białka będzie przypadało znacznie więcej węglowodanów niż spotyka się w trawie czy w innych produktach pochodzenia roślinnego, takich jak jarzyny, groch czy fasola.

Do spalania cukru (węglowodanów) organizm potrzebuje dużo białka, dużo pewnych witamin i składników mineralnych. Tych składników nie ma wcale w cukrze, miodzie, mące ziemniaczanej czy w coli. W tych produktach nie ma białka. Bez białka cukier spalony być nie może. W pełnym zbożu jest tylko tyle białka, witamin i składników mineralnych, że wystarcza ich do spalenia tylko tych węglowodanów, które są w zbożu. Praktycznie prawie cały tłuszcz zgromadzony w ciele otyłego, pochodzi z węglowodanów. Ci ludzie chorują na wiele chorób, szczególnie na chorobę zwyrodnieniową stawów, żylaki, miażdżycę (mimo że nie jedzą tłuszczów), rozstępy skórne, kamicę wątrobową, nadciśnienie, chorobę wieńcową, niewydolność krążenia i wiele innych chorób. Cechą charakterystyczną w zachowaniu się tych ludzi jest typowa reakcja na stres: po zdenerwowaniu jedzą tyle samo, co przedtem, to znaczy, że stres nie ma u nich wpływu na ilość czy jakość spożywanych pokarmów. Występują u nich zaburzenia w wytwarzaniu wielu enzymów i hormonów. Wytwarzają np. zbyt dużo hormonu wzrostowego przysadki czy hormonów kory nadnerczy. A to z kolei, jeśli są w wieku wzrastania, powoduje nadmierny wzrost, szybsze dojrzewanie, patologiczną budowę ciała (np. zbyt długie nogi i ręce), i stały łojotok połączony z osłabioną odpornością na zakażenia gronkowcem, co jest przyczyną tak częstego u naszej młodzieży trądziku.

Przed cukrem (węglowodanami) organizm człowieka broni się na różne sposoby. Przetwarza węglowodany na tłuszcz i ten odkłada. Spalić tego tłuszczu nie może, ponieważ nie jest przystosowany do spalania tłuszczu. Przetwarza węglowodany na cholesterol, ponieważ w ten sposób wytwarza tlen, którego mu brakuje zwłaszcza w tkankach najsłabiej ukrwionych, czyli najgorzej zaopatrywanych w energię i w tlen.

W tym miejscu uważny Czytelnik powinien pomyśleć - jeżeli cholesterol jest wytwarzany z węglowodanów w tych moich tkankach, w których brakuje tlenu, jeżeli w moich tętnicach jest wytwarzany cholesterol, ponieważ brakuje w nich tlenu, to przecież mógłbym odżywiać się na tyle dobrze, aby tlenu w tętnicach moich nie brakowało, a cholesterol nie był w nich wytwarzany. Na miażdżycę bym nie chorował, a może nawet mógłbym z posiadanej miażdżycy się wyleczyć.

Zdrowa ściana aorty u człowieka i ściany tętnic wieńcowych nie zawierają wcale magnezu. A to oznacza, że w komórkach tych tętnic węglowodany na pewno nie są spalane ani przetwarzane na tłuszcze czy cholesterol. W zdrowych tętnicach u człowieka poziom cholesterolu w komórkach tętnic wynosi 0 (zero). Tak być powinno.

Nie jest prawdą, że cholesterol z pokarmu czy występujący we krwi odkłada się w komórkach ścian tętnic u człowieka. Cholesterolu podawanego w różny sposób, ale znakowanego pierwiastkiem promieniotwórczym nigdy nie znaleziono w komórkach tętnic człowieka.

Wykazano natomiast, że znakowana glukoza, podawana sama, a jeszcze lepiej z insuliną, była znajdowana w komórkach ścian tętnic już po godzinie od jej podania, ale nie była to już glukoza, a wytworzony z glukozy cholesterol (!).

Następnym sposobem, w jaki organizm broni się przed spożywanymi węglowodanami, jest cukrzyca typu I. Nikt nie chorował, nie choruje i nie zachoruje na tłuszczycę. Na cukrzycę w samej Polsce choruje ponad 1 milion ludzi. Przyroda jest zawsze logiczna. Nigdy nie łamie własnych praw. Żaden kierowca nie wyleje benzyny, zamieniając ją na węgiel z wodą. Nigdy nasz organizm nie wydali tłuszczu, a nie zatrzyma cukru (węglowodanów). Im więcej węglowodanów spożywa człowiek, tym więcej jego trzustka wytwarza insuliny. Organizm broni się przed węglowodanami tak, jak potrafi. Wytwarza przeciwciała przeciwko komórkom trzustki wytwarzającym insulinę i niszczy te komórki. Tak się dzieje w każdym przypadku cukrzycy typu I u człowieka. Gdy 85 - 96 proc. komórek wytwarzających insulinę zostaje zniszczonych, organizm już ich dalej nie niszczy. Praktycznie u każdego człowieka trzustka wytwarza insulinę, ale u chorych na cukrzycę wytwarza jej o wiele za mało. Za mało nie w stosunku do rzeczywistych potrzeb człowieka, a za mało w stosunku do ilości spożywanych węglowodanów. Wzrasta poziom glukozy we krwi i zostaje ona wydalana z moczem, czasem w dużych ilościach. Tkanki nasze nie chcą glukozy. Nie chcą jej wówczas, gdy chorujemy na cukrzycę i wóczas, gdy na cukrzycę nie chorujemy. Przy normalnym poziomie różnych „paliw" we krwi zdrowego człowieka nasze tkanki w pierwszej kolejności wykorzystują „paliwa" najlepsze, a w ostatniej - najgorsze. Najchętniej wszystkie tkanki człowieka wybierają tak zwane ciała ketonowe, 2 - 3 razy szybciej niż wolne kwasy tłuszczowe, następnie wolne kwasy tłuszczowe - 40 razy szybciej niż glukozę.

Przy dużej wiedzy i możliwości badania poziomu glukozy we krwi, człowiek chory na cukrzycę typu I może się sam wyleczyć w domu. U większości chorych potrzebny byłby krótki pobyt w szpitalu, jeśli pojawią się szpitale przyczynowo leczące chorych.

Otyli na otyłość „ubogich", po wprowadzeniu żywienia optymalnego, chudną w tempie nieco powyżej 6 kg w każdym miesiącu, aż do uzyskania niskiej wagi należnej. Gdy już przestaną chudnąć, powinni, w zależności od wieku, rodzaju pracy, aktywności fizycznej, zwiększyć zawartość tłuszczów w diecie do 4-6 g tłuszczu na 1 g białka.

Otyłość „bogatych" - ten typ otyłości zawsze występował rzadziej wśród ludzi, ale był najbardziej groźny w skutkach dla ludzkości. Powoduje on najbardziej patologiczną i najbardziej szkodzącą ludziom czynność umysłów. A ponieważ dotyczy on głównie rządzących, skutki dla narodów bywały zawsze tragiczne.

W „Baśniach tysiąca i jednej nocy" o tym typie otyłości pisano: „Mędrcy powiadają, że kto ma grube ciało, ma też i grubą duszę, daleko mu do rozumu, a bliską mu jest głupota". Ten typ otyłości był powszechny wśród magnatów i szlachty polskiej w czasach saskich.

Kilka tysięcy lat temu pisarz sumeryjski biadał nad swoim synem, który stał się „duży, otyły i potężny" i z tego powodu czeka go upadek, „boś nie zwracał uwagi na to, co godne człowieka" - napisał. Z tego właśnie powodu upadła cywilizacja Sumerów, której zawdzięczamy więcej niż jakiejkolwiek innej cywilizacji. Ludzie o najbardziej sprawnych umysłach, czyli autorzy Biblii, potrafili nawet bezbłędnie przewidzieć tragiczne skutki, jakie czekają każdy naród, gdy taki typ otyłości pojawi się wśród rządzących. Pisali tak: „Zaisteć zgłupieli książęta soańscy, mądrych radców faraonowych rada zgłupiała... Roztyli, lśnią się i innych w złościach przewyższają... Więc i najemnicy jego... są jako cielce utuczone, ale i oni... uciekną społem, nie ostoją się, bo czas porażki przyszedł na nich..." I bezbłędna „przepowiednia" autorów Biblii dla Egiptu: „Pobłądzi Egipt w każdej swojej sprawie, tak jako błądzi pijany".

Egipt błądzi w każdej swojej sprawie od ponad 2300 lat i nadal jeszcze błądzić musi. Nasz naród, z tych samych powodów, od kilkuset lat błądzi w każdej swojej sprawie, tak jako błądzi pijany.

Uważa się, że dużą rolę w otyłości odgrywają czynniki genetyczne. Że występują tak zwane hiperlipidemie pierwotne, które są uwarunkowane genetycznie. Głównym czynnikiem, który się dziedziczy, jest kuchnia, jest sposób odżywiania, jest własna przemiana materii dostosowana do własnego składu diety. Kuchnię, czyli określony model żywienia, dziedziczy się głównie przez kobiety. To one najczęściej przyrządzają posiłki domownikom, według wzorca wyniesionego z własnego domu.

Nie ma dwóch ludzi na świecie, którzy odżywialiby się tak samo. Podobny, a nawet bardzo podobny model żywienia stosowany był dla mężczyzn-wojowników w starożytnej Sparcie. Wojownicy odżywiali się tymi samymi produktami. Każdy członek rodziny odżywia się inaczej. Każdy żołnierz je inaczej. Przy żywieniu zbiorowym, a także w rodzinie, pewne produkty są wydzielane na każdą osobę, np. kotlet, parówka, jajko. Mniejszy zjada te produkty z mniejszą ilością innych, tych nie reglamentowanych. Jeden nie sypie cukru do swojej kawy czy herbaty, inny sypie 1 łyżeczkę, a jeszcze inny 4. Większy i cięższy zjada taką samą ilość produktów „reglamentowanych", ale zjada równolegle znacznie większą ilość produktów pozostałych. Jeden zjada kromkę chleba przy śniadaniu, inny zjada tych kromek 6.

Niby jedzą to samo, ale proporcje między białkiem, tłuszczem i węglowodanami w ich diecie będą różniły się bardzo. A każde inne proporcje dają inne skutki dla człowieka. Nawet przy bardzo zbliżonych proporcjach u dwóch ludzi, pozostałe czynniki środowiskowe wpływają w znaczny sposób na to, czy organizm np. przetworzy większą czy mniejszą ilość spożytych węglowodanów na tłuszcz. Gdy pracujemy w zimnie, organizm musi spalić więcej węglowodanów, gdy w cieple - spala ich mniej, a więcej przetwarza na tłuszcz. Gdy w wodzie, którą pije, występuje zbyt mało składników mineralnych potrzebnych do spalania cukru (miękka woda), musi znacznie więcej węglowodanów przetworzyć na tłuszcz i cholesterol, ponieważ przy tych przemianach zużycie składników mineralnych jest mniejsze. Gdy biega, musi więcej spożytych węglowodanów spalić, gdy siedzi przed telewizorem, musi ich więcej przetworzyć na tłuszcz i cholesterol. Gdy pojedzie na urlop w wysokie góry, musi więcej wytwarzać tlenu z glukozy i więcej wytwarzać cholesterolu.

Kilkanaście lat temu, w jednym z sanatoriów znalazłem 14,5 proc. kobiet reagujących na stres żarłocznością i tylko 3,8 proc. mężczyzn. Wszyscy mężczyźni byli otyli, wszystkie kobiety również. Mężczyźni to byli głównie dyrektorzy różnych przedsiębiorstw, prezesi GS, kobiety to sprzedawczynie w sklepach mięsnych czy bufetowe. W jednej z grup zawodowych, w której przygotowanie do zawodu kosztuje społecznie setki i tysiące razy więcej niż w innych zawodach, liczba otyłych i z nadwagą przekraczała 80 proc., na stres reagowało żarłocznością aż 90 proc., na miażdżycę zapadali średnio o 10 lat wcześniej niż inni mężczyźni, wysyłano ich na „odchudzanie" w góry, gdzie, przy intensywnym wysiłku fizycznym i ograniczonej kalorycznie diecie, przybierali na wadze po 3 tygodniach ponad 3 kg. Tak było w tej grupie już 27 lat temu.

Ludzie reagujący na stres żarłocznością, tyjący pod wpływem stresu, po przejściu na żywienie optymalne tracą wagę w różnym tempie. Większości z nich nie ma, lub ma za mało enzymu (maszyny) uwalniającego kwasy tłuszczowe z „zapasów".

U większości spadek wagi jest podobny jak u innych otyłych, u pozostałych bywa wolniejszy. Jest duża grupa ludzi, wśród których otyłość jest mniejsza i występuje rzadziej, którzy pod wpływem stresu powstrzymują się od jedzenia. W czasie stresu chudną. Gdy stres się przedłuża, jedzą mniej niż poprzednio, wybierają inne produkty, na ogół gorsze, po niedługim czasie jedzą już tak jak w czasie stresu, zaczynają chorować na neurastenię. Reagujący na stres powstrzymywaniem się od jedzenia po przejściu na żywienie optymalne ubywają na wadze średnio ponad 6 kg w okresie miesiąca.

Jest wiele metod i sposobów odchudzania, ale otyłych ciągle jest więcej i więcej. Co nauka mówi o tych metodach?

1. Każde ilościowe ograniczenie pożywienia znacznie przyspiesza starzenie organizmu, szczególnie naczyń tętniczych.
2. U otyłych leczonych dietą zawierającą 1200-1500 Kcal i obciążanych wysiłkiem, zmętnienie surowicy (przetłuszczenie) wzrastało jeszcze bardziej po leczeniu odchudzającym.
3. Diety niskokaloryczne są nieskuteczne w leczeniu otyłości.
4. Diety niskotłuszczowe powodują wzrost ilości lipidów, depresję i ogólne osłabienie.
5. Leczenie otyłości głodówką jest zupełnie nieskuteczne. Wynik odległy - całkowite niepowodzenie.
6. Głodówki powodują zobojętnienie, obniżenie poczucia moralności, obniżenie sprawności intelektualnej, postawy aspołeczne i egoistyczne. Odstąpienie od głodówki zmniejsza otępienie umysłowe.
7. Na podstawie badań izotopowych wykazano, że głodówka, leki moczopędne, przetwory tarczycy powodują ubytek wody i chudej masy ciała z niewielkim lub żadnym ubytkiem tłuszczu.

Wbrew powszechnemu mniemaniu spadek wagi u otyłych nie jest wcale proporcjonalny do ograniczeń kalorycznych. Wyliczenia, ile to kalorii człowiek traci podczas marszu, biegu czy pływania, są nieprawdziwe. W zależności od składu diety różna jest sprawność mechaniczna naszych organizmów. Jeden musi stracić przy tym samym wysiłku 1000 Kcal, drugi straci tylko 500. Kalorie nie są równe kaloriom. Gdyby tak było, to rakiety wypychanoby na orbitę przy pomocy miału węglowego, a nie wodoru.

Już w 1954 r. autorzy angielscy (Kewik, Pawan) wykazali, że spadek wagi u otyłych jest proporcjonalny do niedoboru kalorii w diecie tylko wtedy, gdy stosunek między głównymi składnikami odżywczymi (białko:tłuszcz:węglowodany) pozostaje stały. Przy jednakowej podaży kalorii szybkość utraty wagi jest największa na diecie bogatotłuszczowej.

Można jeść więcej kalorii i chudnąć. Można jeść mniej i tyć. Ci sami badacze wykazali, że otyli, których waga rosła na 2000 Kcal zwykłej diety mieszanej, wszyscy tracili na wadze, gdy podaż kalorii zwiększono do 2600, ale w diecie bogatotłuszczowej.

W badaniach naukowych udowodniono, że dieta bogatotłuszczowa nie może powodować otyłości, chorób serca i naczyń, powoduje niskie ciśnienie tętnicze krwi, niski poziom cholesterolu, brak zachorowań na miażdżycę i otyłość, bardzo wysoką wydolność fizyczną, nieznacznie zmniejszającą się z wiekiem. Uniemożliwia zachorowanie na cukrzycę i otyłość oraz na choroby stawów.

Otyłość jest bardzo szkodliwa dla samych otyłych, a jeszcze bardziej szkodliwa dla narodów i szerzej - dla ludzkości. W krajach kapitalistycznych, zwłaszcza w USA, pracodawcy chcą przyjmować do pracy tylko ludzi szczupłych, ponieważ z otyłymi są tylko kłopoty. Częściej chorują, gorzej pracują.

Joe Girard, autor kilku książek, który udowodnił, że potrafi najlepiej na świecie sprzedawać siebie, a dzięki temu i samochody, który był przez kilka lat najlepszym sprzedawcą na świecie, pisze, jak wielką przeszkodą w każdej pracy jest otyłość. W książce pt. „Jak skutecznie sprzedawać siebie" napisał: „W Oral Roberts University obowiązuje zasada, której każdy student musi przestrzegać... Utrzymuj wagę albo spadaj. Reguła być może surowa, ale słuszna. Żaden student ORU nie może ważyć więcej niż powinien według swego wzrostu. Każdemu oferuje się możliwość zrzucenia nadwagi, ale jeśli z tej możliwości nie skorzysta, wylatuje z uczelni".

Dobra uczelnia, przygotowująca fachowców na wysokie stanowiska, nie może sobie pozwolić (w kapitalizmie) na uczenie otyłych, bo ani ich dobrze nauczyć nie może, ani nie będą oni mogli w swojej pracy (zawsze kiepskiej) podnosić prestiżu uczelni, którą ukończyli.

Był poproszony na wykład do tej uczelni, bo był szczupły. Pisał: „Gdyby taka okazja nadarzyła się trzy lata wcześniej, to bez względu na moje osiągnięcia, wątpię, czy byłbym na taki wykład poproszony. Dlaczego? Z powodu opakowania. Wtedy byłem tłuściochem. A grubas nie ma szansy godnego zaprezentowania siebie". Nic dodać, nic ująć, ale pomyśleć warto.

Każdy może uzyskać niską wagę ciała bez ograniczania ilościowego pożywienia i bez odczuwania głodu. Może to obecnie zrobić tanio. Może przy okazji wyleczyć się przyczynowo z wielu chorób, na które choruje. Może znacznie zwiększyć swoje dochody, poprawić wydajność pracy i jakość pracy. Może uzyskać znacznie więcej czasu wolnego (na myślenie) ponieważ dotychczas wykonywaną pracę będzie mógł wykonać w czasie o połowę krótszym. Ponadto wykona ją lepiej. Przestanie „mozolić się na próżno", jak powiedziano w Biblii.

Jeżeli sam nie chce się włączyć w procesy rządzenia na szczeblu lokalnym czy najwyższym, nie wolno mu głosować na otyłych. Chyba że schudną. A najważniejsze - stanie się Człowiekiem. Wolnym Człowiekiem. Człowiek niczego się nie boi, ani nigdy nie bije głową w mur. Podejmuje tylko takie działania, które mają największe szanse na wykonanie. Nikogo nie poucza, nie namawia, chyba że go o to poproszą. „Nie udzielaj dobrych rad złym, bo zaiste złem cię tylko za to wynagrodzą" - napisano w Biblii.

Należy natychmiast wprowadzić żywienie optymalne, bez żadnego okresu przejściowego. Przy większej otyłości i przy obecności różnych chorób, spowodowanych tą samą co otyłość wspólną przyczyną wyższą należy w pierwszym okresie na 1 g białka spożywać 2 - 3 g tłuszczu i do 0,5 g węglowodanów. Kalorii nie należy liczyć. Liczyć je trzeba tylko przy wydawaniu pieniędzy na jedzenie.

W Akademii Zdrowia „Arkadia" żywienie optymalne wprowadzano od pierwszego dnia. Wielu chorych miało różne dolegliwości (i choroby) przewodu pokarmowego. Bóle brzucha po jedzeniu występowały bardzo rzadko i to tylko przy pierwszych posiłkach.

W zależności od towarzyszących chorób należy dobierać skład spożywanego białka w taki sposób, aby to białko było najbardziej zbliżone do składu chemicznego uszkodzonych chorobą tkanek.

Najlepsze białka są w żółtkach. W nich znajdują się wszystkie potrzebne składniki do odbudowy i przebudowy wszystkich tkanek naszego organizmu.

U otyłych najczęściej występują zmiany zwyrodnieniowe stawów, uszkodzenia dysków, chrząstek, powięzi i wiązadeł, „odwapnienia" kości. Występują nie dlatego, że zjadamy za mało wapnia czy fosforu (w chorobie zwyrodnieniowej nie ma zaburzeń w poziomie we krwi i w gospodarce wapniem i fosforem), a dlatego że zjadamy zbyt mało kolagenu. Kości są zbudowane z białka. Wszelkie odwapnienia kości są sprawą wtórną. Zmianą pierwotną są zmiany w kolagenie. W chorobie zwyrodnieniowej należy spożywać więcej kolagenu: nogi wieprzowe i cielęce, wyciągi z kości, głowy wieprzowe, chrząstki, skórki wieprzowe.

Typowa dieta optymalna ma sporo kolagenu, ale w chorobach stawów uzyskuje się lepsze rezultaty, gdy tą ilość się zwiększy. U chorych na gościec przewlekły postępujący, przy żywieniu optymalnym u pacjentów Arkadii uzyskiwałem w okresie 12 dni obniżenie OB u wszystkich o średnio 42 proc. To oznacza, że jeśli chory miał np. w pierwszym dniu OB 100 po 1 godzinie, to w 12 dniu OB miał tylko 58.

W 1987 r. w Dębicy przygotowano dla moich chorych na stawy próbną partię salcesonu wzbogaconego znacznie w kolagen. Stosowałem ten salceson codziennie u chorych na gościec postępujący w jednym turnusie. OB obniżyło się u wszystkich średnio o 59 proc.

Nie należy obawiać się, że przy dużym spadku wagi skóra zrobi się stara, pomarszczona, że będzie „wisiała" na brzuchu. Wprost przeciwnie. Cera robi się bardzo ładna, a skóra sama się „zmniejsza". W styczniu 1996 r. na spotkaniu z chorymi w Poznaniu pojawił się były pacjent z Arkadii. W 1987 r. ważył 155 kg i był ciężko chory. W styczniu 1996 r. ważył 75 kg, był szczupły, miał wspaniałą cerę, był zdrowy, sprawny fizycznie i umysłowo, rzutki, pracujący i to będąc w wieku... 80 lat.

Gdy spadek wagi jest zbyt wolny, co bywa najczęściej u otyłych reagujących na stres żarłocznością, należy znacznie wydłużyć okres między posiłkami. Śniadanie o 7 - 8, obiadokolacja o 16 - 17, później ewentualnie tylko płyny bez cukru. Gdy rano człowiek wstanie bez uczucia głodu, będzie to oznaczało, że w czasie snu organizm uruchamia własne tłuszcze i że się chudnie.

Wielu otyłych choruje na kamicę wątrobową. Ci otyli po wprowadzeniu żywienia optymalnego, jeżeli kamienie w woreczku są duże, żadnych dolegliwości nie odczuwają. Problemy mogą pojawić się po 3 - 5 tygodniach, gdy rozpuszczające się kamienie staną się na tyle małe, że mogą przedostać się do przewodu żółciowego, zatkać odpływ żółci i spowodować atak bólów. Nieczęsto to bywa, ale przytrafić się może. Na wiele tysięcy chorych spotkałem takich ludzi 9. U 8 wystarczyły leki rozkurczowe i przeciwbólowe, które ułatwiły wydalenie kamienia do jelita i wyleczenie, tylko u 1 osoby usunięto kamień z przewodu operacyjnie. Trzeba pamiętać o tej możliwości, być na nią przygotowanym, z operacją się nie spieszyć. Podobnie szybko rozpuszczają się kamienie nerkowe. Chorzy zaczynają siusiać piaskiem po 3 - 4 tygodniach, później następuje wyleczenie.

Przy żywieniu optymalnym kamicy woreczka żółciowego czy dróg moczowych być nie może. Kamica bywa tylko przy żywieniu złym dla człowieka. W uzupełnieniu tego, co powiedziałem wyżej, wypada wyjaśnić sprawę hiperlipidemii pierwotnych. Jest ich 5 głównych. Podobno są uwarunkowane genetycznie. Dokładne badania wykazały, że wszystkie typy hiperlipidemii pierwotnych występują wyłącznie u tych ludzi, w których diecie węglowodany występują w wąskim zakresie w przedziale 35 - 40 proc. w przeliczeniu na wartość kaloryczną. Żadne geny nie zmuszają człowieka, aby jadł dokładnie tyle węglowodanów i chorował na hiperlipidemię pierwotną. W hiperlipidemiach pierwotnych mężczyźni wymierają w bardzo młodym wieku, głównie z powodu zawału. Nie przeżywają 45 roku życia. Ale przodkowie tych ludzi żyli znacznie dłużej - od 62 do 81 lat w linii męskiej. Żyli znacznie dłużej, a nie powinni żyć dłużej, gdyby ta wada była przenoszona genetycznie w linii męskiej. Żywienie optymalne leczy przyczynowo hiperlipidemie pierwotne.

CHOROBA WRZODOWA

Najwcześniej i najczęściej stosowanym lekiem w chorobie wrzodowej była atropina - lek porażający układ parasympatyczny. Nadal powszechnie są stosowane inne leki o podobnym działaniu. Niestety, każdy lek działa krótko i wcale nie wie, że ma działać tylko na żołądek. Działa zawsze na cały organizm, co nie zawsze temu organizmowi na zdrowie wychodzi.

Nie ma dotychczas leków działających na układ wegetatywny, które by działały tam, gdzie trzeba i tylko tam, gdzie trzeba, by ich działanie było równomierne, a nie zmieniało się szybko w zależności od stężenia leku, które szybko się zmienia.

Gdyby wynaleziono leki działające na układ wegetatywny, które działałyby tylko tam, gdzie ich czynność jest potrzebna i tylko tam, byłoby świetnie. Ale takich leków nie było, nie ma i nie będzie.

Leków nie ma, ale sposób jest. Miejscową przewagę układu parasympatycznego w żołądku można usunąć na trwałe przy pomocy prądów selektywnych S, czyli tych, które pobudzają układ sympatyczny. Prądy selektywne można dawkować. Gdy prądami S spowoduje się zbyt duże zahamowanie przewagi układu parasympatycznego w żołądku, można tę przewagę zwiększyć tak, aby między tymi układami panowała równowaga a kwasu w żołądku było tyle, ile potrzeba. W tym celu stosuje się prądy PS, pobudzające układ parasympatyczny.

Żywienie optymalne jest leczeniem przyczynowym w chorobie wrzodowej. Wyleczenie następuje szybko i jest trwałe. Prądy selektywne pomagają na rok, czasem na kilka lat. Można to leczenie powtarzać.

CHOROBA ZWYRODNIENIOWA

Objawy choroby zwyrodnieniowej występują znacznie wcześniej niż objawy choroby wieńcowej czy miażdżycy. Objawy te poprzedzają zachorowanie na niewydolność wieńcową o kilka lat u mężczyzn i kilkanaście u kobiet.

Przyczyną choroby jest określone nieprawidłowe odżywianie. Tkanka łączna znajduje się w każdym narządzie, a kolagen stanowi ponad jedną trzecią ogólnego białka w ustroju.

Kości nie są zrobione z wapnia czy fosforu. Kości składają się głównie z białka. Przyczyną choroby są zmiany w białkach. Przyczyną tych zmian jest niedobór w pożywieniu białek o składzie chemicznym zbliżonym do białek kości. Chlebem, coca-colą, jabłkami, cukrem, miodem, budyniem, jarzynami człowiek na pewno nie może „zreperować" uszkodzonych stawów. Jeśli zjada te produkty, to nie zjada tych, które zjadać powinien, czyli chrząstek, wiązadeł i powięzi. Jeśli nie zjada tych, które zjadać powinien, to w organizmie musi brakować składników do budowy i „remontu" stawów i kości oraz całej tkanki łącznej. Brakuje też wartościowej energii. Same części do budowy domu nie wystarczą. Do jego remontu również potrzebna jest energia.

Najwięcej ludzi choruje na chorobę zwyrodnieniową stawów. Jest ona najczęstszym powodem niezdolności do pracy w Polsce. Jej koszty społeczne są największe w stosunku do każdej innej choroby. U około 90 proc. chorych na zaawansowaną chorobę zwyrodnieniową występuje równolegle nadciśnienie, powszechna jest otyłość i nadwaga, częsta cukrzyca typu II, kamica wątrobowa, żylaki, łuszczyca i inne choroby.

Przyczyną tych wszystkich chorób jest nieprawidłowe odżywianie. Czy można się z tej choroby wyleczyć? Oczywiście, że można. Na szczęście chrząstki i kości nie mają nerwów, zatem nie bolą. Boli okostna, wiązadła, powięzie i inne części tkanki łącznej. A te można „wyremontować".

Często bywa tak, że zmiany radiologiczne stawów kończyn czy kręgosłupa są bardzo duże, a chory nie odczuwa żadnych dolegliwości. Często bywa odwrotnie. Liczne i różnorodne zabiegi stosowane w „leczeniu" choroby zwyrodnieniowej działają głównie przez poprawę ukrwienia (odżywienia) tkanek, na które są stosowane. Ten sam zabieg, tak samo stosowany, u chorego na tę samą chorobę może przynieść poprawę, może nie dać żadnej poprawy, może też zaszkodzić. Poprawa ukrwienia (zaopatrzenia) w jednym miejscu, musi spowodować pogorszenie ukrwienia (zaopatrzenia) w innym. Bez zmiany modelu żywienia inaczej być nie może.

Natomiast po wprowadzeniu żywienia optymalnego prawie wszystkie zabiegi poprawiające ukrwienie działają korzystnie w chorobie zwyrodnieniowej. Przy dużych zmianach zwyrodnieniowych należy zwiększyć spożycie żółtek, szpiku, bardzo gęstych rosołów, nóg cielęcych i wieprzowych, chrząstek, flaczków, salcesonów. Trzeba dostarczyć pewien nadmiar „części zamiennych" i energii dla narządów najbardziej chorych i to takich części, których nie „zrabuje" mózg (czyli rząd) czy inne uprzywilejowane w zaopatrzeniu tkanki.

Wówczas ustępowanie bólów, obrzęków, zniekształceń kości i stawów jest bardzo szybkie. Czy samo typowe żywienie optymalne prowadzi do wyleczenia choroby zwyrodnieniowej? Oczywiście tak, ale trwa to nieco dłużej. Z nagłej i korzystnej poprawy zaopatrzenia w organizmie (jak i w społeczeństwie) w pierwszej kolejności najwięcej korzystają te tkanki czy narządy (grupy zawodowe, społeczne), które dysponują środkami i sposobami na przechwycenie najlepszych źródeł energii i najlepszych „części zamiennych". To, co jest najlepsze dla tkanki łącznej, wcale nie jest najlepsze dla mózgu i odwrotnie. Mózg zawsze się wyżywi, pod warunkiem że dba o tych, którzy go zaopatrują. Niestety mózg u człowieka nieprawidłowo żywionego postępuje tak, jak każdy rząd w biednym i głupim kraju. Nie dba o tych, którzy go zaopatrują, ani o tych, którzy wytwarzają „części zamienne" i energię. W tym przypadku powstaje miażdżyca, która kończy się krwotokiem, zakrzepem lub zatorem. Człowieka, mówiąc językiem potocznym, trafia szlag, a językiem staropolskim – apopleksja.

Człowiek często przy tym umiera, staje się inwalidą przykutym do wózka lub wędruje po świecie z laską, powłócząc nogą, z przykurczoną i zimną niesprawną ręką, czasem nie może mówić, prawie zawsze jego umysł ulega znacznej degradacji. Największej u tych, którzy, uprzednio chorzy na nadciśnienie po wylewie mają ciśnienie bardzo niskie, mniej u tych, u których po wylewie ciśnienie spada niewiele.

Ludzie chorzy przeważnie wybierają takie metody leczenia swojej choroby, które pomóc im nie mogą, ale, w które wierzą. Dlatego tak wielu różnych uzdrowicieli tak dobrze prosperuje, dlatego nasz naród staje się coraz to bardziej chory.

A przecież, gdyby rządzący mieli odrobinę rozsądku, nie byłoby nic prostszego, jak sprawdzić stosowane metody leczenia. Zebrać grupy chorych na różne choroby, zapytać ich jak chcą się leczyć, zbadać ich stan zdrowia, powtórzyć badania po pół roku. Można będzie wtedy określić, które metody są najlepsze w danej chorobie, które nie pomagają, a które szkodzą. Przecież dokładnie w ten sposób człowiek postępuje we wszystkich rodzajach swej działalności. Czy nie powinien w stosunku do siebie?

Częstą metodą stosowaną w leczeniu choroby zwyrodnieniowej są różne ćwiczenia fizyczne. Jeżeli jakiś staw boli, to zawsze oznacza, że powiadamia w ten sposób organizm: zostaw mnie w spokoju. Czy można taki staw ćwiczyć „na siłę" niezależnie od nasilania się bólu przy ruchach?

Wyniki będą różne, ale wyników dobrych może być niewiele. Ruch poprawia ukrwienie. Ale ruch często nasila postęp choroby. Poprzednio napisałem, że u tragarzy choroba zwyrodnieniowa występuje w 98 - 100 procentach, ale nie występuje zupełnie u tragarzy pakujących wszak - mięso w chłodzie i wilgoci. Tak samo jest w przypadku Eskimosów. Żywiąc się mięsem i tłuszczem zwierzęcym ich organizmy są odporne na schorzenia układu kostnego.

Jak to jest z tymi ćwiczeniami? Każdy ruch jest dla człowieka pożyteczny tylko wówczas, gdy wynika on z wewnętrznej potrzeby organizmu. Ruch wymuszony często szkodzi. Nie tylko na stawy. Po wprowadzeniu żywienia optymalnego trzeba zacząć się ruszać, gdy tylko ustąpią lub znacznie się zmniejszą bóle w stawach. Żywienie optymalne szybko i znacznie zmniejsza u człowieka wrażliwość na ból. Ma to miejsce już po kilku dniach. W chorobie Buergera silne bóle spoczynkowe ustępują średnio po 7 dniach. Przy dużym nadciśnieniu, chorobie wieńcowej, niewydolności krążenia, ćwiczenia należy rozpocząć po ustąpieniu objawów tych chorób, czyli po kilku tygodniach. Jak należy się ruszać? Tak, aby to było przyjemne. A to zależy od wieku, wagi, rodzaju choroby czy chorób. Spacery i marsze są prawie zawsze dobre. Przy zmianach w stawach biodrowych korzystna będzie jazda na rowerze. Gdy nasza sprawność poprawi się na tyle, że będziemy mogli biegać - to biegajmy!

Dobra jest gimnastyka szwedzka. Gdy nie mamy możliwości pływać czy biegać, zawsze możemy robić przysiady. Zacząć od 10 - 20, stopniowo zwiększać dawkę do 100 i więcej. Jest to ćwiczenie bardzo krzystne dla naszego serca. Przy optymalnym żywieniu jest korzystne dla stawów nóg. Przy żylakach podudzi dobrze jest ćwiczyć wspinanie na palce, również stopniowo zwiększając ich liczbę.

Napisałem już, że prawie każdy może wyleczyć się z choroby zwyrodnieniowej, żyć bez bólów, być sprawnym. Ale zawsze są wyjątki. Przy zupełnym zniszczeniu chrząstek stawowych, gdy szpara stawu zanika, a kość trze o kość przy ruchach, to takie zmiany cofnąć się nie mogą. Dotyczy to najczęściej stawów biodrowych i kolanowych. Natomiast inne zmiany cofają się. Szybko ustępują lub zmniejszają zniekształcenia stawów rąk, łokci, innych stawów. Pacjenci pytają mnie często, po jakim czasie człowiek chory na chorobę zwyrodnieniową może poczuć się zdrowy? To zależy od wieku, wagi, rodzaju pracy i zaawansowania choroby.

Choroba zwyrodnieniowa jest głównym czynnikiem ryzyka w chorobie wieńcowej. Występuje prawie u wszystkich chorych na chorobę wieńcową. Wyprzedza zachorowanie na chorobę wieńcową wiele lat. Gdy zauważysz objawy choroby zwyrodnieniowej, prawie na pewno po latach zachorujesz na chorobę wieńcową.

Wylecz się z choroby zwyrodnieniowej, a przy okazji będziesz wiedział, że choroba wieńcowa i zawał ci nie grozi. Oczywiście tylko wówczas, gdy będziesz stosował żywienie optymalne.

Spotkałem sporo osób, które po wyleczeniu się z różnych chorób miały bardzo niskie OB. Mało tego, dość często OB wynosiło 0. W literaturze nigdy nie opisywano (poza nielicznymi chorobami) przypadków, aby OB było u człowieka 0 (zero). Czy to dobrze, czy źle? To bardzo dobrze! W związkach odpowiedzialnych za OB u człowieka znajdują się związki bezpośrednio odpowiedzialne za starzenie się człowieka. OB wzrasta najbardziej u chorych na choroby powodujące szybkie starzenie, takie jak gościec przewlekły postępujący, choroba Bechterewa, wiele nowotworów, tak zwane kolagenozy. Im tych związków we krwi jest mniej, tym lepiej. Gdy OB = 0 jest najlepiej.

CHOROBY ZAKAŹNE

Pisałem już, że przyczyną wszystkich chorób są „potrawy, które zjadamy" czy „patologiczna struktura i patologiczna czynność mózgów ludzkich spowodowane czynnikami ekologicznymi" według prof. Juliana Aleksandrowicza.

Kto miał rację? Rację mieli kapłani egipscy, ponieważ przyczyną wyższą patologicznej czynności i struktury mózgów ludzkich, która jest powszechna wśród ludzi od czasów tak zwanego grzechu pierworodnego, są złe potrawy, które spożywamy.

A choroby zakaźne? Przecież znamy wirusy i bakterie wywołujące określone choroby? Jeden z uczonych w ubiegłym stuleciu też uważał, że nie wirusy i bakterie są główną przyczyną chorób zakaźnych, że musi istnieć jakaś przyczyna wyższa. Twierdził nawet, że przyczyną chorób zakaźnych są inne czynniki, a obecność określonego zarazka jest objawem choroby, a nie jej przyczyną.

Gdyby faktyczną przyczyną chorób zakaźnych były określone wirusy czy bakterie, cała ludzkość już dawno i to po wielekroć by wymarła. W żadnej z epidemii nie chorowali wszyscy, w żadnej epidemii nie wszyscy, którzy zachorowali - umierali. Czyli wystarczy znaleźć faktyczne przyczyny, które powodują, że niektórzy ludzie nie chorują na żadne choroby zakaźne (np. Hunzowie), wyciągnąć wnioski, zastosować w praktyce do wszystkich, a problem chorób zakaźnych, w tym problem z wirusem HIV, zostanie przyczynowo rozwiązany. Moi pacjenci w wielu przypadkach podawali bezpowrotne ustąpienie opryszczki, która przez wiele lat nawracała u nich przy ochłodzeniu, przegrzaniu, zmęczeniu, stresie psychicznym. Po wprowadzeniu żywienia optymalnego przestali chorować. Wirus opryszczki jest dość podobny do wirusa HIV. Żywienie optymalne powinno pomóc organizmowi w zwalczaniu wirusa u nosicieli i nie dopuścić do zachorowania na AIDS. Sam nie mogłem tego sprawdzić. Inni, którym rzekomo zależy na walce z wirusem HIV - nie chcieli tego sprawdzić. To oczywiste. Kto będzie podcinał gałąź, na której siedzi?

Gruźlica była na pierwszym miejscu przyczyn zgonów w USA w roku 1910. W roku 1946 była już na miejscu 8. W tym okresie nie było jeszcze żadnych leków przeciwprątkowych i ich nie stosowano, leczenie klimatyczne stosowano w 1946 r. nie częściej niż w 1910 r. Gruźlica w Polsce znowu staje się problemem. Czy przyczyna tego nadal jest niemożliwa do zrozumienia przez rządzących czy uczonych?

Wystarczy chorym dać dobrze jeść, a szybko wyzdrowieją. Wystarczy przyczynowo wyleczyć chorych na cukrzycę w Polsce, a jest ich ponad milion, aby każdy pracujący i każdy emeryt czy rencista otrzymali dodatkowo po 100 nowych złotych miesięcznie i jeszcze by zostało.

Podatność na choroby zakaźne pojawiła się wśród ludzi dopiero po radykalnych zmianach w diecie, czyli po popełnieniu przez naszych przodków tak zwanego grzechu pierworodnego.

Bóg (bogowie), gdy stwarzał ludzi, zaopatrzył ich w takie mechanizmy obronne przed chorobami zakaźnymi, że ich organizmy już na wejściu były zdolne zabić każdy zarazek. Ludzie zostali „stworzeni" w Afryce Wschodniej, gdzie zawsze jest ciepło i gdzie ubranie nie było potrzebne. Pierwsi rodzice byli nadzy i nie stanowiło to dla nich żadnego problemu czy zagrożenia dla zdrowia i życia. Sytuacja uległa zmianie, gdy w wyniku wprowadzenia do spożycia produktów, których człowiek spożywać nie powinien, siły obronne organizmu uległy istotnemu osłabieniu. Tam, gdzie został „stworzony" człowiek, tam zawsze była mucha Tse-Tse. Zwierzęta trawożerne, drapieżne, a także małpy, z którymi rzekomo mieliśmy wspólnego przodka, są nosicielami zarazków śpiączki, ale nie chorują. Są odporne, ponieważ przez wiele milionów lat wspólnego z muchą Tse-Tse życia, wykształciła się równowaga między zarazkiem, a nosicielem zarazka. Najmniej nosicieli zarazka występuje wśród zebr, około 10 proc., ponieważ pasiaste umaszczenie chroni przed muchą Tse-Tse. Zebry najgorzej znoszą zakażenie, konie i bydło - giną. Koniowate, a więc i zebry, trafiły do Afryki z Ameryki Północnej drogą lądową około 2 milionów lat temu. To okres zbyt krótki, aby zebry były w pełni odporne na tę chorobę.

Człowiek nie ma żadnej, nawet śladowej odporności na zarazek śpiączki afrykańskiej. A to wyklucza twierdzenie, że nasi przodkowie mieli wspólnego przodka z małpami człekokształtnymi. Czy wszyscy ludzie ukąszeni przez muchę Tse-Tse chorują na śpiączkę? Okazuje się, że nie. „Dobrze odżywieni Europejczycy" na śpiączkę nie chorują.

Dlaczego przy „stwarzaniu" człowieka Bóg (bogowie) nie uodpornił genetycznie ludzi przeciwko tej chorobie? Ponieważ nie było to potrzebne. Człowiek był odporny na wszelkie infekcje.

Prawie wszyscy ludzie w Polsce przeczytali „W pustyni i w puszczy" Henryka Sienkiewicza. Gdy Staś wybrał się po chininę dla chorej Nel do obozowiska białego podróżnika, zastał w nim jednego białego chorego na gangrenę, jednego zdrowego Murzynka o imieniu Nasibu i kilkudziesięciu Murzynów chorych na śpiączkę, którzy wszyscy wymarli. Staś zapytał podróżnika: czy biali nie chorują? Uzyskał odpowiedź, że biali nie chorują. Ale nie zachorował również Murzynek Nasibu, który kucharzył dla siebie i swego pana na tyle dobrze, że ani jego pan, ani on sam na śpiączkę nie zachorowali.

Po popełnieniu przez pierwszych ludzi tak zwanego grzechu pierworodnego odporność na choroby zakaźne uległa u nich załamaniu. Nagość stała się groźna dla zdrowia i dla życia. Bóg próbował chronić ludzi przed muchą Tse-Tse, ale nie było to już możliwe. „Uczynił też Pan Bóg Adamowi i żonie jego szaty ze skórek i przyoblekł ich" - napisano w Księdze Rodzaju. Po co Adamowi i żonie jego potrzebne były szaty, skoro w Afryce Wschodniej było ciepło i skoro w o wiele zimniejszych krajach tubylcy biegali nago. Tubylcy w Australii, Nowej Zelandii, w Ameryce Południowej, gdzie bywa zimniej niż w Afryce, ubrań nie nosili. Nie były im potrzebne. W tych krajach nie ma muchy Tse-Tse.

Człowieka z Raju wypędziła mucha Tse-Tse. Postawienie cherubów i miecza płomienistego w celu strzeżenia drogi do Raju (Biblia) nie było potrzebne. Wystarczała mucha Tse-Tse.

JASKRA I ŁUSZCZYCA

Jaskra jest groźną chorobą, często powodującą ślepotę. Jej przyczyną wyższą jest miejscowa przewaga układu sympatycznego w gałce ocznej, powodująca wzrost ciśnienia w płynie śródgałkowym i utrudnienie jego odpływu. Leczenie zachowawcze jaskry polega na podawaniu leków pobudzających układ parasympatyczny, co hamuje miejscową przewagę układu sympatycznego, zmniejsza ciśnienie płynu w oku i ułatwia jego odpływ. Najczęściej stosowanym lekiem jest pilocarpina. Jest podawana w kroplach do worka spojówkowego. Takie leczenie jest leczeniem objawowym i ma dużo wad. Chory musi pamiętać o regularnym wkraplaniu leku. Stężenie leku zmienia się, po wkropleniu jest za duże, później za małe. A to nie wpływa dobrze na siatkówkę oka.

Przewagę układu sympatycznego w oczach można na trwale usunąć prądami selektywnymi PS stosowanymi miejscowo, na oczy. Jest to leczenie zupełnie bezpieczne i nie jest przykre dla chorych. Prądy PS w połączeniu z żywieniem optymalnym powodują trwałe wyleczenie z jaskry i zapobiegają utracie wzroku. Same prądy pomagają na okres od roku do kilku lat. W razie potrzeb leczenie można powtarzać raz na rok czy na kilka lat.

Łuszczyca jest chorobą z autoagresji. Jej przyczyną jest określony, nieprawidłowy model żywienia. Łuszczycy w Japonii nie było. Zaczęła się pojawiać od kilkunastu lat, gdy bogaci Japończycy zaczęli się „europeizować" w jedzeniu i piciu. Jest to choroba bardzo uciążliwa, czasami powodująca trwałe kalectwo. Zmiany łuszczycowe rozwijają się najczęściej w tych miejscach skóry, które są odżywiane (ukrwione) gorzej od pozostałej skóry. Są to okolice stawów łokciowych, kolanowych, innych, gdzie skóra w czasie ruchów jest napinana, a zatem gorzej odżywiona. Długotrwałe utrzymywanie kończyn górnych w zgięciu (przy pracy) pogarsza odżywienie skóry w okolicy łokci, praca siedząca powoduje długotrwałe zgięcie nóg w kolanach i niedożywienie skóry w okolicy wyprostnej stawów kolanowych. Skóra głowy owłosionej dość często jest zajęta zmianami chorobowymi, zwłaszcza u ludzi częściej używających swojego mózgu. Wówczas mózg poprawia swoje odżywianie kosztem m.in. skóry owłosionej głowy, co sprzyja zachorowaniu na łuszczycę.

Poprawa odżywienia skóry powoduje szybkie ustępowanie zmian łuszczycowych tam, gdzie ta choroba występowała. Stosowanie prądów PS na określone okolice ciała powoduje szybką i znaczną poprawę odżywiania wszystkich tkanek, włącznie ze skórą, w obszarze działania prądu. Gdy np. stosujemy prądy PS u chorego na chorobę wieńcową w celu szybkiego usunięcia przewagi układu sympatycznego w sercu, przy rozłożeniu elektrod dłoń-dłoń prądy działają na ręce, serce i skórę tkanek objętych działaniem prądu. Jeśli tak leczony chory na chorobę wieńcową czy zaburzenia rytmu serca choruje jednocześnie na uogólnioną łuszczycę skóry, zmiany łuszczycowe na kończynach górnych i na tułowiu w górnej jego części, ustępują bardzo szybko. Na pozostałej skórze zmiany nie cofają się bez zmiany diety.

Żywienie optymalne jest leczeniem przyczynowym w łuszczycy. Człowiek ma 4 - 8 kg skóry, która jest tkanką zaliczaną do słabo z zasady odżywionych. Przy niekorzystnym odżywianiu skóra jest odżywiana znacznie gorzej niż tkanki uprzywilejowane w zaopatrzeniu. Części skóry najgorzej odżywione buntują się, organizm, jak każde państwo, zamiast usunąć przyczynę buntu, dać skórze (ludziom) to co potrzebuje (potrzebują), przeznacza rezerwy na wytwarzanie przeciwciał przeciwko buntującej się skórze, państwo zwiększa nakłady na sądy, policję, więzienia itd.

Gdy wszystkie tkanki mają dobre zaopatrzenie, nie buntują się. Organizm jest zdrowy, a wszystkie tkanki pracują dla dobra całego organizmu. Dostarczyć organizmowi to, z czego jest zrobiony, dać mu najlepsze źródła energii, dać wszystkie pozostałe składniki, możliwie w postaci nie surowców a gotowych maszyn, zachować proporcje między częściami zamiennymi i energią. I to wszystko. Tak proste, że prostsze być nie może.

W łuszczycy skóra się buntuje, a organizm z nią wojuje. A przecież wystarczy poprawić odżywianie skóry, aby usunąć przyczynę choroby. Skóra potrzebuje części zamiennych. W chlebie, jarzynach, kiełkach, wiesiołku tych części nie ma. Przecież skórka na jabłku czy śliwce jest zupełnie inna, niż nasza skóra. Czy to tak trudno zrozumieć? Niestety, jest to niemożliwe do zrozumienia przez ludzi. Jest to proste i oczywiste tylko dla tych, którzy stosują żywienie optymalne dostatecznie długi okres.

Najlepszymi „częściami zamiennymi" dla ludzkiej skóry są skórki wieprzowe. Trzeba je po prostu zjadać. Trzeba jeść więcej kolagenu, a więc: nogi cielęce i wieprzowe, głowiznę, salceson włoski. Gdy zniszczenie niektórych okolic skóry przez długotrwały proces chorobowy nie jest zbyt duże, z łuszczycy wyleczyć się można.

MIGRENA

Na migrenę choruje w USA ponad 20 milionów ludzi, w Polsce kilkaset tysięcy. Aby zachorować na migrenę, trzeba w określony sposób się odżywiać. W dawnych czasach migrena była powszechna wśród bogatszych, zwłaszcza kobiet. U rolników i rolniczek migreny nie było. Bo być nie mogło.

Przyczyną wyższą migreny jest miejscowa przewaga układu parasympatycznego w odcinku tętnicy czy tętnic, najczęściej głowy. Trafia się również, zwłaszcza u dzieci, migrena brzuszna. Najbardziej niebezpieczna może być migrena okoporażenna. Może doprowadzić do znacznego upośledzenia wzroku. Często migrena okoporażenna występuje w jednym oku, natomiat równolegle występuje neurastenia, choroba spowodowana ogólną przewagą układu sympatycznego. Leki stosowane w leczeniu migreny nasilają objawy neurastenii, leki stosowane w leczeniu neurastenii, z grupy zmniejszającej przewagę układu sympatycznego lub pobudzającej układ parasympatyczny, nasilają ataki migreny. Jak te dwie choroby o przeciwnych mechanizmach ich powstania można wyleczyć?

Ograniczenie spożycia produktów pochodzenia zwierzęcego może spowodować ustąpienie migreny, ale musi nasilić objawy neurastenii.

Żywienie optymalne jest leczeniem przyczynowym w obu chorobach.

Prądy selektywne S mogą wyleczyć migrenę, prądy PS mogą wyleczyć neurastenię. Co się dzieje, gdy nie wiemy, jaki charakter mają bóle głowy? Czy ich przyczyną wyższą jest zwężenie tętnic, jak w neurastenii, czy też miejscowe rozszerzenie - jak w migrenie?

W postawieniu diagnozy, a następnie wyleczeniu, pomagają prądy selektywne.

Gdy u chorego na neurastenię i ból głowy o niejasnym mechanizmie zastosujemy prądy PS, spowodują one wystąpienie ataku migreny podczas pierwszego, a najdalej drugiego zabiegu. Wiemy wtedy, że miejscowy ból głowy jest migreną. Wyleczymy ją stosując miejscowo prądy S.

NADCIŚNIENIE

W przyrodzie jest zawsze przyczyna i skutek. Samoistnie żadna choroba powstać nie może. Nadciśnienie również. Przekonanie, że jakaś choroba może być samoistna jest przekonaniem błędnym.

Na zapytanie kancelarii cara, dlaczego tak wiele stanowisk powierza Polakom zesłanym na Sybir, gubernator odpowiedział, że właśnie Polacy, z powodu „zdolności samoucznej", najlepiej potrafią wywiązywać się z powierzonych im zadań.

„Zdolność samouczna" Polaków, którzy trafili na Syberię nie wystarczała do utrzymania polskiej państwowości. Ponad 90 proc. Polaków w czasie rozbiorów żadnych zdolności nie miała. A kilka procent patriotów, którzy nie godzili się na upadek swojego państwa, to było o wiele za mało. Właśnie oni trafiali na zesłanie, gdzie wyróżniali się „zdolnością samouczną".

Zdolność samouczna u znacznej części Polaków trafiających na zesłanie również miała swoją przyczynę. Nadciśnienie także ją ma. Bezpośrednią przyczyną nadciśnienia jest mózg. Jak każdy rząd w biednym kraju, tak mózg u człowieka w określony sposób źle żywionego, wymusza poprawę swojego zaopatrzenia, zawsze kosztem całego organizmu. Nadciśnienie spowodowane jest zatem określonym, nieprawidłowym składem diety, ale tylko wówczas, gdy organizm może przeznaczyć określoną ilość energii na wyższe ciśnienie, silniejszą i szybszą pracę serca, zwężenie tętnic obwodowych. Gdy organizm nie może tej energii dostarczyć, ciśnienie jest niskie. Niskie ciśnienie u człowieka jest w dwóch przypadkach: gdy organizm nie może go podnieść i gdy nie potrzebuje tego robić. Najlepiej jest, gdy organizm nie potrzebuje ciśnienia podnosić, gdy zaopatrzenie wszystkich tkanek odbywa się przy najniższym ciśnieniu i najwolniejszej pracy serca. Organizm nie musi podnosić ciśnienia, gdy człowiek spożywa białka (części zamienne) o najwyższej wartości biologicznej i gdy dostarcza jednolite i możliwie najlepsze „paliwa" oraz lepsze od najlepszych paliw źródła energii. Max Bürger (nie ten od choroby Buergera) znalazł najniższe ciśnienie u mężczyzn w wieku 85-90 lat. Tak długo współczesny człowiek bez zjadania dużych ilości tłuszczu przeżyć nie może. Jeśli zjada dużo tłuszczu, ma niskie ciśnienie i żyje długo.

Głód prawie uniemożliwia rozwój miażdżycy, ale powoduje przedwczesne starzenie tętnic, szczególnie mózgowych, które nie ma nic wspólnego z miażdżycą. Ci, którzy przeżyli blokadę Leningradu, gdy już mogli najeść się do syta, chorowali powszechnie na nadciśnienie. Dlatego chorowali, że mózg zaczął rabować organizm, który już miał rezerwy energii dla podniesienia ciśnienia krwi. Przedwcześnie zestarzałe tętnice mózgowe nie mogły wytrzymać obciążenia przy nadciśnieniu i bardzo często pękały, co kończyło się krwotocznym udarem mózgu. Podobnie było u więźniów obozów koncentracyjnych. Również często chorowali na nadciśnienie, a ich tętnice mózgowe nie mogły wytrzymać zwiększonego ciśnienia i często pękały.

Mózg u chorych na nadciśnienie chwiejne wymusza nadmierne wytwarznie katecholamin (adrenalina, noradrenalina), które obkurczają tętnice w tkankach i narządach organizmu. Ale nie działają one na tętnice mózgowe. Cała głowa u człowieka, wraz z mózgiem, jest zaopatrywana przez 4 tętnice. Pod wpływem katecholamin tętnice mózgowe nie kurczą się, ale kurczą się pozostałe tętnice głowy. To jest przyczyną bardzo częstych bólów głowy u tych ludzi, ale nigdy nie jest przyczyną migreny. Aby chorować na migrenę, trzeba żywić się inaczej. Mniej pastwiskowo, a bardziej korytkowo.

W leczeniu nadciśnienia od dawna stosuje się leki porażające układ sympatyczny z grupy rezerpiny (raupasil), które obniżają ciśnienie krwi, ale przyspieszają rozwój miażdżycy. Gdy chory przez lata leczy się lekami porażającymi układ sympatyczny, zaczyna w późniejszym wieku chorować na nadciśnienie miażdżycowe. Przeważnie ma już mieszkanie, meble, odchowane dzieci i może więcej pieniędzy przeznaczyć na żywność. Jego odżywianie stopniowo zmienia się w korytkowe, a takie odżywianie dodatkowo powoduje zmiany miażdżycowe w tętnicach różnych narządów, ale nie we wszystkich. Nie spotyka się miażdżycy w tętnicach płucnych (poza nielicznymi obecnie przypadkami chorych na nadciśnienie płucne), w tętnicach języka, drobnych tętniczkach serca, bardzo rzadko występuje miażdżyca w tętnicach rdzenia kręgowego.

Panuje powszechne przekonanie, że to sól jest przyczyną nadciśnienia. Jest to przekonanie błędne. Dlaczego człowiek spożywa wiele soli? Bo lubi. Dlaczego lubi? Bo jego pożywienie wymaga znacznie większych ilości soli niż otrzymuje w pokarmie. Przy żywieniu optymalnym człowiek zupełnie nie potrzebuje dosypywać soli do potraw. Wszystkie sole w optymalnych ilościach i proporcjach występują w jego pokarmie. Człowiek po przejściu na dietę optymalną może w początkowym okresie dosypywać soli do potraw. Później przestaje. Ludzie stosujący żywienie optymalne skarżą się, że prawie wszystkie wędliny w Polsce są „okropnie słone". Im gorszy jest skład diety, tym więcej ludzie solą. Wcale to nie oznacza, że chorują częściej na nadciśnienie. W okresie I i II wojny światowej spożycie soli wzrastało kilka razy, a nadciśnienia prawie nie było. U ochotników, studentów amerykańskich, zwiększono spożycie soli cztery razy. Nie miało to żadnego wpływu na ciśnienie krwi. Nadciśnienie i duże spożycie soli, ma jedną wspólną przyczynę wyższą. Gdy tej wspólnej przyczyny nie ma, sama sól ciśnienia nie podnosi.

Szczurom na diecie hodowlanej i optymalnej do picia podawano wodę destylowaną i osobno 5 proc. roztwór soli ciechocińskiej, zawierającej, prócz soli, dużo pierwiastków o składzie zbliżonym do składu, jaki występuje w surowicy krwi u człowieka i jaki występował w oceanach w czasie powstawania życia. Człowiek czy szczur wody destylowanej pić nie może. Dochodzi wówczas do ciężkich zaburzeń w organizmie i często śmierci. Woda, którą piją ludzie czy szczury, może być miękka, zawierająca mniej składników mineralnych, lub twarda, zawierająca ich więcej.

We wspomnianym doświadczeniu szczury miały stały dostęp do wody i do 5 proc. roztworu soli ciechocińskiej. Piły tyle, ile chciały. Okazało się, że szczury na diecie hodowlanej piły aż o 68 proc. więcej wody z solą ciechocińską niż szczury na diecie optymalnej. Woda destylowana, gdy mogły popijać roztwór soli, wcale im nie szkodziła. Dieta hodowlana zawiera kilka razy więcej popiołu (soli mineralnych) niż dieta optymalna. Im gorszy skład diety, tym więcej reakcji chemicznych w organizmie, tym większe zapotrzebowanie na sól kuchenną i na inne mikro- i makroelementy występujące w soli ciechocińskiej, ściślej w tak zwanym szlamie ciechocińskim zawierającym wszystkie prawie pierwiastki.

Przyczyną nadciśnienia jest określony model żywienia. Zmiany tego modelu w połączeniu z leczeniem farmakologicznym zamieniają stopniowo nadciśnienie chwiejne w nadciśnienie utrwalone, miażdżycowe.

Większość leków stosowanych w nadciśnieniu działa przez hamowanie układu sympatycznego, co powoduje z kolei zmniejszenie wytwarzania amin katecholowych (adrenalina, noradrenalina) i innych ciał czynnych, a zwiększenie wytwarzania hormonów z kory nadnerczy, które same w sobie przyspieszają rozwój miażdżycy, powodują nadciśnienie, wzrost krzepliwości krwi, zawały i udary mózgu na tle zakrzepowym. Przy blokowaniu lekami układu sympatycznego zmniejsza się spalanie glukozy w szlaku heksozowym, zmniejsza pobieranie wolnych kwasów tłuszczowych z tkanki tłuszczowej (tyje się) i ich spalanie, zwiększa się ilość glukozy przetwarzanej w szlaku pentozowym na tłuszcze i cholesterol, zwiększa się synteza trójglicerydów z węglowodanów (trójglicerydy to kwasy tłuszczowe połączone z glicerolem) i spalanie tych kwasów.

Podobnie działają wszystkie leki i czynniki środowiskowe hamujące układ sympatyczny i pobudzające układ parasympatyczny: beta blokery (propranolol, sectral, inne), doustne środki antykoncepcyjne, glikozydy nasercowe (lanatozid, digoxin), hormony sterydowe (encorton, dexamethazon, inne), nadmiar wapnia, nadmiar witaminy D, niedobór magnezu, niedobór witaminy B1, papierosy w dawce powyżej 40 sztuk na dobę i powyżej 20 przy nierównomiernym paleniu, niedobór tlenu (góry, choroby płuc), ciepło, ograniczenie wysiłku fizycznego, rzadkie posiłki. Wszystkie te czynniki zmieniają nadciśnienie chwiejne w nadciśnienie miażdżycowe i przyspieszają rozwój miażdżycy. Wszystkie te czynniki zwiększają krzepliwość krwi i są przyczyną zakrzepów tętnic wieńcowych lub mózgowych.

Leczeniem przyczynowym nadciśnienia chwiejnego i nadciśnienia miażdżycowego jest żywienie optymalne. U chorych z nadciśnieniem chwiejnym powoduje spadek ciśnienia do wartości niskich już po 2 dniach, u chorych z nadciśnieniem miażdżycowym obniża zawsze ciśnienie już po kilku, kilkunastu dniach, po dłuższym czasie powoduje wyleczenie nadciśnienia miażdżycowego. Miażdżycy również. W Akademii Zdrowia Arkadia przebywało na 2-tygodniowych turnusach 175 chorych na nadciśnienie w wieku średnio 64,2 lat (od 25 do 82 lat) chorujących na nadciśnienie średnio 8,8 lat (od 1 do 36 lat). Systematycznie przyjmowało leki obniżające ciśnienie 152 chorych, pozostali przyjmowali je okresowo. Od pierwszego dnia odstawiono wszystkie leki u 143 (82 proc.), od 2 - 6 dnia odstawiono je u 10 (6 proc.), u pozostałych stosowano leki w dawce średnio 50 proc. niższej od dotychczas stosowanej.

Przy przyjęciu średnie ciśnienie krwi wynosiło 203,5/99,8 (od 160/100 do 260/140). Po 11 lub 12 dniach pobytu średnie ciśnienie krwi wynosiło 138,4/78,8 (od 105/60 do 190/90).

W okresie pobytu ciśnienie skurczowe obniżyło się średnio o 65,1 mm Hg, tj. o 32 proc. Średnie ciśnienie rozkurczowe obniżyło się o 21 mm

Hg, tj. o 21 proc. Z ciśnieniem poniżej 150/80 wyjechało 150 osób, wszyscy bez leków.

Po udarach mózgowych (od 1 do 3) było 118 osób, w tym 15 miało nadciśnienie. Przy przyjęciu średnie ciśnienie tętnicze u tych chorych wynosiło 193/111 (od 160/120 do 260/140), a w 11 lub 12 dniu pobytu obniżyło się do średnio 146/84 (od 110/70 do 190/90).

Po co ja te wszystkie dane Państwu przytaczam? Właśnie po to, aby każdy chory na nadciśnienie wiedział, po jakim czasie powinien wyleczyć się z nadciśnienia chwiejnego, a po jakim czasie z nadciśnienia miażdżycowego. Czy za 2 dni można wyleczyć się z nadciśnienia chwiejnego? Okazuje się, że można. Żywienie optymalne bardzo szybko poprawia zaopatrzenie mózgu w energię, bardzo szybko hamuje przewagę układu sympatycznego i wytwarzanie związków podnoszących ciśnienie krwi: adrenaliny i noradrenaliny.

W badaniach wykonanych w USA wykazano, że dieta bogatotłuszczowa już po 48 godzinach powodowała spadek poziomu noradrenaliny w osoczu aż o 59 proc., spadek produktów przemiany katecholamin w moczu o 41 proc., spadek ciśnienia skurczowego i rozkurczowego i to przy tej samej ilości soli w diecie.

Ciśnienie krwi u chorych na nadciśnienie jest wywoływane głównie nadmiernym wytwarzaniem amin katecholowych: adrenaliny i noradrenaliny.

Ponieważ wiedziałem, że dieta bogatotłuszczowa powoduje szybki spadek ciśnienia krwi, mogłem bez obaw odstawić wszystkie leki u chorych na nadciśnienie chwiejne lub nawet miażdżycowe w mniej ciężkich postaciach. Praktycznie po dwóch dniach chorzy z nadciśnieniem chwiejnym mają już ciśnienie prawidłowe, po kilkunastu dniach - niskie. Przy stosowaniu żywienia optymalnego choroba wrócić nie może.

Miażdżycorodnie działają leki porażające układ sympatyczny. Są to powszechnie stosowane pochodne rezerpiny: raupasil, rethiazyd, inne preparaty. Nie tylko przyspieszają one miażdżycę. Zwiększają również ilość zachorowań na raka sutka; w jednych badaniach 2 razy częściej, w innych 3 razy częściej, jeszcze w innych aż 3,9 raza częściej występuje rak sutka u kobiet leczonych rezerpiną niż u kobiet, które tego leku nie brały. Papierosy w małej dawce chronią przed rakiem sutka.

Czy takie efekty „leczenia" choroby nadciśnieniowej oznaczają, że nie należy się leczyć? Ci, co chcą się leczyć, mogą nadal. Ale ci, co chcą się szybko wyleczyć z nadciśnienia, powinni się z tej choroby wyleczyć. Leczeniem przyczynowym nadciśnienia jest żywienie optymalne.

Już pisałem, że najgorszy model żywienia dla człowieka występował w USA w latach 1948-54. Wówczas było najwięcej chorych na nadciśnienie, zawały, udary, inne choroby cywilizacyjne. Po kilku latach przeciętny skład diety mieszkańców USA zaczął przechodzić z obszaru korytkowego w kierunku stołu. Z każdym następnym rokiem zwiększało się w USA spożycie tłuszczów zwierzęcych, a zmniejszało spożycie węglowodanów. W 1972 r. ilość energii z tłuszczów w przeciętnej diecie w USA przekroczyła 50 proc., w 1978 zbliżyła się do blisko 60 proc. Jakie to przyniosło rezultaty? Od końca lat 60. ilość zgonów z powodu zawałów, udarów mózgowych zaczęła szybko spadać. W latach 1970-1979 liczba chorych na nadciśnienie w USA obniżyła się aż o 70 proc., zawałów o 20 proc., udarów o 60 proc. Przyczyna - nieznana.

Najgorszy model żywienia w Polsce występował już w 1978 r., ale tylko u ludzi o wyższych dochodach: w gospodarstwach pracowniczych o dochodach wyższych niż 36 tysięcy złotych rocznie na głowę. W gospodarstwach chłopskich spożycie było takie, jak występowało w Polsce średnio w 1958 r. Chłopi byli z tyłu w swoim marszu do korytka o 20 lat. Później znacznie przyspieszyli.

Spadek liczby chorych na nadciśnienie, zawałów i udarów wystąpił we wszystkich krajach bogatych. Najwcześniej we Francji, USA, Szwajcarii, Anglii.

CHOROBY SERCA

Nasze serce jest doskonałą pompą, pracującą czasami ponad 100 lat. Potrafi ono samo ustawicznie się regenerować. W jego pracy nie ma żadnych przerw. Może ono korzystać z różnych źródeł energii.

Serce zdrowe, to serce bardzo małe, korzystające z najlepszych źródeł energii. Konieczność uzyskiwania energii przez serce z mniej wartościowych źródeł wymusza budowę w komórkach mięśnia sercowego licznych i różnych linii technologicznych. Te linie technologiczne budowane są głównie z białka z dodatkiem niewielkich ilości witamin i mikroelementów. Zajmują one znaczną objętość komórek mięśniowych, co powoduje zawsze przerost mięśnia sercowego i upośledzenie jego sprawności. Przy korzystaniu z mniej wydajnych źródeł energii, powstają z tego powodu określone choroby serca. Im gorsze „paliwa" organizm może dostarczyć dla serca, tym serce staje się większe i mniej sprawne. Czy można np. u dorosłych zwierząt przez najlepsze żywienie zmniejszyć wagę serca, jednocześnie poprawiając jego wydolność?

Można. Szczury na diecie optymalnej po 3 tygodniach miały serce o wadze średnio 2 g, na diecie lotników 3,4 g, na diecie hodowlanej 3,7 g w przeliczeniu na 1 kg wagi ciała.

W latach pięćdziesiątych, gdy wartość biologiczna naszego narodu przejściowo zaczęła wzrastać, przebadano 100 najwybitniejszych sportowców, aż u 91 stwierdzono serca mniejsze niż przeciętnie. Było to w czasach, gdy polska lekkoatletyka liczyła się w świecie i gdy pojawili się ludzie zdolni do gry w piłkę nożną na wysokim poziomie. Tak zwane serce sportowca, duże, które występowało u niewielu, zawsze u tych gorszych sportowców, nigdy nie pozwoliło im na uzyskanie lepszych wyników. Oni najszybciej wypadali z czynnego uprawiania sportu. Czy człowiek z przerośniętym, niewydolnym, słabym sercem może zmniejszyć swoje serce, wyleczyć się z niewydolności krążenia, a nawet biegać? Jest to tak samo możliwe, jak we wspomnianym doświadczeniu u zwierząt, ale wymaga znacznie więcej czasu.

Na czym pracuje serce? Zależy u kogo. Żyjemy tylko raz. Możemy żyć długo lub krótko. Możemy zachorować na zawał lub możemy na pewno nie mieć zawału. Zależy to od tego, jakie źródła energii nasz organizm może dostarczyć dla naszego serca. O samochód dbamy, zacznijmy wreszcie dbać o nasze serce. Na czym pracuje serce u szczura? Na tym, co organizm może sercu dostarczyć. A to zależy głównie od odżywiania. Ze znanych paliw najlepsze są dla serca kwasy tłuszczowe nasycone o najdłuższych łańcuchach, najgorsze tłuszcze wielonienasycone o krótkich łańcuchach.

Sporządzono zawiesinę z pojedynczych komórek mięśnia sercowego szczura. Komórki te biły samodzielnym rytmem. Najdłużej biły, gdy do pożywki dodawano kwasy tłuszczowe nasycone, o najdłuższych łańcuchach. Teoretycznie najlepszym paliwem (ale nie najlepszym źródłem energii) są kwasy tłuszczowe długie i nasycone. Najgorszym – kwasy tłuszczowe krótkie i nienasycone. Ale okazało się, że tłuszcze z osocza krwi powodowały znacznie dłuższą pracę tych komórek niż występowała ona na pożywce z dodatkiem długich nasyconych kwasów tłuszczowych. Tłuszcze krwi zawierają zatem znacznie lepsze źródła energii od najlepszych „paliw" i właśnie te związki są najlepszym źródłem energii dla serca u szczurów. U człowieka również są najlepszym. Te najlepsze źródła energii z tłuszczów krwi nie są jeszcze najlepsze ani jedyne. Mózg i serce u człowieka otrzymuje najlepsze źródła energii jeszcze w inny sposób, o którym nauka dotąd nie wie.

Czy miód (glukoza, fruktoza) jest dobry „na serce"? Nie jest. U szczura mięsień sercowy nie potrafi spalać węglowodanów. Ale też szczury nigdy nie mogą jeść tak źle, jak często bywa u współczesnego człowieka. Gdy do pożywki, w której były komórki mięśnia sercowego szczura, dodano glukozy, prawie natychmiast przestawały one bić, chociaż nie przestały oddychać.

W latach 50. i 60. najczęstszą przyczyną śmierci sercowej u dzieci i dorosłych były wady nabyte serca po zakażeniu paciorkowcem (anginy, szkarlatyna, inne infekcje). Nie wszystkie dzieci i nie wszyscy dorośli po zakażeniach paciorkowcowych chorowali na chorobę reumatyczną, która „liże stawy, a gryzie serce". Tych wad wówczas nie operowano. Przyczyną choroby reumatycznej i wad serca nią powodowanych był określony skład diety, przy której tkanka łączna nie tylko stawów, ale i zastawek serca, miała taki skład antygenowy, który był zbliżony antygenowo do toksyny paciorkowcowej. Zakażenie (toksyna paciorkowcowa) było tylko zapalnikiem. Później organizm sam niszczył tkankę łączną i zastawki serca. U innych ludzi, inaczej odżywianych, o innym składzie antygenowym zastawek serca i tkanki łącznej, choroby reumatycznej nie było nawet po wielu anginach.

Wolne kwasy tłuszczowe nasycone o długich łańcuchach są najlepszym „paliwem" dla serca, ale nie najlepszym źródłem energii. Gdy serce człowieka musi je spalać w większej ilości, to takie serce jest chore na chorobę wieńcową. Gdy serce uzyskuje energię (niewiele) z zamiany kwasu pirogronowego na mlekowy, to takie serce jest chore na chorobę wieńcową. Gdy serce przetwarza glukozę na tłuszcze i cholesterol, to takie serce jest chore na „niewydolność krążenia". Gdy serce musi spalać glukozę w szlaku heksozowym, to takie serce robi się olbrzymie, a człowiek jest chory na miokardiopatię przerostową, która szybko prowadzi do śmierci.

Żywienie optymalne szybko leczy miokardiopatię przerostową i chory nie musi mieć przeszczepianego nowego serca, które często szybko potrafi zmarnować, gdy będzie odżywiał się jak poprzednio.

Co dzieje się u chorych na chorobę wieńcową i na niewydolność krążenia po wprowadzeniu żywienia optymalnego? Chorzy stają się zdrowi i to bardzo szybko. W Akademii Zdrowia Arkadia w pierwszych 2 latach działalności przebywało 233 chorych na niewydolność wieńcową (po zawałach 62 osoby), w tym 111 mężczyzn i 162 kobiety. Stan zdrowia większości był ciężki, często bardzo ciężki. Różne leki systematycznie przyjmowało 93 proc. chorych, nawet po 45 - 60 tabletek dziennie. Po 12 - 13 dniach pobytu objawy niewydolności wieńcowej ustąpiły u 206, znacznie się zmniejszyły u pozostałych 27.

Na niewydolność krążenia chorowało 128 osób. Po tym samym czasie objawy niewydolności krążenia ustąpiły u 113, znacznie się zmniejszyły u pozostałych 15. W czasie pobytu u części chorych leki podawano, ale w znacznie mniejszej ilości; na 293 osoby chore na serce, w czasie pobytu leki podawano jeszcze 85 chorym w znacznie mniejszych dawkach.

Na podstawie powyższych danych, każdy chory na chorobę wieńcową (i) czy na niewydolność krążenia będzie mógł ocenić, po jakim czasie powinny u niego ustąpić te choroby. U młodszych ustępują szybciej, u starszych wolniej. I nigdy nie wrócą, jeśli po wyzdrowieniu będzie w dalszym ciągu trzymał się diety.

ASTMA OSKRZELOWA

Chorobą, której przyczyną wyższą jest miejscowa przewaga układu parasympatycznego, w tym wypadku w płucach, jest astma oskrzelowa. W leczeniu ataków astmy od dawna stosowano adrenalinę, lek wytwarzany w nadmiarze w organizmie przy przewadze układu sympatycznego. Stosowano również leki hamujące przewagę układu parasympatycznego. Najczęściej atropinę. Mam nadzieję, że ci z państwa, którzy chorują niepotrzebnie na astmę, będą woleli raz na zawsze z astmy się wyleczyć. Żywienie optymalne jest leczeniem przyczynowym w astmie oskrzelowej. Wyleczenie następuje bardzo szybko w astmie niepowikłanej, nieco wolniej w astmie powikłanej. Uważa się, że przyczyną astmy i innych chorób alergicznych są określone alergeny: pierze, kurz, roztocza, sierść kota, pyłki, niektóre pokarmy. Jest to przekonanie błędne. Z alergenami stykają się wszyscy, ale chorują tylko niektórzy. Aby chorować na astmę, trzeba mieć w organizmie pewną wadę (skazę), której nie mają ludzie, którzy nie chorują. Przyczyną tej wady (skazy) jest określony model żywienia wymuszający miejscową przewagą układu parasympatycznego w narządzie oddechowym.

Czy z astmy można się wyleczyć? Prawie zawsze można. Jest to wyleczenie trwałe. W Arkadii przebywało 41 chorych na astmę w wieku od 14 do 67 lat, chorujących średnio 13 lat (od 3 do 37 lat). U chorych stosowano żywienie optymalne i prądy selektywne S pobudzające układ sympatyczny w płucach, działające podobnie do adrenaliny.

Uzyskano wyniki: wyleczenie po 2 - 3 dniach u 14 (34 proc.),wyleczenie po 7 - 12 dniach u 10 łącznie wyleczenie u 24 chorych (59 proc.). Znaczna poprawa stanu zdrowia nastąpiła u pozostałych 17 chorych (41 proc.), z odstawieniem wszystkich leków u 12 i znacznym ograniczeniem u pozostałych 5. Wszyscy chorzy, którzy wyjechali z poprawą, wyleczyli się w domu, stosując żywienie optymalne w czasie do 4 miesięcy. Czy z astmy można wyleczyć się za 2 - 3 dni i to na zawsze? Można, jeżeli stosuje się żywienie optymalne i prądy S. Samo żywienie również wyleczy człowieka z astmy, ale trwa to nieco dłużej.

CUKRZYCA TYPU II

Cukrzyca typu II jest chorobą ludzką. Żadne zwierzę nie może jeść w ten sposób, w jaki odżywiają się chorzy na cukrzycę. Nie jest to możliwe. Cukrzyca typu I spotykana jest jeszcze u świnek i piesków. U świnek oszczędnie karmionych, z niedoborem białka i u zatuczonych piesków pokojowych, które surowego mięsa już nie jedzą, a najbardziej smakuje im czekolada, cukierki, torciki, ciastka, a nawet jabłka.

Przyczyną cukrzycy typu I i typu II, jak sama nazwa wskazuje, jest cukier. Ten z cukru, miodu, jabłek, soków owocowych, mąki ziemniaczanej, ryżu, chleba, bułek i ciastek.

Mechanizm obrony przed cukrem, którego tkanki i narządy człowieka po prostu nie chcą, jest inny w cukrzycy typu I (pastwiskowego) niż w cukrzycy typu II (korytkowego), ale skutki są podobne.

Cukrzyca typu II jest zaliczana do czynników ryzyka w chorobie wieńcowej, otyłości czy miażdżycy, ale faktycznie nie jest to żaden czynnik ryzyka. Jest to objaw (choroba) spowodowany wspólną przyczyną wyższą. Tak jak dym nie jest przyczyną ognia, tak i cukrzyca nie jest przyczyną innych chorób.

Ocenia się, że na cukrzycę typu II choruje w Polsce ponad 900 tysięcy ludzi. Koszty leczenia, koszty mniej wydajnej pracy u cukrzyków, koszty krótszego życia cukrzyków (cukrzyca typu II skraca życie średnio o 25 proc.), inne koszty, za które płacimy wszyscy, są przy cukrzycy ogromne. Oceniano koszty cukrzycy w Polsce na 400 miliardów złotych rocznie w czasach, gdy przeciętna pensja była niższa niż 10 tysięcy złotych (!). Człowiek, w którego diecie cukry i tłuszcze występują w ilościach kalorycznie zbliżonych (np. po 45 proc. energii z tłuszczów i 45 proc. energii z węglowodanów) podobny jest do kierowcy samochodu, który połowę energii daje samochodowi z benzyny (tłuszcze), a połowę z węgla z wodą (węglowodany). W takich warunkach żaden organizm nie będzie wydalał tłuszczu, a kierowca nie będzie wylewał benzyny i usiłował jeździć na węglu z wodą (węglowodanach). Jeździ więc mniej, tylko na benzynie, część węgla przetwarzając na benzynę, a resztę po prostu wyrzuca.

Chorzy na cukrzycę typu II przetwarzają glukozę na tłuszcze i cholesterol, zyskując przy tym tlen, a następnie wodór. Tkanki same wytwarzają tlen z glukozy. Właśnie dlatego tkanki chorego na cukrzycę, ale także tkanki chorego na miażdżycę i otyłość, znacznie dłużej znoszą niedobór tlenu niż się to spotyka u ludzi zdrowych. Żaden człowiek nie choruje na tłuszczycę. Na cukrzycę choruje wielu!

Dotychczas stosowane metody leczenia cukrzycy nie są metodami leczenia cukrzycy. Są to metody leczenia wysokiego poziomu glukozy we krwi, a nie cukrzycy. Po to człowiek powinien się leczyć, aby wyzdrowieć i być zdrowy. Leczony metodami dotychczas stosowanymi z cukrzycy wyleczony nie będzie.

Cukrzyca typu I jest chorobą „ubogopastwiskową" i była omówiona przy chorobach zaliczonych do tak zwanych zespołów antymiażdżycowych. Z cukrzycy typu I i typu II wyleczyć się można. Prawie w każdym przypadku. W cukrzycy typu II trzeba sporo wiedzieć jak to zrobić, w cukrzycy typu I trzeba wiedzieć znacznie więcej. Dlatego można leczyć się i wyleczyć z cukrzycy typu II w domu, natomiast przy cukrzycy typu I, przez pierwsze kilkanaście dni chory powinien przebywać w szpitalu. Zwłaszcza w szpitalu powinno przebywać dziecko. Dotychczas w żadnym szpitalu nie leczy się przyczynowo cukrzycy typu I tak, aby tę cukrzycę wyleczyć. Zwracałem się do wielu profesorów i lekarzy z propozycją leczenia i wyleczenia tej cukrzycy. Dotychczas było to bezskuteczne. Jeżeli ktoś „wie", że cukrzycy wyleczyć nie można, to nie można go przekonać, że jednak można. „Nie ma chorób nieuleczalnych, niedostateczna jest tylko nasza wiedza" – napisał prof. Julian Aleksandrowicz. I miał rację. Nie tylko w odniesieniu do cukrzycy.

Cukrzycę typu II można próbować wyleczyć głodem (obozy koncentracyjne), bardzo znacznym ograniczeniem spożycia tłuszczów i zastąpieniem ich przez węglowodany (też obozy koncentracyjne), podawaniem tłuszczów najmniej wartościowych biologicznie i kalorycznie, czyli tłuszczów o wielu wiązaniach nienasyconych (olej z wiesiołka, kukurydzy, soi), tłuszczów nie zawierających potrzebnych witamin i enzymów niezbędnych do ich spalenia, które występują w naturalnych tłuszczach zwierzęcych. Każdy z tych sposobów znacznie skraca życie człowieka i wybitnie degraduje umysł ludzki. Przy pomocy tych metod z cukrzycy wyleczyć się nie można, można natomiast znacznie częściej zachorować na raka.

Cukrzyca typu II obecnie jest „leczona" najczęściej lekami doustnymi, wymuszającymi zwiększone wytwarzanie insuliny przez własną trzustkę. Przy dotychczasowym modelu żywienia i zwiększonym wytwarzaniu insuliny pod wpływem leków dochodzi do szybkiego rozwoju miażdżycy. Insulina bowiem znacznie bardziej przyspiesza cykl pentozowy przemiany glukozy niż cykl heksozowy. Wniosek: leki doustne stosowane w „leczeniu" cukrzycy typu II znacznie przyspieszają rozwój miażdżycy.

Przyczynowe leczenie cukrzycy typu II polega na około 10-krotnym zmniejszeniu spożywanych węglowodanów i zastąpieniu ich przez tłuszcze. Powinny to być tłuszcze o najwyższej wartości kalorycznej, czyli nasycone wodorem w pełni, najlepiej w postaci wolnych kwasów tłuszczowych o długich łańcuchach. Powinny to być tłuszcze o najwyższej wartości biologicznej: żółtko jaja, szpik kostny, łój wołowy, słonina, masło, śmietana. Takie leczenie jest bezpieczne, zawsze skuteczne, może być prowadzone w warunkach domowych, a wyleczenie cukrzycy uzyskuje się praktycznie u każdego chorego w okresie od 3 tygodni do 3 miesięcy, bardzo rzadko dłuższym.

Ktoś dociekliwy może zapytać: „jeżeli natychmiast ograniczę spożycie węglowodanów 10 razy, to od następnego dnia już nie powinienem mieć cukrzycy. Dlaczego zatem na wyleczenie muszę czekać kilka tygodni, a nawet miesięcy?" Odpowiedź jest następująca: nagłe wprowadzenie żywienia optymalnego zmusza organizm do przebudowy, do wyrzucenia z komórek niepotrzebnych już maszyn (enzymów), a do zbudowania innych. Enzymy używane do spalania cukru, do jego przetwarzania na tłuszcze i cholesterol, stają się niepotrzebne. Organizm je spala. Są to enzymy zbudowane z białka. Ponad połowa tych enzymów (ich wagi) jest przetwarzana przy tej okazji na glukozę. Jest zatem tak, że cukru zjadamy mało, ale wytwarzamy go sporo. Oczywiście do czasu. Najwięcej cukru z niepotrzebnych już enzymów organizm wytwarza w pierwszym tygodniu, z każdym następnym tygodniem wytwarza ich mniej, po 3 tygodniach (u młodych), a po 3 miesiącach u starszych, schorowanych, z ciężką miażdżycą zaprzestaje ich wytwarzania.

Po przygotowaniu teoretycznym i po zapewnieniu sobie możliwości częstego badania poziomu glukozy we krwi, należy:

1. W jednym dniu wprowadzić żywienie optymalne w pełnym zakresie.
2. Chorzy przyjmujący do 3 tabletek na dobę, mogą je od razu odstawić.

3. Chorzy przyjmujący 4 i więcej tabletek na dobę zmniejszają ich ilość o 50 proc.
4. Chorzy przyjmujący insulinę w dawkach powyżej 15 - 20 j na dobę powinni natychmiast zmniejszyć jej dawkę średnio o połowę.
5. Insulinę podawać 1 raz na dobę, najlepiej rano. Powinna być to insulina działająca długo, a nie krótko.
6. Badać poziom glukozy we krwi.
7. Nie dopuszczać do spadku poziomu glukozy we krwi poniżej 100 mg% i do wzrostu tego poziomu powyżej 200 mg%, korygując odpowiednio dawkę przyjmowanego leku.
8. Przy poziomie glukozy we krwi poniżej 140 mg% na czczo należy zmniejszyć dawkę leku o dalsze 50%, a następnie leki odstawić.

Podany wyżej schemat postępowania jest schematem orientacyjnym. Przy ograniczaniu lub odstawianiu tabletek czy insuliny, należy kierować się poziomem glukozy we krwi. Po wprowadzeniu żywienia optymalnego nie ma dużych wahań poziomu glukozy we krwi w różnych porach dnia. Poza pierwszymi dniami, nie musi się często badać poziomu glukozy we krwi. Wydalanie glukozy z moczem ustępuje znacznie szybciej niż spadek poziomu tej glukozy we krwi.

U niektórych ludzi mogą pojawić się w moczu tak zwane ciała ketonowe. Oznacza się je krzyżykami. Od 1 krzyżyka do 4. Przy jednym - dwu krzyżykach nie ma powodu do zmartwienia. Przy trzech, a zwłaszcza czterech, należy dietę skorygować. Nie trzeba bać się ciał ketonowych. U ludzi na diecie bogatotłuszczowej ciała te są wytwarzane przez organizm jako „paliwo" lepsze od wolnych kwasów tłuszczowych. Są one pobierane przez mózg, serce, inne narządy w pierwszej kolejności. Nie należy odstępować od żywienia optymalnego, należy tylko skorygować dietę. Ciała ketonowe pojawiają się zwykle między 6 - 10 dniem od zmiany diety. Również w głodówkach „leczniczych" pojawiają się ciała ketonowe w moczu, co nie jest powodem do przerwania głodówki. W szóstym dniu głodówki ilość energii z tłuszczów wynosi około 85 proc., z białek 13 proc., z węglowodanów tylko 2 proc. W szóstym - siódmym dniu głodówki głodujący czuje się najlepiej, ponieważ jego organizm jest na diecie optymalnej z nieco za dużym spalaniem białek. Później już nie jest tak dobrze.

Przy żywieniu optymalnym kwasica (ciała ketonowe) trafia się mniej często niż przy głodówce. Powstające przejściowo ciała ketonowe są bardzo dobrym źródłem energii dla wielu tkanek. Ale możliwość ich spalania jest ograniczona. Człowiek może w spoczynku spalać około 2,5 g tłuszczu na 1 kg wagi bez wydalania ciał ketonowych w moczu. Zatem u człowieka o wadze 70 kg spalenie 175 g tłuszczu na dobę (tłuszczu własnego i podawanego w pokarmie łącznie) nie powoduje jeszcze wydalania ciał ketonowych z moczem.

Trzeba sprawdzać, zwłaszcza między 6 a 10 dniem, czy w moczu są ciała ketonowe i na ile krzyżyków ich jest. Jeśli będą 3 - 4 krzyżyki należy zmniejszyć zapotrzebowanie organizmu na energię z pokarmu (własny tłuszcz szybko się spala), jeść mniej, podawać tłuszcze o najwyższej wartości biologicznej, ograniczyć aktywność fizyczną, przebywać w cieple. Spożywać przejściowo produkty alkalizujące, takie jak żółtko jaj, śmietana, a ograniczyć zakwaszające, takie jak mięso, ryby, drób, orzechy. Można też nieco zwiększyć spożycie węglowodanów do 50-60 g/dobę. U człowieka o wadze 70 kg spożywanie około 50 g węglowodanów na dobę zapobiega powstawaniu ciał ketonowych.

Uwaga: przy ciężkiej niewydolności nerek, wysokim poziomie mocznika i kreatyniny we krwi, mogą być pewne kłopoty zdrowotne. Wprowadzenie żywienia optymalnego powoduje wzmożone spalanie białek, to powoduje wzrost poziomu mocznika i kreatyniny we krwi, a to może spowodować niewydolność nerek. W tym przypadku należy postępować bardzo rozważnie, ograniczyć znacznie podaż białka w diecie, na wszelki wypadek udać się (ze swoim jedzeniem) do szpitala na oddział wewnętrzny lub nefrologiczny. O ile znajdzie się lekarza, który się na to zgodzi. Z tym może być najtrudniej.

CZĘŚĆ 3

Żywienie kobiet ciężarnych, niemowląt i dzieci

Obecnie, generalnie rzecz biorąc, ludzie żywią się mniej lub bardziej, ale zawsze źle. Mniejsze odstępstwa od optymalnego wzorca żywienia dają mniejsze skutki negatywne, lepsze zdrowie, dłuższe życie, wyższą stopę życiową. Do narodów, w których żywienie jest stosunkowo niezłe należą Szwajcaria, Nowa Zelandia, Australia, Kanada, USA, Holandia. Takie kraje jak Chiny, Indie, Pakistan, większość krajów Afryki cechują się składem diety najbardziej odbiegającym od optymalnego wzorca żywienia, dlatego w tych narodach negatywne skutki takiego żywienia są największe: szybkie dojrzewanie młodzieży, krótkie życie, liczne choroby, niska wydajność pracy, bardzo mało sprawny umysł, nędza. Każdy człowiek żywi się inaczej, ale to „inaczej" zamyka się w innych granicach u Holendra, a w innych u Hindusa. Również w Polsce różni ludzie żywią się różnie. Nawet przy tych samych dochodach i przy przeznaczaniu tej samej ilości pieniędzy na żywność, ludzie kupują różne produkty spożywcze, w wyniku czego żywią się zupełnie inaczej. Człowiek najchętniej kupuje i zjada takie produkty, w których główne składniki odżywcze występują w proporcjach najbardziej zbliżonych do proporcji, do których jego organizm jest aktualnie przystosowany. Przystosowywanie się organizmu do określonych proporcji między białkiem, tłuszczem i węglowodanami w diecie, najczęściej podświadome, wymusza niejako spożywanie produktów najbardziej pod tym względem zbliżonych do aktualnych potrzeb organizmu.

Żywienie optymalne nie jest lekarstwem. Jest prawidłowym wzorcem zaopatrzenia organizmu we wszystkie potrzebne mu do życia składniki. Ludzie chorzy podejmujący taki sposób żywienia w bardzo szybkim tempie wracają do zdrowia i to bez względu na rodzaj schorzenia, gdyż dieta ta nie leczy choroby jak pigułka czy zastrzyk, lecz leczenie oparte jest na dowozie do organizmu najbardziej wartościowych składników odżywczych, tj. wysokowartościowego białka i tłuszczu, pozostawiając samemu organizmowi rolę kierowania ich tam, gdzie są najbardziej potrzebne. Tak więc ta metoda żywienia najpierw leczy chorobę, potem w szybkim tempie odchudza osoby z nadwagą, a równocześnie wzmaga siły, żywotność, energię i odporność organizmu. W ten sposób należy rozumieć funkcje lecznicze proponowanej diety optymalnej.

ODŻYWIANIE SIĘ KOBIET CIĘŻARNYCH

Wśród zwierząt w każdym zdrowym gatunku zachowana jest równowaga między ilością spożywanego pożywienia a liczebnością gatunku. I jest stwierdzonym faktem, że gdy ilość pożywienia zmniejsza się, ptaki i ssaki drapieżne przejściowo przestają się rozmnażać. Niektóre dzikie gatunki nie mnożą się też w warunkach, jeśli oceniają je jako niewłaściwe dla życia i rozwoju swego potomstwa. Dlatego tak słabo mnożą się dzikie zwierzęta w niewoli, np. w ogrodach zoologicznych. Mechanizmy te działają prawie bezbłędnie wśród wszystkich zdrowych gatunków, ale zawodzą u gatunków chorych lub zdegenerowanych. Niestety, zawodzą też u człowieka, a nawet występuje prawidłowość wręcz przeciwna: gdy ilość pożywienia w pewnych grupach ludności zmniejsza się i pogarsza się jego jakość, proporcjonalnie zwiększa się przyrost naturalny w tej grupie.

Kraje najbogatsze, w których ludzie stosunkowo nieźle odżywiają się, mają niski przyrost naturalny, zaś kraje najuboższe mają przyrost ogromny.

Przyszli rodzice powinni dobrze zastanowić się, zanim powołają do życia nowe istnienie, a przede wszystkim czy ich praca i warunki materialne teraz i przewidywane w przyszłości dają gwarancję, że dzieciom swym będą w stanie stworzyć warunki zapewniające im zdrowy rozwój i godne życie. Niefrasobliwe rodzenie dzieci w nadziei, że „jakoś to będzie", jest nieuczciwe wobec własnych dzieci i wobec całego narodu.

Przyrost produkcji wartościowej żywności musi znacznie wyprzedzać przyrost naturalny, aby mogło być dobrze. Od długiego już czasu przyrost naturalny w Polsce znacznie wyprzedza przyrost produkcji żywności, i to wcale nie tej najwartościowszej, a zatem jest tak jak jest, czyli źle.

Ciąża jest stanem fizjologicznym i nie powinna powodować zaburzeń w organizmie ciężarnej. W trosce o zdrowie matki, zdrowie i wartość biologiczną dziecka, odżywianie kobiety w ciąży powinno być szczególnie dobre. Podstawą pożywienia powinny być jajka, masło i tłusta śmietana, uzupełniane serem i mięsem, szczególnie podrobami i wędlinami podrobowymi, z dodatkiem chrząstek i skórek wieprzowych.

W drugiej połowie ciąży posiłki powinny być mniejsze objętościowo i częstsze. Kobieta w czasie ciąży nie powinna przybierać na wadze więcej niż wynosi ciężar płodu i wód płodowych. Nie powinna czuć się źle, mieć torsji czy bólów głowy, nie mogą psuć się jej zęby.

Kobieta w ciąży żywiąca się od dłuższego czasu w sposób optymalny może zjadać tyle i takich produktów, na jakie ma ochotę. Zwykle na 4 - 3 tygodnie przed porodem ciężarna zwiększa spożycie węglowodanów. Jest to zjawisko fizjologiczne i ma na celu wytworzenie u płodu mechanizmów pozwalających na bezpieczne przetrwanie okresu niedotlenienia okołoporodowego, które zawsze występuje w czasie porodu. Płód musi mieć materiał, energię i składniki oraz czas na przygotowanie enzymów potrzebnych do wytwarzania tlenu z węglowodanów.

Bezpośrednio przed porodem w tkankach płodu zwiększa się zawartość glikogenu 13 - 10 razy, zależnie od składu diety matki. Przygotowany odpowiednim żywieniem matki płód może w krótkim czasie ze 100 g glikogenu wytworzyć 38 litrów tlenu, zamieniając glikogen na cholesterol. Tak duża ilość tlenu pozwala mu na bezpieczne przetrwanie okresu niedotlenienia okołoporodowego. Po porodzie cholesterol jest szybko wydalany przez skórę noworodka i jego przewód pokarmowy.

ODŻYWIANIE NIEMOWLĄT

Odżywianie się matki karmiącej nie odbiega od ogólnych zasad żywienia optymalnego. Białko powinno być najwyższej jakości, a ilość tłuszczu w stosunku do białka powinna być zwiększona. Mleko dobrze odżywianej matki jest najlepszym pożywieniem dla noworodka.

Niemowlę powinno być odżywiane głównie mlekiem matki przez okres co najmniej roku. Wartość biologiczna białka w mleku kobiecym jest bardzo wysoka, a jego skład jest dostosowany do potrzeb organizmu dziecka. Optymalny skład mleka kobiecego nie jest znany, ponieważ nie przeprowadzono dotychczas badań składu mleka u kobiet odżywiających się w sposób optymalny. Obecnie w mleku kobiet na 1 g białka przypada od 3,1 do 11 g tłuszczu. Można przypuszczać, że przy optymalnym żywieniu zawartość tłuszczu w mleku kobiecym zwiększy się kosztem węglowodanów. Powinna ulec pewnemu zmniejszeniu zawartość białka. Takie mleko powinno opóźniać budowę, wzrost i dojrzewanie noworodka i proporcjonalnie do wydłużenia okresu wzrostu i dojrzewania wydłużać życie osobnicze o 6 - 8 lat na każdy rok opóźnienia wzrostu i dojrzewania.

Dziecko rodzi się z zapasem żelaza wystarczającym na okres kilku miesięcy. Po tym czasie żelaza zawartego w mleku kobiecym jest za mało w stosunku do potrzeb organizmu dziecka. Żelazo zawarte w produktach pochodzenia roślinnego wchłania się w minimalnych ilościach, tylko żelazo z produktów pochodzenia zwierzęcego wchłania się w takich ilościach, jakie są potrzebne dla organizmu. Toteż od trzeciego lub czwartego miesiąca życia należy podawać dziecku, prócz piersi, w niewielkich ilościach produkty pochodzenia zwierzęcego, najlepiej żółtko jajka roztarte z masłem lub tłustą śmietaną, następnie wprowadzać do żywienia pozostałe produkty jadane przy żywieniu optymalnym.

Dziecka nie należy zmuszać do jedzenia. Powinno jeść wtedy, gdy ma na to ochotę, i w takich ilościach, jakie zechce zjadać.

Matka zawsze powinna mieć pokarm, powinna zawsze sama karmić swoje dziecko, bo nic nie zastąpi pokarmu matki. Dużo matek obecnie nie ma pokarmu, niektóre nie chcą karmić własnych dzieci. Są to zjawiska niepokojące, groźne dla dzieci i dla ich zdrowia w przyszłości. Matka musi być bardzo źle odżywiana, by nie miała pokarmu i nie chciała karmić własnego dziecka. Zamożne klasy w różnych narodach i w różnych okresach wynalazły instytucję „mamek". Kobiety wiejskie, które odżywiały się głównie zbożem, ziemniakami i kapustą, miały mimo to wystarczającą ilość pokarmu, gdyż takie proste odżywianie było lepsze niż przeciętny skład diety kobiet z wyższych sfer. Szybko zauważono, że mamka odżywiana „dobrze" według poglądów i możliwości klas uprzywilejowanych traciła pokarm i trzeba było szukać innej.

Brak pokarmu u kobiet powoduje, że niemowlę czasem niemal od urodzenia karmione jest sztucznie. Do sztucznego karmienia niemowląt używa się mleka krowiego w różnych mieszankach.

Skład mleka różnych ssaków jest różny, dostosowany jest bowiem do określonych potrzeb zwierzęcego potomka. Mleko kobiece bardzo różni się od mleka zwierząt. W przeliczeniu na wartość kaloryczną ilość białka w mleku kobiecym wynosi tylko 7 - 8 proc.

Mleko krowie nie nadaje się dla dziecka i nie bardzo można je do potrzeb dziecka przystosować. Mleko krowie jest przeznaczone dla potomka zwierzęcia trawożernego, szybko rosnącego, a dieta optymalna wyklucza te produkty, którymi żywią się zwierzęta trawożerne i uznaje za słuszne i wskazane, by dziecko rosło powoli. Mleko krowie, nawet pełne, nawet tzw. prosto od krowy, nie może więc zastąpić mleka kobiecego w żywieniu noworodka. Jego skład bardzo różni się od składu przeciętnego mleka kobiecego: zawiera za dużo białka, przy niższej jego wartości biologicznej (90% stanowi kazeina), zbyt mało tłuszczu, niekorzystnie kształtują się w nim proporcje między wapniem a fosforem, nie najlepsze też są proporcje między witaminami i innymi składnikami, za mało też, jak na potrzeby noworodka, zawiera żelaza. Skład ten można w pewnym stopniu poprawić, dodając do pełnego mleka krowiego żółtko i trzykrotnie zwiększając ilość tłuszczu przez dodatek świeżego masła czy tłustej śmietanki, aby uzyskać proporcję 4 g tłuszczu na 1 g białka.

A oto jak należy w praktyce obliczać skład mieszanki dla niemowlęcia.

Mleko krowie znajdujące się w handlu, tzw. tłuste, w 100 g zawiera 3 g białka i ok. 3 g tłuszczu. Jeżeli do 100 g takiego mleka dodamy 1 żółtko (o wadze ok. 25 g) wzbogacimy nim mleko o 4 g białka i 8 g tłuszczu. Mieszanka zawierać więc będzie 7 g białka (3 g z mleka i 4 g z żółtka) oraz 11 g tłuszczu (3 g z mleka i 8 g z żółtka). Dla uzyskania proporcji B:T właściwych dla mleka kobiecego, tj. 1:4 należy dodać do mieszanki ok. 18-20 g masła lub 60 g śmietanki 30-procentowej.

Nie można, jak się to robi obecnie, dodawać do mleka cukru czy kaszki. Karmienie niemowlęcia węglowodanami musi powodować niekorzystny jego rozwój i podatność na wiele chorób. Zauważono, że wczesna miażdżyca występuje głównie u tych dzieci, które karmione były obficie mlekiem krowim, gdyż w pewnych warunkach żywienia mleko to jest produktem bardzo miażdżycorodnym.

Oprócz pokarmu, bez względu na jego konsystencję, niemowlę powinno otrzymywać coś do picia. Najlepsza jest czysta przegotowana i ostudzona woda. Można dodać do niej niewiele niesłodzonego, owocowego soku. Oczywiście można też podawać do picia bardzo lekkie napary rumianku lub koperku, ale napary ziołowe nie mają takiego znaczenia jak przy tradycyjnym żywieniu, gdyż niemowlę żywione optymalnie nie ma zaparć, wzdęć czy jakichkolwiek bólów brzuszka.

ŻYWIENIE DZIECI

Bardzo często współcześnie przyjmuje się rzeczy i zjawiska szkodliwe za pożyteczne - i odwrotnie. Większość ludzi uważa za bardzo pozytywne zjawisko, że dzieci szybko rosną, dużo ważą, a młodzież jest „dorodna", tzn. wysoka, rozrośnięta, silnie umięśniona. Większość pediatrów i rodziców uważa, że dziecko duże, szybko rosnące i szybko dojrzewające jest powodem do dumy. Nie wiedzą, że dziecko powinno być małe, chude i niskie, powinno dojrzewać jak najpóźniej, bo to rokuje mu długie życie.

Żywienie dzieci w wieku przedszkolnym i szkolnym nie odbiega od ogólnych zasad żywienia optymalnego. Śniadanie powinno być wartościowe i dość obfite. Do szkoły można dziecku dać kawałek sernika lub kanapkę z placuszka (patrz przepisy) z masłem i wędliną. Dziecko zawsze powinno mieć dostęp do niesłodkiego napoju, by mogło pić do woli. W żadnym razie nie może to być napój w rodzaju oranżady czy coca-coli. Najlepsza jest czysta, przegotowana woda lub woda gazowana.

CZĘŚĆ 4

Przepisy na potrawy zgodne z zasadami żywienia optymalnego

Pewną trudnością w stosowaniu żywienia optymalnego jest brak przepisów kulinarnych na potrawy, które odpowiadałyby jego zasadom. Wprawdzie organizm wcale nie wymaga urozmaicania pokarmów; najlepiej funkcjonuje, gdy skład ich jest identyczny. Spójrzmy na świat zwierzęcy: drapieżniki całe życie jedzą wyłącznie mięso upolowanych zwierząt i piją wodę. Nie jedzą nic innego, jeżeli tylko człowiek nie zaingeruje w ich jadłospis. Zwierzęta trawożerne - jedzą tylko przez całe życie pasze roślinne i nie zmusi się ich do zjedzenia mięsa czy tłuszczu. Człowiek też mógłby jeść wyłącznie dwie czy trzy potrawy o optymalnym składzie, ale nasze przyzwyczajenia kulinarne, zakorzenione od lat w naszej psychice, żądają od nas urozmaicenia w pożywieniu i trzeba wyjść temu naprzeciw. Dlatego niniejszy rozdział zestawia przepisy na różne potrawy i wyroby, a zamieszczony po nim jadłospis dwutygodniowy pokazuje, jak można zestawiać potrawy w posiłki: śniadania, obiady i kolacje.

W życiu codziennym raczej będziemy przyrządzali potrawy proste, mało pochłaniające czasu i energii. Człowiek na diecie optymalnej z czasem nie przywiązuje większej wagi do jedzenia. Tracenie czasu na przyrządzanie bardzo wyszukanych potraw nie jest potrzebne. Człowiek zawsze najedzony nie szuka przyjemności w jedzeniu. Jeśli każdego dnia je w sposób najlepszy dla swego organizmu, nie może od święta jeść lepiej.

Przy przyrządzaniu potraw i doborze posiłków możemy korzystać z własnego doświadczenia i z każdej książki kucharskiej. Wybieramy tylko te potrawy, które nie zawierają węglowodanów lub mają ich bardzo mało i w których zawartość tłuszczu jest wysoka.

Najwięcej problemów, zwłaszcza w początkowym okresie, wynika z konieczności zaprzestania spożywania chleba i pieczywa. Tak jesteśmy przyzwyczajeni do jego jedzenia, że nie wyobrażamy sobie, że można zjeść bez chleba np. jajecznicę na słoninie, pieczony boczek czy rybną konserwę w oleju. Ale opory te występują tylko na początku. Już po niedługim czasie chleb i pieczywo stają się dla nas niesmaczne. Ale wychodząc naprzeciw tym przyzwyczajeniom, jako pierwszy podany jest przepis na placuszki z sera i jajek z niewielką ilością mąki, smażone na smalcu. Gdy ostygną i zesztywnieją mogą być używane zastępczo zamiast chleba. Podobnie robimy „zastępcze" kluski. Dla tych, którzy w początkowym okresie mogą tęsknić za słodyczami i smakołykami, podajemy przepisy na torty i kremy. Są doskonałe i zgodne z zasadami diety. Można je jeść do woli.

I na koniec wyjaśnienie: we wszystkich przepisach na potrawy, a także i w dwutygodniowym jadłospisie, przez „mleko pełne" - rozumie się mleko o zawartości co najmniej 3,2% tłuszczu, za „śmietanę" - rozumie się śmietanę o zawartości 30% tłuszczu, a „ser biały" - to ser o zawartości co najmniej 9% tłuszczu (występujący w handlu jako „tłusty"). Jeżeli do potrawy zmuszeni jesteśmy użyć przetwory mleczne o niższej zawartości tłuszczu, należy brak ten uzupełnić przez dodanie do potrawy masła.

POTRAWY Z JAJEK I SERA

W żywieniu optymalnym jajka powinny być podstawowym produktem spożywczym. Można je przyrządzać na różne sposoby. Zawsze przyrządzamy je z dodatkiem tłuszczu. Jajka na miękko, na twardo, jajecznice, omlety, jajka sadzone - są potrawami prostymi, łatwymi do przyrządzania, powszechnie znanymi. Do jajecznicy czy omletu dajemy tyle tłuszczu, ile smażone jajka mogą wchłonąć, a jeśli tłuszcz pozostanie na patelni, można nim potrawę polać. Jajecznica na słoninie, boczku, maśle czy omlet na maśle zawierają na 1 g białka około 2,5 do 3,5 g tłuszczu. Tyle, ile potrzebuje nasz organizm. Do potraw z jajek można stosować wszelkie przyprawy: chrzan, natkę pietruszki, paprykę, majonez, sałatę, ketchup, sok z cytryny, pieprz, w początkowym okresie również sól.

1. PLACKI Z JAJEK I SERA

B		T		W	
214 g		**397 g**		**73 g**	**Kcal – 4890**
1	:	2	:	0,35	**1 sztuka – 163**

➤ *50 dag białego, tłustego sera, 1 kg jajek (ok. 17 sztuk), 10 dag mąki pszennej (5 płaskich łyżek), ok. 25 dag smalcu wieprzowego*

Ser rozetrzeć lub przekręcić przez maszynkę, wymieszać dokładnie z jajkami i mąką. Na patelni rozgrzać dużą ilość smalcu i kłaść masę łyżką na gorący tłuszcz, kształtując okrągłe placuszki. Smażyć z obu stron. Z powyższej ilości otrzymujemy około 30 placuszków o łącznej wadze około 1,5 kg. 1 placuszek waży więc ok. 5 dag. Można przechowywać je w lodówce do 7 dni i używać zamiast pieczywa. Placuszki te pokrojone w paski zastępują makaron. Pokrojone w paski i odsmażone na maśle czy smalcu zastępują frytki, ziemniaki i kluski. Placuszki te używane zamiast pieczywa wymagają dodatku tłuszczu. Do śniadania i kolacji smarujemy je masłem lub smalcem. Są bardzo dobrym dodatkiem do bigosu, flaków i każdej zupy. Zjadamy ich tyle, na ile mamy ochotę.

2. KLUSKI Z JAJEK I SERA

B		T		W	
112 g		**84 g**		**73 g**	**Kcal – 1470**
1	:	0,8	:	0,7	

➤ *25 dag białego, tłustego sera, 0,5 kg jajek (ok. 8 sztuk), 10 dag mąki pszennej (5 płaskich łyżek)*

Przyrządzić masę jak na placuszki w poprzednim przepisie. Łyżeczką do herbaty kłaść na gotującą się wodę zgrabne kluski. W początkowym okresie diety wodę można posolić do smaku. Gotować około 5 minut na małym ogniu.

Przy jedzeniu kluski wymagają sporego dodatku tłuszczu. Są bardzo smaczne na ciepło z roztopionym masłem, z odrobiną bułki tartej i cynamonu. Mogą być daniem podstawowym, mogą być bardzo smacznym dodatkiem do każdego mięsa. Można przechowywać je w lodówce. Można odgrzewać je, wrzucając na chwilę do wrzącej wody. Bardzo smaczne są odsmażane na patelni na maśle.

Gdy ser jest zbyt chudy, kruszy się i kluski mogą rozpadać się w gotowaniu. Trzeba wówczas dodać więcej mąki, około 15 dag.

3. ZUPA MLECZNA Z JAJKAMI

B		T		W	
20 g		**60 g**		**10 g**	**Kcal – 670**
1	:	2	:	0,5	

➤ *250 ml mleka pełnego (szklanka), 2 jajka, 50 g masła*

Jajka wymieszać, wlać na gotujące się mleko, dołożyć masło. Ilość mleka, jajek i masła może być większa lub mniejsza, ale z zachowaniem podanych proporcji.

4. JAJKA Z PASZTETEM

B		T		W	
40 g		**100 g**		**10 g**	**Kcal – 1060**
1	:	2,5	:	0,25	

➤ *4 jajka ugotowane na twardo, 150 g pasztetu wieprzowego, 50 g majonezu (2 łyżki), sól, pieprz; do dekoracji potrawy – pomidor, 2 śliwki z octu, sałata zielona*

Pasztet rozetrzeć z majonezem, doprawić do smaku solą i pieprzem. Jajka obrać, przekroić na pół, na każdą połówkę nałożyć dekoracyjnie pasztet, ułożyć jajka na półmisku wyłożonym listkami sałaty, udekorować kawałkami pomidora i śliwek. Do jajek z pasztetem można podać placuszki serowo-jajeczne (przep. 1) z masłem.

5. JAJKA Z KURĄ PIECZONĄ

B		T		W	
40 g		**150 g**		**–**	**Kcal – 1400**
1	:	3,5	:	–	

➤ *4 jajka ugotowane na twardo, 10 dag kury pieczonej, 10 dag majonezu (4 łyżki), 5 dag tłustej śmietany (2 łyżki), kilka migdałów, pieprz, trochę soku z cytryny, natka pietruszki, (sól), ketchup*

Jajka obrać, ściąć im czubki i wydrążyć żółtka. Mięso z kury drobno posiekać, dodać usiekaną drobno natkę pietruszki i ketchup, doprawić, wymieszać. Masą napełnić białka, ustawić pionowo na półmisku. Migdały sparzyć, obrać ze skórki, usiekać, wymieszać z majonezem, śmietaną i przetartymi przez sitko żółtkami, doprawić do smaku. Sosem tym polać przygotowane jajka.

6. JAJKA Z RZODKIEWKĄ W MAJONEZIE

B		T		W	
25 g		**105 g**		**5 g**	**Kcal – 1100**
1	:	4	:	0,2	

➤ *4 jajka ugotowane na twardo, 10 dag rzodkiewek, 10 dag majonezu (4 łyżki), 5 dag tłustej śmietany, pieprz, przyprawa do zup, szczypiorek*

Rzodkiewki umyć i zetrzeć na grubej tarce. Dodać do nich 1/2 łyżeczki usiekanego drobno szczypiorku, majonez, śmietanę i parę kropli przyprawy do zup. Doprawić do smaku pieprzem, wymieszać.

Jajka przekroić na pół, ułożyć na półmisku przecięciem do dołu i polać przygotowanym sosem.

7. JAJKA Z ŻÓŁTYM SEREM

B		T		W	
62 g		**145 g**		**10 g**	**Kcal – 1600**
1	:	2,4	:	0,15	

➤ *4 jajka ugotowane na twardo, 15 dag żółtego sera, 5 dag groszku konserwowego (3 łyżki), 10 dag majonezu (4 łyżki), 5 dag tłustej śmietany, koperek, (sól), pieprz, sałata zielona*

Jajka obrać, przekroić na pół, ułożyć przecięciem do dołu na półmisku wyłożonym listkami zielonej sałaty. Ser pokroić w kostkę, połączyć z groszkiem, majonezem i śmietaną, doprawić ew. solą i pieprzem, wymieszać. Polać jajka sosem i posypać posiekanym koperkiem.

8. JAJKA GARNIROWANE Z SZYNKĄ

B		T		W	
73 g		**190 g**		**20 g**	**Kcal – 1900**
1	:	2,6	:	0,3	

➤ *4 jajka ugotowane na twardo, 8 plastrów szynki wędzonej (ok. 200 g), 10 dag groszku konserwowego (5 łyżek), 10 dag majonezu (4 łyżki), kilka suszonych grzybów, cebula, łyżeczka smalcu do smażenia cebuli, 2 śliwki z octu, mały ogórek konserwowy, pomidor, natka pietruszki, sól, pieprz*

Grzyby umyć, namoczyć, ugotować. Cebulę drobno pokroić i usmażyć na smalcu. Jajka obrać, przekroić wzdłuż na pół, wyjąć żółtka, zemleć je wraz z grzybami, połączyć z uduszoną cebulą, doprawić do smaku solą i pieprzem. Masą napełnić białka.

Pomidor umyć, sparzyć, obrać ze skórki, grubo posiekać, połączyć z groszkiem, drobno usiekaną natką pietruszki, majonezem i pokrajanym w kostkę ogórkiem. Wymieszać. Na półmisku rozłożyć porcje sałatki, na każdej położyć połówkę jajka owiniętą w plaster szynki. Polać majonezem, udekorować połówkami śliwek i posypać usiekaną natką pietruszki.

9. JAJKA NADZIEWANE ŚLEDZIEM

B		T		W	Kcal – 570
32 g		**42 g**		**12 g**	
1	:	1,3	:	0,3	

➤ *4 jajka ugotowane na twardo, 5 dag filetów śledziowych, 5 dag tłustej śmietany, szczypiorek, papryka konserwowa, groszek konserwowy, pieprz, zielona sałata*

Jajka obrać, przekroić wzdłuż na pół, wyjąć żółtka. Żółtka rozetrzeć, dodać do nich drobno posiekane filety śledziowe, śmietanę, usiekany szczypiorek. Doprawić, wymieszać. Masą napełnić białka, ułożyć je na półmisku wyłożonym liśćmi sałaty, udekorować papryką i groszkiem.

10. JAJKA NADZIEWANE WĄTRÓBKĄ

B		T		W	Kcal – 850
41 g		**75 g**		**4 g**	
1	:	1,85	:	0,1	

➤ *4 jajka ugotowane na twardo, 10 dag wątróbki wieprzowej, mała cebulka, smalec, mały pomidor, pieprz, natka pietruszki, sałata zielona*

Wątróbkę pokroić w cienkie plastry, podsmażyć na smalcu, dodać usiekaną cebulę i razem poddusić.

Jajka obrać, przekroić wzdłuż na pół, wyjąć żółtka. Żółtka zemleć wraz z uduszoną wątróbką i cebulą, doprawić, wymieszać. Masą napełniać czubato białka. Ułożyć na półmisku wyłożonym liśćmi zielonej sałaty, udekorować cząstkami pomidora i posypać usiekaną natką pietruszki.

11. JAJKA ZAPIEKANE Z PIECZARKAMI

B		T		W	Kcal – 1770
92 g		**146 g**		**18 g**	
1	:	1,6	:	0,2	

➤ *8 jajek, 30 dag pieczarek, 10 dag żółtego sera, 5 dag masła, 10 dag szynki lub kiełbasy szynkowej, ketchup, natka pietruszki, pieprz*

Na potrawę tę nadają się tylko jajka bardzo świeże. Wybijać je kolejno na spodek i ostrożnie wlewać do wrzącej, lekko zakwaszonej octem i posolonej wody. Żółto powinno zostać w środku białka. Gotować 3-4 minuty. Wyjąć łyżką cedzakową i osączyć z wody. Pieczarki oczyścić, opłukać, pokroić, usmażyć na maśle, połączyć z posiekaną natką pietruszki i pokrojoną drobno szynką. Doprawić, wymieszać. Pieczarki rozłożyć na żaroodpornym półmisku na 8 porcji, na każdej porcji pieczarek położyć jajko, całość polać ketchupem, posypać pieprzem i utartym serem. Zapiec. Podawać na półmisku, na którym były zapiekane.

12. JAJKA FASZEROWANE WĄTRÓBKĄ DROBIOWĄ

B	T	W	
68 g	**150 g**	**10 g**	**Kcal - 1800**
1 :	2,2 :	0,1	

➤ *8 jajek ugotowanych na twardo, 10 dag wątróbki z drobiu, 10 dag smalcu, 2 dag żółtego sera, łyżka ketchupu, pieprz, bułka tarta*

Wątróbkę pokroić, usmażyć na smalcu. Jajek nie obierać, lecz mocnym uderzeniem ciężkiego noża przekroić je wraz ze skorupką na pół w poprzek. Jajka wyjąć ostrożnie ze skorupek, uważając by skorupek nie uszkodzić. Jajka zemleć wraz z wątróbką, połączyć z utartym żółtym serem i ketchupem. Doprawić, wymieszać. Napełnić połówki skorupek masą, posypać bułką tartą. Ułożyć przecięciem na rozgrzanym smalcu i zrumienić. Podawać gorące.

13. JAJKA ZAPIEKANE W SOSIE ŚMIETANOWYM

B	T	W	
70 g	**220 g**	**40 g**	**Kcal - 2500**
1 :	3,1 :	0,6	

➤ *8 jajek ugotowanych na twardo, 10 dag masła, 25 dag tłustej śmietany, 2 surowe żółtka, 5 dag mąki pszennej, 2 dag żółtego sera (tylżyckiego), bułka tarta, natka pietruszki*

Stopić 7 dag masła, wsypać mąkę, wymieszać, odstawić, rozprowadzić śmietaną, mieszając zagotować, zestawić z ognia, dodać surowe żółtka, już nie gotować, bo żółtka się zwarzą. Jajka obrać, z dwóch jajek wyjąć żółtka pozostałe jajka oraz dwa białka drobno posiekać, wymieszać z utartym żółtym serem i przygotowanym sosem śmietanowym.

Masę jajeczną przełożyć do żaroodpornego naczynia, odłożone żółtka przetrzeć przez sitko nad powierzchnią masy tak, by ją równomiernie przetartymi żółtkami posypać, następnie skropić ją stopionym masłem wraz ze zrumienioną na maśle bułką tartą i wstawić do gorącego piekarnika na 20 minut.

Potrawę podawać w tym samym naczyniu, w którym była zapiekana. Przed podaniem oprószyć ją drobno usiekaną natką pietruszki. Można przybrać ją krążkami pomidora, rzodkiewką, listkiem sałaty.

14. JAJKA FASZEROWANE BRYNDZĄ

B		T		W	
60 g		**105 g**		**12 g**	**Kcal – 1200**
1	:	1,7	:	0,2	

➤ *8 jajek ugotowanych na twardo, 10 dag bryndzy (ew. tłustego białego sera), 5 dag masła, łyżka tłustej śmietany, mała cebulka, korniszon, pieprz, bułka tarta*

Jajka przekroić wzdłuż na połówki wraz ze skorupką, uważając, by skorupek nie uszkodzić. Jajka ostrożnie wyjąć ze skorupek, usiekać drobno lub zemleć w maszynce, dodać do nich roztartą ze śmietaną bryndzę (ew. dobrze roztarty biały ser), posiekaną cebulę i usiekany także korniszon. Masę wymieszać i napełnić nią skorupki jajek.

Po wierzchu nadzienie posypać bułką tartą. Smażyć na rozgrzanym tłuszczu na rumiano.

15. JAJECZNICA Z CEBULĄ

B		T		W	
22 g		**38 g**		**6 g**	**Kcal – 454**
1	:	1,8	:	0,35	

➤ *4 jajka, 2 cebule, łyżka mleka lub wody, masło, pieprz, (sól)*

Cebulę obrać, pokrajać w plasterki, usmażyć na maśle. Jajka wybić ze skorupek, rozmieszać z mlekiem i przyprawami, wlać do cebuli i powoli smażyć, mieszając.

16. JAJECZNICA Z ŻÓŁTYM SEREM

B		T	W	
35 g		**75 g**	**–**	**Kcal – 820**
1	:	2,15	–	

➤ *4 jajka, 5 dag żółtego sera, 5 dag masła, natka pietruszki, szczypta gałki muszkatołowej, łyżka mleka lub wody*

Jajka wybić ze skorupek, wymieszać z mlekiem, startym serem, posiekaną natką pietruszki, przyprawami. Smażyć na maśle, stale mieszając.

17. JAJECZNICA Z KIEŁBASĄ

B		T	W	
35 g		**85 g**	**–**	**Kcal – 920**
1	:	2,4	–	

➤ *4 jajka, 10 dag kiełbasy, 5 dag masła*

Kiełbasę obrać z osłonki, pokrajać w kostkę, podsmażyć na maśle. Jajka wybić, rozmieszać, wlać do kiełbasy i smażyć powoli, mieszając.

18. JAJECZNICA Z CZOSNKIEM

B		T	W	
23 g		**62 g**	**–**	**Kcal – 660**
1	:	2,7	–	

➤ *4 jajka, 5 dag masła, główka czosnku, mały kieliszek białego, wytrawnego wina, szczypta gałki muszkatołowej*

Czosnek obrać, usiekać, podsmażyć na maśle. Jajka wybić ze skorupek, wymieszać z winem i utartą gałką, wlać do czosnku i smażyć powoli, mieszając.

19. JAJECZNICA Z WĄTRÓBKĄ DROBIOWĄ

B		T	W	
43 g		**76 g**	**–**	**Kcal – 780**
1	:	1,8	–	

➤ *4 jajka, 10 dag wątróbki z drobiu, 5 dag masła, kilka migdałów, kieliszek białego wytrawnego wina, (sól), pieprz*

Migdały sparzyć, obrać ze skórki, usiekać. Wątróbkę pokrajać, usmażyć. Jajka wybić ze skorupek, wymieszać z winem, wlać do wątróbki i smażyć powoli, mieszając. Posypać migdałami.

20. JAJECZNICA Z NERKĄ CIELĘCĄ I PIECZARKAMI

B		T		W	
73 g		**130 g**		**5 g**	**Kcal – 1500**
1	:	1,8	:	0,07	

➤ *8 jajek, 10 dag masła, 1 nerka cielęca (ok. 150 g), 10 dag pieczarek, 2 łyżki tłustej śmietany, (sól), pieprz*

Pieczarki oczyścić, opłukać, pokrajać w plasterki i usmażyć na części masła. Nerkę dokładnie umyć, odcisnąć z wody, pokrajać w kostkę i usmażyć na pozostałym maśle. Do nerek dodać pieczarki, wymieszać. Jajka wybić, wymieszać ze śmietaną i przyprawami. Wlać do nerek z pieczarkami, wymieszać i usmażyć powoli, mieszając.

21. JAJECZNICA Z MIĘSEM WIEPRZOWYM

B		T		W	
66 g		**163 g**		**–**	**Kcal – 1750**
1	:	2,5		–	

➤ *8 jajek, 10 dag masła, 15 dag mięsa wieprzowego, mała cebula, (sól), pieprz, parę kropli sosu chilli*

Mięso zemleć przez maszynkę. Podsmażyć z pokrojoną cebulą, skropić wodą, udusić do miękkości. Jajka wybić, rozmieszać, wlać do mięsa, dodać przyprawy i sos chilli, wszystko wymieszać i usmażyć powoli, mieszając.

22. JAJKA SADZONE

B		T		W	
46 g		**67 g**		**–**	**Kcal – 775**
1	:	1,4		–	

➤ *8 jajek, 3 dag masła, (sól), pieprz*

Na patelni rozgrzać masło, wybić ostrożnie jajka, posypać pieprzem i ew. solą, smażyć powoli, dopóki nie zetnie się białko. Żółtko powinno pozostać surowe. Jajka sadzone na ogół wchłaniają znacznie mniej (1/3) tego tłuszczu, jaki wchłania jajecznica. Wymagają więc większego dodatku tłuszczu przy spożywaniu.

Najlepiej jeść je z grubo posmarowanym masłem placuszkiem (przep. 1).

23. JAJKA SADZONE NA ŚMIETANIE

B		T		W	
60 g		**140 g**		**4 g**	**Kcal – 1500**
1	:	2,3	:	0,07	

➤ ***8 jajek, 3 dag masła, 20 dag tłustej śmietany, 5 dag żółtego sera, pieprz, (sól)***

Na patelni rozgrzać masło, wlać śmietanę. Następnie wbić ostrożnie jajka, posypać pieprzem i utartym żółtym serem (ew. solą). Gotować je w śmietanie na wolnym ogniu, aż białko się zetnie.

24. JAJKA SADZONE NA BOCZKU

B		T		W	
70 g		**136 g**		**–**	**Kcal – 1500**
1	:	2	:	–	

➤ ***8 jajek, 8 plastrów wędzonego boczku (ok. 20 dag), pieprz***

Boczek pokrajać w plastry, każdy plaster podsmażyć z obu stron na patelni na rumiano. Na każdy plaster wybić jajko, posypać pieprzem. Patelnię wstawić do gorącego piekarnika i piec, aż białko się zetnie.

W ten sam sposób można robić jajka sadzone na bekonie lub na tłustej szynce. Jajka sadzone na szynce, zwłaszcza chudej, wymagają dodatku masła do podsmażenia szynki.

25. JAJKA SADZONE Z PIECZARKAMI

B		T		W	
70 g		**115 g**		**7 g**	**Kcal – 1320**
1	:	1,6	:	0,1	

➤ ***8 jajek, 5 dag masła, 20 dag pieczarek, 5 dag szynki, 5 dag żółtego sera, pieprz, (sól), natka pietruszki***

Pieczarki oczyścić, opłukać, pokrajać w plasterki. Szynkę pokroić w paski i usmażyć na maśle wraz z pieczarkami. Dodać posiekaną natkę pietruszki, wymieszać.

Rozłożyć do żaroodpornych wysmarowanych masłem jednoporcjowych miseczek, na wierzch do każdej miseczki wbić jajko, posypać pieprzem i utartym żółtym serem. Zapiec w gorącym piekarniku, aż białko się zetnie.

26. JAJKA SADZONE Z WIEPRZOWINĄ

B		T		W	
90 g		**180 g**		**–**	**Kcal – 2000**
1	:	2		–	

➤ ***8 jajek, 5 dag smalcu, 20 dag wieprzowiny bez kości, 5 dag ketchupu, mała cebulka, kilka migdałów, ząbek czosnku, pieprz, (sól)***

Migdały sparzyć, obrać ze skórki, posiekać. Cebulę obrać, drobno posiekać. Mięso zemleć przez maszynkę. Cebulę podsmażyć na smalcu, dodać zmielone mięso, jeszcze podsmażyć, podlać wodą i udusić. Pod koniec duszenia dodać do mięsa ketchup, usiekane migdały i usiekany czosnek. Żaroodporne miseczki jednoporcjowe wysmarować smalcem, rozłożyć do nich po równo uduszone mięso, do każdej wbić ostrożnie jajko, posypać je po wierzchu pieprzem. Wstawić do gorącego piekarnika i piec, aż białko się zetnie.

27. JAJKA SADZONE Z WĄTRÓBKĄ DROBIOWĄ

B		T		W	
90 g		**130 g**		**9 g**	**Kcal – 1640**
1	:	1,45	:	0,1	

➤ ***8 jajek, 5 dag smalcu, 20 dag wątróbki z drobiu, 10 dag groszku konserwowego (6 łyżek), 10 dag włoskich orzechów (po usiekaniu 5 łyżek), pieprz, (sól)***

Wątróbkę pokrajać, usmażyć na smalcu, doprawić pieprzem i ew. solą do smaku. Żaroodporne jednoporcjowe miseczki wysmarować smalcem, do każdej włożyć trochę wątróbki i wbić jajko. Po wierzchu posypać pieprzem, zielonym konserwowym groszkiem osączonym z zalewy i drobno usiekanymi lub startymi na drobnej tarce orzechami. Piec w gorącym piekarniku, aż białko się zetnie.

28. JAJKA SADZONE NA SARDYNKACH

B	T	W	
100 g	**150 g**	**10 g**	**Kcal – 1800**
1 :	1,5 :	0,1	

➤ *8 jajek, 5 dag smalcu, puszka sardynek w oleju (ok. 20 dag), 20 dag pieczarek, 5 dag żółtego sera, pieprz, (sól), odrobina przyprawy curry*

Pieczarki oczyścić, opłukać, drobno pokrajać, usmażyć na części smalcu, doprawić pieprzem i przyprawą curry. Sardynki rozgnieść widelcem i wymieszać z olejem, by cały olej został przez masę wchłonięty. Żaroodporne miseczki jednoporcjowe wysmarować resztą smalcu. Rozłożyć do nich usmażone pieczarki, na nie wybić po jajku, a na wierzch rozłożyć sardynki.

Posypać utartym żółtym serem. Zapiec w gorącym piekarniku, aż białko się zetnie.

29. JAJKA SADZONE PO LITEWSKU

B	T	W	
110 g	**220 g**	**20 g**	**Kcal – 2300**
1 :	2 :	0,2	

➤ *8 jajek, 5 dag smalcu, 5 dag suszonych grzybów, 20 dag wędzonej szynki, 20 dag tłustej śmietany, łyżka koncentratu pomidorowego, pieprz, (sól)*

Grzyby umyć, namoczyć, ugotować w małej ilości wody, wodę odparować do małej objętości. Grzyby zemleć wraz z szynką, połączyć z wywarem z grzybów, śmietaną i koncentratem pomidorowym. Doprawić solą i pieprzem. Żaroodporne jednoporcjowe miseczki wysmarować smalcem. Rozłożyć do nich równomiernie masę z szynki i grzybów, do każdej wbić jajko. Zapiec w gorącym piekarniku, aż białko się zetnie.

30. OMLET NATURALNY

B	T	W	
12 g	**51 g**	**6 g**	**Kcal – 520**
1 :	4,3 :	0,5	

➤ *2 jajka, 5 dag masła, łyżeczka dobrego, domowego dżemu możliwie niesłodkiego*

Jajka wybić, oddzielając żółtka od białka. Żółtka rozetrzeć, białka ubić na sztywną pianę. Pianę wymieszać z żółtkami, wylać na rozgrzane masło na patelni.

Smażyć na małym ogniu, po obu stronach. Usmażony omlet zsunąć na ogrzany talerz i polać gorącym masłem pozostałym na patelni. Można omlet posmarować łyżeczką dżemu.

31. OMLET Z PIECZARKAMI

B		T		W	
14 g		**51 g**		**4 g**	**Kcal – 520**
1	:	3,6	:	0,3	

➤ ***2 jajka, 5 dag masła, 10 dag pieczarek, natka pietruszki, pieprz, (sól)***

Pieczarki oczyścić, opłukać, pokrajać w plasterki, usmażyć na maśle, wymieszać z posiekaną natką pietruszki, doprawić pieprzem i ew. solą. Na omlet przygotowany jak w przep. 30 nałożyć pieczarki, zawinąć łopatką brzegi omletu do środka lub złożyć go na pół, zsunąć na ogrzany talerz i polać resztą masła pozostałego na patelni. Podawać natychmiast, gorący.

32. OMLET Z SZYNKĄ

B		T		W	
43 g		**102 g**		**–**	**Kcal – 1100**
1	:	2,4		–	

➤ ***2 jajka, 1 jajko ugotowane na twardo, 5 dag masła, 10 dag szynki, 5 dag białego sera, natka pietruszki, pieprz, (sól)***

Jajko na twardo, szynkę i ser zemleć, wymieszać i rozetrzeć razem, wymieszać z posiekaną natką pietruszki, doprawić pieprzem i ew. solą. Przygotować omlet jak w przep. 30.

Gdy jest już usmażony, rozłożyć na jednej połowie przygotowaną masę równą warstwą i podnosząc łopatką drugą połowę omletu złożyć go na pół. Nakryć patelnię pokrywką i na małym ogniu przetrzymać jeszcze omlet chwilę, by nadzienie dobrze się zagrzało, albo można wstawić patelnię na parę minut do gorącego piecyka.

Zsunąć omlet na ogrzany talerz i polać resztą masła pozostałą na patelni.

33. OMLET Z MÓŻDŻKIEM

B	T	W	
21 g	**58 g**	**–**	**Kcal – 610**
1 :	2,8	–	

➤ *2 jajka, 5 dag masła, 10 dag móżdżku cielęcego lub wieprzowego, pieprz, (sól)*

Mózg opłukać, obrać z błon, zalać wrzącą, lekko osoloną wodą z dodatkiem octu, gotować około 5 minut. Wyjąć łyżką cedzakową, osączyć z wody, przetrzeć przez sito. Jajka wybić ze skorupek, wymieszać z mózgiem na jednolitą masę, doprawić solą i pieprzem. Masę wylać na patelnię na rozgrzane masło i smażyć powoli.

Gdy od dołu omlet będzie już podsmażony, a na wierzchu będzie miał konsystencję galaretowatą, zawinąć łopatką oba brzegi omletu do środka, wstawić do gorącego piekarnika na 5 minut. Zsunąć na ogrzany talerz i polać roztopionym masłem pozostałym na patelni.

34. OMLET Z WĄTRÓBKĄ

B	T	W	
30 g	**56 g**	**–**	**Kcal – 640**
1 :	1,9	–	

➤ *2 jajka, 5 dag masła, 10 dag wątróbki cielęcej lub wieprzowej, mała cebula, pieprz, (sól)*

Wątróbkę obrać z błon, opłukać, pokrajać w paski, podsmażyć na części masła. Pod koniec smażenia dodać drobno usiekaną cebulę, pieprz, nakryć i udusić. Na reszcie masła przygotować omlet jak w przep. 30. Nałożyć na niego uduszoną, gorącą wątróbkę. Zawinąć łopatką oba brzegi omletu do środka, zsunąć go na ogrzany talerz i polać resztą masła pozostałą na patelni.

35. OMLET Z PARÓWKAMI I BOCZKIEM

B	T	W	
34 g	**98 g**	**–**	**Kcal – 1070**
1 :	3	–	

➤ *2 jajka, 5 dag masła, 5 dag parówek (1 szt.), 5 dag boczku wędzonego, 5 dag żółtego sera, pieprz, (sól)*

Parówki obrać z osłonki, pokrajać w plasterki. Boczek pokrajać w kostkę, dodać parówki i razem podsmażyć na części masła. Przygotować omlet jak w przep. 30. Gdy się podsmaży od spodu, nałożyć nadzienie, zawinąć łopatką oba brzegi do środka, przełożyć na żaroodporny półmisek, posypać utartym żółtem serem, zapiec. Podawać na półmisku, na którym był zapiekany.

36. OMLET PO WARSZAWSKU

B	T	W	
26 g	**95 g**	**7 g**	**Kcal – 1200**
1 :	3,7 :	0,2	

➤ *2 jajka, 5 dag masła, 5 dag brzoskwiń z kompotu, 5 dag mięsa z kury pieczonej, 5 dag tłustej śmietany, 5 dag włoskich orzechów*

Orzechy sparzyć, obrać ze skórki, posiekać. Brzoskwinie i mięso z kury pokrajać w kostkę, wymieszać ze śmietaną i orzechami. Masę wyłożyć na część rozgrzanego masła i poddusić około 5 minut, mieszając. Przygotować omlet jak w przep. 30. Gdy się od spodu podsmaży, nałożyć gorące nadzienie, zawinąć łopatką oba brzegi do środka i zaraz podawać. Resztą masła pozostałego na patelni omlet polać po wierzchu.

37. OMLET Z OWOCAMI

B	T	W	
13 g	**51 g**	**12 g**	**Kcal – 570**
1 :	4 :	0,9	

➤ *2 jajka, 5 dag masła, 10 dag dowolnych owoców jagodowych (truskawek, poziomek, malin, czarnych jagód), łyżeczka cukru*

Owoce opłukać, osączyć, posypać cukrem. Przygotować omlet jak w przep. 30. Gdy się od spodu podsmaży, nałożyć owoce, zawinąć łopatką oba brzegi do środka i wstawić go jeszcze na 5 minut do gorącego piekarnika, by owoce się zagrzały. Zsunąć omlet na ogrzany talerz, polać resztą stopionego masła pozostałego na patelni.

38. OMLET Z WIŚNIAMI

B	T	W	
33 g	**124 g**	**15 g**	**Kcal – 1300**
1 :	3,8 :	0,5	

➤ *2 jajka, 5 dag masła, 15 dag wiśni, łyżeczka cukru, 10 dag tłustej śmietanki, 2 żółtka, 5 dag migdałów*

Migdały sparzyć, obrać ze skórki, posiekać. Wiśnie umyć, usunąć pestki, rozdrobnić je w mikserze. Dodać do nich łyżeczkę cukru i usiekane migdały, wymieszać, przełożyć do rondelka i ogrzewać około 5 minut, mieszając.

Żółtka dobrze rozetrzeć i wlewać do nich powoli gorącą śmietankę, ubijając je równocześnie trzepaczką. Naczynie z żółtkami i śmietanką wstawić do garnka z gorącą wodą i ubijać, aż masa zgęstnieje.

Usmażyć omlet jak w przep. 30. Gdy usmaży się od spodu nałożyć przygotowaną masę wiśniową i łopatką zawinąć oba brzegi do środka. Zsunąć omlet na ogrzany talerz, wylać na niego resztę gorącego masła pozostałego po smażeniu na patelni i polać gorącym sosem z żółtek i śmietanki. Podawać natychmiast, gorący.

39. SAŁATKA Z JAJEK Z PIECZARKAMI

B		T		W	
33 g		**92 g**		**9 g**	**Kcal – 1020**
1	:	2,8	:	0,25	

➤ *4 jajka ugotowane na twardo, 25 dag pieczarek, 10 dag majonezu (4 łyżki), natka pietruszki, parę kropli soku z cytryny, parę kropli przyprawy do zup, pieprz, (sól)*

Pieczarki oczyścić, opłukać, zalać wrzącą, osoloną wodą, gotować 5 minut, osączyć (wywar można zużyć na zupę pieczarkową). Pieczarki pokroić w plasterki, dodać do nich pokrojone w kostkę jajka, pieprz, (ew. posolić) i wymieszać. Sałatkę przełożyć do salaterki. Majonez wymieszać z sokiem z cytryny i przyprawą do zup. Polać sałatkę i posypać drobno usiekaną natką pietruszki.

40. SAŁATKA Z JAJEK Z GROSZKIEM KONSERWOWYM

B		T		W	
30 g		**92 g**		**12 g**	**Kcal – 1020**
1	:	3	:	0,4	

➤ *4 jajka ugotowane na twardo, 15 dag groszku konserwowego (6 łyżek), 1 nieduży pomidor, 10 dag majonezu (4 łyżki), natka pietruszki, pieprz, (sól)*

Pomidor umyć, pokrajać w kostkę, połączyć z groszkiem, pokrajanymi w kostkę jajkami i posiekaną natką pietruszki. Doprawić, wyporcjować i polać majonezem.

41. SAŁATKA Z JAJEK Z PARÓWKAMI

B		T		W	
60 g		**164 g**		**–**	**Kcal – 1730**
1	:	2,7		–	

➤ *4 jajka ugotowane na twardo, 30 dag parówek (6 sztuk), 10 dag majonezu (4 łyżki), natka pietruszki, pieprz, (sól)*

Parówki obrać z osłonek, pokrajać w cienkie półplasterki. Jajka pokroić w kostkę. Wymieszać jajka z parówkami i częścią majonezu, doprawić do smaku pieprzem, ew. solą. Przełożyć sałatkę do salaterki i polać po wierzchu pozostałym majonezem. Posypać drobno posiekaną natką pietruszki.

42. SAŁATKA Z JAJEK Z RYBĄ WĘDZONĄ

B		T		W	
55 g		**112 g**		**2 g**	**Kcal – 1240**
1	:	2	:	0,04	

➤ *4 jajka ugotowane na twardo, 10 dag majonezu (4 łyżki), 15 dag ryby wędzonej bez skóry i ości, 1 nieduży świeży ogórek, pieprz, (sól)*

Ogórek obrać, pokrajać w kostkę. Jajka też pokroić w kostkę, a rybę podzielić na drobne kawałki.

Wszystkie składniki sałatki połączyć, dodać przyprawy i majonez, wymieszać.

43. SAŁATKA Z JAJEK Z PIECZARKAMI I POMIDOREM

B		T		W	
37 g		**137 g**		**11 g**	**Kcal – 1430**
1	:	3,4	:	0,3	

➤ *4 jajka ugotowane na twardo, 1 nieduży pomidor, 15 dag pieczarek, 3 dag masła, 5 dag szynki, 10 dag majonezu (4 łyżki), natka pietruszki, pieprz, (sól)*

Pieczarki oczyścić, opłukać, pokrajać w plasterki, usmażyć na maśle, ostudzić. Pomidor sparzyć, obrać ze skórki, pokrajać w kostkę. Jajka i szynkę też pokroić w kostkę.

Wymieszać wszystkie składniki z majonezem, posypać drobno usiekaną natką pietruszki.

44. SAŁATKA Z JAJEK Z PIKLINGIEM I Z WOŁOWINĄ

B		T		W	
92 g		**160 g**		**9 g**	**Kcal – 1800**
1	:	1,7	:	0,1	

➤ *4 jajka ugotowane na twardo, 15 dag wołowiny gotowanej, 15 dag wędzonego śledzia (piklinga), 10 dag groszku konserwowego (4 łyżki), 10 dag majonezu (4 łyżki), 4 dag tłustej śmietany, natka pietruszki, pieprz, (sól)*

Piklinga obrać ze skóry i ości, mięso podzielić na drobne kawałki. Pokrajać w kostkę jajka i mięso wołowe. Pokrojone składniki połączyć, dodać groszek, majonez, śmietanę i natkę pietruszki. Doprawić do smaku pieprzem i ew. solą, wymieszać.

45. SAŁATKA Z JAJEK PO JAPOŃSKU

B		T		W	
67 g		**175 g**		**7 g**	**Kcal – 1800**
1	:	2,6	:	0,1	

➤ *4 jajka ugotowane na twardo, 20 dag pieczarek, 10 dag filetów śledziowych, 5 dag migdałów, 10 dag majonezu (4 łyżki), 5 dag masła, pieprz, (sól)*

Migdały sparzyć, obrać ze skórki, usiekać. Pieczarki oczyścić, opłukać, pokrajać w plasterki, usmażyć na maśle. Jajka i śledzie pokroić w kostkę. Wszystkie składniki sałatki połączyć, doprawić do smaku, wymieszać z majonezem.

POTRAWY Z SERA

Sery twarogowe, żółte i topione mogą z powodzeniem zastępować mięso. Z dodatkiem jajek przewyższają wartością odżywczą mięso. Mogą być podstawą wielu past kanapkowych, którymi można smarować placuszki (przep. 1) zjadane na śniadania lub kolacje.

46. TWAROŻEK

B		T		W	
31 g		**36 g**		**10 g**	**Kcal – 600**
1	:	1,2	:	0,3	

➤ *1 l słodkiego mleka pełnego, 2 łyżki soku z cytryny*

Mleko ogrzać do temperatury 37°C, wlać do niego sok z cytryny, wymieszać, przykryć i pozostawić w ciepłym miejscu.

Po 2-3 godzinach mleko ogrzać powoli do temperatury 50-55°C. Gdy białko mleka zetnie się, tzn. twarożek oddzieli się od serwatki, odstawić i pozostawić do ostygnięcia. Zlać delikatnie na gęste sitko lub do lnianego woreczka i pozostawić do powolnego odcieknięcia płynu.

47. TWAROŻEK Z RZODKIEWKAMI

B		T		W	
40 g		**48 g**		**6 g**	**Kcal – 616**
1	:	1,2	:	0,15	

➤ *20 dag białego tłustego sera, mały świeży ogórek, 4-5 rzodkiewek, koperek, 10 dag śmietany, natka pietruszki*

Ogórek obrać i pokrajać w kostkę, rzodkiewki pokrajać w cienkie plasterki, koperek i natkę pietruszki drobno posiekać. Ser rozetrzeć ze śmietaną i dodać pokrojone warzywa, wymieszać. Nie solić.

48. PASTA Z ŻÓŁTEGO SERA I KIEŁBASY PASZTETOWEJ

B		T		W	
80 g		**205 g**		**–**	**Kcal – 2300**
1	:	2,5	:	–	

➤ *20 dag żółtego sera, 3 żółtka, 10 dag masła, 15 dag kiełbasy pasztetowej, 3 dag musztardy (łyżeczka)*

Ser zetrzeć na drobnej tarce, dodać do niego ugotowane, przetarte żółtka, pasztetową, masło i musztardę. Wszystkie składniki rozetrzeć na jednolitą masę.

49. PASTA Z SERA Z RYBĄ WĘDZONĄ

B		T		W	
82 g		**106 g**		**–**	**Kcal – 1240**
1	:	1,3	:	–	

➤ *20 dag białego, tłustego sera, 20 dag piklinga lub innej wędzonej ryby, 3 jajka ugotowane na twardo, 15 dag śmietany*

Rybę obrać ze skóry i ości, przekręcić przez maszynkę razem z serem i jajkami ugotowanymi na twardo. Dodać śmietanę i rozetrzeć na masę.

50. PASTA Z SERA Z PASZTETEM RYBNYM

B		T		W	
85 g		**97 g**		**–**	**Kcal – 1260**
1	:	1,1	:	–	

➤ *20 dag białego, tłustego sera, 20 dag pasztetu rybnego, 15 dag tłustej śmietany*

Twaróg i pasztet przekręcić przez maszynkę i rozetrzeć ze śmietaną na gładką pastę.

51. PASTA Z SERA I ORZECHÓW

B		T		W	
47 g		**92 g**		**–**	**Kcal – 1050**
1	:	2	:	–	

➤ *20 dag białego, tłustego sera, 10 dag tłustej śmietany, 10 dag łuskanych orzechów włoskich lub laskowych*

Ser przekręcić przez maszynkę, utrzeć w misce ze śmietaną. Orzechy zmielić lub bardzo drobno usiekać, dodać do roztartego sera i wymieszać.

52. PASTA PIKANTNA

B		T		W	Kcal – 1700
72 g		**153 g**		**–**	
1	:	2,1	:	–	

➤ *20 dag sera topionego, ementalskiego, 10 dag sera rokpol, 10 dag masła, 2 jajka ugotowane na twardo, natka pietruszki, pieprz*

Sery rozetrzeć w misce z masłem na jednolitą masę, dodać do niej drobno posiekane jajka, pieprz i usiekaną natkę pietruszki. Wymieszać.

53. GOMÓŁKI Z SERA

B		T		W	Kcal – ok. 2000
90 g		**163 g**		**–**	
1	:	1,8	:	–	

➤ *20 dag żółtego sera, 40 dag białego, tłustego sera, 10 dag masła, szczypta zmielonego kminku*

Ser żółty utrzeć na tarce, biały przekręcić przez maszynkę. Sery połączyć, dodać masło, kminek i dokładnie utrzeć. Zwilżając ręce wodą kształtować w rękach z masy gomółki serowe, ułożyć je na desce i pozostawić kilka dni w przewiewnym miejscu do osuszenia.

54. SER OPIEKANY

B		T		W	Kcal – 2978
86 g		**281 g**		**15 g**	
1	:	3,4	:	0,2	

➤ *30 dag żółtego sera, 2 jajka, bułka tarta do panierowania, ok. 20 dag smalcu do smażenia*

Ser pokroić na plastry grubości 3-5 mm, a następnie na prostokąty o boku 6-7 cm. Każdy prostokąt sera maczać w rozmieszanych jajkach i bułce tartej. Smażyć w głębokim smalcu. Podawać gorące, polane gorącym tłuszczem z patelni.

Ser opiekany można urozmaicać nakładając na niego różne dodatki, np. odsmażone na maśle z cebulą resztki różnorodnych mięs, gotowanych, pieczonych czy smażonych, pieczarki duszone w maśle, wędlinę, podsmażoną w plasterkach kiełbasę itp. Można też dodawać do niego frytki i niewielką ilość jarzyn z rosołu podsmażonych na maśle.

55. SEROWE „KARTOFELKI"

B	T	W	Kcal – 1870
66 g	**150 g**	**32 g**	
1 :	2,3 :	0,5	

➤ *10 dag bryndzy, 10 dag sera rokpol, 10 dag sera białego tłustego, 2 jajka, szczypta pieprzu, zmielonego kminku i gałki muszkatołowej, łyżeczka mąki pszennej, bułka tarta, 25 dag smalcu do smażenia*

Wszystkie rodzaje serów przekręcić przez maszynkę, dodać jajka, mąkę i przyprawy, wymieszać na jednolitą masę. Na talerzyk wysypać bułkę tartą, nabierać łyżeczką masę serową, kłaść na bułkę tartą, a gdy masa oblepi się bułką, utaczać w rękach gałki wielkości orzecha włoskiego. W głębokim rondelku roztopić smalec i na gorący kłaść kulki serowe. W czasie smażenia rosną, a nie powinny się dotykać, nie kłaść więc zbyt wiele. Gdy nabiorą złocistobrązowego koloru, wyjmować z tłuszczu. W czasie smażenia pobierają ok. 10 dag tłuszczu.

Mogą służyć jako dodatek do barszczów albo używać ich jak „kartofelki" do niektórych dań mięsnych.

56. SUFLET Z SERA

B	T	W	Kcal – 1430
5 g	**134 g**	**–**	
1 :	2,5 :	–	

➤ *15 dag żółtego sera, 10 dag masła, 3 jajka, pieprz, (sól)*

Ser utrzeć na drobnej tarce, rozetrzeć z żółtkami i masłem, dodać sztywną pianę ubitą z białek, lekko wymieszać. Posmarowaną masłem formę napełnić masą i wstawić do gorącego piekarnika i piec ok. 20 minut. Po upieczeniu suflet wyjąć z formy. Podawać na gorąco.

57. SUFLET Z SERA Z SZYNKĄ I PIECZARKAMI

B	T	W	Kcal – 3150
170 g	**256 g**	**44 g**	
1 :	1,5 :	0,25	

➤ *30 dag żółtego sera, 10 dag masła, 200 ml mleka pełnego (niecała szklanka), 5 dag mąki pszennej (2 łyżki), 6 jajek, 20 dag szynki, 20 dag pieczarek, szczypta kwasku cytrynowego*

Masło stopić, dodać mąkę, zrobić białą zasmażkę, rozprowadzić ją mlekiem i mieszając zagotować. Przyprawić kwaskiem cytrynowym. Mieszając dodawać do sosu po 1 żółtku, a gdy się połączy z żółtkami i przestygnie, ostrożnie wymieszać ze sztywną pianą ubitą z 6 białek. Formę posmarować masłem, wyłożyć do niej połowę przygotowanej masy i wstawić do gorącego piekarnika. Gdy masa się zetnie, wyjąć ją z piekarnika, posypać utartym żółtym serem, pokrajaną drobno szynką i uduszonymi w maśle pieczarkami. Na nadzienie to wyłożyć pozostałą część masy i zapiec w piekarniku.

ZAPRAWY DO MIĘSA

Staramy się nie jeść mięsa surowego i zbyt świeżego. Mięso powinno być dojrzałe, skruszałe i nadtrawione. Dobrym sposobem dojrzewania mięsa może być przechowywanie go parę dni w kwaśnym mleku lub w zaprawie. Większe ilości mięsa peklujemy.

58. DOJRZEWANIE MIĘSA W KWAŚNYM MLEKU

Przechowujemy w ten sposób mięso cielęce i wołowe. Mięso należy opłukać, odcisnąć z wody, zdjąć błony i zbędny tłuszcz, ułożyć ciasno w garnku kamiennym polewanym lub naczyniu emaliowanym nie obitym, zalać surowym mlekiem i postawić w chłodnym miejscu. Mleko kwaśniejąc konserwuje na krótki czas mięso, chroniąc je przed zepsuciem i powodując jego dojrzewanie.

W zsiadłym mleku można przechowywać mięso do 5 dni. Mięso takie po upieczeniu jest bardzo kruche. Zamiast mleka można zalać mięso serwatką lub maślanką.

59. ZAPRAWA Z OCTU (NA 1 KG MIĘSA)

➤ *1/4 szklanki octu 6-proc., 0,5 l wody, średnia cebula (ok. 5 dag), 2-3 liście laurowe, 6 ziaren ziela angielskiego*

Wodę zagotować z pokrajaną w plastry cebulą i z przyprawami, odstawić z ognia, dodać ocet i ostudzić. Mięso włożyć do kamiennego garnka lub miski dopasowanej wielkością, zalać zimną zaprawą, obłożyć plastrami cebuli i wynieść do chłodnego pomieszczenia na

2-4 dni w lecie, a 5-7 dni w zimie. W zaprawie z octu przechowuje się dziczyznę, baraninę, wołowinę i koninę.

60. ZALEWA DO PEKLOWANIA (NA 10 KG MIĘSA)

➤ *20 dag soli, 1 dag saletry, 5 dag cukru, 10 liści laurowych, 20 ziaren ziela angielskiego, 10 goździków, 4 łyżeczki kolendry, 2 łyżeczki rozmarynu, 2 l wody*

Większe ilości mięsa, zwłaszcza wieprzowego, szczególnie w okresie zimowym, możemy peklować. Mięso najlepiej peklować w dębowych beczułkach. Beczułki takie można jeszcze czasem kupić na targu, łącznie z dębowym wieczkiem. Beczułkę przed użyciem trzeba dokładnie wymyć i wyparzyć wrzątkiem. Jeśli nie mamy beczułki, możemy zapeklować mięso w każdym dużym garnku, kamiennym lub emaliowanym (nie obitym), albo w misce lub w drewnianym cebrzyku.

Z mięsa wyjąć kości, mięso opłukać, odcisnąć z wody (golonkę możemy peklować z kością). Ziele angielskie, goździki i kolender zemleć w młynku do pieprzu, liście laurowe drobno pokruszyć. Przyprawy wymieszać z solą, saletrą i cukrem, podzielić na 2 części. Połowę składników wetrzeć w mięso, nacierając je dokładnie z każdej strony. Kawałki mięsa ciasno ułożyć w naczyniu do peklowania, przycisnąć drewnianym denkiem, obciążyć wymytym i wyparzonym kamieniem i postawić na 2 dni w temperaturze pokojowej. Po 2 dniach drugą połowę przypraw wymieszać z przegotowaną i ostudzoną wodą, zalać mięso i wynieść do chłodnej piwnicy. W okresie zimowym, gdy temperatura powietrza wynosi od -4 do +7°C, można mięso w peklówce przetrzymywać na balkonie. W czasie peklowania mięso powinno być zawsze przykryte płynem. W peklówce można przetrzymywać mięso 2-3 tygodnie, a w zimie znacznie dłużej. Stopniowo wyjmować mięso z peklówki, kawałek po kawałku, i zużywać. Jest ono - jak dla nas - zbyt słone, dlatego przed przyrządzaniem należy je 2-3 godziny pomoczyć w zimnej wodzie. Golonkę czy szynkę peklowaną gotuje się w większej ilości wody. Peklować możemy także mięso tłuste, w tym boczek i słoninę. Mięso peklowane można utrwalać dodatkowo przez wędzenie.

61. ZAPRAWA Z WARZYW I OLEJU (NA 10 KG MIĘSA)

➤ *30 dag marchwi, 30 dag pietruszki, 30 dag selera, 50 dag cebuli, 0,3 l oleju, 2 dag cukru, 2-3 liście laurowe, parę ziaren ziela angielskiego, 20 dag soli*

Warzywa oczyścić, drobno pokroić lub zetrzeć na tarce z grubymi oczkami. Listki pokruszyć, a ziele angielskie zmiażdżyć. Wymieszać jarzyny i przyprawy z solą, cukrem i olejem. Wygniatać je następnie ręką, aż puszczą sok. Mięso natrzeć jarzynami ze wszystkich stron, włożyć do kamiennego garnka, obłożyć resztą jarzyn wraz z olejem i sosem. Przykryć. Wynieść na 3-4 dni do piwnicy. Powinno stać w temperaturze nie wyższej niż 7°C.

POTRAWY Z WIEPRZOWINY

W żywieniu optymalnym najlepsze i najtańsze jest mięso wieprzowe. Mięso wieprzowe, zwłaszcza ze starych sztuk, najlepiej jest peklować, mięso ze zwierząt młodych dojrzewa szybciej.

Kości wieprzowe są stosunkowo lekkie i cienkie. Wywary z nich są tłuste, lecz mało esencjonalne. Nadają się na zupy z kapusty, na żurek, barszcze, zupy jarzynowe. Kości drobne i chrząstki oraz skórki wieprzowe nadają się na galarety. Skórki wieprzowe szczególnie zalecane są dla osób chorych na choroby skóry: sklerodermię, łuszczycę, także dla chorujących na żylaki, owrzodzenia w chorobie Buergera i miażdżycy tętnic kończyn, owrzodzenia żylakowate, w chorobie Raynauda. Poprawiają stan skóry, powinny spożywać je osoby chcące mieć ładną cerę.

Galarety wieprzowe z głowizny, nóżek, golonki i skórek wieprzowych wskazane są również dla chorych na chorobę zwyrodnieniową stawów, gościec przewlekły postępujący, zapalenia okołostawowe tkanki łącznej, złamania kości, zmiany troficzne skóry, chorobę Bechterewa. Ilość zjadanych galaret i skórek nie musi być duża i nie muszą być zjadane codziennie.

U chorych w początkowym okresie leczenia spożycie tych produktów powinno być większe, by organizm miał pewien nadmiar składników szczególnie dobrze nadających się do regeneracji uszkodzonych tkanek. Skóra należy do tkanek słabo ukrwionych.

Wszelkie ograniczenia ilościowe pożywienia i niekorzystna jego jakość powodują szybsze starzenie się skóry niż tkanek lepiej przez organizm zaopatrywanych.

Jest oczywiste, że w owocach, jarzynach czy w chlebie nie ma składników potrzebnych do życia skóry ludzkiej, do jej odnowy. U ludzi głodzonych (np. w obozach koncentracyjnych, u grup poddawanych długotrwałym postom), żywiących się głównie produktami pochodzenia roślinnego, starzenie skóry jest szczególnie szybkie, a choroby skóry występują znacznie częściej.

62. GOLONKA PEKLOWANA GOTOWANA

➤ Golonkę peklowaną gotujemy w wodzie bez żadnych przypraw ani dodatków smakowych. Trzeba gotować ją długo, aż mięso będzie bardzo miękkie, a błony i ścięgna rozklejone.

➤ Golonkę nie peklowaną gotuje się jeszcze dłużej niż peklowaną, z tym że do gotowania należy dodać włoszczyznę bez kapusty, cebulę, trochę kolendry, parę ziaren ziela angielskiego i liść laurowy. Wywar z golonki zużywamy na zupę, np. na biały barszcz lub żurek.

Golonkę należy spożywać na gorąco, z chrzanem, ketchupem lub musztardą. Bez chleba!

Golonka gotowana na 1 g białka zawiera od 1,2 do 1,6 g tłuszczu.

63. SZYNKA PEKLOWANA GOTOWANA

➤ Szynka powinna być peklowana 3 tygodnie. W okresie zimowym, w piwnicy, może być peklowana znacznie dłużej. Szynkę można peklować w całości lub podzielić ją na kształtne kawałki, starając się w czasie rozbierania mięsa i usuwania kości nie ciąć mięsa w poprzek włókien mięsnych, lecz rozdzielać je po błonach otaczających mięśnie. Otrzymujemy wtedy kształtne kawałki szynki, otoczone ze wszystkich stron błonami.

Szynka peklowana gotowana jest smaczna zarówno na gorąco, jak i na zimno.

Gotując szynkę w całości trzeba zagotować wodę w odpowiedniej wielkości kotle, włożyć szynkę do wrzątku skórą ku podstawie kotła. Woda powinna przykrywać całą szynkę. Gotować powoli, 2 - 5 godzin, zależnie od wielkości szynki, licząc średnio 1 godzinę gotowania na 1 kg mięsa. Gdy woda jest zbyt słona, część jej należy odlać i uzupełnić wrzącą wodą. Szynka jest ugotowana, gdy mięso odchodzi od kości (przy szynce gotowanej z kością) lub gdy zaostrzony patyczek wchodzi w mięso bez oporu.

Po ugotowaniu szynkę należy ostudzić w rosole, następnie wyjąć, obsuszyć, przechowywać w chłodnym miejscu.

Po wyjęciu z gotowania szynkę można zapiec. W tym celu układa się ją na brytfance, polewa po wierzchu gorącym smalcem i wsuwa na

15-20 minut do bardzo gorącego pieca, by skórka z wierzchu obeschła i przyrumieniła się.

Kawałki szynki podzielonej gotuje się tak samo. By utrzymały pożądany kształt, można je osznurować.

64. SZYNKA PEKLOWANA PIECZONA

➤ Przed pieczeniem szynkę peklowaną można uwędzić lub piec ją nie wędzoną. Przed pieczeniem trzeba namoczyć ją po wyjęciu z peklówki w zimnej wodzie na 1-2 doby, zależnie od jej wielkości. Po wyjęciu z wody wytrzeć i osuszyć. Z mąki żytniej z wodą (na szynkę o wadze 5 kg potrzeba 2-2,5 kg mąki żytniej) zagnieść dość twarde ciasto, rozwałkować je na placek i oblepić ciastem szynkę. Piec w gorącym piekarniku około 3 godzin.

Pod koniec pieczenia sprawdzić zaostrzonym patykiem, czy szynka jest miękka. Ostry patyczek powinien wchodzić w mięso. Po ostygnięciu ciasto z szynki zdjąć i przeznaczyć na paszę dla drobiu lub trzody chlewnej.

65. ŻEBERKA WIEPRZOWE GOTOWANE

B		T		W	
117 g		**217 g**		**12 g**	**Kcal – 2470**
1	:	1,9	:	0,1	

➤ *1 kg żeberek, 30 dag włoszczyzny, 1 średnia cebula, parę ziaren ziela angielskiego, liść laurowy, sól*

Żeberka opłukać, pociąć na porcje, zalać wrzącą wodą, podgotować. Do półmiękkich żeberek dodać oczyszczoną włoszczyznę i przyprawy, dogotować. Wywar zużyć na zupy.

66. BIGOS

B		T		W	
200 g		**606 g**		**78 g**	**Kcal – 6740**
1	:	1,53	:	0,35	

➤ *1 kg kapusty kiszonej lub słodkiej, albo pół na pół jednej i drugiej, 1,5 kg różnego, dowolnego mięsa: pieczeni wieprzowej, pieczeni wołowej, pieczonej kaczki, pokrajanej w talarki lub w kostkę kieł-*

basy, gotowanej szynki, mięsa z dziczyzny itp. wraz z sosem pieczeniowym spod mięsa, 20 dag smalcu, 10 dag grzybów suszonych, 2 duże cebule, 10 suszonych śliwek, szklanka wytrawnego, czerwonego wina, 2-3 łyżki przecieru pomidorowego, a jeśli używamy tylko kapustę słodką – 4 kwaśne jabłka

Kapustę słodką poszatkować, sparzyć wrzątkiem, gotować w małej ilości wody. Pod koniec gotowania dodać obrane i pokrajane jabłka. Kapustę kiszoną odcisnąć z nadmiaru soku, jeśli jest bardzo kwaśna wypłukać w zimnej wodzie i odcisnąć. Ugotować w małej ilości wody z dodatkiem łyżki smalcu.

Grzyby ugotować oddzielnie, pokrajać w cienkie paski, dodać wraz z wywarem do kapusty. Następnie wszystkie mięsa pokrajać w grubą kostkę, kiełbasę w talarki, dodać do kapusty, wymieszać. Cebulę posiekać, przyrumienić na reszcie smalcu. Śliwki suszone namoczyć na 2-3 godziny, wyjąć z nich pestki, pokrajać w paski. Wszystkie składniki dodać do bigosu, dodać też pieprz, wino i przecier pomidorowy. Wymieszać, nastawić na płytkę i gotować jeszcze około 40 minut, często mieszając, aż wytworzy się ciemna, kleista masa.

Bigos można odgrzewać. Odgrzewany jest jeszcze smaczniejszy. Jeść bez chleba. Można podać do niego frytki lub placuszki serowo-jajeczne. Jeśli bigosu zrobimy dużo, część można zamrozić.

Ilość tłuszczu w bigosie zależy od tłustości dodanych mięs.

67. ZRAZY WIEPRZOWE PO WĘGIERSKU

B	T	W	
140 g	**420 g**	**14 g**	**Kcal – 3400**
1 :	3 :	0,1	

➤ *1 kg wieprzowiny z kością, 10 dag smalcu, szklanka tłustej śmietany, papryka mielona, płaska łyżka mąki, 1 cebula, 1 ząbek czosnku, łyżka przecieru pomidorowego, (sól)*

Mięso pokrajać na płaskie porcje i zbić, kształtując okrągłe zrazy. Oprószyć papryką i mąką, (ew. posolić), obsmażyć na rumiano z obydwu stron na silnie rozgrzanym smalcu, przełożyć do garnka. Na tłuszczu pozostałym po smażeniu zrumienić pokrajaną cebulę, dodać do mięsa, podlać trochę gorącej wody i powoli udusić mięso do miękkości. Śmietanę rozmieszać z przecierem pomidorowym i pozostałą mąką, wlać do mięsa, wymieszać, zagotować. Przed podaniem dodać roztarty czosnek.

68. SZASZŁYK WIEPRZOWY

B	T	W	
130 g	**320 g**	**12 g**	**Kcal – 3400**
1 :	2,3 :	0,1	

➤ ***50 dag mięsa wieprzowego peklowanego, bez kości (schabu, karkówki lub mięsa od szynki), 50 dag boczku peklowanego wędzonego, cebule i ew. przyprawy***

Mięso i boczek pokrajać w plastry o grubości 1 cm, a następnie w kwadraciki o boku około 3 cm. Na druty szaszłykowe nabijać na zmianę kawałki mięsa, boczku i cienkie plasterki cebuli. Można mięso oprószyć pieprzem, pieprzem ziołowym, jarzynką z torebki czy inną przyprawą lub mieloną papryką. Aczkolwiek szaszłyk bez przypraw dla ludzi dostosowanych do optymalnego żywienia jest najsmaczniejszy.

Piec na ruszcie, na węglu drzewnym, przygotowanym z drzewa liściastego, około 30 minut, często obracając. Poziom rusztu, który jest zmienny, należy dostosować do intensywności ciepła wydzielanego przez węgle. Podczas smażenia szaszłyka trochę tłuszczu z boczku wycieka i spada na węgiel. Paląc się (bez ognia) wytwarza się dym, który poprawia smak szaszłyka.

Można też przygotowywać szaszłyki w elektrycznym rożnie, a w ostateczności smażyć je na patelni, w głębokim smalcu, ale, niestety, tracą wówczas na smaku. Szaszłyk podajemy na gorąco, na drucie, bez żadnych dodatków.

69. CYNADRY WIEPRZOWE W SOSIE

B	T	W	
160 g	**145 g**	**12 g**	**Kcal – 2060**
1 :	0,9 :	0,08	

➤ ***1 kg nerek wieprzowych, 10 dag smalcu, średniej wielkości cebula, płaska łyżka mąki, pieprz, ziele angielskie, liść laurowy, ocet, (sól)***

Nerki opłukać, pokrajać w grube krążki, wrzucić do wrzącej wody, zagotować, odcedzić. Na patelni rozgrzać smalec, włożyć obgotowane nerki, obsmażyć, przełożyć do garnka, dodać pół posiekanej cebuli, podlać niewielką ilością wywaru, udusić pod przykryciem. Resztę cebuli też usiekać, zrumienić na smalcu pozostałym po osmażeniu nerek, dodać mąkę, zrumienić, rozprowadzić ostudzonym wywarem z nerek, dodać pieprz, ziele angielskie i liść laurowy, (ew. posolić). Sos zagotować, przetrzeć przez sito. Mięso zalać sosem, razem poddusić.

70. MÓŻDŻEK NA GRZANKACH

B	T	W	
95 g	**190 g**	**18 g**	**Kcal – 2150**
1 :	2 :	0,2	

➤ ***20 dag móżdżku wieprzowego, łyżka octu, 5 dag masła, 8 placuszków serowo-jajecznych (przep. 1), 10 dag sera żółtego ostrego, mała cebula, pieprz***

Móżdżek wypłukać, obgotować w wodzie z dodatkiem octu, obrać z błon, posiekać. Na patelni przyrumienić na maśle posiekaną cebulę, włożyć do niej móżdżek, przysmażyć, popieprzyć. Móżdżek nałożyć czubato na placuszki, posypać utartym żółtym serem, ułożyć w brytfance, zapiec w piekarniku. Podawać na gorąco.

71. GALARETA Z NÓŻEK

B	T	W	
120 g	**80-150 g**	**–**	**Kcal – ok. 1310**
1 :	0,5-1,3	–	

➤ ***2 nóżki wieprzowe (lub cielęce), 30 dag chudej wieprzowiny (lub cielęciny), włoszczyzna bez kapusty, 1 cebula, pieprz, liść laurowy, ziele angielskie, 3 ząbki czosnku, (sól)***

Cebulę przeciąć na pół i przypiec na płycie kuchennej. Nóżki oczyścić, ogolić, dokładnie wymyć, porąbać i sparzyć wrzątkiem. Zalać je zimną wodą i gotować ok. 1,5 godziny na wolnym ogniu. Po tym czasie dodać mięso, gotować dalszą godzinę, a pod koniec dodać oczyszczoną włoszczyznę, opieczoną na blasze cebulę i przyprawy. Ugotować bardzo miękko, by mięso rozkleiło się i niemal odpadło od kości. Włoszczyznę wyjąć. Mięso też wyjąć, obrać z kości, pokrajać na małe kawałki. Wywar doprawić do smaku pieprzem, roztartym czosnkiem i ew. solą. Mięso rozłożyć równomiernie do miseczek porcjowych (dla dekoracji na dno można położyć cienki plasterek marchewki z wywaru, ew. plasterek jajka na twardo), zalać wywarem, wystudzić. Podawać na zimno z octem, majonezem lub z plasterkiem cytryny. Porcja galarety bardzo ładnie wyjdzie z miseczki, gdy na chwilę miseczkę zanurzymy w gorącej wodzie. Można też galaretę wylać do brytfanki i kroić porcje w prostokąty.

72. PASZTET Z WIEPRZOWINY

B		T		W	
375 g		**622 g**		**80 g**	**Kcal – 7500**
1	:	1,7	:	0,2	

➤ *1 kg wątróbki wieprzowej, 1 kg wieprzowiny, 25 dag podgardla wieprzowego, kilka grzybów suszonych, 2 czerstwe bułki kajzerki (10 dag), 5 jajek, 10 dag słoniny, pieprz, liść laurowy, (sól)*

Grzyby umyć, namoczyć. Wątróbkę opłukać, włożyć na kilka minut do wrzącej wody, wyjąć. W tej samej wodzie ugotować mięso, podgardle i grzyby wraz z przyprawami. Po ugotowaniu mięsa sosu powinno zostać niewiele. Namoczyć w nim bułkę. Wszystkie składniki zemleć dwa lub trzy razy w maszynce z drobną siatką, masę wymieszać z jajkami, doprawić pieprzem i ew. solą. Dno i boki brytfanki wyłożyć cienkimi plastrami słoniny, wyłożyć masę mięsną, ucisnąć, wyrównać powierzchnię łyżką maczaną w ciepłej wodzie. Pasztet upiec w piekarniku, wystudzić.

Gdy dobrze wystygnie i stwardnieje, przesunąć brytfankę nad płomieniem, wtedy pasztet ładnie i łatwo wyjdzie z formy. Pasztet można jeść z majonezem, sosem tatarskim lub musztardą.

73. PASZTET Z WIEPRZOWINY Z MIĘSEM Z ZAJĄCA LUB KRÓLIKA

B		T		W	
280 g		**380 g**		**40 g**	**Kcal – 4700**
1	:	1,4	:	0,15	

➤ *50 dag wieprzowiny bez kości, 25 dag słoniny, 1 przodek zajęczy lub króliczy, podroby z zająca lub królika (wątróbka, nerki, serce, płucka) albo 20 dag wątróbki wieprzowej, czerstwa bułka kajzerka (5 dag), 3 jajka, 1 średnia cebula, liść laurowy, ziele angielskie, smalec do wysmarowania formy*

Mięso wieprzowe i zajęcze oraz ok. 15 dag słoniny udusić na wolnym ogniu z przyprawami, odparowując sos w czasie duszenia na tyle, by zostało go niewiele. Mięso zajęcze obrać z kości, bułkę namoczyć w sosie. Mięso, bułkę i słoninę zemleć dwa lub trzy razy w maszynce przez drobne sitko. Dodać jajka, pieprz, (sól), wymieszać i wyrobić. Brytfankę wysmarować smalcem, wyłożyć plastrami słoniny, włożyć masę mięsną, ugnieść łyżką maczaną w ciepłej wodzie, wyrównać powierzchnię. Upiec w piekarniku, wystudzić. Gdy dobrze wystygnie i stwardnieje przesunąć brytfankę nad płomieniem, wtedy pasztet łatwo i ładnie wyjdzie z formy.

Na pasztety można używać różne mięsa: stary drób, głowiznę wieprzową, łatę wołową, wszelkie podroby. Skład pasztetu może być różny, zależnie od rodzaju użytych składników. Można przyrządzać pasztety z ryb, cielęciny, koniny, dziczyzny, drobiu. Można robić pasztety bardziej lub mniej tłuste, z dodatkiem chrząstek, skórek wieprzowych. Zawsze jednak, bez względu na to z czego pasztet będzie robiony, musi zawierać w swoim składzie wątrobę i jajka.

POTRAWY Z BARANINY

Najlepsze mięso baranie pochodzi ze zwierząt w wieku 2-3 lat. Ma ono żywoczerwony kolor, a tłuszcz jest biały i jędrny. Młoda baranina nadaje się do sporządzania potraw smażonych i pieczonych. Mięso zwierząt starszych jest czerwonosine. Nadaje się głównie na potrawy duszone, gotowane i mielone. Mięso baranie dojrzewa długo. Należy zalewać je kwaśnym mlekiem (przep. 58), zaprawą z octu (przep. 59) lub zaprawą z warzyw i oleju (przep. 61).

74. BEFSZTYK BARANI PO ANGIELSKU

B		T	W	
227 g		**310 g**	**–**	**Kcal – 3700**
1	:	1,3	–	

➤ ***1,5 kg baraniny z górki, combra lub udźca, 5 dag słoniny, 5 dag masła, zaprawa z warzyw i oleju wg przep. 61 na 1,5 kg mięsa***

Mięso opłukać, wyjąć kości, zamarynować w warzywach wg przep. 61, odstawić w chłodne miejsce na 1-2 dni. Po tym czasie mięso wyjąć z zaprawy, pokrajać w poprzek włókien na befsztyki, każdy pobić tłuczkiem, ukształtować nożem, oprószyć pieprzem. Słoninę pokrajać w plasterki, lekko zrumienić. Smażyć befsztyki na silnie rozgrzanym smalcu wytopionym ze słoniny, rumieniąc je z obu stron, ale nie dosmażając do wewnątrz, tak by befsztyki pozostały w środku różowe. Pod koniec smażenia dołożyć masło. Podawać natychmiast po usmażeniu, z plasterkiem rumianej słoniny ułożonym na wierzchu, polane masłem. Można dodać do nich frytki lub kluski serowo-jajeczne (patrz przep. 2).

75. BARANINA DUSZONA NA DZIKO

B		T		W	
236 g		**285 g**		**25 g**	**Kcal – 4520**
1	:	1,6	:	0,1	

➤ *1,5 kg baraniny z udźca lub combra, szklanka wytrawnego, czerwonego wina, 10 ziaren jałowca, włoszczyzna bez kapusty, 10 dag słoniny, 25 dag śmietany, płaska łyżka mąki, pieprz, liść laurowy, (sól), zaprawa z octu (wg przep. 59)*

Mięso włożyć do zimnej zaprawy z octu, dodać wino. Przetrzymać je w zimnym miejscu 3-5 dni. Po tym czasie mięso wyjąć z zaprawy, osuszyć, naszpikować paskami słoniny, natrzeć zmiażdżonym jałowcem i ew. solą.

Włoszczyznę oczyścić, opłukać, cienko pokrajać. Stopić słoninę, wyjąć skwarki. Tłuszcz silnie rozgrzać na patelni i osmażyć na nim mięso ze wszystkich stron na rumiano. Przełożyć do garnka dopasowanego wielkością do kawałka mięsa. Do tłuszczu pozostałego po osmażeniu włożyć pokrojone jarzyny i zrumienić je, mieszając. Tłuszcz wraz z jarzynami, liść laurowy i cebulę z zaprawy, włożyć do mięsa, podlać wodą i udusić pod przykryciem. W czasie duszenia mięso odwracać, podlewać w miarę potrzeby trochę wody. Miękkie mięso wyjąć, sos przetrzeć, podprawić śmietaną rozmieszaną z mąką, zagotować. Mięso pokrajać w cienkie plastry w poprzek włókien, ułożyć na półmisku, polać sosem. Podawać samo lub z kluskami serowo-jajecznymi.

POTRAWY Z WOŁOWINY

Najlepsze do spożycia mięso wołowe pochodzi ze sztuk młodych. Ma ono kolor różowoczerwony, jest jędrne i soczyste. Mięso ze zwierząt starych jest ciemnoczerwone, czasem nawet wiśniowobrunatne. Jest przerośnięte ciemnożółtymi błonami, jest mniej jędrne, „rzadkie".

Łój wołowy jest wartościowym tłuszczem. Szczególnie watościowy jest szpik. Wywary z wołowych kości szpikowych są tłuste, z kości stawowych są bardziej esencjonalne i zawierają dużo substancji kleistych. Wartościowe są też wywary z błon i ścięgien wołowych. Mięso wołowe trzeba dłużej gotować niż wieprzowe, a wywary z kości, błon i ścięgien gotuje się nawet bardzo długo. Także dojrzewanie mięsa wołowego trwa długo, ale ma zasadnicze znaczenie dla jego smaku i strawności.

Duże usługi przy przyrządzaniu potraw z mięsa wołowego, a także i z innych mięs i kości wymagających długotrwałego gotowania, oddaje szybkowar, czyli garnek umożliwiający gotowanie pod ciśnieniem. Czas gotowania w szybkowarze skraca się przeciętnie o 2/3.

76. FLAKI PO WARSZAWSKU

B	T	W	
346 g	**227 g**	**40 g**	**Kcal - 3570**
1 :	0,8 :	0,1	

➤ ***2 kg flaków wołowych, 30 dag włoszczyzny bez kapusty, 1 kg kości wołowych stawowych i szpikowych, 10 dag masła, 3 dag mąki, imbir, pieprz, majeranek, gałka muszkatołowa, bułka tarta, zielona pietruszka, (sól)***

Flaki starannie oczyścić, wypłukać dokładnie i wielokrotnie w ciepłej wodzie. Zalać je zimną wodą, zagotować, odcedzić, przepłukać. Zalać świeżą wrzącą wodą, dodać kości i gotować 3-4 godziny do miękkości. Włoszczyznę oczyścić, pokrajać, ugotować w małej ilości wody z dodatkiem masła. Flaki odcedzić, pokrajać w cienkie paski. Wywar z flaków odparować do objętości około 1 litra. Stopić połowę masła, wsypać mąkę, zrumienić. Wyjąć szpik z wygotowanych kości, rozetrzeć, dodać do zasmażki, wymieszać. Zasmażkę rozprowadzić rosołem z flaków, zagotować. Włożyć pokrojone flaki do rosołu, dodać podduszone jarzyny, przyprawy, zagotować. Flaki powinny być bardzo miękkie i tylko lekko podpływać sosem. Resztę masła zrumienić z tartą bułką.

Flaki podawać w miseczkach porcjowych, każdą porcję polać masłem z tartą bułką i posypać usiekaną natką pietruszki. Podawać gorące, z placuszkami serowo-jajecznymi.

Takie potrawy jak flaki, gulasz, bigos można przyrządzać w większych ilościach, po ostudzeniu włożyć je do woreczków plastykowych w porcjach dostosowanych do potrzeb domowników i zamrozić.

77. ROSÓŁ Z WOŁOWINY

B		T		W	
15 g		**80 g**		**5 g**	**Kcal – 800**
1	:	5	:	0,3	

➤ *1 kg wołowiny z kością (szpondra), 50 dag włoszczyzny z kapustą, cebula, liść laurowy, ziele angielskie, pieprz, natka pietruszki, (sól)*

Mięso opłukać, przerąbać w poprzek żeber, zalać wrzącą wodą, ugotować na małym ogniu. Pod koniec gotowania włożyć oczyszczoną włoszczyznę, zrumienioną na płycie kuchennej cebulę, dodać przyprawy i powoli dogotować do miękkości.

Mięso wyjąć z rosołu, podzielić wraz z żeberkami na procje, marchewkę z włoszczyzny pokrajać w talarki.

Na rosole można zrobić lane kluski. 1 jajko rozmieszać z 1 płaską łyżeczką mąki (ale można i bez mąki) i wlać cienkim strumykiem na odlaną z całości 1 porcję rosołu. Zagotować. Rosół na talerzu posypać odrobiną usiekanej natki pietruszki i położyć na wierzchu 2-3 talarki marchewki z wywaru.

Mięso z rosołu zużyć do drugiego dania. Można polać je sosem chrzanowym lub innym, ostrym lub kwaśnym.

78. BEFSZTYK PO ANGIELSKU

B		T	W	
129 g		**137 g**	–	**Kcal – 1740**
1	:	1,1	–	

➤ *50 dag polędwicy wołowej, 5 dag smalcu, 5 dag masła, (sól)*

Polędwicę pokrajać w poprzek na 2-centymetrowej grubości kawałki. Każdy kawałek lekko pobić i ukształtować w okrągły befsztyk. Na patelni rozgrzać mocno smalec, smażyć befsztyki na silnym ogniu, krótko, rumieniąc z obu stron, ale nie dosmażając do środka. Pod koniec smażenia dodać masło.

Befsztyki odsunąć na bok patelni i na tłuszczu usmażyć sadzone jajka, jedno na każdą porcję. Na każdy befsztyk położyć jajko sadzone, polać pozostałym tłuszczem z patelni oraz położyć krążek schłodzonego masła.

Podawać z frytkami lub pokrajanymi w paski i zrumienionymi na maśle placuszkami serowo-jajecznymi.

79. BOEUF STROGONOW

B		T		W	
220 g		**197 g**		**53 g**	**Kcal - 2940**
1	:	0,9	:	0,25	

➤ *1 kg polędwicy wołowej, pieprz, 10 dag smalcu do smażenia; na sos: 5 dag masła, 3 dag mąki, średnia cebula, 5 dag grzybów suszonych, szklanka rosołu, łyżka przecieru pomidorowego, papryka, (sól)*

Grzyby umyć, namoczyć, ugotować, pokrajać w cienkie paski. Masło stopić, dodać posiekaną cebulę, zrumienić, dodać mąkę, wymieszać i podsmażyć. Zasmażkę rozprowadzić wywarem z grzybów, dodać grzyby i koncentrat pomidorowy, zagotować, dodać mieloną paprykę i ew. sól. Mięso pokrajać w słupki lub w kostkę o boku ok. 1,5 cm, obsmażyć krótko na gorącym smalcu, nie dosmażając do wnętrza. Mięso włożyć do sosu i jeszcze chwilę razem dusić. Podawać na gorąco, z frytkami lub przysmażonymi na maśle placuszkami serowo-jajecznymi.

80. GULASZ WOŁOWY

B		T		W	
300 g		**450 g**		**15 g**	**Kcal - 530**
1	:	1,5	:	0,05	

➤ *1 kg mięsa wołowego (może być z błonami, ścięgnami itp.), 50 dag mięsa wieprzowego, łyżka przyprawy gulaszowej, łyżka jarzynki w proszku, nóżka wieprzowa, skórka ze słoniny (ok. 10 dag), szklanka śmietany, 2-3 łyżki przecieru pomidorowego, 10 dag smalcu*

Mięso wołowe pokrajać w kawałki, obsmażyć na połowie smalcu na silnym ogniu ze wszystkich stron, przełożyć do rondla, podlać wodą i dusić pod przykryciem. Mięso wieprzowe pokrajać w kostkę, też obsmażyć na reszcie smalcu, dodać do mięsa wołowego i dusić dalej razem. Grzyby umyć, namoczyć, ugotować w małej ilości wody, pokroić w paski, dodać wraz z wywarem do mięsa. Nóżkę wieprzową i skórki ugotować miękko w niewielkiej ilości wody. Miękkie skórki pokroić w kostkę, mięso z nóżki obrać z kości i też pokroić, dodać do gulaszu wraz z wywarem. Dodać też przyprawy i razem dusić jeszcze 10-15 minut, do miękkości. Pod koniec duszenia wlać śmietanę rozmieszaną z przecierem pomidorowym, wymieszać, zagotować. Gulaszu nie solić, gdyż wystarcza sól zawarta w przyprawie gulaszowej i suszonej jarzynce. Gulasz podawać na gorąco z kluskami serowo-jajecznymi. Ilość tłuszczu w potrawie jest zmienna, zależy bowiem od tłustości użytego na gulasz mięsa.

81. PIECZEŃ RZYMSKA

B	T	W	Kcal – 4400
240 g	**370 g**	**60 g**	
1 :	1,5 :	0,25	

➤ ***1 kg wołowiny z kością, 50 dag wieprzowiny z kością, średnia cebula, 3 jajka, czerstwa bułka kajzerka (5 dag), łyżka tartej bułki, pieprz, 10 dag smalcu, (sól)***

Bułkę namoczyć w wodzie i odcisnąć. Cebulę pokrajać, udusić na części smalcu. Mięso obrać z kości, zemleć przez maszynkę wraz z bułką i cebulą, dodać pieprz, jajka, ew. sól i wyrobić. Masę wyłożyć na stolnicę wysypaną bułką tartą, ukształtować w gruby wałek. Resztę smalcu rozgrzać w długiej blaszce, włożyć do tłuszczu mięso i wstawić do piekarnika. W czasie pieczenia często polewać mięso tłuszczem. Pieczeń rzymską można jeść na zimno i na gorąco. Na gorąco podaje się ją pokrajaną na porcje, dodając frytki, kluski serowo-jajeczne, ew. fasolkę szparagową z masłem. Po wystudzeniu pieczeń kroi się w cienkie plastry jak wędlinę. Można dodawać majonez, sos tatarski, chrzan, grzybki z octu.

POTRAWY Z CIELĘCINY

Cielęcina to mięso pochodzące z cieląt 6-8-tygodniowych, karmionych mlekiem. Tłuszcz cielęcy jest delikatny, smaczny, bardzo wartościowy. Wywary z kości cielęcych są bardzo wartościowe, ale nie są tłuste. Szczególnie wskazane są dla niemowląt i osób chorujących na choroby stawów. Nadają się szczególnie na delikatne zupy. Z kości cielęcych, zwłaszcza stawowych, które zawierają dużo kleju, przyrządza się galaretki tężejące bez dodatku żelatyny. Mięso cielęce dojrzewa szybko. Dla ochrony przed zepsuciem mięsa cielęcego nie solimy, gdyż sól zmienia barwę cielęciny. Przez krótki czas można je przechować w mleku, w szmatce skropionej octem lub w czysto wypłukanych, świeżych pokrzywach. Cielęcina jest mięsem chudym, dlatego w potrawach z mięsa cielęcego przewagę ma białko nad tłuszczem. Potrawy te z reguły mają zbyt mało tłuszczu, jak na potrzeby diety optymalnej, dlatego zawsze należy steki, kotlety, wątróbkę smażoną itp. polewać tłuszczem z patelni pozostałym po smażeniu, a także potrawy z cielęciny łączyć w posiłku z zupą lub deserem o dużej przewadze tłuszczu nad białkiem.

82. FLACZKI CIELĘCE

B	T	W	
240 g	**75 g**	**34 g**	**Kcal – 1800**
1 :	0,3 :	0,15	

➤ *1,5 kg flaczków cielęcych, 25 dag włoszczyzny bez kapusty, 5 dag masła, płaska łyżka mąki, majeranek, pieprz, (sól)*

Flaczki starannie umyć, wypłukać parookrotnie w ciepłej wodzie, zalać zimną wodą, zagotować i odlać. Włoszczyznę opłukać, oczyścić, zalać wrzącą wodą, ugotować wywar, włoszczyznę wyjąć. Flaczki pokrajać w paski, ugotować w wywarze z włoszczyzny. Z masła i mąki sporządzić zasmażkę, rozprowadzić ją wywarem z flaczków, wlać do flaczków, doprawić przyprawami, dodać pokrojoną, ugotowaną włoszczyznę, wymieszać, zagotować.

Flaczki cielęce szczególnie polecane są dla osób chorujących na przewlekłe choroby przewodu pokarmowego, żołądka i jelit oraz na choroby stawów.

83. POTRAWKA CIELĘCA

B	T	W	
230 g	**150 g**	**32 g**	**Kcal – 2500**
1 :	0,7 :	0,15	

➤ *1,5 kg cielęciny z kością z mostka lub karku, 20 dag włoszczyzny, 5 dag masła, 3 dag mąki, 2 żółtka, natka pietruszki, (sól)*

Włoszczyznę oczyścić, umyć, zalać zimną wodą (1,5 l), zagotować. Mięso włożyć do wywaru z jarzynami, ugotować na małym ogniu. Pod koniec gotowania ew. posolić do smaku. Ugotowane mięso i włoszczyznę wyjąć, wywar odparować do 0,5 l objętości. Masło rozetrzeć z mąką, zalać częścią rosołu, wymieszać, wlać do reszty rosołu, zagotować. Z mięsa wyjąć kości. Mięso pokrajać na grube plastry, włożyć do sosu i zagotować. Gorące wyłożyć na półmisek, sos wymieszać z surowymi żółtkami, polać mięso. Podawać z kluskami z sera i jajek.

84. SZYNKA CIELĘCA PEKLOWANA GOTOWANA LUB PIECZONA

B	T	W	
800 g	**150 g**	**–**	**Kcal – 7250**
1 :	0,2	–	

➤ *1 udziec cielęcy bez kości (ok. 5 kg), 10 dag soli, 5 g saletry, płaska łyżka cukru, 1 łyżeczka kolendra, 1 łyżeczka jagód jałowca, 5 goździków, 10 ziaren ziela angielskiego, 2 liście laurowe, 4 ząbki czosnku, 1 łyżeczka tymianku*

Wszystkie przyprawy zemleć lub zmiażdżyć, wymieszać z solą, cukrem i saletrą. Połowę zaprawy wetrzeć w mięso, ułożyć je ciasno w misce kamiennej, przycisnąć deseczką, obciążyć kamieniem, pozostawić w temperaturze pokojowej 2 doby. Zagotować litr wody, rozpuścić w niej pozostałą zaprawę, zalać mięso i odstawić w chłodne miejsce na 3-4 tygodnie.

Mięso wyjąć z zaprawy, osuszyć, ugotować lub upiec.

Jeżeli chcemy szynkę ugotować, należy obić ją tłuczkiem, zwinąć ciasno i mocno osznurować. Włożyć do wrzącej wody i gotować na małym ogniu 1,5-2 godziny. Wyłożyć na stolnicę, przycisnąć deseczką, obciążyć kamieniem i pozostawić do ostygnięcia.

Szynkę można też upiec w piekarniku. Kładziemy ją do brytfanki na rozgrzany smalec i pieczemy, często polewając sosem spod pieczeni. Sos i tłuszcz od pieczenia cielęciny nadaje się do smażenia placuszków. Można go też dodawać do gulaszu lub bigosu.

85. KOTLETY POŻARSKIE

B	T	W	
260 g	**335 g**	**50 g**	**Kcal – 4180**
1 :	1,3 :	0,2	

➤ *1 kg cielęciny bez kości, 40 dag wieprzowiny bez kości, czerstwa bułka kajzerka (5 dag), 5 dag masła, 5 dag smalcu, 2 jajka, 1 żółtko, bułka tarta do panierowania (ok. 3 dag)*

Mięso na kotlety pożarskie może zawierać ścięgna, błony, trochę tłuszczu. Najlepiej użyć na nie okrawki mięsne albo mięso cielęce lub wieprzowe po wytrybowaniu z kości. Po zmieleniu wyrabiać je ręką jak ciasto, aż nabierze kleistości. Bułkę namoczyć, odcisnąć, zemleć. Masło rozetrzeć i ucierając dodać do niego 1 żółtko i 2 całe jajka, a także bułkę. Utartą masę połączyć ze zmielonym mięsem i jeszcze raz dokładnie wyrobić. Mocząc ręce w ciepłej wodzie formować małe kotleciki, panierować je w tartej bułce i smażyć na smalcu na patelni z obu stron. Podawać z frytkami lub kluskami serowo-jajecznymi i ew. sezonową surówką.

86. STEK CIELĘCY

B	T	W	
307 g	**257 g**	**15 g**	**Kcal – 3620**
1 :	0,8 :	0,05	

➤ *1,5 kg cielęciny bez kości, 2 dag mąki (łyżka), 10 dag masła, 5 dag smalcu, (sól)*

Mięso pokroić w poprzek włókien na plastry, każdy pobić tłuczkiem i uformować nożem w kształtny owalny sznycel. Sznycle oprószyć mąką i smażyć na smalcu z obu stron, na rumiano. Dosmażyć na słabszym ogniu. Pod koniec smażenia dodać masło. Podawać na gorąco, polać tłuszczem ze smażenia. Można podać z jajkiem sadzonym, frytkami, kluskami serowo-jajecznymi, sałatką z pomidorów, mizerią, fasolką szparagową z masłem.

87. WĄTRÓBKA CIELĘCA PANIEROWANA

B	T	W	
206 g	**159 g**	**73 g**	**Kcal – 2755**
1 :	0,8 :	0,3	

➤ *1 kg wątróbki cielęcej, 2 jajka, 5 dag mąki, bułka tarta do panierowania, 10 dag smalcu, pieprz, (sól)*

Wątróbkę opłukać, pokrajać w poprzek na cienkie plastry. Każdy kolejno obtaczać w mące, a następnie zanurzać w rozmieszanych jajkach i panierować w bułce tartej. Kłaść na gorący smalec, smażyć z obu stron, ew. posolić do smaku już po usmażeniu. Podawać z frytkami, kluskami serowo-jajecznymi, sezonową surówką. Kluski polać obficie stopionym masłem, także wątróbkę polać tłuszczem, by cały tłuszcz użyty do jej usmażenia został wraz z nią zjedzony w potrawie.

88. NERKI CIELĘCE DUSZONE

B	T	W	
246 g	**228 g**	**–**	**Kcal – 3130**
1 :	0,9	–	

➤ *1,5 kg nerek cielęcych, 10 dag smalcu, spora cebula, 20 dag tłustej, gęstej śmietany, pieprz, sól*

Nerki wraz z otaczającym je tłuszczem kilkakrotnie przepłukać i odcisnąć. Zalać niedużą ilością wrzącej wody i obgotować 5 minut. Wyjąć i pokroić w plasterki. Obsmażyć pokrojone nerki na gorącym smalcu, przełożyć do rondelka, wlać tłuszcz ze smażenia, dodać pokrojoną drobno cebulę, podlać niedużą ilością wody, popieprzyć i dusić na wolnym ogniu pod przykryciem do miękkości. Do miękkich nerek wlać śmietanę, wymieszać, zagotować. Po uduszeniu ew. osolić. Podawać z frytkami, kluskami serowo-jajecznymi, sezonową surówką. Stosunek białka do tłuszczu w tej potrawie jest zmienny, zależy bowiem od ilości tłuszczu otaczającego nerki.

89. PAPRYKARZ CIELĘCY

B	T	W	
317 g	**300 g**	**22 g**	**Kcal – 4080**
1 :	0,95 :	0,07	

➤ *1,5 kg cielęciny bez kości, 3 dag mąki, 10 dag smalcu, średnia cebula (ok. 10 dag), 25 dag tłustej śmietany, 5 g mielonej papryki (ok. 5 płaskich łyżeczek), 2 ząbki czosnku, (sól)*

Mięso pokroić w grubą kostkę, oprószyć mąką. Na rozgrzanym na patelni smalcu usmażyć posiekaną cebulę, włożyć do niej mięso i na silnym ogniu osmażyć je ze wszystkich stron. Przełożyć mięso do rondelka, wlać tłuszcz wraz z przyrumienioną cebulą, dodać paprykę, podlać niewielką ilością wrzącej wody, przykryć i na wolnym ogniu dusić do miękkości. Gdy mięso jest miękkie, sos podprawić śmietaną rozmieszaną z mąką i roztartym na miazgę czosnkiem. Podawać z kluskami serowo-jajecznymi i gotowanymi jarzynami polanymi masłem.

90. ZRAZY CIELĘCE NADZIEWANE SŁONINĄ

B	T	W	
310 g	**392 g**	**22 g**	**Kcal – 4890**
1 :	1,2 :	0,07	

➤ *1,5 kg cielęciny bez kości, 20 dag słoniny, 10 dag smalcu, średnia cebula, łyżeczka mielonej papryki, 2 ząbki czosnku, 3 dag mąki*

Mięso pokroić w poprzek włókien na cienkie zrazy, rozbić tłuczkiem. Każdy zraz natrzeć roztartym czosnkiem. Słoninę pokrajać w cienkie plasterki wielkości zrazów. Kłaść plasterek słoniny na zraz, posypać go mieloną papryką (ew. solą), zwinąć ciasno w rulonik, owiązać nitką lub zapiąć patyczkiem. Każdy zraz oprószyć mąką, szybko obrumienić na gorącym tłuszczu ze wszystkich stron i przełożyć do rondelka. Pokrojoną cebulę zrumienić na tłuszczu pozostałym ze smażenia, wlać tłuszcz z cebulą do mięsa, dodać resztę papryki, podlać trochę gorącą wodą i dusić do miękkości pod przykryciem. Po uduszeniu zdjąć nitki z mięsa, ułożyć zrazy na półmisku i polać sosem z duszenia.

Podawać z kluskami serowo-jajecznymi, gotowanym kalafiorem lub fasolką szparagową z masłem.

91. MOSTEK CIELĘCY NADZIEWANY

B		T		W	
175 g		**210 g**		**52 g**	**Kcal – 2925**
1	:	1,3	:	0,3	

➤ ***1 kg mostka cielęcego, czerstwa bułka kajzerka (5 dag), 5 dag masła, 3 jajka, łyżka tartej bułki, 10 dag smalcu, 5 łyżek siekanego koperku, pieprz, gałka muszkatołowa, (sól)***

Mięso opłukać. Rozdzielić warstwy mięsa i podcinając ostrym nożem obluzować podłużnie żebra, zsunąć z nich mięso, żebra wyłamać w stawach, kręgosłup nadrąbać w kilku miejscach, uzyskując w ten sposób mięsną „kieszeń" do nadziania.

Bułkę namoczyć w mleku lub wodzie, odcisnąć. Żółtka oddzielić od białek. Rozetrzeć masło i dalej ucierając dodać po 1 żółtku. Następnie dodać odciśniętą bułkę, przyprawy, usiekany koperek i tartą bułkę. Wymieszać. Na koniec dodać sztywną pianę ubitą z 3 białek i nadzienie wymieszać. Mostek wypełnić nadzieniem i otwór zaszyć białą nitką. Na brytfance rozgrzać smalec, włożyć mięso, oblać je tłuszczem, wstawić do piekarnika, upiec do miękkości, polewając w czasie pieczenia sosem. Mięso pokrajać w poprzek na kawałki wraz z kością, ułożyć na półmisku, polać sosem. Podawać z frytkami, kluskami serowo-jajecznymi, sezonową surówką.

92. ROLADA CIELĘCA NADZIEWANA SZYNKĄ

B		T		W	
300 g		**380 g**		**30 g**	**Kcal – 4740**
1	:	1,25	:	0,1	

➤ *1,5 kg cielęciny bez kości z udźca lub z łopatki, ząbek czosnku, (sól); na nadzienie: 30 dag szynki, 5 dag słoniny, czerstwa bułka kajzerka (5 dag), średnia cebula, 10 dag smalcu, 5 dag masła, 1 jajko, pieprz, (sól)*

Najpierw przygotowujemy nadzienie do rolady. Cebulę udusić na smalcu, bułkę namoczyć w wodzie lub mleku i odcisnąć. Zemleć w maszynce szynkę, słoninę, bułkę i cebulę. Do zmielonej masy dodać jajko, pieprz i ew. sól, dokładnie wymieszać.

Mięso rozbić tłuczkiem na cienki płat w kształcie prostokąta. Natrzeć je zmiażdżonym czosnkiem (ew. wymieszanym z solą). Na mięso wyłożyć nadzienie i rozprowadzić je po jego powierzchni równomierną warstwą. Unosząc ostrożnie dłuższy bok prostokąta zwinąć mięso ciasno w roladę, osznurować jak baleron. W wąskiej rynience lub brytfance obsmażyć mięso na ostrym ogniu ze wszystkich stron, następnie wstawić do piekarnika i piec, polewając sosem, do miękkości. Gdyby sos wyparował w czasie pieczenia, skrapiać wodą. Po upieczeniu sznurek zdjąć z mięsa, mięso pokrajać na plastry.

Podawać z frytkami lub kluskami serowo-jajecznymi i sezonową jarzyną, polewając porcje sosem spod pieczeni. Można też jeść na zimno, zamiast wędliny.

93. GALARETA Z NÓŻEK CIELĘCYCH

B		T		W	
225 g		**80 g**		**–**	**Kcal – 1450**
1	:	0,3	:	–	

➤ *1,5 kg nóżek cielęcych, 1 kg kruchych kości cielęcych, włoszczyzna bez kapusty, średnia cebula, 2 liście laurowe, parę ziaren ziela angielskiego, łyżka octu, łyżka przecieru pomidorowego, (sól)*

Nóżki oczyścić, umyć dokładnie, porąbać. Dołożyć porąbane kości, wlać 1,5 litra zimnej wody, gotować pod przykryciem ok. 4 godzin na małym ogniu. Pod koniec gotowania dodać oczyszczoną włoszczyznę i przyprawy, dogotować. Wywar odcedzić. Odparować go lub uzupełnić gorącą wodą, tak by było go 1 litr. Dodać ocet, przecier pomidorowy, wymieszać. Obrać mięso z nóżek, pokroić, rozłożyć do porcjowych miseczek, zalać galaretą i wystudzić. Dla dekoracji można na dno miseczek włożyć plasterki marchewki z wywaru, parę zielonych groszków lub cząstkę ugotowanego na twardo jajka. Galaretę można też użyć do zalewania różnych mięs cielęcych lub z cielęciną (szynki cielęce, ugotowanego ozora, pasztetu itp.). Mięso pokrojone na ładne, kształtne kawałki ułożyć porcjami w salaterce lub na półmisku. Każdą porcję przybrać kawałkiem jajka i plasterkami jarzyn z wywaru. Każdą porcję zalać łyżką krzepnącej galaretki. Gdy zastygnie, ponownie oblać gęstniejącą galaretą. Pozostałą galaretę nieco podgrzać, a gdy tylko zacznie gęstnieć polać nią mięso tak, aby galareta oblała jeszcze raz całą porcję i nieco spłynęła na półmisek. Zastudzić.

Podawać z placuszkami posmarowanymi grubo masłem.

POTRAWY Z DROBIU

Drób po uboju, oskubaniu z piór i wypatroszeniu należy pozostawić na 2-4 dni w chłodnym, przewiewnym miejscu, aby mięso skruszało.

Po ubiciu drób należy zaraz oskubać, zaczynając od strony grzbietowej i skubiąc pióra od ogona ku głowie. Po oskubaniu piór odciąć nóżki i głowę, a tuszkę opalić nad maszynką spirytusową lub nad gazem, wytrzeć ściereczką. Na stole ułożyć trzy warstwy papieru i położyć na nich tuszkę. Przeciąć skórę wzdłuż szyi, obluźnić i odciągnąć tchawicę i przełyk, odciąć je nisko nad wolem, wyjąć wole. Następnie naciąć jamę brzuszną wzdłuż od mostka do odbytu, wyjąć wnętrzności na papier, wyciąć je wraz z odbytem. Wyjąć wątróbkę, wyciąć z niej ostrożnie żółć, oddzielić też z wnętrzności żołądek, serce i nerki. Obrać tłuszcz z kiszek. Resztę wnętrzności zawinąć w pierwszą warstwę papieru i wyrzucić. Żołądek przeciąć w poprzek, oczyścić go z zawartości, ściągając równocześnie zrogowaciałą błonę, którą wysłany jest żołądek wewnątrz. Z łapek odciąć pazury, sparzyć je i zdjąć z nich naskórek, ściągając go od góry ku dołowi. Odpadki zawinąć w drugą warstwę papieru i wyrzucić. Od tuszki odciąć skrzydełka i szyjkę, wraz z nóżkami i podróbkami odłożyć w chłodne miejsce. Można zużyć je na wywar do zup z drobiu lub do innych potraw. Papier z trzeciej warstwy zmiąć i wypchnąć nim tuszkę. Odłożyć w chłodne miejsce na 2-3 dni do skruszenia.

94. KURCZAK PIECZONY

B	T	W	
296 g	**100 g**	**–**	**Kcal – 1890**
1 :	0,3 :	–	

➤ *1 kurczak o wadze ok. 1,5 kg, łyżka smalcu, łyżka masła, (sól), szczypta mielonej papryki*

Przed pieczeniem kurczaka opłukać, lekko posolić wewnątrz i zewnątrz. Odłożyć na 2-3 godziny. Następnie uformować go do pieczenia. Skórę szyi naciągnąć na grzbiet, przycisnąć skrzydełka do boków i przeszyć igłą z mocną nitką oba skrzydła. Przełożyć nić pod grzbietem, przekłuć skórę szyi i zawiązać oba końce nici. Udka podciągnąć ku górze, wbić igłę w dolną część uda, przewlec przez zakończenie mostka i drugie udo, następnie przez zakończenie tułowia, przewlec pod grzbietem, dowiązać do skrzydełek. Takie „zszycie" drobiu przed pieczeniem ma na celu ochronę przed zbytnim wysuszeniem mięsa w czasie pieczenia.

Smalec i masło stopić, wymieszać. Odlać łyżkę tłuszczu, wsypać paprykę, rozmieszać. Tuszkę posmarować tłuszczem z papryką. Resztę tłuszczu wlać do brytfanki, ułożyć kurczaka i piec na złoty kolor. W czasie pieczenia często polewać tłuszczem z brytfanki, by mięso dobrze nim nasiąkło.

Upieczonego kurczaka podzielić na porcje i każdą obficie polać tłuszczem i sosem z pieczenia. Do kurczaka można stosować różne przyprawy: kminek, czosnek, imbir, natkę pietruszki itp. Zmienia się dzięki nim ich smak.

Przed pieczeniem kurczaka można nadziać. Jest wiele przepisów na nadzienia do kurczaka.

Poniżej podajemy dwa z nich jako zgodne z zasadami żywienia optymalnego.

95. NADZIENIE DO KURCZAKA Z SZYNKI I WĄTRÓBKI

B		T		W	
64 g		**102 g**		**20 g**	**Kcal – 1270**
1	:	1,7	:	0,3	

➤ ***15 dag (szklanka) okrawków z szynki pieczonej lub gotowanej, 10 dag wątróbki drobiowej, 10 dag pieczarek, jajko, płaska łyżka tartej bułki, łyżka usiekanej natki pietruszki, 2 łyżki masła, pieprz, (sól)***

Wątróbkę i szynkę usiekać na miazgę. Pieczarki drobno usiekać i przesmażyć na maśle. Wszystkie składniki farszu połączyć, popieprzyć, ew. posolić i wyrobić na jednolitą masę. Masą wypełniamy jamę brzuszną kurczaka. Otwór zaszywamy białą nicią, by farsz nie wypłynął w czasie pieczenia.

96. NADZIENIE DO KURCZAKA Z CIELĘCINY I WĄTRÓBKI

B		T		W	
100 g		**233 g**		**20 g**	**Kcal - 2560**
1	:	2,3	:	0,2	

➤ *30 dag cielęciny bez kości (może być gorszej jakości, okrawki), 2 wątróbki z kurczaka, 10 dag słoniny, 3 jajka, skórka otarta z pół cytryny, szczypta imbiru, 3 ziarna ziela angielskiego, liść laurowy, łyżka tartej bułki, łyżka smalcu, 3 łyżki masła, pieprz, (sól)*

Cielęcinę, wątróbki i słoninę obsmażamy na smalcu, podlewamy wodą, dodajemy liść, ziele i trochę pieprzu i dusimy pod przykryciem na małym ogniu do miękkości. Lekko przestudzone mięso wraz z sosem przepuszczamy przez maszynkę. W misce rozcieramy masło z żółtkami (dodajemy je po jednym), a następnie dodajemy skórkę cytrynową, imbir, pieprz i ew. sól do smaku. Roztartą masę mieszamy ze zmielonym mięsem i tartą bułką, a na koniec - ze sztywną pianą z 3 białek.

Farszem napełniamy kurczaka.

97. KURCZAK W ŚMIETANIE

B		T		W	
155 g		**223 g**		**-**	**Kcal - 2620**
1	:	1,3	:	-	

➤ *1 kurczak o wadze ok. 1 kg, 10 dag masła, 40 dag tłustej śmietany, szczypta gałki muszkatołowej, pieprz, sól, suszone i zmielone liście szałwii*

Kurczaka oczyścić, umyć, pokrajać na części. Stopić masło, włożyć do niego rozdrobnione liście szałwii i porcje kurczaka obsmażyć w maśle z szałwią. Podlać małą ilością wody lub rosołu, udusić do miękkości. Nie podlewać wody zbyt dużo, by przy końcu duszenia sosu było niewiele.

Wlać śmietanę, doprawić sos gałką muszkatołową. Podawać na gorąco, z kluskami serowo-jajecznymi.

98. ROSÓŁ Z KURY

B		T		W	
167 g		**214 g**		**15 g**	**Kcal - 2380**
1	:	1,3	:	0,1	

➤ *1 tłusta kura, 25 dag włoszczyzny z kapustą, 2-3 suszone grzybki, ziele angielskie, liść laurowy, cebula, usiekana natka pietruszki, (sól), 4 jajka*

Po oskubaniu kurę przetrzymać 2-3 dni, aby skruszała (patrz: Potrawy z drobiu). Skruszałą kurę namoczyć na 2 godziny, po czym podzielić ją na porcje, włożyć do zimnej wody, tak by ją pokryła i powoli ugotować.

Na 1/2 godziny przed dogotowaniem włożyć do rosołu oczyszczoną włoszczyznę, grzybki, zmiażdżone przyprawy i przypieczoną na płycie cebulę. Dogotować pod przykryciem. Rosół odcedzić.

Do garnuszka wybić jajka, dokładnie rozmieszać i lać je na wrzący rosół cienkim strumieniem, tak jak lane kluski. Podgrzewać aż kluski spłyną, a rosół raz zawrze.

Na głębokie talerze rozłożyć porcje kury, rozlać rosół wraz z jajecznymi „kluskami", do każdej porcji dodać 1/2 łyżeczki usiekanej marchewki i pietruszki z wywaru oraz szczyptę usiekanej natki pietruszki.

Jest to nieskomplikowana potrawa mogąca stanowić jednodaniowy obiad. Można też rosół z „kluskami" podać sam, a mięso z rosołu obsmażyć na rumiano na patelni na maśle i podać jako drugie danie - obficie polane masłem ze smażenia.

99. POTRAWKA Z KURY LUB KURCZAKÓW

B		T		W	
160 g		**207 g**		**35 g**	**Kcal – 3308**
1	:	1,3	:	0,2	

➤ *1 kura lub 2 kurczaki, 20 dag włoszczyzny bez kapusty, cebula, liść laurowy, parę ziaren angielskiego ziela, (sól); na sos: 10 dag masła lub tłuszczu z kury, 3 dag mąki, 3 żółtka, natka pietruszki, włoszczyzna z rosołu*

Ugotować rosół z kury wg przep. 98, z tym że zalać ją należy mniejszą ilością wody, by po ugotowaniu rosołu zostało tylko około 0,5 litra.

Zrobić sos: tłuszcz z kury lub masło rozetrzeć z mąką, rozprowadzić chłodnym rosołem, zagotować. Marchewkę i pietruszkę z rosołu drobno pokrajać, dodać do sosu. Porcje kury włożyć do sosu, podgrzać. Przed podaniem sos wymieszać z surowymi żółtkami. Po dodaniu żółtek już nie gotować. Podawać na gorąco z kluskami serowo-jajecznymi, kalafiorem lub fasolką szparagową polanymi stopionym masłem.

100. PAPRYKARZ Z KURY LUB KURCZAKÓW

B	T	W	
150 g	**317 g**	**16 g**	**Kcal – 3240**
1 :	2,1 :	0,1	

➤ *1 kura lub 2 kurczaki, 5 dag smalcu lub tłuszczu z kury, cebula, łyżeczka mielonej papryki, 25 dag (szklanka) tłustej śmietany, płaska łyżka mąki, (sól)*

Skruszałą kurę namoczyć w wodzie na 2 godziny, wyjąć z wody, pokrajać na porcje, lekko osolić. Na patelni rozgrzać tłuszcz, porcje mięsa obrumienić, przełożyć do garnka, posypać suto papryką, dodać pokrajaną drobno cebulę i tłuszcz ze smażenia. Podlać wodą, dusić powoli do miękkości. Miękkie mięso wyjąć, sos podprawić śmietaną rozmieszaną z mąką, porcje mięsa włożyć na powrót, zagotować.

Podawać z kluskami serowo-jajecznymi. Można dodać niedużą porcję kalafiora, fasolki szparagowej lub brukselki z wody, polane obficie gorącym masłem.

Zawartość tłuszczu w potrawie zależy od stopnia tłustości kurczaków lub kury.

101. KACZKA PIECZONA NA DZIKO

B	T	W	
150 g	**310 g**	**16 g**	**Kcal – 3205**
1 :	2,1 :	0,1	

➤ *1 tłusta kaczka, cebula, ziele angielskie, liść laurowy, 5 dag słoniny, 0,5 l rosołu z kaczych podróbek, szklanka śmietany, płaska łyżka mąki, szczypta imbiru, szczypta gałki muszkatołowej*

Kaczkę sprawić i włożyć do zaprawy z octu (patrz przep. 59) na 2 - 3 dni. Wyjąć z zaprawy, tuszkę zszyć do pieczenia podobnie jak kurczaka (patrz przep. 94), ułożyć w dopasowanej brytfance. Stopić słoninę, wyjąć skwarki, oblać kaczkę tłuszczem, wstawić do piekarnika i upiec silnie przyrumieniając. Pod koniec pieczenia dodać cebulę z zaprawy, ziele, liść i kaczkę dopiec do miękkości, przyrumieniając sos i cebulę.

Kaczkę wyjąć, pokrajać na porcje. Sos przetrzeć, zagotować, doprawić śmietaną rozmieszaną z mąką, sproszkowanym imbirem i startą gałką muszkatołową. Do sosu włożyć porcje kaczki, silnie podgrzać. Podawać z kluskami serowo-jajecznymi, polewając i kaczkę, i kluski obficie sosem.

102. KACZKA W CYTRYNACH

B	T	W	
140 g	**207 g**	**50 g**	**Kcal – 2310**
1 :	1,4 :	0,3	

➤ *1 tłusta kaczka, 4 cytryny, łyżka octu, łyżeczka cukru, szklanka rosołu, 50 ml wódki, łyżeczka mąki ziemniaczanej, średnia marchewka, 5 małych cebulek, 100 ml koniaku, łyżka oliwy, pieprz, (sól)*

Skruszałą kaczkę podzielić na porcje, natrzeć je solą, posypać pieprzem i odłożyć na 2-3 godziny. Po tym czasie obrumienić je na patelni na oliwie. Przełożyć do rondla, dodać marchewkę pokrajaną w plasterki i cebulę pokrajaną w krążki, przykryć, dusić na wolnym ogniu, podlewając rosołem. Miękkie mięso wyjąć z sosu.

Trzy cytryny obrać ze skórki, każdą przekroić na 4 części, dodać do sosu. Wlać także koniak i pozostały rosół, gotować kilkanaście minut. Łyżeczkę cukru zrumienić na karmel, rozprowadzić łyżką octu, dodać do sosu. Mąkę ziemniaczaną wymieszać z zimnym rosołem, podprawić sos, zagotować. Wlać wódkę. Przyprawić sos pieprzem i ew. solą.

Skórkę z czwartej cytryny otrzeć na tarce, a cytrynę pokroić poprzecznie w plasterki. Porcje kaczki ułożyć na półmisku, polać sosem, posypać utartą skórką z cytryny, obłożyć krążkami świeżej cytryny.

Podawać na gorąco, z frytkami lub kluskami serowo-jajecznymi.

103. KACZKA PIECZONA Z NADZIENIEM PASZTETOWYM

B	T	W	
213 g	**440 g**	**20 g**	**Kcal – 4620**
1 :	2 :	0,1	

➤ *1 tłusta kaczka, czubata łyżka smalcu, czubata łyżka masła, pieprz, (sól); na nadzienie: 20 dag cielęciny (mogą być okrawki), 10 dag słoniny, wątróbka z kaczki lub 15 dag wątroby wieprzowej, łyżka masła, średnia cebula, 2 jajka, łyżka tartej bułki, szczypta gałki muszkatołowej, pieprz, (sól)*

Usiekaną cebulę udusić na biało w maśle i wraz z mięsem, słoniną i wątróbką przekręcić przez maszynkę. Do masy dodać pozostałe składniki i dobrze ją wyrobić na pulchny farsz. Tuszkę kaczki wypełnić farszem, zaszyć otwór; przygotować tuszkę kaczą do pieczenia i upiec tak samo jak kurczaka w przep. 94.

Kaczka powinna kruszeć 2-3 dni.

104. GĘŚ PO POLSKU

B	T	W	
350 g	1040 g	22 g	Kcal – 10 885
1 :	3 :	0,07	

➤ *1 tłusta gęś o wadze ok. 3 kg, 25 dag włoszczyzny, cebula, sól, majeranek, gałka muszkatołowa, 5 dag masła lub tłuszczu z gęsi, 2 żółtka, 3 dag mąki*

Skruszałą gęś namoczyć w zimnej wodzie na 3 godziny, wyjąć, podzielić na porcje, zalać 1,5 l wrzącej wody, posolić i gotować na małym ogniu. Na pół godziny przed końcem gotowania dodać oczyszczoną włoszczyznę. Ugotować do miękkości. Wywaru powinno być ok. 1 litra. Jeżeli jest więcej, odparować go do tej objętości. Sporządzić białą zasmażkę z tłuszczu i mąki, rozprowadzić ją wywarem z gęsi, sos doprawić majerankiem i gałką muszkatołową. Porcje mięsa włożyć do sosu, zagotować. Przed podaniem sos wymieszać z surowymi żółtkami, już nie gotować. Podawać na gorąco z kluskami serowo-jajecznymi.

Zawartość tłuszczu w potrawie zależy od tłustości tuszki gęsiej.

105. GĘŚ PIECZONA NADZIEWANA

B	T	W	
400 g	1184 g	75 g	Kcal – 12 700
1 :	3 :	0,2	

➤ ***1 tłusta gęś o wadze ok. 3 kg; na nadzienie: 2 czerstwe bułki kajzerki (10 dag), 10 dag słoniny, 10 dag smalcu gęsiego lub masła, 3 jajka, wątróbka gęsia, gałka muszkatołowa, natka pietruszki, zielony koperek, kminek, majeranek, łyżka bułki tartej, pieprz, (sól)***

Skruszałą gęś moczyć w wodzie 2 godziny, wyjąć, posolić, odłożyć na 2-3 godziny. Bułkę namoczyć w wodzie lub mleku, odcisnąć. Natkę pietruszki i koperek usiekać. Bułkę i wątróbkę przekręcić przez maszynkę. Żółtka oddzielić od białek. Smalec gęsi lub masło rozetrzeć z żółtkami, dodać zmieloną wątróbkę z bułką, rozetrzeć, dodać usiekaną natkę pietruszki, koperek i przyprawy, posolić, wymieszać. Z białek ubić sztywną pianę, wymieszać z masą, przesypując w czasie mieszania tartą bułką. Do gęsi włożyć nadzienie, tuszkę zaszyć i zszyć jak kurczaka (patrz przep. 94). Po wierzchu posypać gęś majerankiem lub kminkiem.

Słoninę pokrajać na cienkie plasterki, obłożyć gęś słoniną i owiązać grubą białą nitką, by słonina nie mogła spaść z tuszki w czasie pieczenia. Brytfankę z gęsią wstawić do piekarnika i piec, polewając tuszkę sosem i ew. skrapiając wodą, gdyby sos wyparował. Gdy gęś mocno zrumieni się, nakryć ją pokrywą lub drugą brytfanką i dopiec na mniejszym ogniu. Miękką gęś podzielić na części, ułożyć na półmisku, oblać sosem. Podawać z frytkami lub kluskami serowo-jajecznymi. Gęś z nadzieniem można też spożywać na zimno zamiast wędliny.

Z podobnym nadzieniem i w ten sam sposób można upiec kurę, indyczkę lub indyka. Indyk i indyczka wymagają tylko usunięcia twardych, skostniałych ścięgien z nóg, gdyż inaczej mięso z nóg będzie bardzo twarde.

Podane wyżej przepisy na potrawy z drobiu nie wyczerpują oczywiście wszystkich możliwości, są jedynie przykładowe. Można korzystać z każdej książki kucharskiej, w której są podane, ale zawsze trzeba wybierać te przepisy, które przewidują drób bez węglowodanów (kasz, ryżu, klusek itp.) i możliwie z dużą ilością tłuszczu.

POTRAWY Z RYB

Mięso ryb jest z reguły chude, a niektórych ryb nawet bardzo chude. Do ryb najtłuściejszych należą węgorz i łosoś, zaś rybami najchudszymi są dorsz, szczupak, sandacz, flądra (patrz tabela I i II). Ryby, jak powiedzieliśmy to w części ogólnej, nie są najbardziej zalecane w żywieniu optymalnym. Ale ponieważ bywają sytuacje, że ryby są łatwo dostępne, można je spożywać, zawsze jednak trzeba wzbogacać je tłuszczem, np. polewać masłem stopionym, a także dla wyrównania brakującego tłuszczu łączyć w posiłkach z zupą lub deserem o dużej przewadze tłuszczu nad białkiem, np. 1:4.

106. DORSZ Z WODY Z MASŁEM

B		T	W	
188 g		**106 g**	**–**	**Kcal – 1700**
1	:	0,6	–	

➤ *1 kg dorsza wypatroszonego, bez łba, 10 dag masła, 4 jajka ugotowane na twardo, natka pietruszki; na wywar z jarzyn: pietruszka, marchew, seler, cebula, liść laurowy, ziele angielskie*

Ugotować wywar z jarzyn, odcedzić, posolić. Z dorsza zdjąć skórę, oczyścić jamę brzuszną z błon, rybę skropić octem. Odłożyć na pół godziny. Rybę pokroić na dzwonka, włożyć do wrzącego wywaru i gotować na małym ogniu ok. 20 minut. Jeśli chce się rybę podać całą, dekoracyjnie, na półmisku, trzeba ją gotować całą w specjalnej rynience do gotowania ryb. Rybę ugotowaną wyjąć, odsączyć, ułożyć na półmisku. Posypać usiekanymi jajkami i usiekaną natką pietruszki, polać stopionym i przyrumienionym masłem. Podawać z frytkami.

Podobnie można przyrządzić szczupaka czy karpia.

107. SZCZUPAK FASZEROWANY

B	T	W	
147 g	**92 g**	**26 g**	**Kcal – 1560**
1 :	0,6 :	0,2	

➤ *1,25 kg szczupaka, 10 dag masła, czerstwa bułka kajzerka (5 dag), jajko, pieprz, sól, liść laurowy, ziele angielskie, włoszczyzna bez kapusty*

Rybę ogłowić, sprawić, obrać ze skóry. Odfiletować. Włoszczyznę oczyścić, dołożyć głowę, ości i ugotować wywar. Odcedzić go, posolić.

Cebulę drobno pokrajać, udusić z masłem, nie rumieniąc. Bułkę namoczyć w wodzie lub mleku, odcisnąć. Zemleć mięso, bułkę i cebulę, dodać jajko i przyprawy, wyrobić pulchną masę. Zwilżyć lnianą ściereczkę, posmarować ją masłem, wyłożyć przygotowaną masę, ukształtować w wałek, zawinąć w ściereczkę, obwiązać jak baleron i włożyć do wrzącego wywaru. Gotować na małym ogniu około godziny. Roladę pozostawić w wywarze do wystygnięcia, następnie wyjąć, ostrożnie odwinąć ze ściereczki, podcinając nożem, by nie poszarpać powierzchni, pokrajać w skośne plasterki. Podawać z frytkami i chrzanem.

108. KARP W SZARYM SOSIE PO POLSKU

B	T	W	
120 g	**125 g**	**85 g**	**Kcal – 2050**
1 :	1 :	0,7	

➤ *1,25 kg żywego karpia, włoszczyzna bez kapusty; na sos: 10 dag masła, 3 dag mąki, krew z ryby, kieliszek czerwonego wytrawnego wina, 5 dag piernika, kwasek cytrynowy, 2 dag cukru, 3 dag rodzynek, 3 dag migdałów, (sól)*

Żywą rybę zabić, zebrać krew, dodać do krwi łyżeczkę octu. Rybę oczyścić z łuski, sprawić, opłukać, posolić i odłożyć na godzinę przed przyrządzaniem. Z włoszczyzny ugotować ok. 1 litr wywaru, odcedzić. Na wrzący wywar włożyć rybę (całą lub pociętą na dzwonka), gotować na wolnym ogniu ok. 20 minut. Rybę wyjąć, wywar odcedzić, odparować do 0,5 litra. Stopić masło, dodać mąkę, zrumienić. Zasmażkę rozprowadzić winem i wywarem z ryby, dodać wymieszaną krew i pokruszony piernik, sos zagotować i przetrzeć. Cukier upalić na brązowy karmel, dodać do sosu. Posolić i zakwasić kwaskiem cytrynowym. Rodzynki i migdały sparzyć, migdały obrać ze skórki, posiekać. Ugotowaną rybę włożyć do sosu, dodać migdały i rodzynki, podgrzać. Podawać z kluskami serowo-jajecznymi.

109. RYBA PANIEROWANA

B		T		W	
100 g		**105 g**		**50 g**	**Kcal – 1700**
1	:	1	:	0,5	

➤ *1 kg wypatroszonej ryby bez łba, 4 dag mąki, 3 jajka, 5 dag bułki tartej, 7 dag smalcu*

Oczyszczoną rybę pokrajać na porcje, posolić. Rybę maczać kolejno w mące, rozbitym jajku i bułce tartej, obsmażyć na mocno rozgrzanym smalcu, na silnym ogniu, dosmażyć na małym ogniu. Podawać z frytkami i surówką.

W ten sposób można smażyć każdą rybę. Porcje polewać gorącym smalcem z patelni.

110. SZCZUPAK PO ŻYDOWSKU

B		T		W	
120 g		**3 g**		**60 g**	Kcal - 800
1		–	:	1,5	

➤ *1 kg szczupaka, 50 dag cebuli, 2 łyżki tartej bułki, 1 łyżka utartego chrzanu, 1 białko; na wywar: pietruszka, marchew, kawałek selera, por, mała cebula, liść laurowy i parę ziaren ziela angielskiego, pieprz, (sól)*

Szczupaka oczyścić, odciąć głowę i nie przecinając brzucha, przez otwór przy głowie, wyjąć wnętrzności i rybę wymyć wewnątrz. Pokrajać w poprzek na dzwonka o szerokości około 2 cm. Z każdej porcji wyciąć ostrym nożem mięso, nie uszkadzając skóry. Usunąć z mięsa ości, mięso posiekać bardzo drobno, dodać 25 dag drobno posiekanej cebuli, 2 łyżki tartej bułki, utarty chrzan i surowe białko. Masę wyrobić, nałożyć ciasno w skórę szczupaka, nadając porcjom pierwotny kształt. Włoszczyznę oczyścić, jarzyny zalać wodą, dodać oczyszczony łeb szczupaka, płetwy, ogon i ości, ugotować esencjonalny wywar, odcedzić.

Faszerowane porcje ułożyć w płaskim garnku, zalać wywarem, ew. posolić, i ugotować na małym ogniu. Gotuje się około 1 godziny.

Pozostawić w wywarze do ostygnięcia. Porcje wyjąć delikatnie łyżką cedzakową, ułożyć na półmisku, udekorować plasterkiem marchwi z wywaru, ew. gałązką natki pietruszki lub cząstką jajka na twardo. Do wywaru dodać żelatynę, a gdy galareta zacznie krzepnąć zalać rybę tak, by galareta objęła całą porcję i spłynęła trochę na półmisek. Dobrze schłodzić w lodówce. Podawać na zimno.

Jest to potrawa beztłuszczowa, wskazana dla osób stosujących japoński model żywienia.

111. RYBA PIECZONA Z BOCZKIEM

B		T	W	
147 g		**215 g**	**–**	**Kcal – 2400**
1	:	1,4	–	

➤ *1 kg dowolnej ryby, 40 dag wędzonego boczku, 10 dag cebuli, 1 ząbek czosnku, 0,5 szklanki czerwonego wytrawnego wina, natka pietruszki, pieprz, (sól)*

Rybę oczyścić, opłukać, zdjąć z niej skórę. Czosnek rozetrzeć z solą, natrzeć wnętrze ryby. Cebulę posiekać, posypać pieprzem i solą, włożyć ją do wnętrza ryby, brzegi brzucha spiąć lub zszyć. Pokrajać boczek na plastry. Połową boczku wyłożyć dno naczynia, pozostałymi plastrami przykryć rybę ułożoną na brytfance. Wstawić do nagrzanego piekarnika i upiec na złoty kolor.

Upieczoną rybę podlać winem, brytfankę przykryć i pozostawić jeszcze kilka minut w piekarniku. Rybę wyłożyć na półmisek, ułożyć na niej usmażone na złoty kolor plasterki boczku, polać sosem z pieczenia i posypać posiekaną natką pietruszki. Podawać na gorąco z frytkami i surówką lub na zimno.

ZUPY

Po dostosowaniu się do żywienia optymalnego zupy zjadane są niechętnie. Zapotrzebowanie na energię jest wówczas małe i najchętniej zjada się posiłki objętościowo niewielkie, ale o dużej koncentracji składników.

Zupy powinny być podawane w małej ilości, silnie zagęszczone, esencjonalne, wzbogacone żółtkami czy śmietaną. W zupach można przemycać sporo tłuszczu, którego w innych daniach jest czasami zbyt mało dla naszych potrzeb.

Rosoły przyrządzamy silnie esencjonalne, wzbogacone 2-3 żółtkami na osobę, tłuste.

Wszystkie zupy mięsne sporządzać należy na zagęszczonym wyciągu z kości i mięsa, i wyciągu z jarzyn. Do rosołu, zupy pomidorowej czy grzybowej zamiast makaronu dodajemy placuszki serowo-jajeczne pokrajane w paski lub gotujemy na nich „kluski lane" z samych jajek.

Obiady zwykle jada się jednodaniowe. Dobra zupa wystarczy za cały obiad. Sposoby przyrządzania zup są powszechnie znane i nie ma potrzeby ich omawiania.

Przykładowo tylko podaje się kilka przepisów na zupy, by uzmysłowić, jak trzeba adaptować do potrzeb diety optymalnej przepisy na zupy z różnych książek kucharskich.

112. ZUPA CEBULOWA

B		T		W	
35 g		**280 g**		**30 g**	**Kcal – 2750**
1	:	8	:	0,9	

➤ *5-6 cebul, 20 dag smalcu, 1 szklanka gęstego, esencjonalnego rosołu, 6 żółtek, pieprz, (sól)*

Obrane i pokrajane cebule lekko zrumienić na smalcu, zalać litrem gorącej wody, ugotować do miękkości, przetrzeć przez sitko. Żółtka rozprowadzić rosołem, wlać mieszając do przetartej zupy, podgrzać, ale nie gotować. Doprawić pieprzem i ew. solą.

Można podawać z kluskami z placuszków serowo-jajecznych, ale dodatek „klusek" zwiększy zawartość białka i zmniejszy ilość tłuszczu przypadającego na 1 g białka.

113. ZUPA Z SELERÓW

B		T		W	Kcal - 2460
32 g		**240 g**		**40 g**	
1	:	8	:	1,1	

➤ *3 selery, 15 dag masła, 5 żółtek, 25 dag tłustej śmietanki, 15 dag ziemniaków*

Umyć i obrać selery, włożyć w całości do wrzącej wody, zagotować, odcedzić, przelać zimną wodą. Selery pokrajać drobno, włożyć do garnka, dodać masło, wlać 2 l wody, dodać pokrajane w plasterki ziemniaki, gotować około 1/2 godziny. Podprawić śmietaną i żółtkami.

114. ZUPA SELEROWA Z ŻÓŁTKAMI

B		T		W	Kcal - 1950
80 g		**164 g**		**30 g**	
1	:	2	:	0,3	

➤ *4 szklanki esencjonalnego wywaru z mięsa, kości i włoszczyzny (rosołu), 50 dag selera, 1 cebula, 8 żółtek, natka pietruszki*

W wywarze ugotować na miękko cebulę i seler, przetrzeć je przez sito, włożyć na powrót do wywaru, zagotować. Po zdjęciu z ognia rozmącone żółtka zalać przecierem jarzynowym i wymieszać. Już nie gotować. Podawać w filiżankach, posypać odrobiną posiekanej natki pietruszki.

Wartość kaloryczna i zawartość głównych składników odżywczych może być inna niż podano wyżej, gdyż zależy od tłustości wywaru.

115. ZUPA Z PORÓW Z ŻÓŁTKAMI

B		T		W	Kcal - 1950
80 g		**164 g**		**30 g**	
1	:	2	:	0,3	

➤ *4 szklanki esencjonalnego wywaru z mięsa, kości i włoszczyzny (rosołu), 50 dag porów (samych części białych), 8 żółtek, szczypta kwasku cytrynowego, (sól)*

Na zupę użyć tylko białe części porów. Zalać je niedużą ilością wywaru, ugotować, przetrzeć. Żółtka rozmieszać, rozprowadzić gorącym wywarem, wymieszać, połączyć z przecierem z porów, zakwasić kwaskiem cytrynowym i ew. posolić. Podgrzać, ale nie gotować.

116. ZUPA Z PORÓW LUB SELERÓW ZE ŚMIETANĄ

B	T	W	
63 g	**250 g**	**30 g**	**Kcal - 2850**
1 :	4 :	0,5	

➤ *4 szklanki esencjonalnego wywaru z mięsa i włoszczyzny (rosołu), 50 dag porów (samych części białych) lub selera, 0,5 l tłustej śmietany, przyprawy*

Zupę przyrządzić tak samo jak odpowiednią zupę z żółtkami (przep. 114 i 115), ale zamiast żółtkami podprawić ją tłustą, gęstą śmietaną.

117. FLACZKI Z KURCZAKA

B	T	W	
160 g	**176 g**	**16 g**	**Kcal - 2300**
1 :	1,1 :	0,1	

➤ *1 kurczak o wadze ok. 1 kg, włoszczyzna bez kapusty, 15 dag masła, 1 cebula, 4 żółtka, liść laurowy, pieprz, (sól)*

Ugotować wywar z kurczaka i połowy włoszczyzny. Kurczaka wyjąć, pokrajać w paski. Drugą część włoszczyzny pokrajać w paski i udusić na maśle. Do wywaru włożyć uduszoną włoszczyznę i pokrajane mięso, zagotować, zagęścić żółtkami.

118. BARSZCZ BIAŁY Z KIEŁBASĄ I BOCZKIEM

B	T	W	
110 g	**380 g**	**80 g**	**Kcal - 4200**
1 :	3,5 :	0,7	

➤ *4 szklanki wywaru z kości i włoszczyzny z cebulą, 25 dag kiełbasy, 25 dag boczku wędzonego, 10 dag słoniny, 25 dag tłustej śmietany, 0,5 l zakwasu na żurek żytniego lub owsianego, ząbek czosnku, pieprz, majeranek, 6 jajek ugotowanych na twardo, (sól)*

Kiełbasę pokroić w plasterki, boczek w kostkę, zalać wywarem i pogotować 10 minut. Dolać żurek, roztarty z solą czosnek i przyprawy, zagotować, podprawić śmietaną. Pokrajaną w kostkę słoninę zrumienić na patelni, włożyć wraz z tłuszczem do barszczu. Jajka pokrajać na ćwiartki. Na każdym talerzu położyć 6 ćwiartek, zalać gorącym.

barszczem. Podawać sam lub z placuszkami serowo-jajecznymi zastępującymi pieczywo. Barszcz może stanowić jednodaniowy obiad.

119. BARSZCZ CZERWONY

B		T		W	
106 g		**340 g**		**50**	**Kcal – 3700**
1	:	3,2	:	0,5	

➤ ***30 dag wołowiny bez kości, 30 dag żeberek wieprzowych wędzonych lub innej wędzonki, 50 dag buraków, 10 dag masła, 5 dag koncentratu pomidorowego, włoszczyzna z kapustą, 3 średnie cebule, szklanka tłustej śmietany, pieprz, liść laurowy, ocet winny, (sól), natka pietruszki***

Wołowinę zalać wrzącą wodą (1,5 l), gotować godzinę. Następnie dodać wędzonkę i ugotować mięso i wędzonkę do miękkości. Wyjąć z wywaru. Marchewkę, pietruszkę i cebulę pokrajać w kostkę i udusić na połowie masła na wolnym ogniu. Buraki obrać, zetrzeć na tarce jarzynowej o dużych oczkach, udusić na reszcie masła. Uduszone warzywa i buraki włożyć do dużego garnka, zalać wywarem z mięsa, nakryć i gotować na małym ogniu. Po 15 minutach dodać drobno posiekaną kapustę i jarzyny, ugotować do miękkości. Pod koniec gotowania dodać liść laurowy i koncentrat pomidorowy. Mięso i wędzonkę z wywaru pokrajać w kostkę i dodać do barszczu. Podprawić go śmietaną, przyprawić do smaku octem winnym, pieprzem, ew. posolić. Każdą porcję barszczu posypać szczyptą posiekanej natki pietruszki. Podawać do pasztetu.

120. ZUPA POMIDOROWA

B		T		W	
34 g		**230 g**		**24**	**Kcal – 2340**
1	:	7	:	0,6	

➤ ***4 szklanki esencjonalnego wywaru z kości, mięsa i włoszczyzny (rosołu), 5 dag masła, 30 dag tłustej śmietany, ząbek czosnku, 50 dag pomidorów lub 2 czubate łyżki przecieru pomidorowego, pieprz, (sól), papryka, natka pietruszki lub koperek***

Ugotować wywar z kości, mięsa i włoszczyzny. Do wywaru dodać przecier pomidorowy, roztarty z solą czosnek, pieprz. Zagotować, podprawić śmietaną, dodać masło, gdy stopi się na powierzchni zupy posypać je szczyptą papryki, wtedy oka na zupie nabiorą ładnego, pomarańczowego koloru. Każdą porcję zupy posypać usiekaną natką pietruszki lub koperkiem.

W sezonie, gdy na zupę używa się pomidorów świeżych, należy je pokroić, udusić na maśle (można cebulę z włoszczyzny udusić z pomidorami zamiast dodawać do wywaru), przetrzeć przez sitko i dodać przecier do wywaru. Jeśli pomidory są mocno dojrzałe i ciemnoczerwone, można bez duszenia przetrzeć je surowe do wywaru i tylko zupę podgrzać, bez gotowania. Podajemy zupę pomidorową samą, jako krem, albo możemy zrobić na niej „lane kluski" z samego jajka.

121. ZUPA KMINKOWA

B		T		W	
59 g		**174 g**		**–**	**Kcal – 1802**
1	:	2,9		–	

➤ ***4 szklanki esencjonalnego wywaru z kości, mięsa i włoszczyzny, 5 dag masła, 2 dag kminku, 4 żółtka, 4 jajka***

Ugotować wywar z kości, mięsa i włoszczyzny, odcedzić. Na maśle zrumienić kminek, włożyć wraz z masłem do wywaru, zagotować. Zupę zagęścić żółtkami. Jajka wymieszać, wylać na wrzącą zupę, robiąc „lane kluski" z samych jajek.

122. ZUPA GROCHOWA

B		T		W	
90 g		**230 g**		**60 g**	**Kcal – 2800**
1	:	2,6	:	0,7	

➤ ***1 kg kości, 30 dag wędzonego boczku, 30 dag kiełbasy, 10 dag suchego grochu, ząbek czosnku, majeranek, pieprz***

Groch opłukać, zalać zimną wodą, odstawić na dobę do namoczenia. Ugotować do miękkości w tej samej wodzie, w której się moczył. Gdyby w czasie gotowania woda wyparowała, podlewać groch wrzątkiem (nigdy zimną wodą, bo stwardnieje). Z kości, kiełbasy i boczku ugotować wywar, odcedzić. Groch przetrzeć przez sitko. Do wywaru dodać przecier z grochu, roztarty czosnek, majeranek oraz kiełbasę i boczek pokrojone w kostkę. Zupę zagotować.

123. TORT ORZECHOWY

B	T	W	Kcal – 7200
132 g	**700 g**	**92 g**	
1 :	5,3 :	0,7	

➤ *25 dag włoskich łuskanych orzechów, 6 jajek, 2 łyżki cukru (ok. 3 dag), 2 łyżki utartych suchych biszkoptów, 2 płaskie łyżeczki proszku do pieczenia, 2 dag masła; na krem: 50 dag masła, 10 żółtek, 5 dag kakao lub 3 dag kawy rozpuszczalnej (neski lub inki), 2 łyżki cukru-pudru (ok. 3 dag), 2 łyżki rumu, koniaku lub innego pachnącego alkoholu*

Orzechy zemleć. Jajka wybić oddzielając żółtka od białek. Żółtka utrzeć z cukrem, dodać do nich zmielone orzechy, utarte biszkopty i proszek do pieczenia. Białka ubić na sztywną pianę, dodać ją do masy orzechowej, lekko wymieszać. Tortownicę wysmarować masłem, wyłożyć do niej masę i piec w nagrzanym piekarniku 45-60 minut. Po ostudzeniu wyjąć, przekroić poprzecznie 2 razy, dzieląc nasz „biszkopt" na 3 placki.

Przygotować krem. Do rondelka wybić żółtka (białka od jajek pozostają; można je zużyć do innych potraw), wsypać do nich cukier puder, wstawić rondelek do naczynia z gorącą wodą i stale podgrzewając wodę ubijać żółtka trzepaczką, aż zaczną gęstnieć. Zaparzone, gęstniejące żółtka zdjąć z ognia i przestudzić. Masło wraz z kakao lub kawą utrzeć, aż się spieni. Do masła dodawać po trochu ostudzone żółtka, stale ucierając, oraz alkohol.

Orzechowe placki posmarować masą, złożyć równo, posmarować masą powierzchnię i boki tortu; można zrobić to ozdobnie, przez szprycę. Wierzch tortu posypać wiórkami kokosowymi, wstawić do lodówki do zastudzenia. Krem można wykonać i podawać osobno, jako samodzielny deser. Do dekoracji porcje kremu można po wierzchu posypać odrobiną wiórków kokosowych, mleka w proszku lub położyć całe połówki orzechów. Kawałek tortu lub porcja kremu jest dobrym deserem po mniej tłustym obiedzie. Z większą ilością cukru tort jest niesmaczny.

124. TORT MAKOWY

B	T	W	Kcal – 9500
185 g	**860 g**	**130 g**	
1 :	5 :	0,7	

➤ *25 dag maku, 15 dag masła, 10 jajek i 3 żółtka, 3 łyżki cukru (ok. 4 dag), 10 dag łuskanych orzechów laskowych lub włoskich, 10 dag rodzynek, 2 dag bułki tartej (2 łyżki); na krem: 50 dag masła, 10 żółtek, 1 pomarańcza, łyżka czystej wódki, zapach pomarańczowy, łyżka usiekanej skórki pomarańczowej smażonej w cukrze*

Mak zalać wrzącą wodą, zebrać wypływające na powierzchnię zanieczyszczenia, gotować ok. 30 minut, odsączyć na sicie. Mak przekręcić przez maszynkę przez drobne sitko, a następnie zmielić orzechy. Masło utrzeć z cukrem do białości i dalej ucierając wetrzeć, dodając po jednym 13 żółtek. Do masy dodać zmielony mak z orzechami, rodzynki i bułkę tartą. Wymieszać. Na koniec dodać sztywną pianę ubitą z 10 białek. Ciasto lekko wymieszać z pianą i wyłożyć do wysmarowanej masłem tortownicy. Piec w dobrze nagrzanym piekarniku 40-60 minut. Wyjąć, ostudzić, przekroić dwukrotnie na 3 placki. Krem przygotować podobnie jak do tortu orzechowego, z tym że zamiast kawy lub kakao dodać do masy zapach pomarańczowy, skórkę otartą z pomarańczy (samą wierzchnią warstwę). Na koniec dodać drobniutko usiekaną skórkę pomarańczową usmażoną w cukrze oraz wódkę. W związku z tym do kremu nie dodaje się już cukru. Po dodaniu skórki kremu już nie ucierać, a tylko wymieszać go ze skórką.

Makowe placki posmarować kremem, równo złożyć, posmarować też kremem powierzchnię tortu i boki. Na wierzchu ułożyć na kremie cienkie plasterki pokrojonej w poprzek pomarańczy. Wstawić do lodówki.

Podobnie jak w przypadku kremu kakaowego użytego w przepisie poprzednim, tak i tu, tym razem sam krem pomarańczowy można podać jako osobny deser. Do dekoracji porcji można użyć cienki plasterek pomarańczy (lub jedną cząstkę), albo posypać po wierzchu szczyptą kakao lub miałkiej kawy.

125. SERNIK WIEDEŃSKI

B		T		W	
340 g		**750 g**		**150 g**	**Kcal – 9000**
1	:	2,2	:	0,45	

➤ *1 kg tłustego białego sera, 50 dag masła, 17 jajek, 8 żółtek, 10 dag cukru, 5 dag mąki ziemniaczanej (2 łyżki), 10 dag migdałów, 5 dag rodzynek, zapach migdałowy lub waniliowy*

Ser przekręcić przez maszynkę lub przetrzeć przez sito. Masło wyjąć wcześniej z lodówki, by zmiękło, włożyć do makutry, dodać cukier, rozetrzeć na krem i stale ucierając dodać po jednym 25 żółtek.

Gdy masło z żółtkami utworzy gładką masę dodać małymi porcjami, stale ucierając, ser, a na koniec mąkę ziemniaczaną.

Migdały i rodzynki sparzyć, z migdałów obrać skórkę i posiekać je. Bakalie dodać do masy, wymieszać, dodać olejek zapachowy. Pianę z 17 białek ubić sztywno, delikatnie wymieszać ją z masą.

Podłużne formy posmarować masłem i posypać przesianą bułką tartą. Masę serową wyłożyć do form. Piec około 45 minut. W czasie pieczenia sernik powinien „gotować się" w maśle. Do sernika trzeba użyć szczelnych foremek, by masło nie wyciekło. Dlatego też do naszego sernika nie można używać tortownicy, gdyż ma ona szczelinę przy dnie. Sernik ostudzić w formach, by w czasie studzenia ciasto wchłonęło całe masło. Zimny wyłożyć. Sernik o takim składzie jest produktem trwałym i można go długo przechowywać w lodówce. Jest bardzo smaczny, chętnie zjadany przez dzieci. Może być podawany na deser, ale też większy jego kawałek może stanowić pełnowartościowy posiłek na śniadanie lub kolację. Dla zwiększenia zawartości tłuszczu i poprawy smaku, można go smarować masłem lub polać tłustą, gęstą śmietaną.

126. SERNIK GOTOWANY

B	T	W	
315 g	**455 g**	**115 g**	**Kcal – 5800**
1 :	1,4 :	0,35	

➤ ***1 kg tłustego białego sera, 25 dag masła, 20 jajek, 4 dag cukru (2 łyżki), 5 dag rodzynek, 10 dag migdałów, 1 torebka budyniu waniliowego lub śmietankowego***

Masło rozpuścić w garnku, dodać ser przekręcony przez maszynkę. Wybić całe jajka, masę wymieszać. Postawić na małym ogniu (na ognioodpornej płytce) i stale mieszając podgrzewać. W momencie, gdy ser zacznie się gotować dodać po trochu budyń i wymieszać. Jak masa zacznie gęstnieć dodać bakalie (rodzynki sparzone, a migdały sparzone, obrane i usiekane), wymieszać, wylać do form, zastudzić. Sernik ten, podobnie jak omówiony wyżej, można spożywać z masłem lub polany dobrą, tłustą śmietaną.

127. CIASTO DLA CHORYCH

W książce Lucyny Ćwierciakiewiczowej pt. „Jedyne praktyczne przepisy..." wydanej w 1885 roku znajdują się 333 różne przepisy na potrawy i napoje, z których zdecydowana większość jest dla człowieka szkodliwa. Dla chorych znajduje się w tej książce tylko jedna potrawa. Na str. 324 (poz. 88) znajduje się przepis na „Ciasto migdałowe bez cukru i mąki (dla chorych)".

Surowce na to ciasto są następujące: funt migdałów, pół funta masła młodego i 15 jajek.

Od migdałów lepsze są orzechy włoskie, a przy tym są tańsze.

B		T		W	
187 g		**598 g**		**15 g**	**Kcal - 6495**
1	:	3,2	:	0,08	

➤ ***Surowce na ciasto orzechowe to: 0,5 kg orzechów włoskich łuskanych, 25 dag masła, 1 kg jaj (średnio 17 sztuk), 2 dag bułki tartej***

Orzechy zemleć w maszynce, masło ocieplić, aby zmiękło i ucierać w makutrze dodając stopniowo po 1 żółtku i po łyżce orzechów. Do utartej masy dodać sztywną pianę ubitą z 15 białek. Formę wysmarować obficie masłem, wysypać przesianą tartą bułką i wyłożyć masę orzechową. Piec w średniej temperaturze (160-180°C) 40 - 50 minut.

Jest to ciasto praktycznie bez węglowodanów. Można do niego dołożyć do 100 g cukru lub:

rodzynek 15,5 dag
śliwek suszonych 23 dag
daktyli 16 dag
fig 19 dag
skórki pomarańczowej w cukrze 20 dag
lub wszystkiego po trochu w łącznej ilości 18-20 dag.

Ciasto jest smaczne, trwałe, może być długo przechowywane w lodówce, może być pokrojone i wysuszone na „suchary". Od tego ciasta chudnie się szybko.

128. CHRUPKI ZAMIAST FAWORKÓW

B		T		W	
23 g		**146 g**		**15 g**	**Kcal - 1320**
1	:	6	:	0,6	

➤ *2 jajka i 2 żółtka, 2 łyżeczki mąki pszennej, szczypta gałki muszkatołowej, smalec do smażenia*

Podane składniki rozetrzeć na gładką, jednolitą masę, ale nie ubijać do spienienia. W głębokim garnuszku o średnicy ok. 10 cm rozgrzać smalec, tak by było go co najmniej 5 cm. Na rozgrzany tłuszcz lać ciasto wokół brzegów rondelka, a potem w poprzek koła, wielokrotnie, tworząc jakby pajęczynę, aż zapiekające się szybko nitki ciasta utworzą ażurowy zwarty placuszek. Gdy chrupek usmaży się z jednej strony, odwracamy go ostrożnie widelcem, by z obu stron upiekł się na rumiany, złoty kolor. Z podanej proporcji wychodzi ok. 16 chrupków.

129. KOKOSANKI

Wielu pacjentów, którym się spieszy do zdrowia, zjada same żółtka z jaj. To dobrze.

Ale co robić z białkami? Wyrzucać ich nie można, bo żywności wyrzucać i marnotrawić nie można z zasady. Można z nich robić wysokokaloryczne i wartościowe placuszki. Oto produkty:

➤ ***0,5 kg białek jaj kurzych, 10 dag wiórków kokosowych, 25 dag masła extra***

B		T		W	
64 g		**176 g**		**–**	**Kcal – 2678**
1	:	2,75		–	

Białka ubić na pianę, wymieszać z wiórkami kokosowymi, kłaść łyżką na rozgrzane na patelni masło, smażyć z obu stron.

Otrzymujemy wartościową potrawę, najlepszą na ciepło, skoncentrowaną, bardzo dobrą dla dzieci.

Jest to potrawa nie zawierająca cukru, zatem możemy zjeść z nią 1-2 łyżeczki dżemu.

130. BABKA MAKOWA

B		T		W	
10 g		**35 g**		**12 g**	**Kcal – 2900**
1	:	3,5	:	1,2	

➤ ***1/2 szklanki maku, 25 dag masła, 1/2 szklanki mąki, 1 łyżka cukru, 2 łyżeczki proszku do pieczenia, zapach, bakalie, 8 białek***

Mak, mąkę i masło zagotować. Dodać proszek i cukier, po wystygnięciu ubitą pianę - wszystko wymieszać. Po połączeniu składników wylać do formy. Piec ok. 50 min.

131. LODY

Lody, obecnie powszechnie oferowane do spożycia dla człowieka nie nadają się. Są prawie zawsze szkodliwe. Można samemu robić wartościowe lody, oszczędzając dużo czasu i pieniędzy - z pożytkiem dla zdrowia.

Oto przepis na lody śmietankowe.

➤ *1 litr śmietany 36%, 10 żółtek, 10 dag cukru*

B		T		W	
42 g		**424 g**		**105 g**	**Kcal - 4498**
1	:	10	:	2,5	

Jest to produkt wysokokaloryczny, niskobiałkowy. W 100 g takich lodów znajduje się 385 Kcal i tylko 8 g cukru. Dają dużo energii i szybko odchudzają.

Żółtka utrzeć z cukrem dodając powoli śmietanę. Postawić na małym ogniu stale mieszając, dopóki masy w garnku nie zacznie przybywać. Starać się nie zagotować. Wystudzić, nalewać do kubków po śmietanie czy kefirze, wstawić do zamrażarki.

Na bazie lodów śmietankowych można zrobić lody kawowe, kakaowe, a także owocowe (malinowe, cytrynowe, pomarańczowe, ananasowe, morelowe) nie zmniejszając ilości cukru, jeśli lody są robione z dodatkiem owoców świeżych czy mrożonych, zmniejszając, jeśli sporządza się je z powideł czy przetworów owocowych słodzonych.

W najbardziej tłustym mleku kobiecym spotykano na 1 g białka aż 11 g tłuszczu, więc stosunek białka do tłuszczu w lodach nie jest zbyt duży. Przy mniej tłustych obiadach można tłuszcz uzupełniać właśnie lodami.

CZĘŚĆ 5

Jadłospis proponowany na pierwsze 2 tygodnie żywienia optymalnego

Poniższy jadłospis oparty jest na jadłospisie stosowanym w Akademii Zdrowia „Arkadia". Jest więc wypróbowany na pacjentach, którzy przeszli w „Arkadii" dwutygodniowe turnusy nauki zdrowego, opty-malnego odżywiania i wynieśli z tego określone korzyści dla swego zdrowia.

Uważny czytelnik zwróci uwagę, że jadłospis ten różni się nieco od podanych poprzednio norm. Zawiera więcej kalorii i więcej białka w stosunku do tłuszczu. Różnice te są zamierzone. Większość gości „Arkadii" byli to ludzie bardzo ciężko chorzy, przeważnie otyli. W początkowym okresie ich wyniszczone organizmy potrzebowały więcej kalorii i więcej doborowego białka. Natomiast nie potrzebowali tak dużo tłuszczu, ponieważ przy takim żywieniu szybko zaczynali spalać własny tłuszcz, tracąc na wadze. W okresie 14 dni pobytu tracili na wadze średnio 3,5 kg (od 1 do 14 kg). W tym samym czasie i na tej samej diecie chorzy wychudzeni przybierali na wadze średnio 2,6 kg (od 1 do 5 kg).

Po przytosowaniu się organizmu do żywienia optymalnego i gruntownej jego przebudowie, co trwa od jednego do trzech miesięcy (u starszych), a więc po dalszym stosowaniu żywienia optymalnego po powrocie z „Arkadii" do domu, zapotrzebowanie na białko i energię zmniejszało się u tych osób o 25 do 40%.

Po zrównoważeniu bilansu białkowego, gdy ilość spożywanego i wydalanego białka będzie taka sama, zjada się mniej kalorii i należy zwiększyć ilość tłuszczu w diecie do powyżej 3 g na 1 g białka.

DZIEŃ 1

Śniadanie: szynka gotowana, placki, masło, kakao

mleka pełnego	200 ml
kakao	5 g
2 placki	100 g
masła	30 g
szynki	70 g

B		T		W
22 g		60,6 g		16,6 g
1	:	2,8	:	0,7
		Kcal – 702		

Obiad: bulion z dwoma żółtkami, pieczeń wieprzowa z karkówki, marchewka zasmażana, frytki, sok owocowy z wodą*)

bulionu	200 ml
2 żółtka	ok. 50 g
karkówki	110 g
frytek	100 g
marchewki	100 g
masła	20 g

2 łyżki soku owocowego na szklankę wody

B		T		W
34,5 g		93 g		27 g
1	:	2,7	:	0,8
		Kcal – 1040		

Kolacja: zupa mleczna

mleka pełnego	250 g
2 jajka	100 g
masła	50 g

B		T		W
19 g		59 g		11 g
1	:	3,1	:	0,6
		Kcal – 680		

WARTOŚĆ 3 POSIŁKÓW

B		T		W
75,5 g		212,6 g		54,6 g
1	:	2,8	:	0,7
		Kcal – 2422		

DZIEŃ 2

Śniadanie: jajecznica z 2 jajek na boczku, 2 placki, masło, herbata z cytryną

2 jajka	100 g

*) W gorącej porze roku można pić z zimną, przegotowaną wodą, wodą sodową lub mineralną, w chłodnej porze z gorącą wodą jak kompot.

boczku wędzonego	50 g
smalcu	10 g
2 placki	100 g
masła	30 g
cienki plasterek cytryny	

B		T		W
32,3 g		103,8 g		5 g
1	:	3,2	:	0,15
		Kcal – 1010		

Obiad: krem z selerów, kotlet wieprzowy panierowany w jajku i tartej bułce, ogórek kiszony, frytki, sok owocowy z wodą

zupy	200 g
kotleta wieprzowego	110 g
smalcu do smażenia	20 g
1 ogórek kiszony	ok. 100 g
frytek	100 g
1/2 jajka	
do panierowania	ok.25 g
2 łyżki soku owocowego na szklankę gorącej wody	

B		T		W
25 g		71 g		35 g
1	:	2,8	:	1,4
		Kcal – 884		

Kolacja: galaretka z nóżek wieprzowych, 2 placki, masło, herbata

galaretki	200 g
2 placki	100 g
5 g masła	30 g

B		T		W
51 g		85 g		
1	:	1,8	:	0,1
		Kcal – 960		

WARTOŚĆ 3 POSIŁKÓW

B		T		W
108,3 g		259,8 g		45 g
1	:	2,5	:	0,4
		Kcal – 2854		

DZIEŃ 3

Śniadanie: salceson wątróbkowy, pasztetowa, 2 placki, masło, herbata z cytryną

pasztetowej	50 g
salcesonu	
wątróbkowego	50 g

2 placki	100 g
masła	20 g

B		T		W
28 g		84 g		5 g
1	:	3	:	0,2
		Kcal – 980		

Obiad: bulion z dwoma żółtkami, wątróbka wieprzowa sauté smażona na smalcu, frytki, surówka z kiszonej kapusty, woda mineralna do woli

bulionu	200 g
2 żółtka	50 g
wątróbki wieprzowej	150 g
smalcu do smażenia	20 g
frytek	100 g
surówki z kapusty	100 g
woda mineralna	

B		T		W
30,3 g		48,5 g		20,0 g
1	:	2,3	:	0,7
		Kcal – 805		

Kolacja: salceson włoski, 2 placki, masło, herbata z cytryną

salcesonu włoskiego	100 g
2 placki	100 g
masła	30 g
cienki plasterek cytryny	

B		T		W
25 g		75 g		5 g
1	:	3	:	0,2
		Kcal – 762		

WARTOŚĆ 3 POSIŁKÓW

B		T		W
83,3 g		207,5 g		30 g
1	:	2,8	:	0,3
		Kcal – 2547		

DZIEŃ 4

Śniadanie: salceson wątróbkowy lub czarny, 2 placki, masło, herbata z cytryną

salcesonu	100 g
2 placki	100 g
masła	30 g
cienki plasterek cytryny	

B		T		W
7,2 g		82,3 g		5 g
1	:	3	:	0,2
		Kcal – 878		

Obiad: zupa pieczarkowa na rosole ze śmietaną, szaszłyk z karkówki i boczku, fasolka szparagowa z wody z masłem, sok owocowy z wodą

zupy	200 g
karkówki	150 g
boczku wędzonego	50 g
cebuli do szaszłyka	50 g
fasolki szparagowej	100 g
masła do fasolki	20 g
smalcu do smażenia szaszłyka	20 g
2 łyżki soku owocowego na szklankę wody	

B		T		W
30 g		131 g		15 g
1	:	4,3	:	0,5
		Kcal – 1140		

Kolacja: pasztet wieprzowy, 2 placki, masło, herbata z cytryną

pasztetu	100 g
2 placki	100 g
masła	30 g
cienki plasterek cytryny	

B		T		W
5,6 g		84,6 g		5 g
1	:	3,3	:	0,2
		Kcal – 854		

WARTOŚĆ 3 POSIŁKÓW

B		T		W
82,8 g		297,9 g		25 g
1	:	3,6	:	0,4
		Kcal – 2872		

DZIEŃ 5

Śniadanie: jajecznica z 2 jajek na maśle, 2 placki, masło, gorące mleko

2 jajka	100 g
masła do jajecznicy	20 g
2 placki	100 g
masła do placków	30 g
mleka pełnego	200 g

B		T		W
22,2 g		86,4 g		14,6 g
1	:	3,9	:	0,65
		Kcal – 967		

Obiad: zupa z porów z żółtkami, karp smażony panierowany w jajku i bułce, frytki, surówka z marchwi, bita śmietana z truskawkami, sok owocowy z wodą

zupy	200 g
karpia	300 g
1/2 jajka	
do panierowania	ok. 25 g
tartej bułki	20 g
surówki z marchwi	100 g
frytek	100 g
truskawek	50 g
śmietany 30-proc.	130 g
masła do smażenia	20 g

2 łyżki soku owocowego na szklankę gorącej wody

B		T		W
40 g		125 g		40 g
1	:	3,1	:	1
		Kcal – 1500		

Kolacja: sernik wiedeński, herbata z cytryną

sernika	100 g

cienki plasterek cytryny

B		T		W
17 g		40 g		8 g
1	:	2,3	:	0,5
		Kcal – 373		

WARTOŚĆ 3 POSIŁKÓW

B		T		W
79,2 g		251,4 g		62,6 g
1	:	3,1	:	0,8
		Kcal – 2840		

DZIEŃ 6

Śniadanie: pasztetowa, 2 placki, masło, herbata z cytryną

pasztetowej	100 g
2 placki	100 g
masła	30 g

cienki plasterek cytryny

B		T		W
27,5 g		84,8 g		5 g
1	:	3,1	:	0,2
		Kcal – 986		

Obiad: barszcz biały ze śmietaną i z kiełbasą, boczkiem i jajkiem na twardo

wywaru na barszcz	300 g
kiełbasy	50 g
boczku wędzonego	50 g
słoniny	20 g

śmietany 30-proc.	50 g
1 jajko na twardo	50 g
barszczu (zakwasu)	50 g

B		T		W
23 g		85 g		7 g
1	:	3,7	:	0,3
		Kcal – 805		

Kolacja: galaretka z nóżek wieprzowych, 2 placki, masło, ocet do galaretki (do smaku), herbata z cytryną

galaretki	200 g
2 placki	100 g
masła	30 g
cienki plasterek cytryny	

B		T		W
51,3 g		85,2 g		5 g
1	:	1,6	:	0,1
		Kcal – 994		

WARTOŚĆ 3 POSIŁKÓW

B		T		W
101,8 g		255 g		17 g
1	:	2,5	:	0,2
		Kcal – 2785		

DZIEŃ 7

Śniadanie: 2 jajka sadzone na boczku, 2 placki, masło, herbata

2 jajka	ok.100 g
boczku wędzonego	50 g
2 placki	100 g
masła	30 g

B		T		W
25,6 g		62,4 g		5 g
1	:	2,4	:	0,2
		Kcal – 688		

Obiad: zupa pomidorowa, wątróbki drobiowe smażone na smalcu, 2 placki pokrojone na frytki i podsmażone na maśle, surówka z kiszonej kapusty, sok owocowy z wodą

zupy pomidorowej	200 g
wątróbek drobiowych	150 g
smalcu do smażenia	20 g
2 placki	100 g
masła do podsmażenia	20 g

kapusty kiszonej 100 g
2 łyżki soku owocowego na szklankę wody

B		T		W
40 g		116 g		14 g
1	:	3	:	0,3
		Kcal – 1340		

Kolacja: kaszanka odsmażona na boczku, 2 placki, masło, herbata
kaszanki 150 g
boczku wędzonego 50 g
2 placki 100 g
masła 30 g

B		T		W
39 g		90,4 g		23,2 g
1	:	2,4	:	0,6
		Kcal – 1067		

WARTOŚĆ 3 POSIŁKÓW

B		T		W
104,6 g		268,8 g		42,2 g
1	:	2,6	:	0,3
		Kcal – 3095		

DZIEŃ 8

Śniadanie: omlet naturalny z 3 jajek na maśle z kwaśnym dżemem, herbata
3 jajka 150 g
masła 100 g
dżemu (łyżeczka) 10 g

B		T		W
17,2 g		92,7 g		6 g
1	:	5,4	:	0,3
		Kcal – 982		

Obiad: gulasz wołowy z kluskami serowo-jajecznymi, sok owocowy z gorącą wodą
gulaszu 250 g
klusek 100 g
2 łyżki soku owocowego na szklankę wody

B		T		W
50 g		68 g		20 g
1	:	1,4	:	0,4
		Kcal – 1030		

Kolacja: bigos z 2 plackami, herbata z cytryną
bigosu 200 g

2 placki 100 g
cienki plasterek cytryny

B		T		W
34 g		87,6 g		12,8 g
1	:	2,8	:	0,4
		Kcal – 1002		

WARTOŚĆ 3 POSIŁKÓW

B		T		W
101,2 g		248,3 g		38,8 g
1	:	2,5	:	0,4
		Kcal – 3014		

DZIEŃ 9

Śniadanie: 2 jajka z pasztetem i majonezem, 2 placki, masło, herbata z cytryną
2 jajka z pasztetem 175 g
majonezu 25 g
2 placki 100 g
masła 30 g
cienki plasterek cytryny

B		T		W
34 g		103 g		10 g
1	:	3	:	0,3
		Kcal – 1080		

Obiad: zupa kminkowa, golonka wieprzowa, frytki, chrzan, sok owocowy z wodą
zupy kminkowej 200 g
golonki wieprzowej 300 g
frytek 100 g
chrzanu ok. 20 g
2 łyżki soku owocowego na szklankę wody

B		T		W
50 g		96 g		15 g
1	:	2	:	0,3
		Kcal – 1162		

Kolacja: tort makowy z kremem, herbata z cytryną
tortu 200 g
cienki plasterek cytryny

B		T		W
18,5 g		86 g		13 g
1	:	5	:	0,7
		Kcal – 950		

WARTOŚĆ 3 POSIŁKÓW

B		T		W
102,5 g		285 g		38 g
1	:	2,8	:	0,4
Kcal – 3192				

DZIEŃ 10

Śniadanie: sałatka z jajek z rybą wędzoną i majonezem, 2 placki, masło, herbata z cytryną

sałatki z majonezem 250 g
2 placki 100 g
masła 30 g
cienki plasterek cytryny

B		T		W
41,5 g		108 g		6 g
1	:	2,6	:	0,15
Kcal – 1172				

Obiad: barszcz czerwony z pasztetem, żeberka duszone, frytki, surówka z kapusty kiszonej, sok owocowy z wodą

barszczu 200 g
pasztetu do barszczu 50 g
żeberek 150 g
frytek 100 g
kapusty kiszonej 100 g
smalcu do żeberek 20 g
2 łyżki soku owocowego na szklankę wody

B		T		W
35,6 g		122 g		23 g
1	:	3,4	:	0,6
Kcal – 1336				

Kolacja: sernik gotowany, herbata z cytryną

sernika 250 g
cienki plasterek cytryny

B		T		W
31,5 g		45,5 g		11,5 g
1	:	1,4	:	0,35
Kcal – 580				

WARTOŚĆ 3 POSIŁKÓW

B		T		W
108,6 g		275,5 g		40,5 g
1	:	2,6	:	0,3
Kcal – 3088				

DZIEŃ 11

Śniadanie: omlet z truskawkami, herbata

2 jajka	100 g
masła	50 g
truskawek	100 g
cukru	4 g

B		T		W
13 g		51 g		12 g
1	:	4	:	0,9
		Kcal – 570		

Obiad: zupa z selerów ze śmietaną, gęś pieczona, frytki, ogórek kiszony, sok owocowy z wodą

zupy	200 g
gęsi	200 g
frytek	100 g
mały ogórek	50 g

2 łyżki soku owocowego na szklankę wody

B		T		W
30 g		115 g		21 g
1	:	3,8	:	0,6
		Kcal – 1260		

Kolacja: flaki po warszawsku, 2 placki, masło, herbata z cytryną

flaków	250 g
2 placki	100 g
masła	30 g

cienki plasterek cytryny

B		T		W
48,6 g		74 g		9 g
1	:	1,6	:	0,2
		Kcal – 909		

WARTOŚĆ 3 POSIŁKÓW

B		T		W
91,6 g		240 g		42 g
1	:	2,7	:	0,4
		Kcal – 2739		

DZIEŃ 12

Śniadanie: pasta z żółtego sera i pasztetowej, 2 placki, masło, herbata z cytryną

pasty	100 g
2 placki	100 g
masła	30 g

cienki plasterek cytryny

B	T	W
30 g	93 g	5 g
1 :	3,1 :	0,2
	Kcal – 1012	

Obiad: zrazy wieprzowe po węgiersku z kluskami serowo-jajecznymi, sok owocowy z wodą

zrazów z sosem 300 g
klusek 100 g
2 łyżki soku owocowego na szklankę wody

B	T	W
48 g	97 g	20,8 g
1 :	2 :	0,4
	Kcal – 1180	

Kolacja: bita śmietana z malinami, herbata

śmietany 30-proc. 200 g
malin 100 g

B	T	W
7 g	60 g	10,2 g
1 :	8,5 :	1,3
	Kcal – 646	

WARTOŚĆ 3 POSIŁKÓW

B	T	W
85 g	250 g	36 g
1 :	3 :	0,4
	Kcal – 2838	

DZIEŃ 13

Śniadanie: kiełbasa smażona z cebulą, 2 placki, masło, herbata

kiełbasy toruńskiej 100 g
2 placki 100 g
masła 30 g
cebuli 30 g
smalcu do smażenia 10 g

B	T	W
30 g	79 g	7 g
1 :	2,8 :	0,4
	Kcal – 878	

Obiad: zupa grochowa, żeberka smażone, frytki, surówka z kiszonej kapusty, sok owocowy z wodą

zupy	200 g
żeberek	150 g
frytek	100 g
surówki z kapusty	100 g
smalcu do smażenia	10 g

2 łyżki soku owocowego na szklankę wody

B		T		W
37 g		100 g		40 g
1	:	2,9	:	1

Kcal – 1284

Kolacja: twarożek ze śmietaną, ryba z puszki w oleju, 2 placki, masło, herbata

twarożku pełnotłustego	50 g
śmietany 30-proc.	20 g
ryby wraz z olejem	50 g
2 placki	100 g
masła	30 g

B		T		W
30 g		76 g		5 g
1	:	2,5	:	0,6

Kcal – 847

WARTOŚĆ 3 POSIŁKÓW

B		T		W
97 g		255 g		52 g
1	:	2,6	:	0,5

Kcal – 3009

DZIEŃ 14

Śniadanie: salceson ozorkowy, ser żółty, 2 placki, masło, kakao

salcesonu	70 g
sera żółtego twardego	50 g
2 placki	100 g
masła	30 g
mleka pełnego	200 g
kakao	5 g

B		T		W
32 g		92 g		16 g
1	:	3	:	0,5

Kcal – 1204

Obiad: paprykarz z kurczaków z kluskami serowo-jajecznymi, fasolka szparagowa z wody z masłem, woda mineralna do woli

kurczaka wraz z sosem (ćwiartka)	ok. 250 g
klusek	100 g

fasolki szparagowej	100 g
masła do fasolki	20 g

B		T		W
62 g		56 g		25 g
1	:	0,5	:	0,4
		Kcal – 773		

Kolacja: sałatka z jajek z rybą wędzoną, 2 placki, masło, herbata z cytryną

sałatki	300 g
2 placki	100 g
masła	30 g
cienki plasterek cytryny	

B		T		W
33 g		107 g		7 g
1	:	3,2	:	0,2
		Kcal – 1172		

WARTOŚĆ 3 POSIŁKÓW

B		T		W
127 g		255 g		48 g
1	:	2	:	0,5
		Kcal – 3149		

CZĘŚĆ 6

Tabele wartości odżywczych produktów spożywczych

Tabela I

Produkty grupy I zawierające głównie białko i nieco tłuszczu (od 0 do 0,5 g w stosunku do 1 g białka) praktycznie bez węglowodanów

Produkt (100 g)	Kcal	Białko B	Tłuszcz T	Stosunek B : T
Żelatyna	343	83,6	-	1:0,00
Białko jajka	36	10,8	-	1:0,00
Dorsz (filety)	69	16,5	0,3	1:0,02
Dorsz wędzony	56	13,3	0,3	1:0,02
Sandacz	43	10,4	0,2	1:0,02
Szczupak	47	11,0	0,3	1:0,02
Flądra	29	6,7	0,2	1:0,03
Krewetki	34	7,2	0,3	1:0,04
Okoń	50	11,3	0,5	1:0,04
Ser twarogowy chudy	104	21,2	1,2	1:0,05
Zając patroszony	83	18,4	0,9	1:0,05
Kuropatwa patroszona	92	19,9	1,2	1:0,06
Bażant patroszony	91	18,7	1,6	1:0,08
Płuca wołowe	77	15,9	1,5	1:0,09
Szynka z dzika	93	18,4	2,0	1:0,10
Ostrygi surowe	50	10,2	0,9	1:0,10
Konina średnio	79	15,1	1,8	1:0,12
Cielęcina (udziec)	92	17,2	2,4	1:0,14
Flaki wołowe	84	16,0	2,2	1:0,14
Kurczę chude patroszone	75	14,2	2,0	1:0,14
Kaczka dzika patroszona	101	19,1	2,6	1:0,14

Ciąg dalszy tabeli I

Produkt (100 g)	Kcal	Białko B	Tłuszcz T	Stosunek B : T
Wątroba wołowa	128	19,1	3,1	1:0,16
Polędwica wędzona wieprzowa	133	24,5	3,9	1:0,16
Polędwica wołowa surowa	112	20,1	3,5	1:0,17
Pstrąg z wody	133	22,3	4,5	1:0,20
Kura chuda patroszona	77	12,8	2,9	1:0,22
Ozór cielęcy	91	14,7	3,6	1:0,24
Leszcz	61	9,7	2,5	1:0,25
Kurczę pieczone	189	29,6	7,3	1:0,25
Perliczka pieczona	210	32,5	8,2	1:0,25
Indyk pieczony	196	30,2	7,7	1:0,25
Królik duszony	180	26,6	7,7	1:0,28
Karp	49	7,7	2,0	1:0,28
Halibut	89	13,6	3,8	1:0,28
Karmazyn	70	10,6	3,1	1:0,29
Wątroba wieprzowa	124	19,1	4,7	1:0,29
Wątroba cielęca	132	18,4	4,8	1:0,29
Serce wieprzowe	110	16,4	4,7	1:0,29
Nerki wieprzowe	108	16,0	4,5	1:0,29
Nogi cielęce i wołowe	95	14,6	4,1	1:0,29
Bażant pieczony	213	30,8	9,3	1:0,30
Łosoś konserwowy	137	19,7	6,0	1:0,30
Kraby gotowane	130	19,2	5,4	1:0,30
Wołowina (rostbef)	123	17,4	5,9	1:0,34
Indyk patroszony	116	15,9	5,7	1:0,36
Królik patroszony	123	16,6	6,3	1:0,38
Cielęcina (średnio)	117	15,2	6,2	1:0,40
Łosoś wędzony	167	19,6	9,2	1:0,47
Schab	139	16,8	8,0	1:0,48
Pasztet rybny	192	22,4	11,4	1:0,50

Tabela II

Produkty grupy II zawierające białko i tłuszcz (od 0,5 do 1,5 g w stosunku do 1 g białka) praktycznie bez węglowodanów

Produkt (100 g)	Kcal	Białko B	Tłuszcz T	Stosunek B : T
Ser twarogowy tłusty	168	17,9	9,2	1:0,51
Cielęcina (łopatka)	129	14,9	7,7	1:0,52
Flaki po warszawsku	115	12,2	6,6	1:0,54
Kiełbasa szynkowa wieprzowa	154	17,2	9,5	1:0,55
Kurczę tłuste patroszone	122	12,7	7,9	1:0,62
Makrela	112	11,7	7,2	1:0,62
Troć	108	11,2	7,0	1:0,62
Śledź	87	8,8	5,8	1:0,65
Szprot bałtycki	78	7,9	5,2	1:0,66
Pikling	136	13,7	9,0	1:0,66
Ser edamski	282	25,8	17,9	1:0,69
Łosoś	129	12,7	8,7	1:0,69
Mózg cielęcy	99	9,4	6,8	1:0,72
Sum	98	9,2	6,8	1:0,74
Makrela wędzona	153	14,3	10,7	1:0,76
Śledź solony	93	8,5	6,6	1:0,78
Gęś pieczona	323	28,0	22,4	1:0,80
Jajka	140	11,4	10,2	1:0,89
Jajka w proszku całe	575	46,8	42,0	1:0,89
Nogi wieprzowe	168	14,0	12,4	1:0,89
Śledź w pomidorach	170	13,7	12,8	1:0,93
Pemikan (suszone mięso)	590	45,1	43,5	1:0,96
Szprot wędzony	144	11,5	10,9	1:0,96
Bryndza (ser z mleka krowiego i owczego)	282	21,8	20,8	1:0,96
Ser topiony tłusty	238	18,4	17,5	1:0,96
Ser tylżycki tłusty	318	24,0	23,9	1:1,00
Baranina (udziec)	196	15,1	15,1	1:1,00
Kaczka pieczona	313	22,8	23,6	1:1,03
Ozór wołowy	176	13,0	13,8	1:1,06
Wołowina (mostek)	204	14,8	16,1	1:1,08

Ciąg dalszy tabeli II

Produkt (100 g)	Kcal	Białko B	Tłuszcz T	Stosunek B : T
Ser cheddar	382	27,1	29,3	1:1,08
Golonka	194	13,7	15,5	1:1,13
Sardynki w oleju	302	20,6	24,4	1:1,18
Szynka surowa	214	14,4	17,4	1:1,20
Kiełbasa krakowska	224	15,0	18,2	1:1,21
Kiełbasa krakowska sucha	352	23,2	28,8	1:1,24
Ser rokpol pleśniowy	354	22,6	29,3	1:1,29
Bałtyk w oleju (konserwa)	237	14,4	19,9	1:1,37
Łopatka wieprzowa	228	14,1	19,2	1:1,37
Kura tłusta patroszona	202	12,2	17,0	1:1,39
Węgorz wędzony	231	13,7	19,3	1:1,41
Karkówka wieprzowa	221	13,2	18,7	1:1,42
Makrela w oleju	260	15,5	22,2	1:1,43
Kiełbasa myśliwska	395	23,3	33,5	1:1,43
Szynka gotowana	389	23,0	33,0	1:1,43
Mortadela	220	13,0	18,7	1:1,43
Konserwa turystyczna	276	15,9	23,6	1:1,49
Śledź w oleju (konserwa)	344	19,7	29,4	1:1,49
Śledź w sosie własnym (konserwa)	214	12,2	18,3	1:1,50

Tabela III

Produkty grupy III zawierające białko i sporo tłuszczu (od 1,5 do 3,0 g w stosunku do 1 g białka) praktycznie bez węglowodanów

Produkt (100 g)	Kcal	Białko B	Tłuszcz T	Stosunek B : T
Salceson podrobowy	278	15,3	24,1	1:1,58
Baranina (średnio)	231	12,5	20,1	1:1,60
Kiełbasa żywiecka	333	18,0	29,0	1:1,61
Konserwy wieprzowe	286	15,5	24,9	1:1,66
Szprot smażony	444	22,3	37,9	1:1,69

Produkt (100 g)	Kcal	Białko B	Tłuszcz T	Stosunek B : T
Wątrobianka	307	15,3	27,3	1:1,78
Kiełbasa zwyczajna	258	13,0	23,0	1:1,78
Gęś patroszona	221	10,7	19,8	1:1,85
Wieprzowina (średnio)	289	13,6	26,1	1:1,92
Żeberka	241	11,3	21,7	1:1,92
Żółtko jajka	355	16,3	31,9	1:1,95
Węgorz surowy	197	8,9	17,9	1:2,01
Kiełbasa jałowcowa	401	18,0	36,5	1:2,02
Salceson włoski	288	12,8	26,3	1:2,05
Kiełbasa serdelowa	260	11,3	23,9	1:2,11
Bekon wędzony	597	24,6	53,4	1:2,17
Kiełbasa parówkowa	297	12,5	27,6	1:2,21
Salceson czarny	326	13,2	30,3	1:2,29
Kiełbasa litewska	344	13,7	32,1	1:2,34
Pasztet popularny	302	11,6	28,4	1:2,44
Pasztetowa	347	13,3	32,6	1:2,45
Szynka gotowana tłusta	429	15,9	40,6	1:2,55
Migdały gorzkie	598	20,5	53,5	1:2,61
Bekon surowy	405	14,0	37,4	1:2,67
Gęś tuczona patroszona	337	11,3	32,4	1:2,86
Głowa wieprzowa	263	8,6	25,4	1:2,95

Tabela IV

Produkty grupy IV zawierające białko i tłuszcz (powyżej 3 g w stosunku do 1 g białka) praktycznie bez węglowodanów

Produkt (100 g)	Kcal	Białko B	Tłuszcz T	Stosunek B : T
Szproty wędzone w oleju (konserwa)	338	10,8	32,8	1:3,03
Pasztet z wątróbek rybnych	408	12,9	39,6	1:3,06
Żeberka wieprzowe w kapuście	210	5,2	19,1	1:3,67

Produkt (100 g)	Kcal	Białko B	Tłuszcz T	Stosunek B : T
Boczek wędzony	477	12,7	47,3	1:3,76
Śmietana 12-proc.	140	3,0	12,0	1:4,00
Orzechy włoskie łuskane	632	13,6	58,0	1:4,26
Orzechy laskowe łuskane	694	14,4	65,8	1:4,56
Podgardle wieprzowe	576	6,7	61,0	1:9,10
Wiórki kokosowe	628	6,6	62,0	1:9,39
Śmietana 30-proc.	290	2,0	30,0	1:15
Szpik wołowy	822	3,2	89,9	1:28
Majonez	666	2,1	71,5	1:34
Słonina świeża	763	2,3	83,7	1:36
Łój	924	0,9	99,0	1:110
Masło	748	0,6	82,5	1:140
Margaryna	738	-	82,0	-
Oliwa z oliwek	896	-	99,0	-
Olej rafinowany	900	-	100,0	-
Ceres	900	-	100,0	-
Smalec wieprzowy topiony	921	-	99,0	-
Smalec gęsi topiony	980	-	100,0	-

Tabela V

Produkty grupy V pochodzenia roślinnego praktycznie bez tłuszczu, zawierające małą ilość białka niskiej wartości biologicznej, niedużą ilość węglowodanów i dużo wody, niepotrzebnie obciążające przewód pokarmowy; mogą być spożywane w rozsądnych ilościach bez istotnych szkód dla organizmu - jako dodatki smakowe

Produkt (100 g)	Kcal	Białko B	Węglowodany W	Stosunek B : W
Szpinak	19	1,9	2,2	1:1,15
Borowiki suszone	342	29,0	34,0	1:1,17
Pieczarki	31	2,6	3,5	1:1,34
Brukselka	44	3,6	6,6	1:1,83
Bób zielony	37	3,0	5,9	1:1,96
Szparagi	16	1,3	2,5	1:1,96

Produkt (100 g)	Kcal	Białko B	Węglo-wodany W	Stosunek B : W
Kalafior	17	1,3	2,7	1:2,07
Groszek zielony	44	3,6	7,5	1:2,50
Ogórki kiszone	12	0,7	1,9	1:2,71
Kapusta kiszona	20	1,1	3,4	1:3,09
Fasola szparagowa	38	2,2	6,9	1:3,14
Kurki (grzyby)	23	1,0	3,8	1:3,80
Ogórki świeże	11	0,5	2,1	1:4,20
Czosnek	123	5,6	24,8	1:4,42
Rzodkiewka	14	0,5	2,3	1:4,60
Buraki	35	1,4	7,1	1:5,07
Cebula	33	1,2	6,1	1:5,08
Papryka	27	0,9	5,3	1:5,90
Pomidory	27	0,8	4,8	1:6,00
Brukiew	35	1,1	7,1	1:6,45

Tabela VI

Produkty grupy VI pochodzenia roślinnego bez tłuszczu, zawierające głównie wodę, małą ilość białka niskiej wartości biologicznej, dość dużo węglowodanów; dla człowieka na diecie optymalnej w zasadzie niejadalne; mogą być spożywane w małych ilościach ze względów smakowych i jako źródło węglowodanów

Produkt (100 g)	Kcal	Białko B	Węglo-wodany W	Stosunek B : W
Agrest	17	1,1	3,4	1:3,09
Porzeczki	22	1,2	4,8	1:4,00
Jeżyny	30	1,3	6,4	1:4,92
Sok z cytryny	7	0,3	1,6	1:5,33
Maliny	29	0,9	5,6	1:6,22
Melon	23	0,8	5,2	1:6,50
Grapefruity	22	0,6	5,3	1:8,83
Morele suszone	183	4,8	43,4	1:9,04
Marchew	23	0,7	5,4	1:9,14

Ciąg dalszy tabeli VI

Produkt (100 g)	Kcal	Białko B	Węglo-wodany W	Stosunek B : W
Truskawki	26	0,6	6,2	1:10
Pomarańcze	35	0,8	8,5	1:10
Morele	28	0,6	6,7	1:11
Ziemniaki	66	1,3	14,9	1:11
Figi suszone	247	3,6	52,9	1:15
Renklody	48	0,8	11,8	1:15
Brzoskwinie	37	0,6	9,1	1:15
Kasztany jadalne	172	2,3	36,6	1:16
Śliwki (średnio)	38	0,6	9,6	1:16
Śliwki suszone	161	2,4	40,3	1:17
Banany	77	1,1	19,2	1:17
Czereśnie	47	0,6	11,9	1:20
Ananasy	46	0,5	11,6	1:23
Winogrona	62	0,6	15,8	1:26
Daktyle	248	2,0	63,9	1:32
Jabłka	46	0,3	12,0	1:40
Gruszki	41	0,2	10,6	1:53
Rodzynki	247	1,1	64,4	1:58
Sok pitny jabłkowy	38	0,1	9,3	1:93
Dżem truskawkowy	204	0,6	64,6	1:107
Marmolada	240	0,5	58,6	1:117
Mąka ziemniaczana	339	0,6	83,9	1:140
Miód pszczeli	288	0,4	76,4	1:288
Oranżada	–	–	–	cukier
Coca-cola	–	–	–	cukier
Cukier	394	-	105,0*)	cukier

*) W przeliczeniu na glukozę

Tabela VII

Produkty grupy VII pochodzenia roślinnego zawierające bardzo mało tłuszczu*, białko niskiej wartości biologicznej i bardzo dużo węglowodanów; dla diety optymalnej nieprzydatne, powinny stanowić podstawowe źródło energii dla ludzi na diecie japońskiej

Produkt (100 g)	Kcal	Białko	Tłuszcz	Węglowodany	Stosunek
		B	T	W	B : T : W
Groch		349	23,8	60,2	1:2,53
Fasola		346	21,4	61,2	1:2,88
Makaron 4-jajeczny		376	14,2	70,8	1:4,98
Płatki owsiane		391	13,0	67,8	1:5,22
Kasza gryczana		349	12,3	69,2	1:5,54
Chleb graham		240	7,9	48,5	1:6,14
Makaron		368	12,1	74,6	1:6,17
Kasza jaglana		354	10,6	71,4	1:6,74
Bułka pszenna		250	6,9	52,6	1:7,62
Bułka tarta		374	9,9	76,4	1:7,72
Mąka luksusowa		350	9,7	73,4	1:7,91
Mąka krupczatka		346	8,8	75,2	1:8,55
Herbatniki		413	8,6	73,8	1:8,58
Kasza manna		353	8,8	76,6	1:8,70
Chleb nałęczowski		249	5,9	53,1	1:9,00
Chleb chrupki		372	8,2	79,8	1:9,73
Kasza jęczmienna		347	7,4	74,6	1:10,08
Chleb pumpernikel		290	5,9	61,8	1:10,47
Chleb żytni pytlowy		240	4,5	52,6	1:11,68
Ryż		349	6,7	78,9	1:11,78
Mąka żytnia		348	6,4	76,7	1:11,96

*) Produkty zbożowe zawierają małą ilość tłuszczu, od 0,7% w ryżu do 2,9% w kaszy jaglanej. Jedynie owies ma około 7,5% tłuszczu, dlatego owies, przy uwzględnieniu najwyższego stosunku białka do węglowodanów w owsie w stosunku do innych zbóż, jest jedną z najlepszych pasz dla zwierząt trawożernych. Najgorszą paszą z tego punktu widzenia jest żyto i ryż.

Tabela VIII

Produkty grupy VIII zawierające wszystkie główne składniki odżywcze mogą być spożywane w niewielkich ilościach, ograniczonych zawartością węglowodanów

Produkt (100 g)	Kcal	Białko B	Tłuszcz T	Węglowodany W	Stosunek B : T : W
Soja	442	34,9	18,1	34,8	1:0,52:1,00
Mąka sojowa tłusta	449	35,9	20,6	29,9	1:0,83:0,57
Kakao	459	23,6	20,2	45,7	1:0,85:1,93
Mak	542	19,5	40,8	24,3	1:2,09:1,24
Czekolada	559	6,0	33,4	58,7	1:5,56:9,78

Tabela IX

Skład niektórych rodzajów mleka

Produkt (100 g)	Kcal	Białko B	Tłuszcz T	Węglowodany W	Stosunek B : T : W
Klaczy	49	2,7	1,6	6,1	1:0,59:2,56
Krowy (znormalizowane do 2% tłuszczu)	48	3,1	2,0	4,4	1:0,64:1,45
Wielbłądzicy	67	4,0	3,1	5,6	1:0,78:1,40
Owcy	90	5,5	5,3	4,6	1:0,96:0,83
Mleko krowie w proszku, pełne	489	25,8	25,7	38,5	1:1,00:1,50
Krowy (średnio)	65	3,3	3,7	4,8	1:1,12:1,45
Łani	152	9,3	10,5	4,3	1:1,13:0,46
Kozy	68	3,3	4,1	4,7	1:1,24:1,42
Świni	132	6,1	9,6	4,6	1:1,57:0,75
Bawolicy indyjskiej	105	4,1	7,5	4,7	1:1,82:1,15
Wieloryba	381	10,6	36,6	2,1	1:3,45:0,20
Dla porównania: Mleko kobiece (w Polsce) (średnio)	68	1,2	3,8	7,0	1:3,16:5,85

CZĘŚĆ 7

Księga „cudów"

Zamieszczona w pierwszym wydaniu „Diety optymalnej" „Księga cudów" była oparta głównie na krótkich obserwacjach wpływu żywienia optymalnego na chorych. W niniejszym, najnowszym wydaniu książki opisane są skutki żywienia optymalnego w znacznie dłuższym okresie, maksymalnie do 28 lat. Niektórzy z byłych chorych pozbyli się kilkunastu chorób. W „Księdze cudów" zamieszczono znikomą ilość obserwacji w porównaniu do ich ilości zawartych w listach do mnie i obserwacji lekarzy w Arkadiach w Polsce i w wielu innych krajach.

Dla ułatwienia znalezienia „swojej" choroby czy chorób, aby przewidzieć szybkość jej ustępowania, porównać niektóre objawy świadczące o cofaniu się schorzenia, w kolejnych numerach od 1 do 62 podano rodzaje chorób, dolegliwości a także pewne parametry zdrowia. Najpierw trzeba zatem w indeksie znaleźć własną dolegliwość, a potem odpowiedni list, zapoznać się z jego treścią i wyciągnąć wnioski, że „skoro u wielu ludzi po takim lub innym okresie stan zdrowia poprawiał się, to dlaczego w moim przypadku miałoby być inaczej? "

Warszawa, 16.03.2000 r. **1**

Mam 72 lata. Żywienie optymalne stosuję od 28 lat. Przez 42 lata służyłem w wojsku w pionie dowódczo-sztabowym. W czasie gdy byłem komendantem Akademii Polowej Wojska Polskiego, a następnie Szefem Inspekcji Sił Zbrojnych, wprowadziłem żywienie optymalne do jadłospisu podlegających mi oficerów. Skutki tego żywienia były bardzo korzystne. Moi podwładni - oficerowie dowódcy i oficerowie sztabów - wyróżniali się szczupłą sylwetką, ładną cerą, nie chorowa-

li, rozumieli co się do nich mówi, ale mieli też swoje zdanie, nie bali się przełożonych, szanowali podwładnych, byli bardzo sprawni fizycznie i umysłowo. Potrafili sprawnie i bez zbędnej straty czasu podejmować decyzje i umieli sprawnie posługiwać się dowódczo-sztabowym warsztatem pracy w taktyce działań bojowych.

Radzili sobie we wszystkich problemach dotyczących oceny sytuacji, analizy zadań, podejmowania decyzji w sytuacjach ekstremalnych. Absolwenci Akademii Polowej wyróżniali się bardzo dobrą kondycją fizyczną i sprawnością umysłu. Mieli oni doskonałą wyobraźnię, potrafili kojarzyć szybko różne sytuacje, rozwiązywać problemy, wyciągać słuszne wnioski.

Panu Doktorowi Janowi Kwaśniewskiemu pragnę gorąco podziękować za Jego bezinteresowną pomoc, tak bardzo korzystną w przywracaniu zdrowia oficerom, stworzeniu warunków do osiągnięcia przez nich znakomitej sprawności fizycznej i umysłowej. Nigdy nie słyszałem, aby żywienie optymalne komukolwiek zaszkodziło, nie słyszałem przez kilkanaście lat mojej służby jako komendant Akademii Polowej i szef Inspekcji Sił Zbrojnych, aby nie spowodowało ono bardzo korzystnych rezultatów w stanie zdrowia, sprawności fizycznej, także umysłowej u każdego oficera. Zachorowalność i absencja chorobowa wśród tych oficerów była około 10 razy mniejsza niż u oficerów nie stosujących żywienia optymalnego.

Doktor Jan Kwaśniewski dał więcej dobra milionom ludzi, nie tylko w Polsce, niż ktokolwiek inny w całej historii ludzkości.

W listopadzie 1999 r. zostałem (wraz z dr Kwaśniewskim) zaproszony do USA przez Bractwo Optymalnych z Chicago. Telewizja, radio, prasa, spotkania w polskich księgarniach wypełniały czas do ostatka, a ukoronowaniem pobytu było spotkanie z liczną Polonią w Copernicus Center, gdzie gorąco i z wielkim entuzjazmem nas przyjęto.

Żywienie optymalne, także w żywieniu zbiorowym, jest dużo tańsze niż przeciętnie. W Akademii Polowej koszt żywienia był prawie o połowę niższy, a ja otrzymywałem nagrody za oszczędności w służbie żywnościowej. Na jednym z posiedzeń Zespołu Ministra Obrony Narodowej, minister zapytał mnie, co ja takiego robię, że w Akademii Polowej słuchacze i kadra są żywieni za połowę przewidzianej stawki na wyżywienie, nikt nie narzeka i nikt nie chodzi głodny. Zapytał też, co ja takiego zrobiłem ze słuchaczami Akademii Polowej, że wyróżniają się oni podczas ćwiczeń sprawnością fizyczną, odpornością na brak snu, doskonałą znajomością swojego warsztatu, w lot pojmują, co się do nich mówi i szybko podejmują słuszne decyzje.

Absolwenci wyższych szkół oficerskich, którzy nie studiowali w Akademii Polowej, we wszystkich aspektach składających się na obraz oficera – dowódcy liniowego i oficera sztabu byli znacznie gorsi, często nie rozumieli, co się do nich mówi, w kontaktach z przełożonymi paraliżował ich strach, trudno się było z nimi porozumieć.

Odpowiedziałem ministrowi, że to właśnie dzięki stosowaniu żywienia optymalnego absolwenci Akademii Polowej i oficerowie Inspekcji Sił Zbrojnych wyróżniają się bardzo korzystnie spośród innych oficerów.

Minister powiedział: „dobrze byłoby wprowadzić ten model żywienia w całej armii" – i na tym (niestety) się skończyło. W latach 80. pojawiły się inne problemy, a żołnierze nadal są źle odżywiani, nadal wyniszczani są lotnicy wojskowi, z czym dr Jan Kwaśniewski usiłował walczyć już ponad 30 lat temu.

„Konsekwencje decyzji uczonych, którzy muszą wybierać zło, bywają nadzwyczaj groźne" – napisał prof. Włodzimierz Sedlak. W przypadku oficerów, podoficerów, ich rodzin, dla gotowości kraju do obrony, decyzje uczonych okazały się być nadzwyczaj groźne, były bardzo szkodliwe dla całego narodu.

Apeluję do Optymalnych, aby łączyli się w Bractwa w celu wprowadzenia w życie programu ogólnopolskiego Stowarzyszenia Bractw Optymalnych, które to Stowarzyszenie przekształca się w Ogólnoświatowe. Wiem, że ani nauka, ani kolejni rządzący nie potrafią ułożyć programu opartego na wiedzy, ponieważ nie dysponują oni wiedzą, jak nie dysponowali nią ludzie w całej historycznej przeszłości.

Miliony ludzi zostało wyleczonych z chorób, na które niepotrzebnie chorowali, byli inwalidzi podejmują pracę, koszty opieki zdrowotnej obniżyły się u Optymalnych o ponad 90 procent. Miliony ludzi w Polsce i w wielu innych krajach oraz tysiące lekarzy potrafiło zrozumieć jego wiedzę i z niej skorzystać.

Ani rządzący, ani uczeni dotąd tej wiedzy zrozumieć nie mogą, nie próbują się z nią nawet zapoznać, nie mogą jej wprowadzić w życie, co by przyniosło ogromne korzyści dla Narodu i Ludzkości.

Obecnie mogą w tej sprawie pomóc tylko Optymalni. Muszą to zrobić i mogą to zrobić, pod warunkiem że będą zjednoczeni i zorganizowani.

APOLONIUSZ GOLIK
generał dywizji
Warszawa

Sosnowiec, 2.11.1999 r. 2

Należą się Panu serdeczne dzięki! Od 30 lat chorowałam na trzustkę, nadciśnienie, arytmię serca, zwyrodnienie kręgosłupa, chorobę wrzodową żołądka i gościec przewlekły postępujący. Po 2 latach żywienia optymalnego jestem zdrowa, wszystkie choroby mnie opuściły i mogę sobie po ludzku podjeść.

Zofia O.

Poznań, 15.02.2000 r. 3

W grudniu 1988 r. przeszedłem rozległy zawał serca, byłem chory na chorobę wieńcową, nadciśnienie, reumatyzm, nerki, wątrobę, miażdżycę w nogach i dużą otyłość. W maju 1989 r. przebywałem w Arkadii u dr. Jana Kwaśniewskiego. Żywienie optymalne stosuję już blisko 11 lat. Na początku ważyłem 136 kg i byłem wrakiem, teraz ważę 70 kg, jestem zdrowy, nic mi nie dolega i mimo upływu lat czuję się coraz młodszy.

Żona stosuje żywienie optymalne dopiero od maja 1997 r. W czasie pobytu w Hiszpanii zachorowała na zapalenie żył i różę, a na nodze pojawiło się duże owrzodzenie. Leczenie w Hiszpanii i w Polsce nic nie pomagało. Było coraz gorzej. Na moje nalegania żona przeszła na żywienie optymalne – i stał się cud!!! Rana zagoiła się szybko, a skóra z brązowo-sinej na nodze zmieniła się w zdrową, a po owrzodzeniu i róży nie ma żadnego śladu. Żona odmłodniała, powrócił jej humor, energia i ochota do życia. Jesteśmy oboje bardzo szczęśliwi.

Józef T.

Olsztyn, 1.09.1999 r. 4

Zawdzięczam Panu zdrowie i rozum. Byłem u Pana w Arkadii w Cedzynie 11 lat temu. Chorowałem na znaczne zaniki pamięci, migreny, zaawansowaną osteoporozę, skrzywienie kręgosłupa, miażdżycę mózgu, podejrzenie stwardnienia rozsianego, chorobę wieńcową, przewlekłe zapalenie wątroby i trzustki.

Wszystkie choroby i dolegliwości bezpowrotnie minęły.

Mam 64 lata i czuję się cudownie.

Jerzy O.

Liverpool, Australia, 12.12.1999 r. 5

Od dziecka mam wrodzoną wadę serca po przebytej chorobie reumatycznej. Po zapaleniu płuc dołączyła się astma oskrzelowa. Miałem częste ataki astmy, a przeziębienie i grypa nie opuszczały mnie latami.

Miałem zawroty głowy z zaburzeniami wzroku i wymiotami. Serce moje posiadające wadliwe 3 zastawki ostatnio bardzo się powiększyło. Żywienie optymalne stosuję od kwietnia 1999 r., a już w maju odstawiłem wszystkie leki nasercowe. Po 2 miesiącach żywienia optymalnego zgłosiłem się do lekarza lżejszy o 7 kg, z dobrym ciśnieniem i tętnem.

Lekarz nie mógł uwierzyć, że moje serce tak się zmniejszyło. Był bardzo zdziwiony i pytał mnie, co ja takiego robię, że uzyskałem tak dużą poprawę zdrowia.

Nigdy nie spotkał chorego z dużym sercem, które by się tak zmniejszyło jak u mnie. Ów lekarz nie wie ponadto, że już nie mam astmy oskrzelowej.

Waldemar R.

Jastrzębie, 12.08.1988 r. 6

Mam 53 lata. Połowę swojego życia chorowałem na chorobę Bechterewa, później doszły kamienie w nerkach, choroba wieńcowa i prostata. Klatka piersiowa była zupełnie nieruchoma tak, że mogłem oddychać tylko brzuchem. Lewy staw biodrowy był całkiem usztywniony, bez śladu ruchu. Gruczoł krokowy był powiększony. Badanie USG wykazało, że miał wymiary 59/48 mm.

Żywienie optymalne stosuję od 2 lat. Jest super! Bóle kręgosłupa ustąpiły zupełnie, kręgosłup się rozruszał, postawa wyprostowała, kamienie i piasek w nerkach ustąpiły. Całkowicie sztywny staw biodrowy również się rozruszał.

Dolegliwości ze strony prostaty ustąpiły, a gruczoł krokowy w ostatnim badaniu USG zmniejszył się do wymiarów 45/40 mm. Dużo ćwiczę, biegam i nic mnie nie boli, nawet po dużych wysiłkach nie mam bólów za mostkiem.

Nie męczę się przy wysiłku, oddycham klatką piersiową a nie brzuchem, jak było dawniej.

Józef M.

Bielsko, 12.08.1988 r. 7

Mam 59 lat. W ubiegłym roku rozpoznano u mnie owrzodziały guz rakowy w jelicie grubym. Guz już nie nadawał się do operacji, pobrano tylko wycinek. Rozpoznanie histologiczne brzmiało: guz rakowy w jelicie grubym.

Żywienie optymalne stosuję od 6 miesięcy. Na wadze ubyłem kilkanaście kilogramów, ustąpiły mi kamienie w nerkach, na które już byłem operowany.

Dolegliwości spowodowane rakiem szybko ustąpiły. Koloskopia wykonana ostatnio wykazała tylko niewielki polip. Owrzodzenie rakowe zniknęło.

Franciszek B.

Myszków, 28.11.1988 8

Urodziłam się 52 lata temu z wrodzonym zwichnięciem stawu biodrowego. Całe życie noga mnie bolała i była krótsza o 1,5 cm. Żywienie optymalne stosuję od 16 miesięcy. Ból w biodrze ustąpił bezpowrotnie, a co najważniejsze noga mi „urosła". Dokładne pomiary wykazały, że obie nogi mam jednakowej długości! Brzydka blizna na nodze prawie zniknęła, cerę mam gładką i czuję się wspaniale.

Anna P.

Debreczyn, 03.11.1998 r. 9

Mam 53 lata. Żywienie optymalne stosuję 8 miesięcy. Chorowałem na cukrzycę, pogarszał mi się wzrok, źle sypiałem, byłem zmęczony i nerwowy, bolały mnie stawy, miałem częste wzdęcia i uporczywe wiatry. Leki na cukrzycę odstawiłem natychmiast. Już po kilku dniach cukier miałem w normie, wzrok mi się poprawił, sypiam dobrze i krótko, a wszystkie moje dolegliwości ustąpiły bez śladu.

Mój przyjaciel od 15 lat chorował na cukrzycę typu I, brał 54 jednostki insuliny na dobę. Zmniejszył dawkę insuliny o połowę, a po dziesięciu dniach insulinę odstawił. Cukier ma w normie, zeszczuplał, lepiej widzi i czuje się dobrze. Jestem Węgrem, ale studiowałem w Polsce i dlatego mogłem zrozumieć wiedzę z Pana książki.

Lörincz Sandor

Piotrków Trybunalski, 10.08.1988 r. 10

Mam 49 lat. Od dziecka cierpiałam na migrenę, od 20 lat miałam bóle trzustki, pęcherzyka żółciowego, uporczywe zaparcia. Ponad 40 lat leczyłam się na migrenę bez żadnych rezultatów.

Od 7 lutego stosuję żywienie optymalne. Już po 5 dniach ustąpiła mi migrena i wszystkie dolegliwości przewodu pokarmowego. Po 3 miesiącach ustąpiły zawroty głowy i szum w uszach, uregulował się okres. Śpię dobrze, wstaję wypoczęta, a przed dietą byłam ciągle zmęczona. Czuję się świetnie. Jestem jak nowo narodzona!

Zofia R.

16.10.1998 r. 11

Żywienie optymalne stosuję od 14 miesięcy. W wieku 49 lat, przy wzroście 158 cm i 40 kg wagi, byłam totalnie wychudzona. Teraz jestem szczupłą i zgrabną kobietą. Zniknęły bóle mięśni, stawów, woreczka, wątroby, zniknęły hemoroidy i uregulował się okres. Czuję się znakomicie.

Barbara W.

Sosnowiec, 14.04.1999 r. 12

Mam 53 lata. Chorowałem na astmę sercową, kołatania serca, wrzody na żołądku, zgagę, egzemy, powiększoną prostatę, nocny bezdech, otyłość, reumatyzm, dyskopatię, niskie ciśnienie krwi. Brałem dużo leków, leczyłem się wszędzie, ale nic mi nie pomagało.

Żywienie optymalne stosuję od 18 miesięcy. Wszystkie wymienione wyżej choroby i dolegliwości mam już za sobą.

K. E.

22.05.1999 r. 13

Serdecznie dziękuję za to, co Pan dla mnie zrobił. Po 4 miesiącach żywienia optymalnego schudłem 14 kg, wyleczyłem się z cukrzycy, ustąpiło nadciśnienie, spadł mi cholesterol i trójglicerydy, a moje OB wynosi obecnie – 2. Jestem po udarze mózgu, ale na diecie niedowład ustąpił i teraz mogę nawet pisać! Wątroba mi się zmniejszyła, trzustka nie boli, nie mam kwasów i zgagi.

Mam 56 lat, od 6 lat jestem na rencie, ale wracam do pracy. Pańska wiedza, to rewelacja w skali kraju i świata. Już około 70 osób namówiłem na Pańską dietę i wszyscy mają wyniki superdobre. Teraz i oni uczą diety swoich znajomych.

Bronisław B.

3.05.1999 r. 14

Byłam bardzo nieszczęśliwa, otyła i czułam się jak 90-letnia staruszka. W ogóle nie miałam chęci do życia, a moje problemy zdrowotne – i nie tylko – mnie przerastały, a mam dopiero 16 lat.

Żywienie optymalne stosuję od roku. Schudłam szybko 15 kg i mam prawidłową wagę ciała. Ustąpiło mi jeszcze wiele innych dolegliwości, w tym ogromne problemy związane z utrzymującym się od lat uczuleniem na białko.

Zmienił się mój sposób myślenia. Mam ogromny głód wiedzy i uczę się chętnie.

Gorzej z moimi nauczycielami, którzy uczą mnie czegoś, co uważam za niepotrzebne.

Jeszcze raz dziękuję, w szczególności za to, że jestem szczęśliwą osobą i mogę cieszyć się życiem.

Zofia W., lat 16

Bytom, 17.04.1999 r. 15

Żywienie optymalne stosuję od 2 lat. Na cukrzycę typu I chorowałem od 19 lat, ale już od dawna jestem osobą zdrową, a wyniki mam bardzo dobre. Gdybym dalej stosował dietę zalecaną przez diabetologów, na pewno dziś zakładałbym okulary do czytania, a w spodenkach szukałbym „urządzenia do sikania", gdyż prawie już tak było. Dzisiaj, po 2 latach, ponownie potrafię bez trudu sprostać wymaganiom mężczyzny, który ukończył 50 lat.

Jestem zdrowy, nawet silne bóle kręgosłupa, na które cierpiałem stale od ciężkiego wypadku w kopalni w 1974 roku ustąpiły bez śladu. Szkoda, że stało się to po 25 latach cierpienia i bezskutecznego leczenia.

Jerzy G.

Oświęcim, 3.05.1999 r. 16

Mam 73 lata. Wiele razy przebywałam pod tlenem i byłam reanimowana. Leżałam na „odstawce" do umarcia z rozległymi guzami na całym ciele, po 35 latach przyjmowania dużych dawek sterydów. Musiałabym wyliczać na co nie byłam chora. Z wyglądu przypominałam zniekształconego potwora. Według lekarzy już nie powinnam żyć od kilkunastu lat. A ja żyję i mam się dobrze. Kiedy wstaję rano, to co dzień widzę cud patrząc w lustro – na swoje nogi, sylwetkę, cerę, włosy, które już nie wypadają, na paznokcie, na odciski, które znikają, na żylaki, których już prawie nie mam!

Żywienie optymalne stosuję od 2,5 roku. Chodzę, a nie chodziłam, pomagam bardziej chorym niż ja, a przecież sama potrzebowałam stałej pomocy. Czuję się szczęśliwa, choć kiedyś prosiłam Boga, aby pozwolił mi umrzeć. Nic mnie nie boli, a żyłam przez wiele lat z ciągłymi bólami. Lekarze spotykający mnie na ulicy nie wierzą, że to ja, a pielęgniarka, która mnie reanimowała zapytała: czy to pani? Nie mogę wprost uwierzyć, jak bardzo się pani zmieniła.

Janina D.

Słowacja, 09.08.1999 r. 17

Od 3 miesięcy stosuję żywienie optymalne. Mam 32 lata, jestem Słowakiem, lekarzem ze specjalnością: biochemik kliniczny, internista. Może ze względu na wykształcenie było mi łatwo pojąć Pańską wiedzę?

Wiem, że osiągnięcia i wiedza Pana to jest to, czego od dawna bezskutecznie poszukiwałem. Dopiero Pana książka otworzyła mi oczy i wiem jak należy patrzeć na medycynę i co jest w ogóle ważne w naszym zawodzie.

dr Mirosław Ś.

Warszawa, 10.09.1999 r. 18

Od wielu lat prowadzę firmę gastronomiczną. Po przeczytaniu Pana książki zrozumiałam, jak fatalnie się odżywiałam. Walczyłam bezskutecznie z otyłością zgodnie z panującymi modami, a zapadałam na coraz większą liczbę chorób. Straciłam chęć do życia, a mam dopie-

ro 38 lat i – trzydzieści kilo nadwagi. Dobiłam się dietą wegetariańską, którą stosowałam przez pół roku. Ogólne osłabienie, brak odporności na stresy, zatrzymanie wody w organizmie puchłam w oczach, kamienie w nerkach, ociężałość umysłowa, silne napięcie przedmiesiączkowe, zawroty głowy, gościec przewlekły postępujący, potworne bóle, ostatnio już wszystkich części ciała, w których miałam kości!

Żywienie optymalne stosuję dopiero od miesiąca, ale już jest dużo lepiej. Na wadze ubyłam 5 kilo, ustąpiły bóle stawów i kręgosłupa, czuję się coraz lepiej. Nawet otępienie umysłowe, „leniwy rozum" i zawroty głowy są mniejsze.

Ewa S.

Herford, Niemcy, 15.09.1999 r. 19

Ja, moja żona i syn stosujemy od roku żywienie optymalne. Ja ubyłem na wadze 21 kg, a żona 16. Syn studiuje architekturę, ma 20 lat. W szkole średniej bez przerwy właściwie się uczył, teraz przyjeżdża do domu na każdą sobotę i niedzielę i wcale się nie uczy. Egzaminy zdaje bez wysiłku.

Ja przez trzy lata chorowałem na dziwną chorobę, której nawet nie umiano rozpoznać. Miałem stale paskudne pęcherze na rękach, bez przerwy i bez skutku się leczyłem u wielu lekarzy. Wydałem dużo pieniędzy, a żadnej poprawy nie było. Po żywieniu optymalnym choroba ustąpiła po 2,5 miesiącach i nie ma po niej śladu. U mnie i u żony ustąpiły również inne „nieuleczalne" choroby, na które chorowaliśmy od lat. Czujemy się bardzo dobrze.

Honorata i Andrzej P.

Kłobuck, 27.12.1999 r. 20

Mój syn od 6 roku życia choruje na bielactwo. Obecnie ma 15 lat. Przez 7 lat syn systematycznie się leczył, ale bez żadnego skutku. Żywienie optymalne stosujemy całą rodziną od lipca 1998 r. Przez rok nic się nie działo, ale po roku na skórze pojawiły się plamy, które się zlewały. Bielactwo ustąpiło z całego ciała, pozostały jeszcze zmiany na stopach i dłoniach. Jeśli tak dalej pójdzie syn wkrótce pozbędzie się tej „nieuleczalnej choroby".

Gabriela Sz.

Ustroń, 23.01.2000 r. 21

Mam 44 lata, jestem inwalidą II grupy. Od pięciu lat choruję na miokardiopatię przerostową. Leczenie konwencjonalne było nieskuteczne, byłem coraz słabszy, miałem już duszności w spoczynku. Nie mogłem wykonywać czynności wymagających najmniejszego wysiłku.

Żywienie optymalne stosuję od 3 miesięcy. W tym czasie ubyłem na wadze 8 kg, ustąpiły duszności spoczynkowe, mniej się męczę przy wysiłku, nareszcie mam spokojny sen w nocy. Dziękuję Panu za dietę, która w tak krótkim czasie przyniosła takie efekty. Już nie muszę czekać na przeszczep serca.

Stanisław Sz.

Wrocław, 5.01.1998 r. 22

Pan mi chyba z nieba spadł, a ja się po raz drugi urodziłem. Żywienie optymalne stosuję od 6 miesięcy. Mam 76 lat i przez wiele lat bez przerwy się leczyłem. Wiem, że medycyna nie potrafi wyleczyć chorób, a żywienie optymalne czyni to prawie bezbłędnie.

Obecnie czuję się znacznie lepiej. Choroby ustępują jedna po drugiej. Odstawiłem prawie wszystkie leki. Ustąpiły obrzęki nóg, wyleczyłem się z dny (podagry), łuszczycy, ustąpiły wieloletnie bóle brzucha, wzdęcia i zgaga. Nerwica powoli ustępuje, ustąpiła niewydolność mięśnia sercowego, nadciśnienie. Z każdym tygodniem jest lepiej.

Marian C.

Warszawa, 12 09.1997 r. 23

Mój synek zachorował w wieku 7 lat na dystrofię mięśniową rzekomoprzerostową typu Duchenne'a. Miał trudności z chodzeniem, niemożność pokonania nawet jednego schodka, często się przewracał, miał skrzywiony kręgosłup, duże trudności w szkole.

Żywienie optymalne stosuje od 7 miesięcy. Siła mięśni mierzona próbą wysiłkową wzrosła w nogach ponad 3 razy. Jest ruchliwy, zadziorny, znacznie lepiej się uczy. Poprawa następowała stopniowo, dopiero okres po zastosowaniu leczenia prądami selektywnymi (po 6 miesiącach żywienia optymalnego) stał się przełomowy. Nogi syna stały się ciepłe i znacznie silniejsze.

Ja też miałam sporo dolegliwości, a ciśnienie krwi dochodziło do 230/150. Mam 30 lat.

Teraz ciśnienie mam niskie, ustąpiły zaburzenia rytmu serca, jestem silna.

Patrzę na drogę, którą przeszliśmy: kliniki, lekarze, bioenergoterapeuci, lekarze z Tybetu. I cieszę się, że po tych cierpieniach, dzięki Panu, wkroczyliśmy na drogę zbudowaną z prawdziwej wiedzy.

Dorota Z.

Ustrzyki Dolne, 6.11.1998 r. 24

Jestem lekarzem anestezjologiem z szesnastoletnią praktyką. Wiele lat temu coś przebąkiwano o diecie optymalnej, ale wówczas nie zdołałem rozpoznać tematu i jego wagi. Żywienie optymalne stosuję od pół roku.

Jest wspaniale. Pozbyłem się nadwagi, choroby wrzodowej dwunastnicy, wrzodziejącego zapalenia jelita grubego i nadciśnienia tętniczego. Gorąco dziękuję.

lek. med. Jan M.

Białystok, 30.06.1998 r. 25

Chciałabym gorąco Pana przeprosić za tych wszystkich tępych i egoistycznych ludzi, jakich Pan w swoim życiu spotkał i pewnie jeszcze wielu spotka. Jakie to szczęście dla ludzi, że nie dał Pan za wygraną i już tyle lat walczy z wszechobecną głupotą. Dziękuję za to Panu z całego serca.

Z zawodu jestem pielęgniarką, mam 47 lat i już jestem na rencie inwalidzkiej. Nie widziałam logiki w tym wszystkim, co mnie otaczało, co budziło frustracje. I nagle Pan te „puzzle" układa w jeden piękny i logiczny obraz świata w czasie i przestrzeni.

Czuję się jakbym z polnej drogi, z drabiniastego wozu, przesiadła się do mercedesa i wjechała nagle na autostradę. Odzyskałam spokój wewnętrzny.

Teraz wiem, że naszym ludzkim celem jest rozwój inteligencji, mądrości, bo tylko człowiek rozumny potrafi naprawdę kochać i stworzyć Biblijny Raj na Ziemi.

Krystyna T.

Taufkirchen, Niemcy, 24.09.1999 r. 26

W wieku 43 lat chorowałam na hemoroidy, paradontozę, kręgosłup i stawy, wciąż było mi zimno. Choroby te powodowały konieczność przyjmowania bolesnych zastrzyków, wypalań, nacinania, skrobania. I było coraz gorzej. „Przezacni" doktorzy specjaliści, czasem z tytułami profesorskimi, mieli jeszcze jedną ofiarę do doświadczeń. A ja jadłem tabletki przeciwbólowe albo stosowane czopki, żeby z bólu nie ryczeć. Żywienie optymalne stosuję od 17 miesięcy.

Po niecałych 2 tygodniach zęby przestały się kołysać, dziąsła przestały boleć i krwawić. Hemoroidy przestały dokuczać, wszystkie pozostałe dolegliwości ustąpiły. Stan skóry zmienia się korzystnie jeszcze do dzisiaj, a liczne brązowe przebarwienia i plamy poznikały lub zmniejszyły się. Śpię krócej, jestem wypoczęty i czuję się jak trzydziestolatek. Zszedłem z drzewa na ziemię. Na wadze ubyłem 10 kg. Lepiej mi się myśli i więcej pamiętam.

Panie Doktorze „Ein Grosses Dankeschön" za ratunek dla mnie i dla mojej kasy chorych.

Roman K. z rodziną

Bielsko-Biała, 25.08.1999 r. 27

Mam 83 lata. Pracowałam w szpitalu jako kierownik laboratorium. W dzieciństwie chorowałam na chorobę reumatyczną z zapaleniem mięśnia sercowego. Choruję na chorobę zwyrodnieniową stawów i kręgosłupa, nadczynność tarczycy, migotanie przedsionków, żylaki podudzi, stany zapalne naczyń chłonnych, często wstawałam z moczem w nocy, czego przyczyną była zaawansowana niewydolność krążenia.

Żywienie optymalne stosuję od 3 miesięcy i wiele w tym czasie się zmieniło. Ustąpiły mi bóle stawów i kręgosłupa, zmniejszyły się zawroty głowy, nie jestem głodna, przestałam wstawać z moczem w nocy, prawie ustąpiły obrzęki na nogach, ale żylaki jakby bardziej się uwidoczniły.

Moja siostra ma 80 lat, choruje na stawy i kręgosłup, a od 2 lat choruje na parkinsonizm miażdżycowy. Ręka jej drży tak, że nie może donieść łyżki z jedzeniem do ust. Nogi już jej nie drżą, a skaczą. Zaprosiłam ją do siebie i zaczęłam jej dawać jeść po ludzku. Już po kilku dniach zauważyłyśmy u niej poprawę. Obecnie stosuje żywienie optymalne drugi miesiąc i czuje się znacznie lepiej. Z każdym dniem lepiej!!!

Anna Z.

Sydney, Australia, 19.03.1999 r. 28

Mam 84 lata, a moja żona 80. Żywienie optymalne stosujemy od 6 tygodni. Żona już pozbyła się kaszlu, na który medycyna od ponad 20 lat nie mogła znaleźć sposobu. Wysokie nadciśnienie utrzymujące się od 30 lat i systematycznie leczone, poważnie się obniżyło, co zaszokowało naszego lekarza domowego. Przed wojną byłem dentystą w Toruniu.

Kopernikowi medycyny Doktorowi Janowi Kwaśniewskiemu wdzięczni

Stefan i Bożena z Australii

Arlington USA, 8.09.1998 r. 29

Serdecznie dziękuję Panu za uratowanie życia mojej bardzo chorej 76-letniej mamie. Po operacji 2 zastawek serca mama miała krwotoki z nosa, krwawienie z oczu i siniaki na całym ciele. Nogi były bardzo opuchnięte, woda w brzuchu, nadciśnienie, bóle żołądka, kompletny brak sił. Lekarze twierdzili, że nic już mamie nie może pomóc. Na diecie niskotłuszczowej była zawsze głodna, słaba, miała dużą anemię, bóle wątroby i coraz bardziej puchła. Bardzo często się przeziębiała, kilka razy przechodziła zapalenie płuc. Osiągnęliśmy dzięki żywieniu optymalnemu cud i chciałabym to całemu światu przekazać.

Mama stosuje od 6 miesięcy żywienie optymalne. W ciągu 2 miesięcy odstawiła stopniowo 11 lekarstw, ustąpiło nadciśnienie, opuchlina nóg i woda w brzuchu zniknęła. Mama jeździ na rowerze jak za dawnych lat. Wszystkie badania laboratoryjne są prawidłowe. Nawet niebezpiecznie podwyższone enzymy wątrobowe wróciły do normy. Migotanie przedsionków, które utrzymywało się od lat i było utrwalone, ustąpiło i tylko czasem pojawiają się nierówne bicia serca, które są krótkotrwałe i dobrze przez mamę tolerowane.

Jestem pielęgniarką i pracuję w klinice kardiologii przy Uniwersytecie Illinois w Chicago. Widzę, że wszelkie metody stosowane w dzisiejszej medycynie nawet w 1 procencie nie działają na korzyść ludzi. Dla-

czego medycyna niszczy jeszcze bardziej zdrowie ludzi i tak już cierpiących z powodu chorób?

Sama chorowałam na chorobę nieuleczalną. Dzięki Panu moje chore nogi odzyskały sprawność, ustąpiło ich mrowienie, drętwienie, ziębnięcie i trudności z chodzeniem. To niewiarygodne, ale ja chorowałam na SM. Chorowałam...

Elżbieta K.

Dąbrowa Górnicza, 21.06.1999 r. 30

Książkę „Dieta optymalna" zacząłem czytać przypadkowo 5 lutego 1999 r. o godzinie 16.00. Był to piątek, ale nie pechowy. Czytałem ją 3 razy, bez przerwy, dzień i noc. Przeczytałem ją po raz czwarty. Zakończyłem w niedzielę wieczorem o 21.00. Żywienie optymalne to fenomen! Cud! Jest to najmądrzejsza książka, jaką dotąd czytałem, a czytałem bardzo wiele.

Żywienie optymalne stosuję od 8 lutego 1999 r. Na cukrzycę chorowałem od 10 lat, bez żadnej nadziei na wyzdrowienie, bo cukrzyca jest przecież nadal nieuleczalną chorobą. Używałem 14 różnych tabletek na dobę, na cukrzycę brałem diaprel i metformin. Od pierwszego dnia żywienia optymalnego odstawiłem lekarstwa na „leczenie" cukrzycy. Po miesiącu już miałem cukier 98-102 mg %, choroba ustąpiła, a ja męczyłem się z nią przez 10 lat.

Ustąpiły bóle żołądka, zgaga, bóle stawów i kręgosłupa, nie mam opryszczek, infekcji, co dawniej było nagminne. Cera mi się wygładziła, przestały pękać paznokcie, nie jestem zmęczony, śpię po 6 godzin i wstaję wypoczęty, chce mi się pracować i cieszy mnie praca fizyczna, odczuwam wielką radość życia, nigdy przy wysiłku nie brakuje mi powietrza. Schudłem 11,5 kg. Mam 64 lata i czuję się jak „młody bóg". Okulary przy prowadzeniu samochodu stały się zbędne, bo wzrok mi się poprawił. Dziękuję! Dziękuję Panie Doktorze. Wiwat mądrość, wiwat geniusz naszych czasów.

Stanisław Ś.

Częstochowa, 13.04.1999 r. 31

Mam lat 60. Na cukrzycę chorowałem od 22 lat, byłem leczony tabletkami, a od 10 lat brałem insulinę. Badanie USG ze stycznia 1988 r.

wykazało liczne złogi w pęcherzyku żółciowym. Od lat miałem silne bóle wątroby i trzustki, miałem trudności z chodzeniem, pogarszał mi się wzrok.

Insuliny brałem średnio po 44 j/dobę, ale występowały duże różnice w poziomie cukru we krwi. Pięć razy zabierano mnie z ulicy do szpitala z powodu niedocukrzenia krwi.

Żywienie optymalne stosuję od 10 miesięcy. Od pierwszego dnia diety zmniejszyłem dawkę insuliny o połowę, a po 3 tygodniach ją odstawiłem. Bóle wątroby i trzustki minęły po 2 dniach diety, wzrok wyraźnie się poprawił.

Od kilku lat nie czytałem bez okularów, a teraz okulary nie są mi potrzebne. Czytam nawet drobny druk! Wczoraj byłem na USG i okazało się, że w pęcherzyku żółciowym nie mam już kamieni. Lekarz był bardzo zdziwiony. Cholesterolu mam 220, HDL – 94 mg %, a trójglicerydy – 76 mg %. Nigdy nie miałem tak dobrych wyników.

Gdy rozpoczynałem dietę, na pięciu lekarzy w poradni, czterech wyzwało mnie od oszołomów, a tylko jeden powiedział, że warto spróbować.

Tylko on nie pukał się przy tym w głowę. Przecież wielu lekarzy widziało chorych wyleczonych z cukrzycy. Dlaczego nadal chorzy na cukrzycę nie są leczeni tak, aby mogli być wyleczeni z tej choroby. Co tu jest grane. O co tu chodzi?

Władysław P.

Katowice, 19.01.2000 r. 32

Mój mąż od lat chorował na cukrzycę, a w 1992 r. przeszedł bardzo ciężki udar mózgu, z uszkodzeniem nerwów wzrokowych, zaburzeniami mowy i pamięci.

Z cukrzycą postąpiłam dokładnie tak, jak dr Kwaśniewski zalecał w książce. Stopniowo odstawiłam insulinę, cukier już nigdy nie był za wysoki ani za niski, a mój mąż tańczy z radości, czuje się dobrze, nie chrapie w nocy i nie ma zadyszki przy chodzeniu. Żywienie optymalne stosujemy od marca 1998 r.

Ja chorowałam na osteoporozę, paradontozę, hemoroidy, zaparcia, silne bóle i skurcze mięśni nóg, często z bólu płakałam. Wszystkie moje choroby i dolegliwości zniknęły, od przejścia na dietę nie wzięłam ani jednej tabletki.

Stanisława S.

Wolbrom, 9.02.1999 r. 33

Mam 35 lat. Od ponad roku chorowałem na cukrzycę typu I i musiałem brać codziennie po 40 j. insuliny. Żywienie optymalne stosuję blisko rok. Od początku dawkę insuliny zmniejszyłem o połowę, a po 2 tygodniach zupełnie ją odstawiłem, bo poziom cukru we krwi miałem niski. Jednak bez cukrzycy żyje się dużo lepiej.

Marian K.

Imielin, 17.11.1999 r. 34

Mam 57 lat i od 30 lat chorowałam na cukrzycę typu I. Nigdy nie marzyłam o tym, że z cukrzycy się wyleczę, bo przecież dla medycyny jest to choroba nieuleczalna. Miałam zawał, kamienie w woreczku żółciowym, bóle wieńcowe po niewielkich wysiłkach. Brałam duże dawki insuliny, a cukier nie spadał poniżej 250 mg %, sięgał prawie do 300. OB było w granicach 50 po 1 godzinie. Żywienie optymalne stosuję od 3 miesięcy. Zmniejszyłam dawkę insuliny, a po 3 tygodniach ją odstawiłam. Cukier bez insuliny spadł na 150, a OB obniżyło się do 5.

Wyglądam znacznie młodziej i tak też się czuję. Ból w piersiach ustąpił, mogę chodzić nawet przy silnym wietrze, co dawniej było nie do pomyślenia.

Helena W.

Kielce, grudzień 1988 r. 35

Mam 75 lat. Od 15 lat chorowałam na cukrzycę, brałam po 3 tabletki diaprelu, a cukier miałam zawsze wysoki. Po 2 tygodniach żywienia optymalnego poczułam się tak dobrze, że odstawiłam tabletki, a po 3 tygodniach cukier już był w normie. Czuję się bardzo dobrze, mogę chodzić na długie spacery i nogi mnie nie bolą, a dawniej bolały po każdym spacerze.

Od moich lekarzy wiem, że jak się zachoruje na cukrzycę, to z niej już wyleczyć się nie można. A jednak wbrew temu, co mówią naukowcy na całym globie, pan potrafi wyleczyć z cukrzycy, co stwierdziłam na sobie.

Alicja W.

Manitoba, Kanada, 16.11.1999 r. 36

Od wielu lat choruję na gościec przewlekły postępujący. Przy wzroście 162 cm ważyłam 38 kg. Od 7 lat byłam na diecie: soczki z jarzyn, jarzyny, owoce, ryż, kasza gryczana, raz w tygodniu ryba i wszystko na oleju. Mąż wywiózł mnie do Szwajcarii. Już nie mówię o kosztach. Obiecywali mnie wyleczyć i przez 6 tygodni moje posiłki składały się z wody mineralnej i herbatek ziołowych. Stan mojego zdrowia bardzo się pogorszył. Nie chciałam żyć, byłam cała opuchnięta, ból dokuczał dzień i noc, nie mogłam ruszyć ani ręką ani nogą. Podawano mi morfinę, która nie działała. Było tak źle, że linie lotnicze odmówiły przewozu mnie do Kanady.

W grudniu minie 2 lata jak stosuję żywienie optymalne. Przybrałam na wadze 14 kg, stawy mnie nie bolą, czuję się dobrze.

Aleksandra B.

Gliwice, 30.12.1999 r. 37

Mam 50 lat. Żywienie optymalne stosuję od 9 miesięcy i czuję się rewelacyjnie. Od czasu zawału w 43 roku życia zgodnie z zaleceniami lekarzy nie jadłem tłuszczu, żółtka jaj wyrzucałem z sałatek, a smaku śmietany nie pamiętałem. Miałem dużą miażdżycę (balonikowanie aorty w 1993 r.), nadciśnienie i cukrzycę leczoną diaprelem.

Już po 3 tygodniach cukrzyca ustąpiła, nadciśnienie obniżyło się, a po 3 miesiącach zrobiło się niskie. Nie mogłem chodzić, miałem bóle za mostkiem, a teraz jestem silny, uprawiam gimnastykę, kulturystykę, biegam. O wszystkich chorobach i dolegliwościach zapomniałem.

Zbigniew F.

Hamburg, 28.09.1998 r. 38

Chorowałam na nerwicę, miałam silne bóle stawów, nadciśnienie, zimne nogi. Od 10 lat miałam wysoki cholesterol, zawsze około 400 mg % i cały czas byłam na ten cholesterol leczona – bez żadnego skutku. Od ponad 10 lat byłam na chudej diecie, byłam słaba i w ogóle nie sypiałam. Żywienie optymalne stosuję 3,5 miesiąca. Szybko ustąpiły bóle stawów i nadciśnienie, już po 9 dniach zaczęłam wreszcie spać. Nogi mam ciepłe.

Po 6 tygodniach diety optymalnej cholesterol spadł na 190, trójglicerydy spadły z 230 na 119, a cholesterol HDL wzrósł 2 razy i wynosił 68 mg %. Czuję się dobrze, mam dużo sprawniejszy umysł i znacznie poprawiła mi się pamięć.

Helena M.

Kalisz, 25.09.1998 r. 39

Od lat wojowałem z otyłością, przed miesiącem ważyłem 160 kg. Miałem bóle stawów, bóle łydki przy chodzeniu, bóle brzucha i zgagę. Byłem 3 miesiące na Herbalajfie. Po 3 miesiącach waga obniżyła się o 5 kg, a ja odchudziłem się, ale z zawartości portfela. Gdy przestałem jeść to paskudztwo, zacząłem szybko tyć i moja waga, po kilku miesiącach wzrosła ze 110 do 160 kg.

Od miesiąca stosuję żywienie optymalne. Jem bardzo dobrze, nie jestem głodny, a na jedzenie wydaję połowę tego, co musiałem wydać za ten specyfik z piekła rodem.

Ustąpiła mi zgaga, jestem silniejszy, na wadze ubyłem w ciągu miesiąca 15 kg i nadal chudnę. Najbardziej przez ten miesiąc zmniejszył mi się brzuch – aż o 6 dziurek na pasku.

Jan D.

Bielsko-Biała, 29.06.1998 r. 40

Na wstępie chylę czoła przed Pańską ogromną wiedzą. Żywienie optymalne stosuję od 9 miesięcy. Mam 55 lat. Od wielu lat chorowałem na cukrzycę typu I i musiałem brać po 60 jednostek insuliny na dobę. Miałem silne bóle barku z drętwieniem ręki, nie mogłem chodzić. Do tego niemoc płciowa i zupełny brak wzwodu.

Jak jest teraz?

Cukrzycy nie mam, insuliny nie biorę, hemoroidy ustąpiły bezpowrotnie, bóle barku też. Nogi mam sprawne a ten „męski problem" przestał istnieć – wyglądam jakby mi ubyło 20 lat. A tak naprawdę, to kocham cały świat, pozbyłem się wszelkiej agresji, nawet brzydkie kobiety mi się podobają.

Wdzięczny jestem Panu za to, co Pan wymyślił i niech Stwórca to doceni.

Ryszard B.

Wałbrzych, 23.06.1998 r. 41

Żywienie optymalne stosuję od 5 miesięcy. Mam 50 lat, a już od 20 lat chorowałam na nadciśnienie. Cały czas byłam leczona, a więcej pieniędzy wydawałam na leki niż na jedzenie.

Na diecie szybko ustąpiło mi nadciśnienie, bóle kręgosłupa, przestały mi marznąć ręce i nogi. Bywało, że całe tygodnie nie mogłam się poruszać. Teraz ćwiczę, jeżdżę na rowerze i czuję się bardzo dobrze. Skórę mam jak aksamit oraz piękne paznokcie. Od 2 lat weszłam w okres przekwitania i przestałam miesiączkować. Po zastosowaniu żywienia optymalnego miesiączki wróciły i są bezbolesne.

Aniela Ż.

Hamburg, 5.08.1998 r. 42

Od 6 lat chorowałem na ciężką alergię, leczyłem się w wielu klinikach, ale nikt nie mógł mi pomóc. Miałem duże obrzęki twarzy, obrzęki pod oczyma, duże obrzęki stawów. Wyglądałem okropnie. Swoją twarzą straszyłem ludzi, a zwłaszcza dzieci się mnie bały.

Żywienie optymalne stosuję od 7 miesięcy. Już po kilku tygodniach choroba ustąpiła, na wadze ubyłem 7 kg, a duży tłuszczak, który miałem na plecach, rozpłynął się bez śladu. Jestem szczupły, mam ładną cerę, znajomi często mnie nie poznają, a lekarze dziwią się, że choroba, z którą nie mogli sobie poradzić przez 6 lat, ustąpiła sama. Nie mówię im, że nie sama... I tak by nie zrozumieli.

Rafał K.

Zawiercie, 19.05.1998 r. 43

Mam 50 lat i od 23 lat choruję na ciężką łuszczycę. Przynajmniej 2 razy w roku trafiałem z moją chorobą do kliniki, ale poprawy nie było. Chorowałem na owrzodzenie żołądka, żylaki i nerwicę. 8 lat byłem na rencie inwalidzkiej II grupy. Już po 3 miesiącach stan mojego zdrowia tak się poprawił, że zawiesiłem rentę i poszedłem do roboty. Obecnie jestem zdrowy i nie mam żadnych dolegliwości. Czasem, odwiedzam klinikę, ale już nie jako pacjent, ale jako przykład tego, że z ciężkiej 23-letniej łuszczycy też można się wyleczyć.

Eugeniusz G.

Cieszyn, 23.09.1998 r. 44

Mam 32 lata. W listopadzie 1996 r. rozpoznano u mnie sarkoidozę. Przez rok dostawałam w dużych dawkach encorton i inne hormony.

Od 8 miesięcy żywię się optymalnie i nie biorę żadnych leków. Zaobserwowałam u siebie wiele pozytywnych zmian.

Ustąpiły całkowicie silne migreny, nie odczuwam głodu (przedtem byłam stale głodna), objawy sarkoidozy ustąpiły i nie ma nawrotów choroby.

Grażyna B.

Kraków, lipiec 1998 r. 45

Żywienie optymalne stosuję od 1,5 roku. Byłem kaleką. Grubym kaleką. Jak dotąd na wadze ubyłem 36 kg i jestem człowiekiem szczupłym. Cukrzyca ustąpiła bardzo szybko i już po 2 tygodniach odstawiłem insulinę. Miałem skurcze dodatkowe, nadkomorowe i komorowe, które zmniejszyły się, a po prądach selektywnych prawie ustąpiły.

Od lat chorowałem na przewlekłe stany zapaleń gardła i uszu – już nie choruję od 16 miesięcy. Na nogach miałem duże żylaki – ustąpiły. Miałem podwójne widzenie spowodowane tętniakiem tętnicy mózgowej, groziła mi ciężka operacja. I to też ustąpiło. Miałem duże zmiany zwyrodnieniowe w stawach. Specjaliści kierowali mnie na wymianę lewego stawu biodrowego na sztuczny. Od ponad roku biodro mam w pełni sprawne, nic mnie nie boli, mimo ukończonych 50 lat biegam i gram w piłkę nożną.

Jestem zdrowym, sprawnym i szczęśliwym człowiekiem. Pozbyłem się kilku chorób dotychczas zupełnie nieuleczalnych.

Stanisław C.

Gliwice, 7.07.1998 r. 46

Mam 69 lat. Od 20 lat chorowałam na chorobę Parkinsona. Miałam silne drżenie lewej ręki i bez leków byłam zupełnie unieruchomiona z powodu bezwładu nóg. Przez cały czas brałam po 4 tabletki parcopanu dziennie. Bez niego zupełnie nie mogłam się ruszać. Również od 20 lat chorowałam na chorobę wrzodową żołądka i dwunastnicy, na którą systematycznie się leczyłam. Miałam silne bóle ręki i szyi, leczyłam się na to, ale poprawy nie było. Od wielu lat chorowałam na astmę, miałam częste ataki duszności.

Żywienie optymalne stosuję 9 miesięcy. Od lutego nie mam już astmy, a choroba wrzodowa przestała mi dokuczać już po kilku dniach. Z choroby Parkinsona pozostało tylko niewielkie drżenie lewej ręki. Stopniowo zmniejszałam dawkę parcopanu, a od początku maja już go wcale nie biorę, bo nie potrzebuję, a przecież lekarze od 20 lat wmawiali mi, że parcopan muszę brać do śmierci, że moje choroby są nieuleczalne i że trzeba z nimi żyć.

Jestem silna, sprawna, nie męczę się przy wysiłkach i tylko się dziwię, że w tak prosty sposób udało mi się odzyskać zdrowie i pozbyć się „nieuleczalnych" chorób, na które byłam leczona od 20 lat wciąż, a zawsze bez skutku.

J. M.

Hamburg, 3.08.1988 r. 47

Mam 54 lata. Odkąd pamiętam cały czas chorowałam. Byłam wyniszczonym wrakiem człowieka i ważyłam tylko 48 kg. Wiele razy przebywałam w szpitalach i klinikach, brałam masę leków, a było coraz gorzej. Byłam półprzytomna i nie miałam siły chodzić. Od 20 lat miałam ustawiczne bóle nerek i stany zapalne dróg moczowych. Od 18 lat miałam bóle żołądka, bóle wątroby, jelit, żylaki w przełyku, marskość wątroby, bóle serca i kompletny brak siły. Cały czas płakałam i czekałam tylko na śmierć.

Kilka razy w roku miałam zapalenia jajników, częste krwawienia z żylaków odbytu i żylaków przełyku. Nic nie mogłam jeść, ale od lat zjadałam ogromne ilości jabłek. Chorowałam na nadciśnienie i zawsze miałam wysoki poziom cholesterolu.

Od 3 miesięcy stosuję żywienie optymalne. Bywa, że płaczę, ale już tylko z radości. Ustąpiły mi wszystkie choroby i dolegliwości, nic mnie nie boli, mam dużo siły i przybrałam na wadze 8 kg. Cholesterol znacznie się obniżył, cholesterol HDL wzrósł znacznie powyżej normy, obniżyły się trójglicerydy. Bardzo poprawiła mi się cera, mój wygląd i sylwetka bardzo zmieniły się na korzyść. Odmłodniałam i wyglądam lepiej niż 15 lat temu. Mam tylko jeden problem. Po 6 latach przerwy dostałam ponownie okres. Nie wiem, czy mam się cieszyć czy też smucić.

Dorota R.

Rybnik, 10.07.1998 r. 48

Mam 50 lat. Od ponad 20 lat chorowałam na chorobę Leśniewskiego-Crohna. Miałam 3 operacje na jelita i wycięto mi kawałek jelita cienkiego. Przed 5 laty byłam operowana z powodu skrętu kiszek spowodowanego zrostami po poprzednich operacjach. Cały czas miałam bóle brzucha, wiatry, biegunki, bolała mnie wątroba. Od lat miałam silne bóle stawów i duże zniekształcenia stawów. Cały czas byłam leczona, a leki łykałam całymi garściami. Byłam wychudzona, wyniszczona i kompletnie bez sił.

Żywienie optymalne stosuję ponad rok. Na wadze przybrałam 12 kg. Wszystkie dolegliwości ze strony przewodu pokarmowego ustąpiły, również wątroba mnie nie boli. Ustąpiły również bóle stawów, a co dziwne, ustąpiły także zniekształcenia stawów.

Od roku żadnych leków nie biorę i czuję się dobrze. Stałam się zdrowym, szczęśliwym człowiekiem i tylko się dziwię, że odbyło się to w tak prosty sposób. Moi „znajomi w chorobie" nadal chorują. Co trzeba zrobić, aby chorować nie musieli?

Jadwiga R.

Tarnowskie Góry, 6.10.1998 r. 49

Mam 66 lat i byłem schorowanym człowiekiem. Dwa lata temu byłem operowany na serce – otrzymałem 4 by-passy. Od 8 lat chorowałem na jaskrę, miałem słaby wzrok i musiałem nosić okulary na 4 dioptrie. Miałem też znaczny przerost prostaty i duże zmiany miażdżycowe na dnie oczu. Żywienie optymalne stosuję od 14 miesięcy. Leki na serce odstawiłem już po 6 tygodniach i nie biorę niczego.

W sierpniu ubiegłego roku brałem prądy selektywne na jaskrę i zostałem z niej wyleczony. Zmiany miażdżycowe na dnie oczu całkiem ustąpiły, a wzrok poprawił mi się o 3 dioptrie, zamiast „czwórek" noszę „jedynki". Dolegliwości ze strony prostaty ustąpiły, a badanie USG wykazało, że prostata jest 2 razy mniejsza niż była, i jest w normie.

Kardiolog stwierdza bardzo duże postępy, ale ja się nie przyznaję, że to nie jego zasługa i leków, które mi nadal wypisuje, zresztą ja ich nie wykupuję i nie biorę.

Od lat strasznie chrapałem w nocy. Od 3 miesięcy sypiam doskonale i w ogóle nie chrapię.

Wacław J.

Siemianowice, 5.10.1998 r. 50

Przez 25 lat chorowałem na nadciśnienie, serce, miażdżycę w nogach. Od 12 lat chorowałem na cukrzycę typu I. Brałem od 40 do 54 j insuliny na dobę, a cukier miałem podwyższony.

Żywienie optymalne stosuję od 5 miesięcy. Od początku diety zmniejszyłem dawkę insuliny o połowę, a już w 15 dniu insulinę odstawiłem. Poziomy cukru mam niskie. Nadciśnienie ustąpiło. Leków nie biorę. Dolegliwości spowodowane miażdżycą tętnic nóg znacznie się zmniejszyły, nogi mam ciepłe i mogę przejść bez bólu kilka razy dłuższy dystans niż poprzednio. Czuję się ogólnie bardzo dobrze.

Bernard K.

Racibórz, 2.10.1998 r. 51

Mam 55 lat i stale choruję. Z powodu raka usunięto mi jedną pierś. Nie miałam żadnej odporności, byłam wrakiem karmionym soczkami. Miałam bóle stawów, ciągłe opryszczki, pękały mi kąciki ust, przewlekłe zapalenie gardła, piasek w nerkach, kamienie w nerkach, guzek w intymnym miejscu zakwalifikowany do operacji.

Żywienie optymalne stosuję od 3 miesięcy. Bóle stawów ustąpiły po 2 tygodniach, ustąpiły opryszczki, pękanie kącików ust, minęło przewlekłe zapalenie gardła. Kamienie w nerkach i piasek – zniknęły bez śladu. Guzek, na który chciano mnie operować, zniknął bez śladu.

Cholesterol z ponad 300 spadł na 240, cholesterol HDL znacznie wzrósł i wynosi 84 mg %, trójglicerydy z ponad 300 spadły na 64. Czuję się doskonale i jestem innym człowiekiem. Byłam już babcią, ale po roku przerwy wróciła mi miesiączka i nadal jestem kobietą.

Maria S.

Indeks

Spis treści

CZĘŚĆ 3

CZĘŚĆ 4

CZĘŚĆ 5

CZĘŚĆ 6

CZĘŚĆ 7